IDEOLOGY AND RELIGION IN FRENCH LITERATURE
ESSAYS IN HONOUR OF BRIAN JUDEN

BRIAN JUDEN

IDEOLOGY AND RELIGION IN FRENCH LITERATURE

Essays in honour of

BRIAN JUDEN

by

PUPILS, COLLEAGUES AND FRIENDS

edited by

HARRY COCKERHAM AND ESTHER EHRMAN

PORPHYROGENITUS

1989

Porphyrogenitus Ltd.
27/1 Upper Gordon Road,
Camberley, Surrey GU15 2HJ.

British Library Cataloguing in Publication Data
Ideology and religion in French literature:
essays in honour of Brian Juden.
I. French literature - Critical studies II. Juden, Brian
840.9
ISBN 1-871328-02-0

Set and printed by Lychnos EPE
Graphic Arts, 24, Pl. Theatrou, 105 52 Athens - Greece

CONTENTS

FOREWORD

The present volume seeks to honour Professor Brian Juden for his work as a scholar and teacher in the field of French language, literature and thought.

At the reception held in his Department, in 1985, to mark his retirement as the final holder of the University of London Chair of French at Royal Holloway College, there was scarcely any feeling of things drawing to a close. So far from putting away his pens, Brian was already concentrating his formidable energies on his work as a member of the Lausanne-based committee for the edition of Benjamin Constant's works. And rather than presiding over the end of a Department, he had spent his last year in post as the first and only Chairman of the two Departments of French about to be merged in the Royal Holloway and Bedford New College — a task to which he brought those personal qualities of indomitable good cheer, optimism and constant availability to colleagues and students alike which served him, then as before, in what can be that most difficult of all achievements for a Head of a University Department: the creation of a positive, harmonious and happy working atmosphere.

Enviable perseverance and energy, physical every bit as much as intellectual, have marked Brian Juden's career since its beginning. How many colleagues have been persuaded to disdain public transport and instead walk with him, as the present writer has often between Waterloo Station and Bloomsbury, dashing into shops and being tempted down interesting and picturesque side streets along the way? However many, they must surely all have faced the same challenge in endeavouring to match his stride and to keep up with his flow of erudite and genial conversation, whilst retaining a modicum of control over their pulse-rate and breathing. In a comparable way, to trace his career is to appreciate all over again, and to risk being humbled by the example he sets in combining persistent, long and exacting pursuit of a scholarly objective with utter disdain for all convenient fast routes to publication.

That patience and resolve are the more remarkable in that his career, as happened with others of his generation, was delayed by war. Born in Surrey, where he received his schooling before going on to see wartime service in the RAMC and the Royal Artillery, he read French at Manchester then went to Paris with a French Government scholarship for what was to be a stay of five years. The first fruits of that period were his MA thesis on Nerval, written under Eugène Vinaver's supervision, and his first published article, in which he quoted in French translation a passage from Plato (*Meno*) which seemed 'to have haunted Gérard de Nerval', and which included the following: '[...] rien n'empêche que, si l'on se souvient d'une seule chose, ce que l'on appelle acquérir une science, on puisse retrouver toutes les autres si l'on a du courage et si on ne se laisse pas accabler de fatigue par la recherche'.

As though in obedience to this text, having changed his registration for the *doctorat d'Université* to that for the *doctorat ès lettres*, under the supervision of Pierre Moreau and Pierre-Georges Castex, he began the long haul which was to culminate, after sixteen happy years at Sheffield, in his appointment to London in 1970 and the publication of his doctoral theses — for the labours enshrined in which a fitting epigraph might be a phrase in the conclusion to his monumental primary thesis which sums up the Romantic ambition brought to mind by Orpheus: 's'emparer de l'omniscience'. These publications and the subsequent flow of articles and reviews extended at home and abroad his reputation, already well established in French circles, as one of the few truly eminent authorities on the links between French literary creativity and political, religious and aesthetic thought.

Such is the scope of Brian Juden's learning, not to mention his astuteness as a critic, that the most fertile genius for titles would have been hard put to it to find one to cover, neatly and attractively, the diversity of interest of his work. Against our title it will no doubt be objected that its singular nouns are restricting and that the impact upon French imaginative writing, from the Renaissance onwards, of mythologies and currents of thought in their diversity, as much as and more than religion or ideology, is the focus of his work, which is humanist in spirit. It can only be pleaded in reply that our title is to be broadly interpreted, that its singulars are intended to include the plurals, and that these things have clearly been understood by the contributors and acknowledged by them collectively in the variety of their responses — which testify to the depth and, emanating as they do from nine nations, to the geographical range of the esteem in which Brian Juden is held both as scholar and man.

H. C.

Royal Holloway and Bedford New College,
University of London
1989

TABULA GRATULATORIA

Donald Adamson, University of Cambridge.
Jean D. Barron, Royal Holloway and Bedford New College, University of London.
Maurice Bloch, London School of Economics and Political Science.
Jean Bloch, Royal Holloway and Bedford New College, University of London.
Colin Boswell, Rutherford College, University of Kent.
Malcolm Bowie, Queen Mary College, University of London.
Harry Cockerham, Royal Holloway and Bedford New College, University of London.
Pierre Deguise, New London, U.S.A.
Paul Delbouille, Université de Liège.
Esther J. Ehrman, Royal Holloway and Bedford New College, University of London.
Ken George, London School of Economics and Political Science.
Patricia M. Harry, Royal Holloway and Bedford New College, University of London.
Ruth Harvey, Royal Holloway and Bedford New College, University of London.
Owen Heathcote, University of Bradford.
Bernard Howells, King's College London.
Larry Hurn, Royal Holloway and Bedford New College, University of London.
Naomi Jones, Chippenham, Wiltshire.
Dorothy Knowles, Royal Holloway and Bedford New College, University of London.
Annette Lavers, University College London.
Felix Leakey, Bellingham, Northumberland.
Margaret Majumdar, Royal Holloway and Bedford New College, University of London.
Pauline McLynn, Royal Holloway and Bedford New College, University of London.

Lucia Omacini, Instituto di Francese, Venice.
Jean Richer, Université de Nice.
Michael Routledge, Royal Holloway and Bedford New College, University of London.
Arami Sen, Ware, Hertfordshire.
Malcolm Smith, Royal Holloway and Bedford New College, University of London.
Michael C. Spencer, University of Queensland.

Libraries

Caen, Bibliothèque universitaire, Section Droit, Lettres.
Durham, The University.
East Anglia, The University.
Exeter, The University.
French Department, Royal Holloway and Bedford New College, University of London.
Lancaster, The University.
Birkbeck College, University of London.
King's College, London University of London.
Royal Holloway and Bedford New College, University of London.
Leeds, The University.
Massey University, New Zealand.
Nice, Bibliothèque universitaire.
Queensland, Department of French, The University.
St. Andrews, The University.
Stirling, The University.
Waikato, New Zealand, The University.

Embassy

Ambassade de France, Service culturel, London.

Acknowledgements

The members of the Editorial Committee wish to express their gratitude to Monsieur Frédéric Texier, Attaché du Livre in the French Embassy's *Service culturel* in London, for the Embassy's financial support, in the form of a most generous subscription to the present publication.

For their dedicated work in the preparation of this volume, the Editors are indebted to the members of the Editorial Advisory Committee: Jean Barron, Jean Bloch, Patricia Harry, Monique L'Huillier, Pauline Mc Lynn, Wendy Mercer, Norma Rinsler, Michael Routledge, Malcolm Smith.

SELECT BIBLIOGRAPHY OF THE WORKS OF

BRIAN JUDEN

BOOKS

Traditions orphiques et tendances mystiques dans le romantisme français (1800-1855), Paris, Éditions Klincksieck, 1971; seconde édition revue et augmentée, Genève, Slatkine, 1982.

'La France littéraire' de Charles Malo (1832-1839) et de Pierre-Joseph Challamel (1840-1843), répertoire, présentation et notes, Paris, Librairie Honoré Champion, Éditeur, 1974.

[In collaboration with Jean Richer], *William Charles Macready et les comédiens anglais à Paris (1844-1845), La Revue des Lettres Modernes,* Nos. 74-75, Paris, Minard, 1962-63.

CHAPTERS AND ARTICLES

'Nerval héros mythique', *Mercure de France* no. 1054, 1er juin 1951, pp. 259-266.

'Suite à une observation de Maffei sur L'Esprit poétique de Ronsard', *Studies in French Literature presented to H.W. Lawton,* ed. J.C. Ireson, I.D. McFarlane and Garnet Rees, Manchester University Press & Barnes & Noble Inc., New York, 1968, pp. 157-174.

'Particularités du mythe d'Orphée chez Ballanche', *Cahiers de l'Association Internationale des Études Françaises,* no. 22, mai 1970.

'Esthétique, l'harmonie immense qui dit tout...', *Romantisme,* no. 5, 1973, pp. 4-17.

'Que la théorie des correspondances de dérive pas de Swedenborg', *Travaux de linguistique et de littérature de l'Université de Strasbourg,* XI, no. 2, 1973, pp. 33-46.

'Couvent des Philalèthes'; 'Court de Gébelin'; 'Dupuis'; 'Les Philalèthes', *Le Grand Dictionnaire Maçonnique,* Paris, 1975; seconde édition, Paris, Presses Universitaires de France, 1988.

'Le polémiste catholique et le langage de la raison', *Cahiers de l'Association Internationale des Études Françaises,* no. 31, mai 1979, pp. 223-234.

'Nerval et la crise du panthéisme', *Cahiers de l'Herne*, juillet 1980, pp. 275-287.

'Accueil et rayonnement de la pensée de Benjamin Constant sur la religion', *Actes du Deuxième Congrès de Lausanne (1980)*, Oxford, Voltaire Foundation; Lausanne, Fondation Benjamin Constant; Paris, Jean Touzot, 1982, pp. 151-166.

'Le Panthéon, ou le rêve de l'humanité: Paul Chenavard et Gérard de Nerval', *Cahiers Gérard de Nerval*, no. 5, 1983, pp. 37-42.

'Nerval et le paradoxe du Grand Tout', *Hommage à Jean Richer, Annales de la Faculté des lettres et sciences humaines de Nice*, no. 51, Paris, Les Belles Lettres, 1985, pp. 251-260.

'Visages romantiques de Pan'; *Romantisme*, no. 50, décembre 1985, pp. 27-40.

REVIEW ARTICLES

Ross Chambers, *Gérard de Nerval et la poétique du voyage*, Paris, Corti, 1969. In *Modern Language Review*, vol. 65, no. 3, July 1970, pp. 637-638.

James Villas, *Gérard de Nerval. A Critical Bibliography, 1900-1967.* (University of Missouri Studies, 49), Columbia, Missouri, University of Missouri Press, 1968. In *Modern Language Review*, vol 65, no. 3, July 1970, p. 637.

Éliphas Lévi, visionnaire romantique, Préface et choix de textes par Frank Paul Bowman. ('A la Découverte': Publications du Départment de Langues Romanes de l'Université de Princeton), Paris, Presses Universitaires, 1969. In *French Studies*, XXV, no. 4, October 1971, pp. 472-473.

Pierre Deghaye, *La doctrine ésoterique de Zinzendorf (1700-1760).* In *Modern Language Review*, vol. 67, no. 2, April 1972, pp. 419-421.

J.M. Roberts, *The Mythology of the Secret Societies*, London, Secker and Warburg, 1972. In *Modern Language Review.* vol. 69, no. 1, January 1974, pp. 183-184.

Hermine B. Riffaterre, *L'Orphisme dans la poésie romantique. Thèmes et style surnaturalistes*, Paris, Nizet, 1970. In *French Studies*, XXVIII, no. 2, April 1974, pp. 206-207.

Walter A. Strauss, *Descent and Return. The Orphic Theme in Modern Literature*, Cambridge, Mass., Harvard University Press; London, Oxford University Press, 1971. In *French Studies*, XXVIII, no. 2, April 1974, pp. 206-208.

Simone Balayé, *Les carnets de voyage de Madame de Staël*, Genève, Droz,

1971. In *Revue belge de philologie et d'histoire,* vol. 53, 1975, pp. 494-495.

Senancour, Étienne Pivert de, *Valombré, comédie, avec une introduction par* Zvi Levy, (Textes littéraires français, 191), Genève, Droz; Paris, Minard, 1972. In *Revue belge de philologie et d'histoire,* vol. 53, 1975, pp. 196-197.

Jean Decottignies, *Prélude à Maldoror,* (Études Romantiques), Paris, Armand Colin, 1973. In *Revue d'Histoire littéraire de la France,* septembre-octobre 1975, pp. 859-861.

Roland Mortier, *Le «Tableau littéraire de la France au XVIIIe siècle»,* Bruxelles, Palais des Académies, 1972. In *Revue belge de philologie et d'histoire,* vol. 54, 1976, pp. 899-901.

Frank Paul Bowman, *Le Christ romantique,* (Histoire des Idées et Critique littéraire, vol. 134), Genève, Droz, 1973. In *French Studies,* XXXI, no. 3, July 1977, pp. 337-339.

Antoine Faivre, *L'Ésotérisme au XVIIIe siècle en France et en Allemagne,* (La Table d'Émeraude), Paris, Seghers, 1973. In *French Studies,* XXXII, no. 1, January 1978, pp. 75-76.

J.G. Patterson, *A Zola Dictionary,* Hildesheim and New York, Georg Olms Verlag, 1973. In *Revue belge de philologie et d'histoire,* vol. 56, 1978, pp. 490-491.

Parcours initiatiques, by Léon Cellier, edited by Ross Chambers, Neuchâtel, À la Baconnière; Grenoble, Presses Universitaires de Grenoble, 1977. In *Modern Language Review,* vol. 75, Part 3, July 1980, pp. 666-667.

Laurence M. Porter, *the Literary Dream in French Romanticism: A Psychoanalytic Interpretation,* Detroit, Wayne State University Press, 1979. In *Modern Language Review,* vol. 77, Part 1, January 1982, pp. 213-215.

Le Surnaturalisme français: Actes du colloque organisé à l'Université Vanderbilt, les 31 mars et 1er avril 1978, W.T. Bandy Center for Baudelaire Studies, Neuchâtel, À la Baconnière-Payot, 1979. In *Modern Language Review,* vol. 77, Part. 1, January 1982, pp. 213-215.

Patricia A. Ward, *Joseph Joubert and the Critical Tradition: Platonism and Romanticism,* Genève, Droz, 1980. In *Revue d'Histoire littéraire de la France,* septembre-octobre 1982, pp. 917-918.

Charles Nodier. Colloque du deuxième centenaire, Besançon, mai 1980, (Annales littéraires de l'Université de Besançon, Centre de Recherches de littérature française (XIXe et XXe siècles), 34), Paris, Les Belles-Lettres, 1981. In *Modern Language Review,* vol. 78, Part 3, July 1983, pp. 714-715.

Patrice Thompson, *La Religion de Benjamin Constant; les pouvoirs de l'image,* Pacini Editore, Pisa, 1978. In *Annales des Amis de Benjamin Constant,* Cahier V, 1983.

Pierre-Georges Castex, *Horizons romantiques,* Paris, Corti, 1983. In *French Studies,* XXXVIII, no. 3, July 1984, pp. 363-364.

Marguerite Iknayan, *The Concave Mirror. From Imitation to Expression in French Esthetic Theory, 1800-1830,* (Stanford French and Italian Studies, 30), Stanford, Anma Libri, 1983. In *Revue d'Histoire littéraire de la France,* juin-juillet 1986, p. 765.

James Pradier: *Correspondance, Volume I: 1790-1833; Volume II: 1834-1842,* edited by Douglas Siler, Genève, Droz, 1984. In *Modern Language Review,* vol. 81, Part 1, January 1986, pp. 202-203; vol. 82, Part 1, January 1987, pp. 204-205.

The French Romantics, edited by D.G. Charlton, Cambridge, Cambridge University Press, 1984. In *Modern Language Review,* vol. 82, Part 3, July 1987, pp. 741-743.

THE PRIEST IN BALZAC'S FICTION: SECULAR AND SACRED ASPECTS OF THE CHURCH

by

DONALD ADAMSON

In 1479, Balzac tells us (with reference to the date of *Maître Cornélius*), the lives of the people of Touraine —and indeed of the world generally— were influenced at every point by the Church's activities (XI 17).* In his far more numerous works dealing with the contemporary world, on the other hand, as for example at the funerals of Clémence Desmarets (*Ferragus:* V 890-891) or Goriot (III 289-290), such effortless predominance of transcendental values has deteriorated into self-seeking of a materialistic kind. Especially in the Parisian novels, the life of the Church has become mechanical and perfunctory.

It is not only in financial matters, however, that Balzac weighs the Church and its priesthood in the balance and finds them wanting. In *La Vieille Fille* (IV 858), for example, he ridicules the sacrament of penance and the act of confession. This long short story, turning upon the frustrated desires of a devout forty-year-old spinster to bear a family of her own, rejects not the act of confession itself but the woeful inadequacy of the confessor's pastoral advice. This inadequacy stems from the scant knowledge that so many priests have of the contemporary world.

The basis of the sacramental act of confession, made to God through the priest, is casuistry; for it is of the essence of this sacramental confession

* Quotations within brackets refer to the new Pléiade edition of the *Comédie Humaine* by volume and page-number.

that the priest, from the confessional, must give words both of absolution and of moral guidance. Such casuistry is dismissively referred to in *L'Auberge Rouge,* when the frame-narrator emphasizes the moral dilemma that has inconveniently arisen for him thanks to his knowledge of the true source of Victorine Taillefer's fortune. The Church, hitherto regarded as the traditional repository of moral guidance, has become powerless in modern times to impart any moral guidance whatsoever. Even the *Liber Theologiae Moralis* of the seventeenth-century Spanish Jesuit theologian Antonio Escobar (so scandalously influential in Pascal's day) has been pressed into service to no effect. The frame-narrator of *L'Auberge Rouge* stresses the present-day irrelevance of this probabilist theologian (XI 121). As for setting up a religious foundation to Walhenfer's memory, such a philanthropic act —in the high noontide of the nineteenth century— would pour derision on the Church and smack of the obscurantism of the Middle Ages!

Balzac's scathing references to the great century of positivism and progress do not simply relate —as in *Ferragus* or *Le Père Goriot*— to the squalid financial materialism and desiccated ritualism of the Church and the priesthood. In *Le Curé de Village* several references are made to the alleged enlightenment of the nineteenth century, its high-mindedness and its attitude of contemptuous superiority not just to the religious practices of the past but also perhaps to the hard-earned experience of the generations. 'Comment!' exclaims the great Dr Bianchon on seeing the hairshirt which Véronique Graslin has used to mortify her body for the last fourteen years, 'au dix-neuvième siècle il se pratique encore de semblables horreurs!' (IX 857). In similar vein, the judge Roger de Granville is 'moins dominé que les autres par la question religieuse, en sa qualité d'enfant du dix-neuvième siècle' (IX 864). Archbishop Dutheil, in the same novel, profoundly distrusts Mme Graslin's instinctive desire to make an act of public confession. In the fourth and fifth centuries, and even as late as the ninth, confession to one's fellow Christians may well have been a normal occurrênce (IX 860, 865), but in the nineteenth century —a time, it would seem, when the Church is on the defensive— such outspokenness is barely imaginable: 'on dira que nous sommes des fanatiques! On dira que nous avons exigé cette cruelle scène' (IX 861). There is deep irony in these references to the nineteenth century, as the noun *siècle* corresponds both to *century* and *the secular.*

* * * *

Balzac's father, a Voltairean rationalist, was hostile to Christianity. His mother tended towards theosophy: 'les platoniciens, les swedenborgistes, les illuminés, les martinistes, les bœhmenistes, les voyants, les extatiques, peuple poète, essentiellement croyant, acharné à comprendre et nullement à dédaigner', as he was later to describe them to Charles Nodier[1]. He adds: 'vous trouveriez Swedenborg, madame Guyon, sainte Thérèse, mademoiselle Bourignon, Jacob Bœhm, etc., complets... sur une tablette particulière de ma bibliothèque'. Nevertheless, as a young boy Balzac accompanied his mother to worship in Tours Cathedral. Hence, no doubt, his admiration for the lofty grandeur of the cathedral music in *Maître Cornélius* (XI 16-17) and *L'Elixir de Longue Vie* (XI 492-494), the *Dies Irae* (*Ferragus:* V 889-890), the *De Profundis* (*Le Curé de Village:* IX 870) and the *Veni Creator Spiritus* (III 840, VIII 1121), all of which music suggests attendance at mass. At Vendôme his boarding-school was administered by a group of secularized Oratorian priests who in 1791 had sworn the oath of loyalty to the Civil Constitution of the Clergy. Taught by former monks all of whom had been compelled by law to renounce the monastic life, and some of whom had even married, he had all the more reason to be mindful of the secularization of sacred things.

In *Notes philosophiques*[2] and in *Jean-Louis*[3] Balzac came close to a position of atheistic materialism. In *Falthurne* he satirized the Church in the person of the ex-monk Bongarus, a Rabelaisian figure who travels to Rome armed with false learning and bringing with him from a pilgrimage to the Holy Land 'une certaine quantité de reliques et des morceaux de la vraie croix, des cheveux de la Sainte Vierge, et les ongles de sainte Élisabeth'[4]. Bongarus would even have become a cardinal, had he not disputed the historical veracity of Holy Writ. These doubts spilled over into Balzac's personal relationships. 'Vas-tu donc aller à la messe', he writes to his sister in 1821, 'et plier le genou devant les préjugés et les plâtres de l'Église?'[5]. In *Le Code des Gens Honnêtes* he attacked the racketeering aspect of the French Church[6]: its fees for christenings, first communions, weddings and funerals, its pew-rents which he wrongly believed not to have existed in the churches of any other Christian denomination, the fact that there are sometimes as many as three or four collections on a Sunday, and the endless begging of verger, sexton and choirboys: 'depuis l'autel du saint le plus modeste jusqu'à l'autel de la Vierge, tout a un tarif'. As much as any

1. *Œuvres complètes* (Société des Études Balzaciennes, Club de l'Honnête Homme edn), vol. XXVII, 1962, p. 168; *Revue de Paris*, 21 October 1832.
2. *Ibid.*, vol. XXV, 1962, pp. 532-561 (e.g., folios 27, 49, 56-57, 63).
3. *Jean-Louis, ou la Fille trouvée*, 1822, vol. II, pp. 180-186; vol. IV, pp. 26-30.
4. *Œuvres complètes* (Société des Études Balzaciennes, Club de l'Honnête Homme edn), vol. XXV, 1962, pp. 64-66.
5. *Correspondance*, vol. I, 1960, p. 98; June 1821.
6. *Œuvres complètes* (Société des Études Balzaciennes, Club de l'Honnête Homme edn), vol. XXV, 1962, pp. 494-498.

other human institution the Church had been degraded by the cash nexus.

For Balzac, contemplating the secular nature of all such human institutions, yet writing in the aftermath of *Le Génie du Christianisme* and as a contemporary of Lamennais, the alternative, in *La Vieille Fille,* seems to be a simple one: 'la religion n'est plus considérée que comme un moyen par ceux-ci, comme une poésie par ceux-là' (IV 862-863). Whilst the first reference is to the secularism that degrades religion to the level of personal advantage, the second is evidently to Lamennais, Montalembert and Lamartine, whom Balzac praises in *La Duchesse de Langeais* for the fact that they 'doraient de poésie, rénovaient ou agrandissaient les idées religieuses' (V 930). Throughout the 1830s he considered that the poetic aspect of religions was their supreme characteristic[7]. He did not assert the *sacredness* of Christianity's revealed and divinely instituted origins. 'La foi catholique est un mensonge qu'on se fait à soi-même' is a private thought dating from about 1832[8]. In *Séraphîta* he even went so far as to write in blasphemous mockery of the central tenets of Christian doctrine:

> concevez-vous Dieu s'amusant de lui-même sous forme d'homme, riant de ses propres efforts, mourant vendredi pour renaître dimanche, et continuant cette plaisanterie dans les siècles des siècles, en en sachant de toute éternité la fin? (XI 813)

Over and above such doubts about the truthfulness, and even the meaningfulness, of Christian doctrine, and notwithstanding his belief in the poetic attributes of the Christian religion, Balzac had grave doubts as to the value of Christianity as a human institution. In common with all institutions, the Christian Church was in danger of withering on the vine; and the vine is indeed a frequent devotional metaphor —as in *Ursule Mirouët* (III 838), *Le Curé de Village* (IX 729) and *L'Envers de l'Histoire contemporaine* (VIII 323)— for the preaching of the Gospel of Christ. Throughout the period of his writing the *Comédie Humaine,* Balzac had nothing but deep reverence for the personality of Christ Himself. 'Ce que la religion catholique a de beau', he writes in *Pensées, Sujets, Fragmens*[9], 'ce sont ses principes généreux: la résignation, le dévouement enseignés par Jésus-Christ, deux principes de sociabilité'. If Christ was only a man, he adds[10], 'il faut avouer que c'est le plus grand des hommes'. This sense of the numinous

7. *Ibid.*, vol. XXVII, 1962, p. 173; *Revue de Paris*, 21 October 1832.
8. *Pensées, Sujets, Fragmens*, 1910, p. 30.
9. *Ibid.*, p. 33.
10. *Ibid.*, p. 49.

quality of Jesus is reflected in the numerous Christ figures of the *Comédie Humaine:* in Benassis in *Le Médecin de campagne,* in aspects of the personality of Goriot (III 231), in Félix de Vandenesse in *Le Lys dans la Vallée* (IX 1019, 1211), in Daniel d'Arthez with his Cénacle and the disciple who betrays him in *Illusions perdues,* in Joseph Bridau in *La Rabouilleuse* (IV 461), in the swooning of Sylvain Pons (VII 684), and in the *Imitation of Christ* which is the exemplar for Mme de La Chanterie and her Frères de la Consolation in *L'Envers de l'Histoire contemporaine* (VIII 245-248, 256-257, 322-323). To a scarcely lesser extent than in Jesus's own life, His charismatic powers were reflected in the lives of the Apostles and in their missionary activities; Chateaubriand had underlined the vital quality of Christian missionary work in *Le Génie du christianisme*[11]. Balzac shares this perception of the Apostles. 'Nos fermiers', says Benassis, 'étaient mes apôtres' (IX 422; cf. IX 432, 506); the Frères de la Consolation are the lay apostles of *L'Envers de l'Histoire contemporaine* (VIII 325). With some irony on Balzac's part, Archbishop Dutheil is anxious lest the Church be discredited for following the practices of its earliest centuries: perhaps, Balzac seems to suggest, the only adequate apostles of Jesus in the nineteenth century will be laymen? In *Les Chouans* he expresses his admiration for 'le caractère de naïveté qui distingua les premières époques du christianisme' (VIII 1117).

The divine, or quasi-divine, afflatus of those early centuries provided a strange contrast with what Balzac had witnessed in his own youth: the Civil Constitution of the Clergy, the vicissitudes of the Oratorian order, the self-imposed exile of so many priests, and the way in which so many others had come to terms with the civil power by swearing an oath of loyalty which declared the primacy of State over Church, thereby perhaps placing the secular above the sacred. Balzac describes both *prêtres assermentés* (François in *La Vieille Fille,* d'Orgemont in *Les Chouans,* Lefebvre in *Louis Lambert*) and *prêtres non assermentés* (Chaperon in *Ursule Mirouët,* de Sponde in *La Vieille Fille,* Mouchon in *Les Paysans,* de Marolles in *Un Épisode sous la Terreur*). But he presents more of the latter, perhaps out of his sympathy with the non-institutionalized aspects of religion, particularly as seen in the early Church which —at any rate in the time of the Apostles— was independent of the State. The total defections of Talleyrand and Fouché from the Church are reflected, in *Les Paysans,* in the ex-Benedictine monk Grégoire Rigou.

When Balzac deals with the impact of the restoration of the Bourbon

11. F.-R. DE CHATEAUBRIAND: *Le Génie du christianisme*, 1802, vol. IV, book 4.

dynasty upon the social and spiritual life of the Church, he does so without the clarity of focus —and some considerable degree of historical prejudice— which Stendhal brings to bear upon the matter in *Le Rouge et le Noir.* He is by no means as dogmatic as Stendhal, who in 1826 regards all religious Congrégations as having been infiltrated by Jesuits[12]. Adopting a more cautious attitude than either Stendhal in *Le Rouge et le Noir* or Sue in *Le Juif errant,* he takes care not to confuse Jesuitism with religious associations whose objectives were less religious than political[13]. Balzac, writes Jacques Binberg[14], 'a résisté aux facilités du mythe du Jésuite'. In *Le Centenaire* there is the ex-Jesuit priest André de Lunada, who on his early appearances in this apprentice novel reflects the conventional topos of the sly Jesuit but who later becomes a more fully rounded human personality, with qualities of 'good' and 'bad'; even at this early stage in his career Balzac will not submit to the Jesuit stereotype. Gudin, in *Les Chouans,* is one of the comparatively few Jesuits who had remained in France despite the edict of 1764 banning them from France (VIII 1036). In *Albert Savarus* Balzac reflects all that the Jesuit order had done, both before 1773 and after 1814, in the sphere of education (I 923). As early as 1808 Bishop d'Escalonde is hoping for, and perhaps working towards, the reestablishment of the Society of Jesus (*Un Caractère de Femme:* XII 453).

For Balzac Jesuitism is a moral, or rather an amoral, quality. In keeping with Pascal's criticisms of the Jesuits in *Les Lettres provinciales,* it amounts to the reduction of the 'spirit and... truth' of the Christian religion to the mere level of the mechanical: probabilism debasing the sacrament of Penance; attrition rather than contrition; the domination of spiritual values by the *raison d'État;* the philosophy that might is right and that the end justifies the means. In the *Comédie Humaine* Jesuitism is rife in an imaginative universe where few of the actual characters are Jesuits. Likewise in the external world Jesuitism is an eternal quality: Jesuitism, rather than the Jesuits, is attacked in a bravura passage of *Petites Misères de la Vie conjugale* entitled 'Jésuitisme des Femmes' (XII 52). Abbé Goujet attacks the Jesuit order in *Une Ténébreuse Affaire* (VIII 549). Balzac directs his own fire against Jesuits in the same novel (VIII 600). Jesuitism, as much as the Society of Jesus itself, is attacked by Colleville in *Les Petits Bourgeois* (VIII 70).

12. STENDHAL: *Courrier Anglais* (Divan edn), vol. III, pp. 195-196; October 1826.

13. Cf. K.G. MCWATTERS: 'Stendhal et Balzac'. *Actes du VIIe Congrès international stendhalien, Tours, 26-29 septembre 1969,* 1972, pp. 125-133.

14. J. BINBERG: 'Jésuitisme et Congrégation dans les œuvres de Balzac et de Stendhal: mythe, légende et histoire', *Stendhal-Balzac, réalisme et cinéma,* 1978, p. 132.

Jesuitism, in other words, comes to denote qualities which the actual priests of the Society of Jesus may or may not have had. In similar fashion Fénelon (whatever may have been the actual moral qualities of the Archbishop of Cambrai or of *Télémaque*) comes to denote the sweetness and gentleness of the priest, as in the portraits of Janvier in *Le Médecin de campagne* (IX 423), Chaperon in *Ursule Mirouët* (III 791) and Loraux in *Honorine* (II 577). Likewise, in *Eugénie Grandet,* Cruchot is 'le Talleyrand de la famille' (III 1037), whilst in both *L'Interdiction* (III 434) and *Les Petits Bourgeois* (VIII 92) the layman Judge Popinot has the virtue of St Vincent de Paul, 'ce héros chrétien' (*L'Envers de l'Histoire contemporaine:* VIII 258). This is a universalizing process, whereby individuals are assimilated to generic types, interrelationships between characters are established, and the external world of historical 'reality' is brought into fruitful contact with the imaginative world of fiction.

The same process occurs both in *Illusions perdues* and in *Splendeurs et Misères des courtisanes,* when Jesuitism becomes the characteristic of a man who is not a Jesuit priest although he claims to be one. Carlos Herrera purports to be a Spanish Jesuit travelling to Paris on a diplomatic mission. He is, however, Vautrin (having murdered the real priest-diplomat: *Splendeurs et Misères des Courtisanes,* VI 503), and his significance as sham Jesuit would seem to be threefold. First, his very bogusness underlines that of the Society of Jesus in the world of *Official History* which he derides in *Illusions perdues* (V 695-698): the *real* Jesuits of the *real* world are in fact no more *real* than he is himself. Secondly, the theme of ends justifying means, might being right, and even probabilism itself, repeatedly occurs in *Un Grand Homme de province à Paris* (where Jesuitism and its analogues appear no less than six times: V 388, 437, 461, 471, 478, 513), and Balzac provides a parodic contrast to the Jesuitism of Part II of *Illusions perdues* by means of the figure of Herrera in the third part of the novel. Lastly, the Jesuitism of Carlos Herrera (for he is Jesuitical even if he is not a Jesuit) underlines that fundamental aspect of life, the secret association, which Balzac sees everywhere around him: not just in the Society of Jesus itself, not just in the Congrégation otherwise known as the Association des Chevaliers de la Foi, but also in clandestine and occult combinations of all kinds, from the Treize to the Chevaliers de la Désœuvrance to that shadowy if not shady world of the police which is Herrera's ultimate destination, to that other secret society, in *L'Envers de l'Histoire contemporaine,* which, founded upon the precepts of St Vincent de Paul and involving laymen who are devoted to Jesus, is a society of Christian benevolence.

Herrera is an atheist (V 707), to whom belief in the hereafter is the characteristic of non-atheism (V 691). But in his view there is no world except the secular and the here and now: 'notre Ordre ne croit qu'au pouvoir temporel... Nous sommes les Templiers modernes'. (V 703); the battles of human existence are battles of this world, just as the spiritual content of the crusading of the medieval Knights Templars is debased by him —supposedly a Christian priest!— to the level of the aggressively secular; just as the war-cry of the Knights Templars in the Middle Ages has been secularized, in *Le Père Goriot,* to the level of Mme de Beauséant's surname! Through this Jesuit who is not a Jesuit Balzac is better able to castigate the Jesuitism of the world, perhaps also to castigate the Society of Jesus itself without in any way placing himself in the awkward position of making commutative references to an external historical epoch.

And from a strictly historical viewpoint this caution on his part is surely justified, for he realizes that combinations and nexi are the universal characteristics of institutions and societies. In *Le Curé de Tours,* in the fictional year 1827, the actual Congrégation exerts an influence upon contemporary society which is perhaps sinister but which is fundamentally no different from the influence which other similar associations have exerted upon society at other historical periods, and for this reason the organic view of historical development is outlined by the didactic narrator at the three levels of its operation (IV 226-228, 231-232, 243-245). Having just emerged from an interview with the Minister for Ecclesiastical Affairs (Bishop Frayssinous), the Marquis de Listomère fears that he may be denied the peerage for which he has been hoping. His nephew's promotion as a naval officer may also be threatened. 'Il est stupide à un lieutenant de vaisseau, qui veut être capitaine, de déconsidérer les prêtres', he advises the young baron (IV 232). 'Les vicaires généraux sont des hommes avec lesquels il faut toujours vivre en paix'. The reference is to vicars-general, not to Jesuits. The didactic narrator adopts exactly the same attitude towards the Congrégation and the more priestly Grande Aumônerie in *Les Employés* (VII 1095-1096). The Society of Jesus is merely one aspect of the universal phenomenon of social nexi, but not one in which he for his part is particularly interested, fascinated though he is by secret societies and associations in general. And the reason for this is simple: Balzac prefers to describe those associations which lie not in the external historical world but entirely within the domain of his fictional imagination.

The priests of *Le Curé de Tours, Pierrette, Une Double famille, Les Petits Bourgeois* (VIII 68) and *La Fille aux Yeux d'or* are unattractive figures, insensitive to the sacred aspects of the Christian religion, deeply enmeshed in the secular, and hopelessly dominated —though without any uncomfortable awareness of being otherwise— by the 'principalities and powers'. In *Les Paysans* Niseron has had two mistresses (IX 241). Vernal, in *Les Chouans,* engages in violent counter-Revolutionary activity (VIII 957). In *Albert Savarus* de Godenars is solely ambitious for a bishopric (I 1005).

In *Une Double famille* Fontanon is likewise ambitious for a bishopric (II 62); it is he who reveals to Mme de Granville that her husband is keeping a mistress by whom he has had two children; for worldly or secular reasons a priest thus dishonours the sacredness of the confessional (II 47, 72). In *La Fille aux Yeux d'or* the priestly atheist de Maronis converts his ward, the future prime minister Henri de Marsay, to atheism (V 1055, 1057). But none of these priests is actually a Jesuit: not even the priests in *Les Employés,* nor Troubert in the crypto-political intrigues of *Le Curé de Tours,* nor Habert, 'très redouté dans Provins' (IV 92) in *Pierrette.* Indeed, had Troubert been a Jesuit, it would not have been so easy for him to become a bishop.

Intrigue, therefore, is widespread in the French Church as Balzac describes it, as indeed it is also widespread throughout his imaginative universe. It is not just present within a Congrégation manipulated by Jesuits or within the Society of Jesus itself. In the world's battles for power, wealth and influence priests do not merely play their part, albeit a part much smaller than the one which Sue, for example, ascribes to the Jesuit order in *Le Juif errant.* On many other occasions they are also perceived as having a *potential* part to play. And they are capable of playing such a potential role because of the way in which it is still possible for them to exploit superstition. This explains the contempt felt by Dr Minoret for 'la *prêtraille*' (III 800) at a time when he is still a religious unbeliever, contemptuous of 'Les momeries de l'Église' (III 813).

Such reductive perceptions of the priesthood occur not in Brittany, Limousin and the Orléanais but precisely in those areas, such as Berry and the Ile de France, where religious belief itself is at a low ebb. In *Ursule Mirouët,* for example, the bourgeoisie (like Zélie Minoret-Levrault) are without religious belief, yet this does not prevent them from sensing the power of religious belief to damage their own personal interests. Hence the (to Zélie) almost cosmic importance of that early scene in *Ursule Mirouët* when the heroine accompanies her uncle to church: a scene which has seemed to some readers to be verging on the hyperbolical or the burlesque. How can a mere act of churchgoing, however unusual an event in that particular person's life, attain such narrative stature that Zélie (in unbelief about this belief!) rushes inside the parish church to see for herself whether her uncle is actually kneeling in worship? The reason for this is twofold. Not only is this act of churchgoing a thing of supreme importance in Dr Minoret's life, possibly (but only possibly) affecting his salvation. It also — wrongly, as it turns out — appears to the heirs to be the supreme turning-point in the struggle for the inheritance. 'Si la petite Ursule a le pouvoir de jeter son protecteur dans le giron de l'Église, elle aura bien celui de se faire donner sa succession', is their unanimous reaction (III 802).

Similar perceptions of the priesthood as weapons to be used both in the manipulation of family wealth and in the gaining of inheritances occur in *Eugénie Grandet* (III 1156) and in *La Rabouilleuse*. But the priest will, it seems, only intervene on behalf of the legitimate family. 'Tant que ton imbécile d'oncle vivra', the solicitor Desroches writes to Joseph Bridau in *La Rabouilleuse*, 'certes il est susceptible d'être travaillé par les remords et par la religion. Votre fortune sera le résultat d'un combat entre l'Église et la Rabouilleuse' (IV 452). M. Hochon thinks likewise (IV 446), as does Maxence Gilet: 'l'influence religieuse sur un être faible était la seule chose à craindre' (IV 447). However, when the local press compliments the priests on their success in instilling a new sense of morality in Issoudun (IV 515-516), this praise falls wide of the mark and is deeply but unintentionally ironical. Such is the actual unimportance of priests in *La Rabouilleuse*.

* * * *

There are, however, other priests: those for whom the Christian religion, sacred or otherwise in the doctrinal and sacramental sense, is still an ideal of life both for themselves and in their relations to others. In *Le Médecin de campagne*, Abbé Janvier is the priest who has an essential part to play in Benassis's self-appointed task of bringing a whole district back to economic and spiritual life. He was appointed soon after the outset of Benassis's mission to the (unnamed) parish where we see him in *Le Médecin de campagne*, the doctor (as mayor of his canton) having persuaded the Bishop of Grenoble to replace a backward-looking and less cooperative priest: a kindly man, no doubt, who believed in piecemeal philanthropic activity but who had done nothing to eradicate the evil of cretinism. Such cooperation (some might say, meddling) in the interactive relationship of the sacred and secular arms of government was by no means totally uncongenial to Balzac. It was also entirely in keeping with the outlook of the eighteenth century, when, as Rétif de La Bretonne recalls in *La Vie de mon père*[15], the parish of Sacy was the scene and the beneficiary of close cooperation between priest and judge, the sacred and secular arms of government. Moreover, by the terms of the Concordat the French Church was financially dependent upon the civil power —and even, to that extent, subordinate to it. Indeed, during the Restoration period ecclesiastical affairs were even a portfolio of government in their own right. At any rate in *Le Médecin de campagne*, Balzac

15. N.-E. Rétif De La Bretonne: *La Vie de mon père*, 1779, vol. I, p. 146: 'sage et respectable accord des deux autorités qui gouvernent les hommes! c'est le plus sûr moyen de les rendre heureux, si le prêtre et le magistrat ont des vues droites et modérées!'

(echoing Rétif de La Bretonne) is in some sympathy with the spirit of this Concordat, contradicting Lamartine who had argued two years earlier that the priest should remain totally independent of the mayor as the representative of the civil authority[16]. Nevertheless, from the time of *L'Avenir* onwards, there is a shift in Balzac's viewpoint towards social considerations[17]. Janvier seems at times to be the spokesman of Lamennais in the *Comédie Humaine,* as he stresses the importance of missionary outreach and the social role of the Church in public welfare: 'la religion se sent et ne se définit pas' (IX 504). In *Le Cousin Pons* Balzac echoes the title of Lamennais's great masterpiece in his reference to Mme Cibot's 'indifférence en matière de religion' (VII 522), which he identifies as being the cause of her moral depravity (VII 578)[18].

Particularly in his desire to bring the Church into the nineteenth century and to reinvigorate the priesthood with evangelical fervour, Janvier resembles so many humble parish priests in the France of the 1830s who were numbered amongst Lamennais's most fervent admirers and disciples. Like Lamennais in his contributions to *L'Avenir,* he advocates the disestablishment of the Church —for indeed even under the July Monarchy the French Church, from a financial standpoint, was more definitely established than was its counterpart in England and Wales. The Church is, he believes (IX 505-506), the perfect social community. Not only was it founded upon egalitarianism, it has also promoted the ideals of equality and liberty throughout the ages. In keeping, it would seem, with the outlook of Lamennais and Montalembert, he urges that the priests of the French Church should be poor, neither the beneficiaries of the huge endowments enjoyed by the Church before the French Revolution, nor indeed salaried nowadays. Curiously enough, this hostility to the notion of the French priest as 'fonctionnaire' is shared even by Julie d'Aiglemont in *La Femme de Trente ans,* who, 'enfant du dix-huitième siècle dont les croyances philosophiques furent celles de son père', regards any priest as 'un fonctionnaire public dont l'utilité lui paraissait contestable' (II 1109). Balzac, in his miscellaneous writings, is of the same opinion. 'L'État n'a plus de

16. A. De Lamartine: *Œuvres*, vol. VII, 1850, p. 314.

17. He is 'un grand écrivain' (*Les Petits bourgeois*: VII 21), praised for his eloquence (*Melmoth réconcilié*: X 378) and as the 'prêtre immortel qui plaide pour la Pologne expirée' (*Le Député d'Arcis*: VIII 741). However, Balzac's opinion of the author of *Les Paroles d'un Croyant* was not always equally high. Cf. *Lettres à Madame Hanska*, vol. I, 1967, pp. 244-245; 20 August 1834. *Ibid.*, p. 627; 15 November 1838. At Angoulême, in *Illusions perdues*, his works are read by Mme de Bargeton (V 152).

18. Cf. D. Adamson: *The Genesis of 'Le Cousin Pons'*, 1966, pp. 38-43, 91-95.

religion dominante', he declares in 1840, 'le prêtre est un fonctionnaire, aux gages de la commune ou de l'État'[19].

Janvier believes in a total dissociation of the *sacredness* of the priest from the *secular* world. 'Que le prêtre soit pauvre', he argues (IX 506), 'qu'il soit volontairement prêtre, sans autre appui que Dieu, sans autre fortune que le cœur des fidèles, il redevient le missionnaire de l'Amérique, il s'institue apôtre, il est le prince du bien'. This reference to American missionary activity, recalling another in *Ecce Homo*[20], is not simply an echo of *Atala*[11]. Forbin-Janson, whose family are referred to in *La Fausse Maîtresse* (II 203), was with David de Rauzan the co-founder of the French religious missions. After some years as Bishop of Nancy during the latter years of the Restoration period, he gained widespread fame as the conductor of missions in North America. More importantly, Cardinal Jean de Cheverus, Archbishop of Bordeaux from 1826, and familiarly known as 'l'Apôtre de la Charité', is mentioned both in *La Vieille Fille* (IV 876) and in *Splendeurs et Misères des Courtisanes* (VI 727). He too was a man of great proselytizing zeal. Having left France as an émigré, he preached to and converted many American Indians in the state of Maine before becoming the first Bishop of Boston in the United States. Balzac strikes a topical note when, through Janvier, he refers to France's missionary outreach to America at the very time when such evangelizing work was well known and gathering full momentum. There is irony, however, in this reference by *Le Médecin de campagne* to the New World. For Janvier himself, and indeed Benassis also, are engaged within France itself in a missionary enterprise of their own. The people to whom they minister are as greatly in need of instruction and salvation as are the American Indians. And we know from both *Le Père Goriot* (III 141) and *La Rabouilleuse* (IV 303-305) that the New World will be as full of corruption, callousness and self-interest as the Old World ever was, when it is peopled by colonists from the Old.

Janvier, although a comparatively young man, is of a severe disposition and in this respect he resembles Brossette, in *Les Paysans* and subsequently in *Béatrix* (II 890-891), whom Balzac presents as a soldier of Christ, having a soldier's dedication and even self-confidence: not as a soldier-priest on the Jesuitical model, but rather perhaps to show that the soldierly attitude towards Christ's mission which Brossette displays need by no means be institutionalized in the Society of Jesus[21]. Janvier, too, is engaged in a battle

19. *Œuvres complètes* (Société des Études Balzaciennes, Club de l'Honnête Homme edn), vol. XXVIII, 1963, p. 244; *Revue parisienne*, 25 August 1840.

20. *Ibid.*, vol. XXVII, 1962, p. 738.

21. P. Bertault is academically correct about the triple vow (*Balzac et la religion*, 1942, p.

for the hearts of men which seems to allow him no time for unnecessary frivolity. Echoing a theme of *Le Vicaire des Ardennes*[22], he is implacably opposed to the people dancing in the village square on Sundays after mass (IX 503). And in this, once again, Balzac is both quoting from himself and also making a topical reference, for there had been great debate on this matter in the 1820s. In Courier's *Pétition pour des villageois que l'on empêche de danser*[23], as in *Le Vicaire des Ardennes,* it was the younger priests who were draconian on the subject of popular amusements, whereas their older brethren —true to the spirit of the eighteenth century— were far more happy-go-lucky and tolerant.

Of all the novels and short stories which Balzac has set in the nineteenth century, none is more permeated with the atmosphere of the eighteenth than *Ursule Mirouët,* where, fittingly enough, the parish priest has the same entirely amiable approach to life that Courier had celebrated. Chaperon is particularly interesting on two counts, both of which are concerned with that strange meeting-ground of the sacred and the secular. In the first place he is a dominant figure in that trio or quartet of men all of whom, in some mystical sense, are the heroine's surrogate parents. He is a close friend of the atheist Dr Minoret: 'par une bizarrerie qu'expliquerait le proverbe: les extrêmes se touchent, ce docteur matérialiste et le curé de Nemours furent très promptement amis' (III 791). As in *Le Médecin de campagne* (IX 423, 432-433, 498), so too in *Ursule Mirouët* Balzac develops a theme which has intermittently interested him from the time of *Le Colonel Chabert* (III 373) and which now becomes a matter of absorbing interest. This is the theme of the 'trois robes noires' —the professional classes of priest, doctor and lawyer— and of the fruitful collaboration that can exist between them for society's benefit. In *Le Colonel Chabert* the emphasis —in this story about the law— had been on the confessional role of all three 'robes noires' but more particularly on the redemptive role of the priest. By the time of *Le Médecin de campagne,* however, the priest has become an essential promoter of the well-being of society in the here and now and to this extent is not far removed from the 'fonctionnaire' so disapproved of by both Janvier and Julie d'Aiglemont. In *Ursule Mirouët,* on the other hand, the collaboration of priest, doctor and lawyer (Chaperon, Minoret and Bon-

241, note 1), but is not the point of Balzac's remark rather different? Though Brossette is a secular priest, he has taken upon himself —as indeed do the Jesuits— the spiritual and mental outlook of a regular.

22. *Le Vicaire des Ardennes*, 1822, vol. I, p. 62.

23. P.-L. Courier de Méré: *Œuvres complètes*, 1964, p. 140 (*Pétition pour des villageois que l'on empêche de danser*, 1822, pp. 17-18).

grand) is focused —by Balzac, not by these characters— less upon the well-being of society at large than upon more specific and personal targets. Chaperon does not bring Dr Minoret, step by step and according to some prearranged plan, to the actual point of conversion. Despite their friendship, the conversion of Dr Minoret to Christian belief is not something sought after by him. It is as if Chaperon's religion, profoundly sincere (and indeed *sacred*) though it is, has been evacuated of all *sacramental* content at any rate in so far as the exposition of the Christian faith is concerned. Moreover, when —not through any direct doing of Chaperon himself— Minoret's religious conversion does occur (III 838-840), it is arguable whether it is a conversion to *Christian* belief at all. The doctor's religious belief is akin to deism. It is a conviction that God exists, rather than that there is no God. Although the *Veni Creator Spiritus,* a hymn to the Third Person of the Trinity, is sung immediately after his conversion (III 840), Minoret's religious belief would not appear to be specifically Trinitarian at all. Yet this does not preclude him from attending mass (III 806); he receives the sacrament of Extreme Unction on his deathbed (III 913). As in the life of Chaperon, who has had so little doctrinally to do with Minoret's conversion, sacramental worship sits easily with a vague deism which, in the doctor's case though not in the priest's, is closely bound up with Chambellan's practice of magnetism and Mesmer's philosophy of the transference of thought as an imponderable fluid substance (III 826). It is difficult to agree with Michel Nathan that 'par la parole d'un prêtre catholique qui défend le magnétisme, Balzac concilie, sans beaucoup de scrupules, christianisme et magnétisme'[24]. This reconciling of both spirituality *and* spiritualism with philosophical (though never with bourgeois) materialism does indeed occur in the text of *Ursule Mirouët,* but not through the words of Chaperon himself. It is Balzac who effects this reconciliation by means of the authorial doxa (III 821-824, 837-838): Jesus, he even writes (III 822), was the first magnetist and thaumaturge of the Christian Church; He had mesmeric powers of healing. The furthest that Chaperon will go in this direction is to concede, *ex post facto,* that spirits may well be able to appear from the dead: Geronimo Cardano even believed this (III 838-839, 962). On these dark matters the priest otherwise keeps his own counsel.

There is, however, another aspect of great interest in the text of *Ursule Mirouët.* Though it is not a priest who brings about Dr Minoret's conversion, it is a priest who secures the restitution of embezzled property. The legacy bequeathed by Minoret to Savinien de Portenduère for his and

24. M. NATHAN: 'Religion et roman: à propos de *Ursule Mirouët', Balzac. l'Invention du roman*, 1982, p. 90.

Ursule's benefit is recovered intact. A priest intervenes in defence of the property rights of the established social order. Nor is this the only occasion when such a thing happens in the *Comédie Humaine.* 'Je n'ai pas seulement attendu', says Bonnet of Tascheron in *Le Curé de Village,* 'que son repentir fût aussi sincère et aussi entier que l'Église puisse le désirer, j'ai encore exigé que la restitution de l'argent eût lieu', though (despite his bishop's entreaties) Bonnet will not cooperate with the processes of human justice (IX 738). Most significantly, the intuition which enables Chaperon to bring about the restitution of the money occurs to him in the sanctuary of his parish church at Nemours as he is descending the steps of the high altar after celebrating mass (III 979). At the philosophical level, as distinct from that of crass bourgeois materialism, the spiritual and the material are not diametrically opposed. The message of Christ and the possession of worldly wealth are not irreconcilable imperatives. In *Ursule Mirouët* Balzac demonstrates what in *Louis Lambert* he had only tentatively suggested: 'peut-être les mots matérialisme et spiritualisme expriment-ils les deux côtés d'un seul et même fait' (XI 616).

In thus associating inheritance and Eucharist, does Balzac provide explicit evidence of a philosophy of monism or Spinozism? Does he exalt the material to the level of the spiritual? or does he diminish the sacredness of the Eucharistic sacrament? For many readers, and perhaps most obviously of all for such readers as are admirers of Lamennais, the sacredness of the Eucharist is defiled by brainwaves about imprints of identification numbers left by missing bearer bonds on a page of a volume of Justinian's Pandects (III 979). Balzac does not, however, commit the Gnostic or Manichean heresy of equating matter with evil and spirit with good. At least in this crucial episode of *Ursule Mirouët,* in which one of the most remarkable of all the priests of the *Comédie Humaine* is involved, Balzac's theological thought (for such is sometimes necessary when priests are described!) is in keeping with the Pauline doctrine expounded in Colossians or Ephesians, where spirit is viewed as the total human environment —not excluding its physical attributes— at one with God and reflecting the divine purpose. But although not even this sanctuary scene defiles the *sacredness* of the priesthood, Chaperon is more obviously in line with *sacramental* tradition of the Church when bringing Minoret-Levrault to remorse, repentance and (quite obviously, since the postmaster becomes a faithful parishioner and even the churchwarden: III 986) to the sacrament of penance. In *Ursule Mirouët* Chaperon acts as the instrument of the voice of conscience, and for Balzac this would seem to be the peculiar role of the priesthood of the Catholic church, whether in bringing a soul to penitence or whether, as he asserts in *Les Paysans* (IX 140), it be a case of buttressing the human conscience so that it does not flinch or fail.

Thus the *Comédie Humaine* seldom shows us the priest in the performance of his sacramental duties. Only occasionally do we see him ministering the sacraments. Even the two great Gospel sacraments of Baptism and the Eucharist occupy a small place in the daily life-cycle of the priests whom Balzac describes. Admittedly, we see a first communion in *Ursule Mirouët* (III 819), a celebration of the Eucharist in *Les Chouans* (VIII 1117), a wedding in the same novel (VIII 1205), two funerals —though burial is not a sacrament— in *Le Cousin Pons* (VII 735-738), a requiem mass, in *La Vieille Fille* (IV 919-920), for the soul of Athanase Granson who has committed suicide, in *La Messe de l'Athée* a requiem mass for the soul of Bourgeat, and, in *Un Épisode sous la Terreur*, a requiem mass for the soul of the executed Louis XVI (VIII 444-448). In so far as the *Comédie Humaine* approaches the core of the priestly life at all, however, it is through the sacrament of penance (as Chaperon's example indicates), though Balzac tends to concentrate on the non sacramental aspect of *repentance* (or even just *death*!) rather than on strictly sacramental things. Sometimes too —in *Un Drame au bord de la mer* (X 1175), for example— he underlines the confessional dimension, as is befitting for a novelist in the Romantic tradition of *René, Adolphe* and *Obermann.* But what (for him) is always uniquely important, even in the instance of Abbé Loraux in *César Birotteau* (VI 312) or that of the two priests in *Le Lys dans la Vallée* (IX 1203, 1206-1207), is the priest's presence as an adjunct to his melodramas: a sort of supernumerary, perhaps, but an indispensable one. At deathbed scenes or when watching over the bodies of the dead (in *Le Cousin Pons:* VII 722-723, *Le Père Goriot*: III 289-290, *La Grenadière*: II 442, *Illusions perdues*: V 548, even in *Le Médecin de campagne*: IX 402-403), and likewise at executions (whether in *El Verdugo*: X 1141-1142, or in *L'Envers de l'Histoire contemporaine*: VII 314), it is the *sacerdotal*, rather than the *sacramental*, aspect of the situation which is emphasized. Balzac seldom goes beyond this *sacerdotal*, or supernumerary, aspect: in *La Cousine Bette*, however, the vigil scene —with its powerful affirmation of the saving role of the Church— transcends the merely perfunctory (VII 431-432); in *Melmoth Réconcilié* a priest hears the deathbed confession of John Melmoth and ministers to him the sacrament of penance (X 377-378). In *Le Curé de Village* a priest attends a condemned murderer at the gallows, having first obtained his submission to the Church and his entire confession and repentance.

In this novel Balzac presents four priests, one of whom (Bonnet) is the eponymous hero. Together with Chaperon in *Ursule Mirouët*, Bonnet is Balzac's greatest success in the priestly genre, although the portrait of Dutheil, also in *Le Curé de Village*, is also remarkable in its own right. Bonnet is an unforgettable figure in the *Comédie Humaine*. He is sensitive and gentle-hearted, courteous though not courtly, open-minded yet with unerring perspicacity. He has the courtesy though not the courtliness of the eighteenth century and, like Dutheil, 'l'humilité chrétienne des prêtres' (*Une Ténébreuse affaire* VIII 580), who are the 'profonds anatomistes de la pensée' (VII 576) and have that 'génie particulier aux prêtres, qui sont les gens les plus perspicaces' (VIII 545). However, whereas Bonnet is the Judge Popinot of the contemporary French Church, Dutheil is its Derville. Above all, Bonnet has a sense of vocation: 'je ne suppose pas qu'on se donne à Dieu pour une pensée cupide' (IX 729-730). His account of his awakening to the priestly vocation —his somewhat adventitious reasons for his coming to it but total commitment to it thereafter— is one of the most naturally eloquent passages (and there are many) in the *Comédie Humaine.* Whether consciously or otherwise, Bonnet echoes the basic tenets of Lamennais's philosophy, and in this respect resembles Janvier in *Le Médecin de Campagne*, and also to some extent Dutheil himself, though he is considerably older than the other two priests. 'Les pauvres sont l'Église', he declares (IX 727), adding that 'le prêtre patriote est un non-sens' (IX 730), for essentially the priest must be not Gallican but Ultramontanist: not devoted to his nation but devoted to God. Not for Bonnet that defence of institutionalized property rights which characterizes Chaperon; nor for him that unswerving allegiance to sacred and secular institutions —Altar and Throne— which, soldier-like, characterizes Brossette and seems an echo of Bonald. As a priest Bonnet considers himself independent not only of the secular arm of government but also, to a very large extent, of the authority of his own bishop (IX 726, 738).

Such independence is necessary if he is to fulfil his sacred mission within his allotted sphere of activity, and for this reason he is not desirous of any ecclesiastical promotion — nor, unlike Brossette, does he receive three offers of the same diocese and consistently refuse them (*Béatrix*: II 890-891). This is the missionary's desire for independence, free from practically every institutional tie, for he has that evangelizing awareness which, quite absent from his contemporary Chaperon in *Ursule Mirouët*, links him to the much younger Janvier: 'je veux mourir au milieu d'une génération entièrement convaincue' (IX 728). Despite his desire for missionary outreach, and despite his belief that the Church consists principally of the poor, he takes a profoundly conservative, organic view of human society in many ways akin to Bonald's: he gives outright support to the reactionary policies of Charles X (IX 814); he also castigates that 'libre arbitre' which he regards as the foundation of corrosive individualism (IX 824), just as 'le système d'examen né du protestantisme et qui s'appelle aujourd'hui libéralisme' is condemned by his diocesan superior, the Bishop of Limoges (IX 702). His is a sacramental view of life in which the grace which transforms remorse into repentance, and penitence into penance, is uppermost in his scheme of things: 'le sacrifice n'est rien sans la grâce' (IX 730). Like Janvier, he stresses the profound egalitarianism of the Catholic faith. But whereas Janvier's belief is rooted in social considerations, Bonnet's is fundamentally sacramental (IX 756).

Repentance, as with Benassis in *Le Médecin de campagne* (IX 554), and also sacramental penance which transcends the purview of *Le Médecin de campagne*, underlie Bonnet's view of life. The penance he imposes upon Véronique Graslin is the reinvigoration of a whole community: 'vos prières doivent être des travaux' (IX 757). In the spirit of Balzac's general view of monasticism —as expressed in *Le Médecin de campagne* (IX 573), *La Duchesse de Langeais* (V 905) and the *Lettre à Charles Nodier*[25] — he rejects the idea that she might retreat into a life of solitary self-sacrifice. She must not herself become an institutionalized religious, nor must she in any way adopt a life-style resembling (or, worse still, aping) theirs. Instead, in a vivid and unforgettable image, Bonnet advises her that she should become as it were a convent, or monastery, that is in civilizing and revitalizing communion with the surrounding world (IX 757).

Except for the Curé de Saint-Lange in *La Femme de Trente ans*, no other priest in the *Comédie Humaine* displays such insight into the main-springs of human passion and temptation; none, except for Janvier, displays such practical constructiveness, though Bonnet still towers over Janvier in this respect. And because Bonnet and the Curé de Saint-Lange exist in the *Comédie Humaine* it is difficult to concur with Bernanos's judgment that Balzac 'n'a pas été jusqu'à la source secrète, au dernier recès de la conscience où le mal organise du dedans... la part de nous-mêmes dont le péché originel a détruit l'équilibre'[26]. In the scene of the last rites, when the dying Mme Graslin is anointed by Archbishop Dutheil with holy oil (IX 870), Balzac focuses, more closely than ever before, on the sacramental aspect of religious life. This episode, in which absolution, Extreme Unction and the Eucharist follow one another in meticulous if rather unusual succession, is as close as the *Comédie Humaine* ever comes to the *sacredness* of the Christian sacraments. Fifteen years after *Le Curé de Village*, the deathbed scene in *Madame Bovary* emphasizes profane elements of sensuousness in the ebbing life of a woman who has not experienced true remorse; yet Flaubert's actual manner of writing suggests, on his part, a sensitive awareness of Balzac's earlier treatment of this theme.

At the time of Mme Graslin's death, in 1844, Dutheil is at the very

25. *Œuvres complètes* (Société des Études Balzaciennes, Club de l'Honnête Homme edn), vol. XXVII, 1962, p. 172; *Revue de Paris*, 21 October 1832.

26. F. LEFÈVRE: *Une Heure avec Georges Bernanos*, 1927, pp. 162-163.

pinnacle of success and fame. In this scene of *Le Curé de Village* his understanding of human frailty is revealed to be scarcely less acute than Bonnet's. As a statesman of the Church he has, moreover, a much shrewder awareness than Bonnet of the difficult circumstances with which the French Church in the mid-nineteenth century had to contend. Improbably enough, in view of the considerable degree of disfavour with which he was viewed by the Bishop of Limoges, he has risen from being a Vicar-General of that diocese to an unnamed bishopric in August 1831 (IX 747) and to an archbishopric, probably of Bourges, by 1840 (IX 853). Equally improbably, in view of what is known of the pontificate of Gregory XVI, the French clergy's fervent and emphatic support has caused him in 1844 to be given a cardinal's hat (IX 861). Balzac accounts for the first of these improbabilities in terms of the July Revolution (IX 674). The second is more in the nature of poetic justice, and a tribute to the Gallicanism which, in the last analysis, Balzac seems to regard as the only acceptable form of institutionalized Christianity. But the same July Monarchy has witnessed the consecration of Gabriel de Rastignac (a relative of the Bishop of Limoges) to an unnamed see. This appointment comes to him in 1832 at so young an age (*Une Fille d'Eve*: II 312) that his elevation to the episcopate seems a matter of the eighteenth century rather than of the nineteenth. For Rastignac becomes a bishop at twenty-seven, and in 1840[27] is translated to the see of Limoges (IX 853), very possibly in succession to his aristocratic cousin. Despite the (unhistorical) triumph of Lamennaisian views in the Church as signalled by an archbishopric and a cardinal's hat, the Church in the *Comédie Humaine* —institutionally renewing itself— continues very much as in times past. Although he regularly favours stark antitheses at the constructional level of narrative, Balzac shuns all simplistic contrasts when dealing either with moral and spiritual complexities or with the web of history. The contrast between the Bishop of Limoges and Mgr Dutheil is an instructive one. In 1828 there is a coolness between the Bishop and his Vicar-General (IX 674, 703). This reserve arises in no small measure from a consciousness of class difference: the Bishop is a 'prélat gentilhomme' (IX 703), whereas Dutheil most probably belongs to the bourgeoisie into which Janvier asserts that most priests are born (*Le Médecin de campagne*: IX 506). But this perhaps mutual reserve goes well beyond difference of social class. The Bishop also disapproves of Dutheil's inclination towards a social philosophy of Cathol-

27. Brossette is offered, and refuses, a bishopric in 1840. In *Le Député d'Arcis* it is suggested, with scant regard for chronology, that Rastignac's unusually early consecration to his first bishopric may well have owed something to the influence of his brother Eugène (VIII 803).

icism: 'si, comme l'abbé de Lamennais, [Dutheil] eût pris la plume, il aurait été sans doute comme lui foudroyé par la cour de Rome' (IX 674). Nevertheless, the portrait of the Bishop of Limoges is a nuanced one. The part he has played at a diocesan level in defending the institutional interests of the French Church cannot be lightly dismissed, the more so as this defence is based on an essentially human understanding of the *crime passionnel.* Like his kinsman Gabriel de Rastignac (and this fact in itself may be significant for the future of the Church), the Bishop of Limoges realizes more quickly than the magistrates the identity of the woman for whom Jean-François Tascheron is about to die (IX 700-704).

Of the eighty or more named priests in the contemporary novels and short stories of the *Comédie Humaine*, nine either are or become bishops, including the Bishops of Bayeux in *La Femme Abandonnée* (II 465) and of Angoulême in *Illusions perdues* (V 192, 208). Two of these, towards the end of the time-span described by Balzac, are Dutheil and Rastignac. At a much earlier period Mgr d'Escalonde, in *Un Caractère de femme*, is reinstated as Bishop of Belley in 1803 after seven years' exile in London (XII 453). In 1812, in *La Fille aux Yeux d'or*, de Maronis dies as bishop of an unnamed see (V 1056). About 1815, in *Une Ténébreuse Affaire*, Goujet is consecrated Bishop of Troyes (VIII 545). In *Le Curé de Tours* Troubert presumably follows him in that see in 1827 (IV 242). By these means (and the case of Mgr d'Escalonde is particularly instructive: XII 453, note 3) Balzac suggests the changing nature of episcopal appointments during his lifetime. In so far as the reigns of Louis XVIII and Charles X are concerned, he points indirectly to the influence exerted by Bishop Frayssinous as Minister for Ecclesiastical Affairs from 1824 to 1828. Both Goujet's appointment to the see of Troyes and that of Troubert (who was presumably his immediate successor) were Restoration appointments; yet the two bishops concerned were men of widely differing stamp. Whereas Goujet was fiercely anti-Jesuit, Troubert — being 'le personnage le plus important de la province [the ecclesiastical province of Tours] où il représente la Congrégation' (IV 232) — *may* both have supported the Jesuits and have been supported by them. At any rate, he is a central figure in the network of the Congrégation, which to Balzac's mind seems even more important and insidious than does the Society of Jesus. From the terms of the continuing Concordat and also from the fact that so many of Balzac's priests were raised to the episcopate from the status of Vicar-General, it is evident that all nine of the episcopal appointments in the *Comédie Humaine* were of a diocesan nature. So strong is the will to power, to *efficiency* rather than to *dignity*, amongst all his characters, priests and laymen alike.

* * * *

'Les hommes, les femmes et les choses' are Balzac's chosen subject-matter (I 9), and amongst things are to be numbered institutions. Of these institutions, and of the 'trois robes', the law is the one most obviously favoured in the *Comédie Humaine*, probably because that exhibits the clash of self-interest: it is the terrain where might would be right were it not for —and occasionally in spite of— the law itself. Of the three 'robes' in Balzac's novels and short stories medicine is undoubtedly the most disinterested profession; only at the very end of his career does Balzac present a doctor who is perhaps ready to compromise his principles, in *Le Cousin Pons*. Eirenically, he strives in *Le Médecin de campagne* and *Le Curé de village* to bring about the fruitful cooperation of all three 'robes'. In this he goes well beyond the traditional ideal (as found, for instance, in Rétif de La Bretonne) of cooperation between priest and judge, the sacred and the secular. For, according to that eighteenth-century model, and in keeping with Voltaire's notion of a 'Dieu rémunérateur et vengeur'[28], the sacred, whilst buttressing the secular, was also in a sense subordinate to it. Balzac, sympathizing with Swedenborgian theosophy and Martinist illuminism (a summation of which he somehow finds in St John's Gospel), does not accept the Christian dogma that is so roundly condemned by Genestas in *Le Médecin de campagne* (IX 446-447). In his religion of private mysticism there is scarcely any need for priests. He does not, however, subscribe to that view of the priesthood suggested in the eighteenth century by, for example, De Brosses or Boulanger, for whom churches were a human institution devised and preserved by a cynical priesthood, often with the help of a secular government, in order to maintain the authority of a small ruling group over a superstitious people. Hence Balzac's unwillingness to concur with Stendhal in regarding either the Society of Jesus or Congrégations as simplistic devices for upholding a theocratic society. He does, admittedly, derive wry amusement, 'quelques heures de joie mélancolique, de rire et de réflexion', from the prospect of an encounter between Jesus — with all His humane benevolence and charismatic power— and those exemplars of a deep-rootedly institutionalized papacy Leo X or, more surprisingly still perhaps, Julius II[9]. But is this not a matter of the atrophying of human institutions (as expounded in *César Birotteau*: VI 80-81) rather than of their purposeful duplicity? Except in the sphere of private mysticism there will perhaps be little use for priests in the world of the future. Of the eighty or more priests in the contemporary works of the *Comédie Humaine*, only two —de Sponde in *La Vieille fille* (IV 861) and de Solis in *La*

28. E.g., VOLTAIRE: *Œuvres complètes*, vol. CXVIII, 1974, p. 35; Voltaire to the Marquis de Villevielle, 26 August 1768.

Recherche de l'absolu (X 738-739)— are described by Balzac as having the attributes of mysticism; but, more significantly still, de Sponde and de Solis are the only two mystics in the whole of the contemporary *Comédie Humaine*[29]. For Balzac, as for Matthew Arnold (both of whom seem to have been dismayed by that institutionalized form of mysticism, the Grande Chartreuse), the dogmas of the Church have become 'a dead time's exploded dream'[30]. In terms of social outreach the future seems rather to lie with the lay missionary activity of *L'Envers de l'Histoire contemporaine*, founded — as the references to Thomas à Kempis emphasize— upon the missionary activity of Jesus, who was not Himself a priest, still less a Jesuit. Even in *Le Médecin de campagne* the motive force of the missionary work is not a priest but a layman; Janvier is not particularly effective in this role, which, he says, will in any case involve the sacrifice of much of the doctrinal content of Christianity (IX 502). In his *Avant-Propos* to the *Comédie Humaine* Balzac turns away from Lamennais and Montalembert, 'les novateurs modernes' (I 13), towards Bonald, Joseph de Maistre and Bossuet, though it is strange that at about the same time he should reward Dutheil with a cardinal's hat. Does the future role of the Church and the priesthood lie then in the sternly moralizing and patriotic sphere? Even Archbishop de Bonald, who was himself given a cardinal's hat in the year of the writing of *Le Curé de Village* and the *Avant-Propos*, had renounced much of the eighteenth-century content of his father's thought! Balzac is uneasily poised between these three prospects for the priesthood of the French Church: that of Lamennais and the 'poétiques religions'[7]; that of Louis de Bonald, where the concept of its sacredness is uppermost, but with which it is hard to believe that Balzac wholeheartedly agrees; and, finally, that to which his thoughts may often have returned, and to which he refers in a memorable passage of *La Fille aux Yeux d'or*: only men such as the atheistic bishop de Maronis can, he claims, save the Catholic and Apostolic Church, 'compromise en ce moment par la faiblesse de ses recrues et par la vieillesse de ses pontifes' (V 1056). This is the Church as totally secular institution, self-perpetuating to the very limit of its historical capacity, even though —in the manner of Troy and Napoleon— it must eventually, in the Ballanchian sense, become a poetic myth.

29. Siger is an exception to this, in so far as the thirteenth century is concerned (*Les Proscrits*: XI 536-544).

30. M. ARNOLD: *New Poems*, 1867, p. 213 (*Stanzas from the Grande Chartreuse*).

TOWARDS A NEW REASON: GUILT, LANGUAGE AND NATURE IN THE WORK OF ROLAND BARTHES AND FRANCIS PONGE

By
KIRSTEEN ANDERSON

We have done violence to our world and are still involved each day in inflicting yet more damage on it. This reality is now more or less acknowledged and the perspectives opened up by recent political, ecological and philosophical debate, the latter particularly in respect of contributions from feminist theory, have encouraged an extension of awareness as to just how destructive a role Western culture has played and continues to play in relation to the natural world.

What has brought about the advent of a new consciousness albeit timid and, as yet, limited in its effectiveness? Is it possible to trace the paths which, over the last half century, have permitted the painfully slow emergence of our present understanding that we stand on the brink of irretrievable catastrophe? Certain so-called 'advances' in scientific theory and practice have brought Western consciousness sharply up against the destructive potential of our technology, based as it is on a confident belief in the powers of a scientific 'rationality'. Similarly, sociological theory and contemporary social reality demonstrate fairly convincingly the profound sickness underpinning a culture in which abuses of power on both a personal and a civil level, exploitation and addictions of various sorts are but a few of the characteristic symptoms of our everyday reality.

Some of the imbalance perceptible in the present state of Western consciousness and in the material reality in which this consciousness manifests itself can be attributed to an impoverished understanding of the relationship of human and natural worlds and, more fundamentally, of that which should obtain between mind and body. A certain presumptuousness has governed the consciousness of the West over the last three centuries, an overweening confidence that the progress of the human species was to be related to an ever greater exploitation of the material universe. The tragic naivety and inadequacy of such a belief is apparent although the task now required of human inventiveness will demand considerable energy, trust and commitment if perception is to be transformed into practice.

The present article forms one part of a wider survey which attempts to deconstruct Western notions of guilt by examining the attitudes and beliefs which underpin them. Its precise focus is post-war France where the work of a number of writers —Barthes, Camus, Ponge and Sartre amongst others— seems to point to an early awareness of the crises outlined above reflecting, as it does, a shared preoccupation with the status of the natural world in relation to human consciousness.[1] Literature can thus be considered as both an embodiment of and a response to certain aspects of a prevailing ideology insofar as the literary production of these writers focuses attention, to a certain extent, on the defects of contemporary Western bourgeois ideology and proposes an alternative project, at least on the level of the imaginary, to the spiritually bankrupt Europe of the post-war moment. In the work of these writers and of many others who lie outside the scope of this article, the concept of nature is set up as a theoretical focus in relation to which their thought evolves; of equal weight in their responses to the world is the problematisation of language viewed from a variety of perspectives but focusing essentially on its non-innocent status as a vehicle of ideological contamination.[2]

I should like to dedicate this paper to the memory of Francis Ponge who died last summer; and to the growth of a green awareness.

In the immediate post-war period a general suspicion of ideology can be discerned, a sense that ideology as explicative of social reality has failed.[3] The publications of Francis Ponge from the 1940s onwards and Roland Barthes's early writings (*Le Degré zéro de l'écriture*, Seuil, 1953; *Mythologies*,

1. The emergence of a phenomenological awareness with the Husserlian *epoche* bracketing all but the relationship between intentional consciousness and phenomenon points to a similar focus.

2. The term ideology is notoriously difficult to define; for the purposes of this article I shall interpret it very broadly as 'the ways in which "meaning" or "ideas" affect the conceptions or activities of the individuals and groups which make up the social world. Since it is primarily within language that meaning is mobilized... the analysis of ideology is... the study of language in the social world' JOHN B. THOMPSON, *Studies in the Theory of Ideology*, Polity Press, 1984, p. 73.

3. See, in this context, JORGE LARRAIN, *The Concept of Ideology*, Hutchinson, London, 1979, Chapter 4.

Seuil, 1957) can be read as responses to the intellectual climate of Europe as the site of a demonstrated and radical failure of humanist values, in which new structures of belief or, at least, different sensibilities were required. The moral implications of existentialism were gradually undermined by the emerging conception of the human subject as decentred and determined by structures which transcend him. Already in Camus' work (*L'Homme révolté*, 1951) a questioning of reason as a neutral measure is apparent; the Sartrean dialogue with Marxism points, too, to a sustained preoccupation with the issue of the relationship of the individual and collective dimensions of social reality; the progressive emergence of psychoanalytic theory as a model for analyses in a number of disciplines suggests a growing recognition that the rational component of human reality is a limited aspect of a far more complex totality.

Turning to the question of religion one might argue, in somewhat clichéd terms, that the culture of post-war Europe reflects the emptiness created by the death of God hailed by Nietzsche more than half a century earlier. More particularly, however, I find it interesting to note that all four writers named above share, in varying measure, an experience of or interest in Protestantism: Barthes's family faith, Camus's reading of Augustinian theology; Ponge's acknowledgement of the influence of the reformed religion on his developing sensibility both moral and artistic; Sartre's Alsatian Protestant heritage. All are 'moralistes' in the French tradition; in all one can detect a sensitivity to guilt in various guises and to the issue of justification; in all of them, too, nature is seen as, in some measure, problematic. It is not feasible, within the scope of this article, to substantiate these points further, but they serve as a context for the specific issues which I shall address in the work of Barthes and Ponge.

Perhaps I can do no more at this stage than suggest that a part, at least, of the crisis in contemporary awareness may stem from the spiritual impoverishment inherent in a Judaeo-Christian religious tradition characterised by its inability adequately to accommodate the body.[4] By excluding a central feature of pre- and early Christian worship, namely its mystical dimension, this masculinist tradition established a mind-body dichotomy which can be seen to underpin Western culture as a whole. An excessive concern or respect for the rational marginalises aspects of human experience which, repressed, return to haunt the incomplete consciousness. Both psychoanalytic discourse (I think in particular of the stress placed by Carl Jung on

4. By this term I refer not only to the biological body, a traditional blindspot of much critical thinking, but also to something which is in excess of the biological and social dimension, relating to the idea of the transcendental.

the necessity for our culture to re-establish contact with and recognize itself in its feminine aspect) and contemporary feminist philosophy (here the prophetic discourse of Luce Irigaray points to the repressed dimension of Western culture as constituted by 'le féminin', that which the Symbolic Order of an essentially masculine culture cannot tolerate) show an awareness of how fear of dimensions of experience which exceed the control of reason has led to a denial of a fully integrated conception of human existence.

In the work of Barthes and Ponge, then, I am tracing what I see as two lines of response to this situation. I have already referred to the position of nature in their work; a similarly important role is played by language. In respect of both these categories I shall argue that a search for some kind of redemptive absolute informs the literary theory and practice of both writers. At the heart of this dual preoccupation, with nature and with language, lies the question of form or of structure conceived of as embodying an alternative to the ideological contamination in which the writer finds himself. It is as though the mid-twentieth century awareness projects onto language issues which previously were theorised around the concept of God. Purity, redemption from the culpability of culture are located in that which transcends the human, lies beyond ideology, in a pristinely formal utopia.

A brief word as to my understanding of the term 'religion' may be useful. Three aspects are of relevance to my argument: on one level, as I have already indicated, a climate of Protestant awareness is shared by Barthes and Ponge and I shall develop certain aspects of this formative context in relation to issues such as will, perfectionism and guilt; interpreting religion more broadly as a response to spiritual yearning I shall argue that the struggle with language which informs the work of both Barthes and Ponge can be appreciated in this context of a 'nostalgie de Dieu'; finally, and in relation to the already mentioned question of Christianity's attitude to mysticism, Ponge's writing in particular reveals an interest in certain features of pre-Christian thought, specifically Stoic and Epicurean thinking, which might be termed 'religious' insofar as Epicureanism as a code of living has been acknowledged as a precursor of Christianity.

In conclusion of this introductory section it is clear that, in the 1940s and 1950s, ideology is in crisis; the solution temporarily glimpsed in France in the form of the Communist party has foundered in the disillusionment experienced by many of the left-wing intelligentsia; traditional humanist and religious values have proved incapable of responding to the requirements placed upon them by the extremism of human potential epitomised by the war and the holocaust; the concept of a committed literature developed by Sartre is clearly influential, particularly on Barthes, but the problem goes beyond the issues raised by *Qu'est-ce que la littérature?*: if language itself is seen to embody impurity, how is society to regain an innocence which has slipped from its grasp even accepting that such an ordinary state of purity may be no more than mythical?[5] Both Barthes and Ponge speak as 'moralistes' in the broad sense of the term; they share a conviction of the ethical capacity of language; both attempt to elaborate a vision of a new possibility for human potential which can transcend the moral, spiritual and aesthetic impasse of the present.

For Ponge, this resolute willing of 'l'homme nouveau' is to be realised through a renewal of the interaction of consciousness and nature, word and world; for Barthes, it is as though the intuition of an alternative becomes increasingly restricted to a yearning for the destruction of existing structures. One can perhaps talk of a certain contentment generated by Ponge's sustained resistance to language: poetry, as he defines it, is the instrument by means of which he moves towards a reconciliation of human consciousness and material reality. His preoccupation with 'adéquation' or equivalence of word and world, his attempt to recreate in the materiality of language the functioning of matter, do attain a form of realisation in his ecstatic 'objoie'. In the case of Barthes it is less easy to talk of satisfaction: the emphasis shifts in his later works away from a concern with the ethical responsibility of language towards an interest in its semiological status; as though a more structural approach were less burdensome than the tricky question of the connection between consciousness and structure and the implications of such a relationship.

'L'écriture est donc essentiellement la morale de la forme.'[6]

Barthes's early critique of bourgeois ideology (*Mythologies*, 1957) as it has permeated and corrupted, if not actually constituted, Western consumer society elaborates, in Marxian manner, the opposition between the 'natural' (ideology disguises its effects and implications beneath the cloak of 'ce qui va de soi' in order to be more effective) and the 'historical' (contingent reality which bears the marks of human labour). Both these categories derive from a premise that the natural (physis) exists as a norm against which the historical (pseudo-physis) is measured. One definition of what this mythical state of originary naturalness might be is provided in the closing pages of *Le Mythe aujourd'hui* where Barthes states the dilemma succinctly: 'ou bien poser un réel entièrement perméable à l'histoire, et idéologiser; ou bien, à l'inverse, poser un réel finalement impénétrable,

5. 'Structural linguistics collapsed ideology into language... ideology is present in the process of constitution of every sign', Jorge Larrain, p. 166.

6. *Le Degré zéro de l'écriture*, p. 15.

irréductible, et dans ce cas, poétiser. En un mot, je ne vois pas encore de synthèse entre l'idéologie et la poésie (j'entends, par poésie, d'une façon très générale, la recherche du sens inaliénable des choses)' (*Mythologies*, p. 247). He thus locates some form of failure on the part of language in rendering an adequate account of reality; in his mention of a longed-for synthesis we sense a certain nostalgia for a moment of oneness whereby mind and matter might coexist without division.

Now Barthes is not a poet and his definition of poetry, as he himself acknowledges, is very broad but this 'recherche du sens inaliénable des choses' is perhaps not so very far from Ponge's conception of the function of the poetic word as anchoring us in the object world which surrounds us (see 'L'Objet, c'est la poétique' in *L'Atelier contemporain*, Gallimard, 1977); and I should like to borrow Barthes's admission of failure as my starting point. It could be argued, somewhat schematically, that Barthes's inability to theorise the poetic word serves as a contrast to Ponge's practice as a poet: where one path leads to the temptations of semioclasm (see Barthes's 'Change the Object Itself' in *Image-Music-Text*, Fontana, 1977), the other attains the maximal creativity of 'l'objoie'; both can be read as responses to the fissured state of the symbolic bases of Western culture.[7] In the following pages I shall suggest that although Barthes the semioclast and Ponge the shaman represent two diametrically opposed responses to the question of language's power in relation to the Imaginary Order of the West, a crucial point of overlap is to be found in the notion of form: form as purified essence in Barthes, form as perfected functioning in Ponge.

There is a very real sense in Barthes's work of social phenomena as inherently culpable: he refers to 'notre civilisation judéo-chrétienne' as 'une civilisation de la Faute', (*L'Obvie et l'obtus*, Seuil, 1982, p. 222); or, again, labels it 'une fatalité à laquelle nous sommes condamnés' (*Le Grain de la voix*, Seuil, 1981, p. 145); his vocabulary is heavily marked by connotations of guilt, moral responsibility, fault and redemption — the act of writing, for example, is associated with 'la perte d'une innocence' (*Le Grain de la voix*, p. 9) and the demystificatory process carried out by the mythologist is viewed as a form of collective social hygiene.[8] A strongly moral imperative conditions Barthes's early writing and makes of him a clear disciple of Sartrean existentialist zeal.

7. See ANNETTE LAVERS, *Roland Barthes: Structuralism and After*, Methuen, 1982, p. 58; and Section 2 in general, for a discussion of the relationship between literary discourse and its ideological implications in Barthes's early theory.

8. However, at a later stage, in an interview entitled *Fatalité de la culture, limites de la contre-culture* published in 1972, Barthes recognises that, for the West at least, 'la désaliénation ne peut prendre qu'une forme utopique' (*Le Grain de la voix*, p. 143).

At the core of his critique stands a conception of the linguistic sign as 'un produit historique, une élaboration idéologique du sens' (*Le Grain de la voix*, p. 150). As such it can never be made innocent; it bears ineradicable traces of meaning, evidence of social production and hence of guilt (see, in this context, his remark: 'la parole, libérée de ces harmonies sociales et coupables, ne résonne heureusement plus', *Le Degré zéro de l'écriture*, p. 105). He develops a conception of 'écriture' as a mode of writing through which a writer establishes his ideological stance in relation to his reality and by means of which he exposes himself to the risk of being dragged down into a state of alienation by the social order. Like Ponge, then, Barthes conceives of language as contaminated; its transindividual usage disqualifies it as a worthy tool. One possible way out is proposed in the form of an ethic of honesty or 'auto-critique' elaborated around the concept of the sign in *Le Degré zéro* and *Mythologies*: a sign which acknowledges its nature as sign and which does not seek to pass itself off as transparently 'real' is condoned; by extension, the impasse in which he sees modern literature as trapped (it seeks the purity of 'littéralité' where word and world coincide and yet cannot ignore the requirement to embody 'la durée, liaison ineffable de l'existence', *Le Degré zero de l'écriture*, p. 31) can be transcended if literature bears within itself 'la conscience même de l'irréel du langage' (*Essais critiques*, Seuil, 1964, p. 164).

Language is portrayed by Barthes as all-pervasive:

> Il n'y a aucun lieu sans langage: on ne peut pas opposer le langage, le verbal [...] à un espace pur, digne, qui serait l'espace du réel et de la vérité, un espace hors langage [...]. Toute attitude qui consiste à se mettre à l'abri du langage, derrière un non-langage ou un langage prétendu neutre ou insignifiant, est une attitude de mauvaise foi (*Le Grain de la voix*, p. 153).

Since this is the case, the only solution available is a utopian one:

> Comme l'art moderne dans son entier, l'écriture littéraire porte à la fois l'aliénation de l'Histoire et le rêve de l'Histoire: comme Nécessité, elle atteste le déchirement des langages, inséparable du déchirement des classes; comme Liberté, elle est la conscience de ce déchirement et l'effort même qui veut le dépasser. Se sentant sans cesse coupable de sa propre solitude, elle n'en est pas moins une imagination avide d'un bonheur des mots, elle se hâte vers un langage rêvé dont la fraîcheur, par une sorte d'anticipation idéale, figurerait la perfection d'un nouveau monde adamique où le langage ne serait plus aliéné[...]. La Littérature devient l'Utopie du langage (*Le Degré zéro de l'écriture*, pp. 64-65).

At heart, the most radical of Barthes's utopias may well be that avowed in *Roland Barthes par Roland Barthes:* 'il songe à un monde qui serait *exempté de sens'* (p. 90), close to Robbe-Grillet's fantasy of a world from which all anthropocentric tincture has been erased ('Nature, Humanisme, Tragédie' in *Pour un Nouveau Roman*, Editions de Minuit, 1963). In the imperfect human world of compromise, a recognition on the part of the literary artefact of its culpable nature is the best that can be hoped for: 'Aussi la flaubertisation de l'écriture est-elle le rachat général des écrivains... la reconnaissance d'une condition fatale' (*Le Degré zéro de l'écriture*, p. 46). Lucidity and honesty, characteristics of the intellectual as conscience of a culture, recall the Sartrean mission of *Qu'est-ce que la littérature?*; and in the following enigmatic lines from *Le Degré zéro* we are reminded of Sartre's difficulty, in the early phase of his critical career, in conceptualising the function of poetry. I quote at some length because it seems to me that, in his attempt to arrive at an understanding of the status of contemporary poetic language, Barthes is moving towards a view of salvation through structure which will increasingly divert him from the ethical difficulties encountered in relation to language. The notion of redemptive form which concludes the passage indicates parallelisms with the theory and practice of Ponge:

> On a vu que... la poésie moderne détruisait les rapports du langage et ramenait le discours à des stations de mots. Cela implique un renversement dans la connaissance de la Nature. Le discontinu du nouveau langage poétique institue une Nature interrompue qui ne se révèle que par blocs. Au moment même où le retrait des fonctions fait la nuit sur les liaisons du monde, l'objet prend dans le discours une place exhaussée: la poésie moderne est une poésie objective. La Nature y devient un discontinu d'objets solitaires et terribles, parce qu'ils n'ont que des liaisons virtuelles; personne ne choisit pour eux un sens privilégié ou un emploi ou un service ... Ces mots-objets sans liaison, parés de toute la violence de leur éclatement ... ces mots poétiques excluent les hommes: il n'y a pas d'humanisme poétique de la modernité: ce discours debout est un discours plein de terreur, c'est-à-dire qu'il met l'homme en liaison non pas avec les autres hommes, mais avec les images les plus inhumaines de la Nature .... Mais lorsque le langage poétique met radicalement la Nature en question, par le seul effet de sa structure, sans recourir au contenu du discours et sans s'arrêter au relais d'une idéologie, il n'y a plus d'écriture, il n'y a que des styles à travers lesquels l'homme se retourne complètement et affronte le monde objectif sans passer par aucune des figures de l'Histoire ou de la sociabilité (*Le Degré zéro de l'écriture*, pp. 39-40).

So many resonances could be developed here: the void created by the death of a transcendent principle; the indifferent landscape of Camusian absurdity; the isolation and magnification of the object world such as we find it in Ponge's quasi-phenomenological descriptions; and, most crucially in the context of my argument, the suggestion at the close that poetic structure permits a by-passing of ideology. It is with this vision of form as a transcendent dimension of language that I should like to conclude this all too brief assessment of Barthes. What we find in his work is an increasing awareness of 'la responsabilité historique des formes' where form is evoked as 'une valeur transcendante à l'Histoire' (*Le Degré zéro de l'écriture*, p. 54). He moves towards 'une science de la littérature [qui ne] pourra être qu'une science formelle [qui] échappera ainsi à la fatalité idéologique qui est dans tout langage' (*Le Grain de la voix*, p. 156). We are here in the realm of utopia, of a fantasised escape from the moral problematic implicit in the mimetic mode:

> La nouvelle écriture au degré zéro [...] est une écriture innocente, une absence idéale du style; l'écriture se réduit alors à une sorte de mode négatif dans lequel les caractères sociaux ou mythiques d'un langage s'abolissent au profit d'un état [...] neutre de la forme; la pensée garde ainsi toute sa responsabilité, sans se recouvrir d'un engagement accessoire de la forme dans une Histoire qui ne lui appartient pas (*Le Degré zéro de l'écriture*, p. 56).

The frustrated desire for an innocence that must inevitably escape us as creatures of language leads Barthes's theorizing here into an impasse: there can be no 'degré zéro', no total eradication of meaning; there is no health of language as he nostalgically imagines in relation to the arbitrariness of the linguistic sign.[9] As Annette Lavers suggests, there is, in fact, no way out and the very real issues posed by Barthes in his early writings are suspended; he was never to tackle the problem of forms and history again (*Roland Barthes: Structuralism and After*, p. 98). What is of interest, I suggest, is precisely this *prise de conscience* on the part of Barthes that literature, in order to be justified, that is, purged of its suspect cooperation with ideology, must become its own self-indicting conscience. The literary text redeems itself by pointing to the impurity of its premises pending a world in which all sense would be abolished.

Behind this critique of language it is possible to detect a more fundamental assault on the status of human consciousness in Judaeo-Christian culture. As word is incapable of becoming world ('La littérature est impuissante à accomplir le langage, c'est-à-dire à le dépasser vers une transformation du réel', *Essais critiques*, p. 264) yet is guilty of attempting to do

9. See *Mythologies*, p. 212.

so by passing itself off as neutral, innocent — so consciousness seeks to escape the burden of its humanity by retracting into the inanimate state of the natural world. 'J'ai noté', writes Sartre in his essay on Ponge, 'que le désir de chacun de nous est d'exister avec sa conscience entière sur le mode d'être de la chose' ('L'Homme et les choses' in *Situations I*, Gallimard, 1947, p. 288). Where Barthes impugns the literary text for its 'mauvaise foi' we are entitled to deduce that it is human consciousness that bears the responsibility in seeking to fuse with the non-being of matter. Barthes's engagement with the ethics of the literary sign may be read as a metonymic transposition in the theoretical context of structural linguistics of a fundamental intuition of a guilt deriving from a nostalgia for the nonhuman state, a nostalgia evoked in the regretful tones of the mythologist's last words: 'C'est sans doute la mesure même de notre aliénation présente que nous n'arrivons pas à dépasser une saisie instable du réel: nous voguons sans cesse entre l'objet et sa démystification, impuissants à rendre sa totalité' (*Mythologies*, p. 247).

As in Ponge's work, we sense here a desire for a more integrative experience of word and world and in the following words a hint of where guilt may stem from, namely the difficulty experienced by consciousness in attempting to relate to the natural world appropriately: 'car si nous pénétrons l'objet, nous le libérons mais nous le détruisons; et si nous lui laissons son poids, nous la respectons mais nous le restituons encore mystifié' (*Mythologies*, p. 247). Human consciousness must differentiate itself from the natural order but finds it difficult to do so in a manner which both leaves that order intact and yet gives an account of it. Barthes and Ponge propose two ways of justifying human difference with respect to the natural world. Ponge's solution, as the second section of this paper tries to show, is to imitate the functioning of nature but on a human mode; Barthes yearns for a reintegration of consciousness and world while remaining fully aware of the impossibility of this desire. The closing lines of *Le Mythe aujourd'hui* suggest that, for him, difference is still experienced as exclusion and the status of the mythologist, linked to society by a 'liaison d'ordre sarcastique' (*Mythologies*, p. 245), resembles in some measure the passion of Christ. In any event, language and ideology fail to render an account of natural phenomena; 'Il semblerait que nous soyons condamnés pour un certain temps à parler toujours excessivement du réel. C'est que sans doute l'idéologie et son contraire sont des conduites encore magiques, terrorisées, aveuglées et fascinées par la déchirure du monde social. Et pourtant, c'est cela que nous devons chercher: une réconciliation du réel et des hommes, de la description et de l'explication, de l'objet et du savoir' (*Mythologies*, p. 247).[10]

10. Barthes's recourse is thus to what he terms semioclasm; in the face of an all-pervasive

'La matière est la seule providence de l'esprit.'[11]

Ponge, like Barthes, explores the frontier-zone connecting consciousness and nature. He, too, recognizes the need for each to establish its distinctiveness without diminishing the singularity of the other. Ponge's 'parti pris' places difference, differentiation, at the heart of an aesthetic which seeks thereby to confirm identity. Human consciousness, rather than burying itself in a natural mode of being (Sartre points to this possibility in Ponge: 'Peut-être derrière son entreprise révolutionnaire est-il permis d'entrevoir un grand rêve nécrologique: celui d'ensevelir tout ce qui vit, l'homme surtout, dans le suaire de la matière' *L'Homme et les choses*, p. 287) can learn from nature while retaining its own distinctive characteristics; for Ponge's practice as poet this means imitating the functioning of nature but on a resolutely human, that is, linguistic mode. Interestingly, Ponge too turns to pleasure, elaborating a utopian concept of 'jouissance' as that which permits an ecstatic textual excess transcending the limits of ideological constraints. Both writers, it seems, develop an appreciation of hedonism, in the face of the inadequacies of a rationalist tradition which, thus far, has proved incapable of establishing a balanced understanding of the mind-body relationship. In the following section I shall explore Ponge's response to the contemporary crisis of consciousness suggesting that where a synthesis of word and world eluded the mythologist, the poet achieves some measure of success in the material structure of his texts.

In one of his commentaries on the work of Braque, Ponge, employing a form of metonymic transposition of guilt in a post-theocentric universe, indicates how he conceives of the divisive and contaminating influence of ideologies. Referring to such contemporary preoccupations as 'Marxisme, Freudisme, Religions, Conscience' he observes: 'Voilà la forme nouvelle du problème de la «gräce», de celui du «destin». Voilà la Terreur (et aussi bien la Terreur dans les Lettres). Voilà comment on inquiète les faibles, comment on les persuade de leur non-justification, voire de leur culpabilité. L'homme a toujours adoré ce qui le minimise, ce qui l'inquiète, ce qui donne à

ideological contamination he argues, at least in an initial phase, for a disruption of the Symbolic Order itself: 'Je dirais d'une façon plus précise', he observes in an interview in 1971, 'que le problème sémiologique que je me pose [...] ne consiste pas à montrer les rapports de la sémiologie et de la politique, mais plutôt à poursuivre une entreprise générale et systématique, polyvalente, multi-dimensionnelle, de fissuration du symbolique occidental et de son discours' (*Le Grain de la voix*, p. 123).

11. Francis Ponge, *Comment Une Figue de paroles et pourquoi*, Flammarion, Paris, 1977, p. 146.

quelque parti ou seigneur prise et droit sur lui' (*L'Atelier contemporain*, p. 161). This highlights a characteristic attitude of Ponge: his suspicion of all ideologies and systems of belief which, parasitically, weaken human consciousness by undermining its confidence in human potential. In *Notes premières de «l'homme»* (1943-1944), too, he emphasises the revulsion aroused in him by such pessimistic attitudes; hence his questioning of the absurdism of Camus. The reference to the problem of grace may be interpreted as indicating a spiritual framework or context for Ponge's thought in which guilt and justification represent the poles available to the contemporary spirit and in which ideologies are viewed as feeding off a lingering sense of spiritual inadequacy in twentieth-century Western consciousness.

The following lines propose a response in this context; modern man is depicted as a latter-day savage in a passage reminiscent of Camus's satirical presentation of contemporary bourgeois society in *La Chute*. Ponge notes:

> L'homme ... sorte de King Kong (jamais plus sauvage) réveillé dans la fôret actuelle (primitive) par l'orage actuel (primitif), prêt à étreindre le monde, à l'étrangler ... a maigri ... (nouvelles désillusions depuis 1944), s'est exténué dans sa destruction des valeurs (Nietzsche), sans rien à se mettre sous la dent. Laminé de plus en plus par son désespoir, sa solitude, son sentiment exaspéré de la *personne* humaine, de la liberté ... de sa volonté de puissance (Socrate, Descartes, Pascal, Nietzsche, Sartre, Camus) .... L'homme ne se nourrira ... que par l'oubli de soi-même, sa nouvelle prétention et modestie à se considérer comme un simple élément (animal comme un autre) dans le monde, dans le fonctionnement du monde. Qu'il envisage donc le monde, la moindre chose (*L'Atelier contemporain*, pp. 159-160).

Typically it is the future dimension which interests Ponge. The way forward from the negativity of the present with its erosion of values, confidence and hope, lies in man's capacity for self-forgetfulness and for a renewal of his perception of his place in the functioning of the natural world. An act of attention is required ('qu'il envisage donc le monde, la moindre chose'); a new vision of his environment down to its smallest and apparently least significant features may be able to re-energise the depleted resources of Western consciousness.

Two aspects of Ponge's thought in this context introduce the dual development of the question of religion in his work as I perceive it; both aspects suggest an awareness of a pre-Christian tradition as embracing dimensions of spiritual experience which would subsequently be undervalued by Judaeo-Christian culture. The pre-Christian current allowed for a mystical dimension in worship; rather than excluding the body with its component of intuitional experience supplementing the more strictly rational, it acknowledged that what lay beyond the rational had its value.[12] In Ponge a mystical sensibility manifests itself with regard to the natural world and forms the foundation of an alternative Western sensibility or *ratio*. Secondly, Ponge's thinking reveals an awareness of certain aspects of late Greek philosophy, particularly the thought of the Stoics and Epicureans; this can, I believe, account for his emphasis on the functioning of the world as that of a vast natural organism of which man is but a part.[13] Redemption of the human is to be found through its reinsertion into this more complex totality. In both respects, the mystical and the functional, creativity plays a crucial role for Ponge; it is the artist who can help to reveal the possibility of an alternative awareness.[14]

Still with reference to Braque 'le réconciliateur' Ponge observes how the interrelation of consciousness and nature viewed as a reciprocal function has reached a moment of crisis:

> Jamais, certes, depuis que le monde est monde (j'entends le monde sensible, comme il nous est donné chaque jour) ... jamais il ... n'a suspendu son fonctionnement mystérieux. Jamais, pourtant, dans l'esprit de l'homme —et précisément sans doute depuis que l'homme ne considère plus le monde que comme le champ de son action, le lieu ou

12. It is significant but not at all surprising that Sartre's vocabulary betrays his devaluation of the mystical potential in Ponge's project when he refers to his use of language as a means of controlling that which risks 'de *dégénérer* en extase' (my emphasis) (*L'Homme et les choses*, p. 264). It is worth bearing in mind, too, that Simone Weil bases her critique of the impoverished spiritual state of contemporary Europe on the need for a culture which claims to be Christian to return to a more authentic perception of its spiritual sources. Rather than the religious surrogates which the West has erected as objects of worship as for example, the modern cult of science, she proposes a return to what could be termed a more mystical approach rooted in love for and attentiveness to the other, be it human or natural.

13. There are many references throughout his work to Stoicism and Epicureanism; the series of commentaries on the artist Braque gathered in *L'Atelier contemporain* provide some of the most sustained passages exploring a materialist awareness of reality.

14. 'Non seulement les religions (et en particulier la religion de Jésus-Christ) me paraissent en cause, mais l'humanisme tout entier: ce système de valeurs que nous avons hérité à la fois de Jérusalem, d'Athènes, de Rome, que sais-je? .... Selon lui, l'homme serait au centre de l'univers, lequel ne serait ... que le champ de son action, le lieu de son pouvoir .... Pourtant, il ne s'agit à mon avis que d'une *pseudo*-civilisation .... Le fameux conflit ... économique et militaire qui menace en surface le monde, ne me paraît que l'effet d'un schisme, finalement assez dérisoire bien qu'il doive lui être mortel, à l'intérieur de la pseudo-civilisation finissante ... tandis que par-dessous cheminent, depuis près d'un siècle déjà et viennent en surface parfois, les germes d'un événement ou avènement — plus sérieux. Ces indices sont surtout sensibles ... dans la nouvelle peinture depuis Cézanne' (*Le Grand Recueil, Méthodes*, Gallimard, 1961, pp. 292-293).

l'occasion de son pouvoir — jamais le monde dans l'esprit de l'homme n'a si peu, si mal fonctionné. Il ne fonctionne plus que pour quelques artistes. S'il fonctionne encore, ce n'est que par eux (*Méthodes*, pp. 191-192).

The main focus of my argument will be an explanation of this concept of functioning which, transposed into Ponge's poetic theory, carries the burden of his vision of a new rationality and of a new social order.

First, Ponge's understanding of the meditative act: *Le Carnet du bois de pins* (1940) traces something of what this act entails. It is essentially a giving of attention to an object in the natural world in such a way as to diminish the sense of separateness obtaining between subject and object, perceiver and perceived.[15] (Sartre defines it thus: 'Ponge a nommé «contemplation» le moment d'extase où il s'est établi hors de soi au cœur de la chose ... je la nommerai volontiers contemplation active ... parce qu'elle détruit sur les choses l'ordre social qui s'y reflète .... Son but dernier cependant est la substitution d'un ordre humain véritable à l'ordre social qu'elle défait', *L'Homme et les choses*, pp. 266-269). The poet enters the space of 'une vaste cathédrale de méditation' in which everything is conducive to the attentive state: 'Tout y est fait, sans excès, pour laisser l'homme à lui seul .... Mais tout cela presque sans le vouloir, et *au milieu de la nature*, Sans séparation tranchée, Sans volonté d'isolation' (*La Rage de l'expression*, Gallimard, 1976, pp. 106-107). And, reaffirming his fidelity in speaking for this world, he notes: 'je ne développerai à ton intérieur aucune pensée qui te soit étrangère, *c'est sur toi que je méditerai*' (p. 107). In addition to his desire to give an accurate account of the object ('le sérieux avec lequel j'approche de l'objet, et d'autre part la très grande justesse de l'expression' (pp. 112-113), the poet reveals that by his engagement of attention and language towards the trees, he enables them to participate in a new state of being. It is interesting that Ponge employs an analogy with spirituality in discussing the poetic focus which permits the pinewood '[de sortir] du monde muet, de la mort, de la non-remarque, pour entrer dans celui de la parole, de l'utilisation par l'homme à ses fins morales, enfin dans le Logos, ou, si l'on préfère et pour parler par analogie, dans le Royaume de Dieu' (p. 114).

Derrida's reading of Ponge's enterprise (in *Signéponge,* Columbia University Press, 1984) suggests that some infinite obligation with regard to the object as that which is radically other subtends the poet's relationship

15. The perception of the non-separateness of all created things is fundamental to mystical experience. See RICHARD KIRBY, *The Mission of Mysticism*, SPCK, 1979.

with nature, that the poet is in some sense indebted to the world. Bearing in mind the etymological association of 'debt' and 'guilt', it could be argued that Ponge's poetic stance is governed by a sense of a duty towards the natural world, namely the responsibility of consciousness to justify the object world.[16] It is in terms of the perfectionist striving of his Malherbe that Ponge explores this mission: 'Nous délivrons le monde. Nous désirons que les choses se délivrent, en dehors (pour ainsi dire) de nous .... La parole doit se faire humble, se mettre à leur disposition .... Voilà notre art poétique, et notre spécialité érotique .... [Les inviter] à s'accepter ... selon leur nature exacte ... justifiées ...' (*Pour un Malherbe*, Gallimard, 1965, p. 73).

An ethical and a spiritual awareness, then, colours the meditative stance of the poetic mind with regard to the natural world: an ethic of non-separateness which seeks to diminish the violence implicit in the division of subject and object and which recalls the dilemma evoked by Barthes as to how word may express world in an appropriate fashion. It is here that Ponge considers the reconciliatory or harmonising function of the artist to operate. By emphasizing the etymology of the verb 'connaître' he reminds us that knowledge is the fruit of a mutual fertilisation of mind and phenomenon: 'Si nous sommes entrées dans la familiarité de ces cabinets particuliers de la Nature, s'ils en ont acquis la chance de naître à la parole, ce n'est pas seulement pour que nous rendions anthropomorphiquement compte de ce plaisir sensoriel, c'est pour qu'il en résulte une co-naissance plus sérieuse' (*La Rage de l'expression*, p. 118).

The fabrication of the poem is thus not an attempt, as might traditionally be thought, to capture the essence of the object in lyrical mode but rather to resist poetry as 'expressionnisme' in order to achieve a more demanding dual aim: to highlight on the one hand, the distinctive characteristics of the object in question and, on the other, to bring about by the creative process, a new awareness in the attentive mind. The lesson which develops from an appropriate 'lecture' of the object is what the mind gains as opposed to what the object derives from the poet's 'remarque-regard-de-telle-sorte-qu'on-le-parle': 'Tu saisis maintenant que, dans mon esprit, il ne s'y agit pas du tout de la naissance d'un poème mais plutôt d'un effort *contre* la «poésie». Et non pas, bien entendu, en faveur du bois de pins .... Mais en faveur de l'esprit, qui peut y gagner quelque leçon ...' (*La Rage de l'expression*, p. 171).

16. See Nietzsche's argument in *The Birth of Tragedy* and *The Genealogy of Morals* quoted in *Guilt: Man and Society*, edited by ROGER W. SMITH, Doubleday, New York, 1971, p. 32.

So the lesson which the natural world offers concerns a rebirth of awareness and hinges, to a certain extent, on the coming into being of a mystical perception of our reality in which the habitual divisiveness of Western consciousness, and perhaps of all consciousness, is overcome.[17] 'La fonction de la poésie', Ponge suggests, 'est de nourrir l'esprit de l'homme en l'abouchant au cosmos. Il suffit d'abaisser notre prétention à dominer la nature et d'élever notre prétention à en faire physiquement partie, pour que la réconciliation ait lieu' (*Méthodes*, p. 197).

This meditative or mystical awareness in Ponge lies at the core of the broad conception of the perfectibility of human nature which underpins his writings. 'Refaire le monde' is a fundamental project but redemption is no longer to be viewed as an essentially religious preoccupation; like Barthes, 'logothète', founder of ever more radical idioms, Ponge proposes that it is in the formulation of a new mode of language that a way forward is to be found. Much of Ponge's early rebelliousness, his disgust at and rejection of bourgeois values comes to centre on the evolution of what he terms a metalogical mode of expression which may be compared, in intention at least, with Barthes's pursuit of an extralinguistic purity.

Before turning to this question, a brief consideration of the redemptive theme at a personal level may shed light on Ponge's proposal that to lose the self in nature is a step towards salvation. I have already pointed to a sense of guilt or debt informing his attitude towards the natural world; in addition, a number of remarks suggest a perception of the self as sinful. In an early text in *Proêmes* he notes, for example: 'Hors de ma fausse personne c'est aux objets, ... que je rapporte mon bonheur' (*Le Parti pris des choses*, Gallimard, 1948, p. 165). Clearly this is insufficient evidence on which to base a theory of guilt; but the unease registered with regard to the self and the contrasting association of the object world with contentment may perhaps be significant when considered in relation to Ponge's acute sensitivity to the potential for ideological pollution inherent in our culture.[18]

In *Des Raisons d'écrire* he is more explicit in identifying as a fundamental stimulus to write 'le dégoût de ce qu'on nous oblige à penser et à dire, de ce à quoi notre nature d'hommes nous force à prendre part' (*Le Parti pris des choses*, p. 162). A definite impression is conveyed by this text of the

17. 'La division de l'esprit en raison et en intuition est une des antinomies significatives du monde occidental, [...] et c'est cela qu'il faut réduire' (*Entretiens de Francis Ponge avec Philippe Sollers*, Seuil/Gallimard, 1970, p. 131).

18. Other critics have noted 'une préférence évidente chez Ponge pour un lexique du lavage'. See PAUL LÉONARD, 'Ponge Penseur', in *Francis Ponge*, Etudes françaises, 17, 1-2, Presses Universitaires de Montréal, 1981, p. 108.

human lot as unclean, compromising, unenviable; how much of this stems from a religious awareness and how much is a reaction to contemporary social reality would be hard to judge. Where there can be little doubt is in Ponge's identification of language as the agent of contamination. His vivid evocation in *Les Ecuries d'Augias*, for example, of the Herculean task of purification which the writer must undertake not only recalls the redemptive mission of Barthes's mythologist, faced with the similarly all-pervasive 'pâte naturelle' of bourgeois ideology, but suggests close parallels with the Lacanian vision of a Symbolic Order usurping individual linguistic autonomy. In the face of an insidious ideological contamination the writer, deeply suspicious of an instrument of expression which belongs so extensively to a transindividual order, is forced to elaborate a personal means of redemption: 'L'art de résister aux paroles devient utile. Cela sauve les seules, les rares personnes qu'il importe de sauver: celles qui ont la conscience et le souci et le dégoût des autres en eux-mêmes' (*Le Parti pris des choses*, p. 157).

The natural world may provide an enviable alternative to the sordid and clichéd ideological currency of twentieth-century society. Differentiating his own stance from that of thinkers who, in certain respects, can be seen to share some of his preoccupations —Nietzsche, Sartre, Camus— Ponge observes how, where they 's'écrient en chœur: «Allons, aux choses» (Husserl) «à la terre» (Nietzsche)', there is another path: 'Et puis il y a ceux qui plongent *vraiment* dans le monde, dans la nature, dans la terre: moi d'abord' (*L'Atelier contemporain*, p. 158). And in another text, *Le Savon*, appropriately concerned with issues of hygiene whether literary or spiritual, he indicates that by his descent towards the earth which grounds the human being he hopes to derive from this contact 'des principes d'esprit et de morale, mais au moins un peu inédits' (*Le Savon*, Gallimard, 1967, p. 118).

It is in the formulation of a new mode of language that the ethical insights afforded by nature can be fully realised: 'il me faudrait élever [ces principes] à la dignité de héros, dieux ... tout en ne m'abusant outre mesure sur leur «vérité» dans l'absolu, les instituant et les abolissant, dans le même temps, par les vertus d'une nouvelle *Écriture*' (*Le Savon*, p. 118).[19]

19. Like Barthes whose Protean preference for openness is well known, Ponge envisages that such an 'écriture' should strive to embody a constant questioning of values so that the stranglehold of ideologies is undermined: 'Maintenant, ce que nous savons de reste, c'est comment cela se passe pour les civilisations, à savoir qu'après une période de découvertes de valeurs vient celle de leur dogmatisation. Dès la dogmatisation naissent les schismes d'où tôt ou tard catastrophe suit. Peut-être la leçon est-elle qu'il faut *abolir les valeurs dans le moment même que nous les découvrons*... Voilà à mon sens, l'importance (et aussi bien l'importance sociale) de la poésie' (*Méthodes*, p. 293).

The precise embodiment of this novel mode of discourse of which Ponge dreams, and which he baptises in terms of 'objeu/objoie', demonstrates an orgasmic conception of the material dimension of the word functioning in such a way as to reintegrate the fissured Western consciousness. The 'nouvelle écriture' or 'objoie' is thus central to Ponge's vision of a new rationality which would be capable of transcending the antinomies of the present cultural crisis; and it is in relation to Malherbe, whose function in Ponge's imagination is explained by his emblematic status as a model of perfectionism embracing such qualities as will, resolution and ethical attentiveness to language, that the hypothetical social order of the future is most extensively developed. The following lines indicate how this utopian vision depends on an overcoming of dualities in our culture and how such a healing process will require the cooperation of artistic energy:

> L'homme est l'avenir de l'homme .... Il n'existe pas encore, sinon comme chaos innommable et remous irréconcilié, ce qui provoque sa révolte, sa colère, son désir de changer, de devenir, d'être (cf. *Braque le réconciliateur*). Mais nous roulons déjà sans doute sur les prodromes d'une future civilisation dont les germes sont apparus vers 1870: Rimbaud, Cézanne, Nietzsche .... Et de nous dépend peut-être en quelque mesure la confirmation de celle-ci. Les grands esprits, les artistes, travaillant dans la solitude sont les confirmateurs des civilisations futures .... Eh bien, quant à nous, nous voulons que ce soit la civilisation de l'objeu .... Franchir la dogmatisation .... Fonctionner' (*Pour un Malherbe*, p. 306).

Now despite the somewhat pompous and over-emphatic style of this declaration of intent, it points to an important connection between the idea of functioning, already referred to in the context of the natural world, and the question of a reformed reason. It is around the figure of Malherbe that Ponge crystallizes his insights concerning the specific aspects of a new rationality which will distinguish it from prevailing dogmas and rationalist ideologies. Malherbe, brought up in the reformed religion, reveals an ethical stance with regard to language embodying such Protestant qualities as a sense of duty, rigour and enjoyment of the difficulties involved in the act of expression. I quote at some length since the following remark points in the direction which the final part of my argument will follow, namely towards a utopian vision of a reason rooted in the ecstatic functioning of the structural properties of language:

> Oui, nous travaillons à une nouvelle raison, mais non, ce n'est pas celle qui nous est ordonnée par Marx, ni Hegel Oui, nous travaillons à un renouvellement des esprits, mais non en ce qui concerne leur rapports sociaux (si, quand même): plutôt, en ce qui concerne leur rapport avec

le monde muet. Oui, nous travaillons à une nouvelle conception de l'homme par l'homme, mais non selon la vieille idée d'une suprématie ou précellence quelconque de l'homme sur les autres espèces. Oui, c'est l'homme de l'objeu que nous préparons, et non l'homme d'un nouveau dogme. Oui, nous entrons dans un nouveau Paradis, mais non un Paradis de l'Homme, plutôt au Paradis ... des Raisons adverses, au Paradis de la Variété, du Fonctionnement, du Libre et Virtuose jeu, de la Jubilation (Etrusque), de la Gambade, de la Danse .... Oui, la Raison à plus Haut Prix' (*Pour un Malherbe*, pp. 147-148).

In conformity with a certain utopian current in twentieth-century thinking Ponge indulges in a form of private, poetic fantasy. What is of interest here is his intuition of the material dimension of existence, whether human or natural, in terms of movement, change, joy: and his ability to envisage an alternative mode of reason —if this is, in fact, a viable term in the context of his enquiry— which would integrate such an intuition.

In place of an outworn logos whose sterile and unselfcritical sway has for so long dominated Western traditions of mind and sensibility, a rationality bearing all the marks of a masculinist genesis, his explorations of the interchange operating between mind and matter lead Ponge to glimpse the possibility of a *ratio* no longer divorced from the senses but tightly and constantly sustained by a nourishing contact: 'Or, la vénération de la matière, quoi de plus digne de l'esprit? Tandis que l'esprit vénérant l'esprit, voit-on cela? On ne le voit que trop. Il me semble que cela n'est pas trop loin de la *ratio* dont nous parlait [...] Lucrèce', (*L'Atelier contemporain*, p. 297).

In elaborating his concept of reason ('raison, réson') Ponge is, in effect, operating as 'réconciliateur' in the most fundamental sense. The concept receives a variety of definitions throughout his work and relies to a certain degree on the homophony between 'la raison' and 'la réson' which permits exploitation of semantic overlap between mind and matter, content and form. Perhaps the clearest formulation of his interpretation of the Lucretian *ratio* is provided by *Des Raisons d'écrire* where, in a passage explaining how nature can serve as a model and guide, redemptive of man's impure state, he notes: 'la Nature autrement puissante que les hommes fait dix fois moins de bruit, et ... la Nature *dans l'homme*, je veux dire la raison, n'en fait pas du tout!' (*Le Parti pris des choses*, p. 162). Elsewhere, in relation to the Malherbian striving for a perfection of expression, he defines reason as '*la réson*, le résonnement de la parole tendue, de la lyre tendue à l'extrême' (*Pour un Malherbe*, p. 97). The concept thus embraces both the inspiring presence of a natural norm within imperfect human nature and, at the same time, a conception of linguistic potential maximised to its utmost resonant vibration.

The name of Lucretius and the reference to nature as a measure for human conduct inevitably suggest Epicurean preoccupations. Before focusing in detail on the utopian structure of the 'objeu/objoie' I should like to consider briefly certain aspects of late Hellenistic philosophy which can, I believe, extend our appreciation of how Ponge conceives the ecstatic function of poetic language to operate and of how it can thus contribute to a more integrated rationality. A reason which seeks to transcend the guilt and divisiveness of the present can find a resource in the more balanced relationship of mind and body which the pre-Christian era apparently accommodated. It is perhaps of some interest that it was the seventeenth-century France of Malherbe that witnessed a revival of interest in Epicureanism; and Ponge himself suggests that periods of cultural turmoil and intellectual uncertainty may find a particular relevance in Stoic philosophy (*Pour un Malherbe*, p. 165).[20] Both these schools of philosophy were influential in the transitional period bridging the last centuries before Christ and early Christian culture; Epicureanism in particular is considered by some scholars to have served in the ancient world as a preparation for Christianity.[21]

Ponge's writings suggest many parallels with Epicurean thought and there are explicit references to both Epicurus and the Stoics throughout his texts. However, given the limits of the present discussion, I shall do no more than sketch a very general context in which to situate two observations concerning these currents in Hellenistic philosophy which shed further light on Ponge's pursuit of a Lucretian *ratio*.

In terms of a broad moral climate one could propose that a certain affinity exists between the Epicurean emphasis on moral attentiveness and independence in the individual's relationship to his experience and the ethic of moral autonomy developed by the reformed faith in which Ponge was reared. More specifically we find at the core of Epicurean doctrine a belief in nature as a norm of truth, and the validation of happiness or joy as the goal of living. Similarly, Epicurus demonstrates a profound distrust of abstract speculation and of a reason which is not practical in its application. Following from this, sensation is given priority over reason insofar as it guarantees direct contact between man and his environment and is the basis on which *sapientia* or knowledge, the ultimate goal of human endeavour, is

20. A.A. Long, *Hellenistic Philosophy: Stoics, Epicureans, Sceptics*, Duckworth, London, 1974, pp. 241-242.

21. Norman De Witt, *Epicurus and his Philosophy*, Minneapolis, 1954, p. 8. My discussion of the influence of Hellenistic thought on Ponge is indebted to this work and to A.A. Long's study mentioned in the previous footnote.

founded. Epicurean belief asserted, too, the supreme value of the present moment, and, with its materialist denial of immortality, emphasised the shared nature of body and soul both of which, born simultaneously, are constituted by *soma* or matter.

Clearly there are thus many points of correspondence with Ponge's vision and, in a number of texts gathered in *L'Atelier contemporain* which focus on the artist Braque, Ponge explores in considerable detail a meditative approach to material reality which provides access to a form of tranquillity and wisdom deriving from the experience of pure sensation. In this conception of a spiritual ascesis which places the divine within man rather than projecting it onto a transcendent level, there is much that derives from Epicurean belief and, in particular, from the experience of *ataraxia* or peace of mind resulting from emotion restrained within natural bounds. Ponge notes that such a state of mind would be valuable in assisting human consciousness to resist the treacherous temptation exercised by ideologies which seek to dominate it. The defence against such abuses of language leads the mind to a quite different awareness of its own reality and of that of the natural world, towards a mystical perception of matter (*L'Atelier contemporain*, pp. 311-312).

It has long been acknowledged that pre-Chistian, and even early Christian thought, by exploring the non-rational dimension of experience, left space for a more integrated understanding of the human totality comprising mind and matter, logos and passion, masculine and feminine, which the patriarchal structures of the Judaeo-Christian culture dislodged and marginalised. The *ratio* pursued by Ponge, and embodied in the orgasmic structure of 'objoie' seeks to re-establish the masculine and the feminine dimensions of creative experience as essential components of a healed consciousness.

A text which very clearly demonstrates Ponge's Epicurean sensibility is *Raisons de vivre heureux* (*Le Parti pris des choses*, pp. 166-168) where he locates his activity as a writer within a framework formed by many of its tenets: the mind and body in balanced co-operation when he evokes each poem as 'la note que j'essaie de prendre, lorsque d'une méditation ou d'une contemplation jaillit en mon corps la fusée de quelques mots qui le rafraîchit et le décide à vivre quelques jours encore ...'. The importance of happiness as deriving from a full realisation of the here and now: 'faculté de s'arrêter pour jouir du présent ... garder la jouissance présomptive d'une *raison* à l'état vif ou cru ... étant entendu que l'on ne désire sans doute conserver une *raison* que parce qu'elle est *pratique*, comme un nouvel outil' — the practical reason noted above; and then, defending himself against the reproach that what he calls 'reason' is simply 'une description ou relation/ peinture désintéressée et inutile', he justifies his own understanding of the term by focusing on the joy which derives from contemplation and from contact with sensation: 'ces retours de la joie, ces refraîchissements à la mémoire des objets de sensations, voilà exactement ce que j'appelle raisons de vivre. Si je les nomme raisons c'est que ce sont des retours de l'esprit aux choses.'

The concluding lines of this passage can be interestingly aligned with one final aspect of Epicurean natural philosophy which may provide a further insight in relation to the impression of guilt as indebtedness towards the natural world informing Ponge's awareness. He continues: 'Il n' y a que l'esprit pour rafraîchir les choses [...] ces raisons sont justes ou valables seulement si l'esprit retourne aux choses d'une manière acceptable par les choses: quand elles ne sont pas lésées'. Such a desire to avoid harming the world is a central tenet of mystical belief stemming from an awareness of the interrelatedness of all created matter; in Epicurean thought it can be associated with a notion of justice conceived as a covenant between self and other, self and world, and founded on nature as the norm and as the force implanting in man an embryonic awareness of a justice conceived of as abstention from causing harm.[22]

Ponge's search for a sounder reason, rooted more securely in nature, translates a desire for a more unitive relationship between man and his environment where the pure reason of ideology, the destructive and imbalanced masculinist rationality that has led the West into an impasse, would be understood as responsible for the damage done not only to nature outside of man but to his own nature. And it is to Ponge's conception of 'l'objoie' as providing a more soundly functioning, natural rationality, that I should like to return now in tracing the contribution made by the Stoic conception of structure to his elaboration of this formal utopia, 'Paradis du fonctionnement'.[23]

Stoic natural philosophy is a vast topic which, broadly speaking, conceives of nature as the intelligent activity of a single entity variously referred to as God, *pneuma* (breath) or logos. At the heart of this view is the notion that nature and rationality are co-terminous: to one class of animals, men, nature gives a share of its own essence, reason, in an imperfect but perfectible form (we are reminded here of Ponge's definition of 'la raison/réson' as 'la nature dans l'homme'). Nature, for the Stoics, is the cosmic principle which holds the world together and is conceived of as 'an artistic

22. De Witt, pp. 295-297; see, too, R. Kirby, p. 47, for discussion of the concept of *Ahimsa* or harmlessness in mystical thinking.

23. 'En somme, *j'approuve la Nature* (*Le Parti pris des choses* a failli être intitulé l'Approbation de la Nature), exactement par stoïcisme' (*Pour un Malherbe*, p. 186).

fire going on its way to create' (A.A. Long, *Hellenistic Philosophy: Stoics, Epicureans, Sceptics*, 1974, p. 148); in other words, *pneuma* lends coherence to the entire cosmic sphere, so preventing it from collapsing under the gravitational pull of its constituent parts (A.A. Long, pp. 171-172). This concept of a structuring presence or principle suggests parallels with Ponge's view of the role of the creative artist being to repair the faulty functioning of the cosmic machine, by sustaining a tension or cohesion which threatens to collapse. In discussing the resonant state of language ensured by the vibrating Malherbian lyre he refers, for example, to 'l'objeu [où] il ne s'agira ... que de la perfection, de la tension, de *cette* tension, comme telle' (*Pour un Malherbe*, p. 73); or again 'Nous ferons fonctionner le monde entier, le verbe entier. Nous fabriquerons l'horloge sérielle' (*Pour un Malherbe*, p. 192).

Ponge conceives of poetic language as the agent and, simultaneously, the embodiment of a new *ratio:* 'Non la raison toute pure ... non les nouveaux mythes (Marxistes) .... La poésie est une affaire de démystification ... mais en conservant le mystère de la parole' (*Pour un Malherbe*, p. 149). This fully functioning language demonstrates in its structure and resonance a redeemed or more integrated consciousness. Now if we consider for a moment the view of structure held by Stoic natural philosophy we can begin to see how such a redemption through form may come about. Nature, for the Stoics, is analysed as 'the structure and behaviour appropriate to particular things .... The *nature* of anything is simply that structure and pattern of behaviour which universal nature has ordained as appropriate or in the interests of the creature concerned .... The ultimate goal or function of [any being] is the perfection of his nature' (A.A. Long, pp. 189-194).
If we turn now to Ponge's definition of the 'objoie' as it is provided in his discussion with Philippe Sollers, it can be seen that it shares certain characteristics of this Stoic conception of perfection residing in the maximal functioning of nature as structure. The resonant state of language is to be achieved by formal means alone. It is a tension of the word which elevates it beyond the reach of the shared pollution which we call ideology, but which may simply be the human sphere, into that Paradise of Reason epitomised by the Malherbian striving: 'Malherbe ... surréaliste de la raison .... Langage absolu .... Résonance dans le vide .... Ce qui résonne par sa seule forme' (*Pour un Malherbe*, p. 142); a vision of excess which is surely not so far removed from Barthes's dream of 'une nouvelle écriture ... innocente ... dans lequel les caractères mythiques d'un langage s'abolissent au profit d'un état neutre ... de la forme' (p. 13 above).

The 'objoie', that joyful orgasm of mind and matter, consciousness and excess, realised in the material density and resonant potential of language, is functioning raised to the level of paroxysm, the appropriate and natural mode of being of any form developed to its maximum, what might be termed a tautological or self-reflexive formal orgasm:

> Ce qui me paraît vraiment merveilleux, miraculeux en quelque façon, c'est le fait même que n'importe quelle structure puisse se concevoir comme telle, et se vouloir comme telle, s'accepter et s'avouer et se donner, se déclarer hautement pour ce qu'elle est, c'est-à-dire comme conventionnelle par elle-même; eh bien! si elle peut trouver le signe de cela, à ce moment-la il y aura une espèce de transmutation, alors vraiment heureuse, jubilante: c'est ce que j'appelle l'*objoie*. Il y a là une sorte de morale qui consiste à déclarer qu'il faut qu'un orgasme se produise et que cet orgasme ne se produit que par l'espèce d'aveu et de proclamation que je ne suis que ce que je suis, qu'il y a une sorte de tautologie (*Entretiens avec Sollers*, p. 190).

I suggested that in Barthes's writing we find a transposition of guilt from the human agent as responsible, to language as the vehicle of conscience. In the work of Ponge a similar metonymy seems to be at work in the context of redemption: the 'guilty body' of the West may find it difficult to experience ecstasy but the incandescence of poetic language can serve here as substitute just as, for Barthes, a theory of 'jouissance' facilitates an imaginary transcendence.

Malherbe, *porte-parole* for so much of Ponge's imaginary, is scrupulously attentive to the language he employs, marked as he is by his awareness of 'la honte ineffaçable, le caractère irrémédiable d'une parole fautive' (*Pour un Malherbe*, p. 232). Ponge voices the same degree of respect for the existential import of the word in remarking that 'de ce que je dirai (de la forme que je donnerai) peut dépendre le sort de l'esprit de l'homme au cours des prochains siècles' (*Pour un Malherbe*, p. 147). The redemptive or utopian dimension of the new poetic discourse lies in its particular capacity to resolve the alienating dichotomy of mind and body. 'Il y a une façon de traiter les paroles conçues comme pâte épaisse à franchir qui mime la façon qu'a l'esprit de franchir la raison simple pour atteindre au fond obscur des choses: à leur vérité (*Comment Une Figue de paroles et pourquoi*, p. 35). It is through Malherbe again that Ponge conceptualises, in a passage heavy with Nietzschean resonances, how language in a rarified and refined state can facilitate a transformation of the human organism by means of a *logos* which embraces the mysteries of matter as much as the intuitions of mind:

> C'est ce que nos anciens appelaient: dire *de bonne grâce*. De la naissance des Dieux de Parole. Il faut former un corps qui rappelle (qui remette en l'esprit du lecteur) le bonheur de vivre ..., qui en donne l'exemple, ou la preuve. Enfin, un *Dieu* grec. (Grec? ou plutot étrusque?) Qu'est-ce

qu'une œuvre d'art? — C'est un nouveau Dieu, saltant, exaltant. Dionysiaque autant qu'apollonien' (*Pour un Malherbe*, p. 291).[24]

If the Western 'body' finds it hard to dance, the joyful, dancing reason of the Malherbian myth demonstrates how the Western word, realised poetically, materially, as 'objoie', can stand in for it. The 'érotique de l'écriture' proposed by Ponge is similar in function to Barthes' conception of a literature which would embody within itself the conscience of its own guilty nature; for both writers language becomes the agent of redemption. In a general sense, it is clear that one of the functions of literature in a culture is that of recuperative fantasy; that which cannot be achieved in reality can be fulfilled by the imagination. More specifically in relation to Ponge, it could be argued that in his description of the union of the male and female dimensions experienced in the creative process in the text quoted below he is proposing a means of healing the 'déchirement' of a consciousness alienated from its full nature, a vision which is very close to the redemptive copula of Irigaray's discourse: 'Mystères de la création verbale. Aux moments où l'inspiration est pressante, urgente .... Il semble que le monde entier s'organise en sa faveur, les tiroirs du vocabulaire et des associations s'ouvrent, tout y dévale .... La *Vénté* alors *jubile.* C'est l'afflux des spermatozoïdes dans la fente féminine ouverte et accueillante ... en état de vide .... Rapport entre *viduité* et *évidence*' (*Pour un Malherbe*, pp. 243-244).[25]

In this vision of a joyful truth attained through the coming together of the complementary aspects of human subjectivity variously referred to as masculine and feminine, animus and anima, logos and passion, we witness the essence of a rationality based in love rather than in the divisions of guilt. On the level of theory, at least, an alternative vision is proposed. Both Ponge and Irigaray risk an imaginable leap which was refused by Barthes's mythologist faced with a similarly flawed reality.[26] By allowing a vision of

24. It is interesting to observe that, in discussing the meditative potential of a work of art in relation to Braque's paintings, Ponge conceives of it in terms of an activity involving the entire psycho-physiological potential of the human organism: 'Un des plus grands mérites de Braque est que sa méditation, *id est*, son recueillement en sa complexion psycho-physiologique, l'amène à refuser, à récuser, à résoudre les antimonies de l'ancienne culture (cf. esprit v. matière) ... *Méditation* ... du latin *meditari*, dont le sens propre est s'exercer au physique et au moral' (*L'Atelier contemporain*, p. 314).

25. Luce Irigaray's deconstructive reading of the discursive traditions of Western philosophy and psycho-analysis envisages the advent of a transformed Symbolic Order. In place of the current repression of the feminine by masculine structures of language, one can imagine a cooperation of masculine and feminine, understood as dimensions of human psychological reality in what she refers to as 'la copule'. See, in this context, *Speculum, de l'autre femme*, Minuit, 1974, and *Ethique de la différence sexuelle*, Minuit, 1984.

26. *Mythologies*, p. 246.

love to replace one dominated by guilt there is a possibility that the catastrophe of our culture may be averted. For this to be achieved, however, the rational intellect alone is insufficient: a reintegration of mind, body and spirit must occur.

We cannot become nature, we cannot simply divest ourselves of our peculiarly human characteristics however problematic these may be: the core of a new rationality, of a resonant, dancing, 'feminine' reason lies, as Ponge suggests, in acknowledging as valuable and creative that which makes consciousness and world distinct. 'Pourquoi, bien que nous y soyons tentés, n'allons-nous pas nous passer des mots?' asks Ponge, 'Eh bien ... par le sentiment ... (l'intuition) que la nomination est la clé de tout — et que si nous nous intéressons à cette différence des mots et des choses, c'est qu'en vérité nous y sommes au plus haut point intéressés, que c'est nous ... que le problème de cette différence concerne, qu'il ne s'agit là en somme, que de nous — de notre propre existence ... de notre propre justification, de notre seul devoir (envers nous-mêmes comme envers la société ... comme envers la nature entière, envers la mécanique, le fonctionnement universel, dont nous faisons partie)' (*La Fabrique du pré*, Skira, 1971, p. 26).

UN JOURNALISTE FRANÇAIS À LONDRES EN 1802: DEUX NOTES INÉDITES DE FIÉVÉE À BONAPARTE, PREMIER CONSUL

par

SIMONE BALAYÉ

On connaît l'importance de la pensée et du modèle politique anglais pour les penseurs français du XVIII° siècle. La Révolution s'est en partie fondée sur ces idées contre lesquelles la réaction ne pouvait manquer de s'élever, dès qu'elle retrouva la possibilité de s'exprimer après le 9 Thermidor. La prise du pouvoir par Bonaparte encouragea les Français à ne plus chercher un modèle chez leurs voisins. Les partisans des idées anglaises, la guerre aidant, eurent de moins en moins droit à la parole. Bon nombre d'écrivains, de journalistes, d'administratifs entendaient bien rayer en même temps la Révolution et ses causes, c'est-à-dire le XVIII° siècle tout entier et l'esprit des Lumières.

Parmi les journalistes de la réaction, on compte Joseph Fiévée, trop oublié de nos jours, sauf de quelques spécialistes, jusqu'au livre que lui a récemment consacré Jean Tulard[1]. Une étude approfondie de ses idées est d'autant plus intéressante qu'elles expriment bien un mouvement qui s'est installé après le 9 Thermidor, a pris de la force sous le Directoire, au moins jusqu'au 18 Fructidor, et s'est trouvé encouragé à partir de 1800.

1. *Joseph Fiévée, conseiller secret de Napoléon*, Paris, Fayard, 1985 *(Les Inconnus de l'histoire)*. On y trouvera en outre une bibliographie, à laquelle j'ajouterai, de BENOIT YVERT, «Les articles de Joseph Fiévée dans le *Conservateur*» (*Revue de la Société d'histoire de la Restauration*, n° 1, 1987) et ma contribution aux Mélanges Paul Viallaneix à paraître prochainement, «Du *Journal des Débats* au *Journal de l'Empire*, 1800-1805», qui contient des inédits de Fiévée. GUY THUILLIER a publié «Deux lettres de Joseph Fiévée, maître des requêtes» (*Revue de l'Institut Napoléon*, 1986-II).

Fiévée est lui-même un journaliste plein de verve et de talent, amateur de paradoxe, non dépourvu de prétention et qui a occupé une place assez étrange sous l'Empire. Bonaparte fit de lui un de ses principaux correspondants secrets, le plus important peut-être, qu'il chargea spécialement d'ausculter l'opinion publique à laquelle il attachait, on le sait, une grande importance. Cela donna à Fiévée une fâcheuse auréole de dénonciateur éventuel, plus craint et méprisé qu'aimé. Journaliste, il le resta à la *Gazette de France* où il travailla de 1800 à 1802, au *Mercure de France* et au *Journal des Débats* qu'il dirigea de 1805 à 1807.

Il a publié en 1837 ses notes à Bonaparte[2] sur l'authenticité desquelles on peut s'interroger. Ses articles dans les journaux peuvent servir de garant aux opinions qu'il exposait à Bonaparte. Cependant, la seule lettre connue jusqu'ici portant sur les affaires du *Journal des Débats* en 1805 diffère des lettres publiées, plus technique, moins théorique que les analyses par lesquelles il la remplace[3]. Les deux notes que nous publions (il y en eut trois, dit l'auteur) présentent donc un vif intérêt.

Il y a entre Fiévée et Bonaparte une certaine communauté d'idées que le journaliste exprime dès la période thermidorienne. Il n'a pas eu à se forcer beaucoup pour faire sa cour idéologique, sinon ajouter d'habiles flatteries.

Nous nous bornerons à évoquer le début complexe de ses relations avec le Premier Consul sur lesquelles les documents ne manquent pas. Fiévée, journaliste fructidorisé, n'avait pas quitté la France. Il était rentré à Paris dès le 18 Brumaire et avait pris la direction de la *Gazette de France*, où il écrivait quotidiennement sans signer. Pendant son exil, il avait entretenu des relations avec des royalistes tels que Royer-Collard, qui l'avait caché chez lui en Champagne, mais il était demeuré très prudent envers les diverses agences royalistes. Entra-t-il ou non dans la «conspiration anglaise» découverte en 1800 (Hyde de Neuville, Dupérou), ce n'est pas certain et son rôle est impossible à évaluer. Fouché, très hostile à ses idées, réussit à l'y impliquer tardivement et le fit emprisonner au Temple où Fiévée demeura du 4 décembre 1800 au 14 mars 1801. C'est surtout Roederer, ennemi et rival de Fouché, bien en cour à l'époque, qui l'aida à se libérer et c'est

2. *Correspondance et relations de J. Fiévée avec Bonaparte pendant onze années (1802-13)*, Paris, A. Desrez, 1837, 3 vol. in 8°

3. Elle a été publiée par G. Le Poittevin, *La Liberté de la presse depuis la Révolution, 1789-1815*, Paris, 1901.

finalement par lui que se firent les premiers rapprochements avec Bonaparte[4].

Sorti de prison, Fiévée retourna à la *Gazette de France*. Les choses semblaient devoir en rester là. Cependant, l'attention de Bonaparte avait été éveillée. A la fin de 1801 ou au début de 1802, Fiévée se décida à publier en la signant une brochure habile, *Du 18 brumaire opposé au système de la Terreur*, qu'on accueillit fort bien aux Tuileries.

La paix d'Amiens fut signée le 27 mars 1802, rouvrant les relations avec l'Angleterre après dix ans de guerre. Bonaparte commençait à envoyer des agents chargés de missions diverses, allant de l'espionnage commercial et militaire à l'espionnage politique auprès des émigrés français et du gouvernement anglais. Il décida d'y envoyer Fiévée sans instructions autres que de faire des mémoires sur «la marche de l'esprit public, l'administration, enfin tout le mouvement de la nation anglaise». Bonaparte lui interdisait toute relation avec les émigrés[5]. La proposition plut à Fiévée qui y vit des possibilités d'avenir et, en effet, Roederer et Bonaparte pensèrent dès lors à l'employer dans l'administration, ce qui ne se fera que sept ans plus tard.

Cependant, Fiévée trouvait l'objet de sa mission plutôt vague. Il demanda des précisions à Roederer le 21 mars 1802[6] et ne cessa d'en demander même de Londres[7]. Il semble donc bien qu'on puisse écarter les

4. On a conservé deux requêtes au Premier Consul et plusieurs lettres à Roederer que nous nous proposons de publier.

5. On verra les lettres de Bonaparte à Roederer (*Correspondance générale*, n° 5989, 21 ventôse an X-12 mars 1802, et n° 5995, 25 ventôse-16 mars). Sur ce voyage, il y a une brève étude de Pierre Reboul, «Le Voyage de Fiévée» (*Revue des sciences humaines*, juillet-septembre 1953) et quelques pages de Jean Tulard (*op. cit.*, pp. 117-122).

6. Voici un passage de la lettre de Fiévée à Roederer, du 30 ventôse-21 mars (il avait vu Roederer, la veille, 29, et y fait allusion dans cette lettre) (A.N., 26 AP 18, p. 264):

«J'ai la mauvaise habitude de ne pouvoir préciser une idée sans un peu de réflexions, et je veux ne communiquer que celles que m'a fait naître notre *conversation d'hier matin*.

«Il est bien convenu que n'ayant personne à voir, aucune affaire à traiter, toute ma mission se bornera à observer, et à me mettre bien en l'état de rendre compte de mes observations. Ceci est bien entendu; mais le mot observer n'est-il pas un peu vague? Depuis douze ans, qui a bien observé ce qui s'est passé en France, et qui pourrait en rendre un compte satisfaisant? En tout, il faut partir d'une idée première, bien claire, bien précise, et si le secret de ma mission ne peut en être un pour moi, je regarderais comme très profitable qu'on m'avertît sur quoi je dois particulièrement diriger mes observations, car si elles roulent dans un trop grand espace, si, abandonné à moi-même, je pars d'une idée fausse, mon voyage pourra bien être encore celui d'un homme qui voit, mais il pourrait bien être aussi celui d'un mauvais politique. Je crois donc qu'il serait indispensable que je reçusse autant que possible, des instructions aussi courtes qu'on voudra, pourvu qu'elles fussent capables de diriger toutes mes idées vers les objets sur lesquels on désire particulièrement des renseignements.»

7. Par exemple dans une lettre à Roederer du 26 prairial-15 juin (A.N., 26 AP 18, p. 270).

accusations dont il fut l'objet[8], à moins de le supposer plus machiavélique et plus secret encore. C'est probablement Mary Berry qui a raison en le nommant parmi les écrivains envoyés en Angleterre pour mieux calomnier ensuite le gouvernement anglais[9].

Avant son départ, Fiévée sollicita une audience du Premier Consul[10], qu'il rencontra le 17 avril[11]. Bonaparte lui ordonna de faire parvenir ses lettres par l'ambassadeur de France en les numérotant pour qu'il vît s'il s'en perdait[12].

Le 26 avril, Fiévée s'embarquait à Calais pour Douvres, en compagnie de son ami Théodore Leclercq[13], plus tard bien connu pour ses *Proverbes dramatiques* qu'on s'arrachera dans la bonne compagnie. Sa mission commençait.

Grâce à de nombreuses lettres de recommandations, il se répandit aussitôt dans la société londonienne et semble n'être allé hors de Londres qu'à Bath et Oxford. Molé, en Angleterre au même moment, le décrit dans les salons: «Pour mieux cacher le but de son voyage, Fiévée affectait une grande liberté de manières, de discours. Il était fort répandu chez les Anglais, qui avaient sagement pris le parti de s'amuser de son impertinence. Fiévée les avait mis dans l'alternative de le jeter par la fenêtre ou de le trouver plaisant. Il ne cessait de se moquer de leurs manières, de critiquer leurs institutions. Les Anglais, le premier moment passé, le trouvèrent «an eccentric character», et finirent par se l'arracher[14]». Cela se reflète fidèlement

8. Barrère qui le haïssait l'accuse dans ses *Mémoires*, Paris, 1842-1844 (III, 68), d'avoir été chargé d'espionner les Bourbons à Hartwell. On le suppose aussi chargé d'acheter des journalistes anglais pour la propagande de Bonaparte (Molé, *Souvenirs d'un témoin de la Révolution et de l'Empire*, Genève, 1943, p. 186; THOMAS HOLCROFT, *Travels from Hambourg...* to Paris, London, 1804, t. I, p. 361 *et ss.*; *Antijacobin Review*, dans le compte rendu du livre précédent, 1804, t. XVIII, p. 60; précisions en novembre: Fiévée aurait acheté un Italien, Badini, rédacteur du *Bell's Weekly Messenger*, expulsé entre temps. Rien de tout cela n'est prouvé. Dans *l'Ambigu*, Peltier dit pis que pendre sur l'attitude de Fiévée, après le retour de ce dernier en France.

9. *Social life in England and in France from... 1789 to.... 1830*, London, 1831, p. 61.

10. Lettre s.d. à Roederer probablement du 28 ventôse (A.N., 29 AP 18, p. 267).

11. Il en fait le récit dans son introduction à la publication de sa *Correspondance avec Bonaparte*, t. I, p. CLXXV.

12. Il affirme n'en avoir envoyé que trois, nous n'en avons retrouvé que deux, comme nous le disons dans le texte; il affirme aussi n'avoir traité que des sujets de finances; c'est assez vrai. Peu avant ou peu après, il reçut un billet de Rœderer lui demandant une note sur l'esprit public certainement destinée à Bonaparte; nous comptons publier ce texte curieux, annonciateur des futures notes au Premier Consul.

13. Public record office, HO. 5/7, p. 329, Alien Office, 27th April 1802; les deux amis y sont notés «men of letters».

14. Molé, *op. cit.*, p. 186.

dans ses articles du *Mercure de France*, mais on voit aussi les soupçons de Molé.

Fiévée dit lui-même qu'il rencontra avec un grand profit des «lawyers», notamment James Mackintosh et son ami Samuel Romilly. Il vit aussi des banquiers étrangers qu'il trouva particulièrement intéressants et bien renseignés[15].

Il décrit ses explorations dans le *Mercure de France*, où sans aucun doute Bonaparte put compléter les notes particulières qu'il reçut. Les articles donnés au *Mercure* sont de l'excellent reportage, drôle, très malveillant pour la société anglaise, classe politique y comprise, où il montre une impertinence, un aplomb vraiment étonnants. Ces articles recueillis en livre au retour de Fiévée, méritent une étude non seulement pour le pittoresque mais pour l'idéologie qui sous-tend les peintures, la haine de l'auteur pour le XVIII° siècle, la Révolution et l'Angleterre. Une polémique violente devait s'engager, rien moins que cinquante articles, ce qui justifierait bien une étude approfondie. Cette curieuse entreprise de propagande anti-anglaise servait parfaitement Bonaparte.

La lecture des deux notes retrouvées est curieuse par ses partis-pris et ses ignorances. La Révolution y est présentée comme le résultat des «bas calculs des économistes» et de l'expansion de l'esprit commercial. On peut être surpris de tels propos. Mais, suivant Fiévée, lui-même issu de la bourgeoisie commerçante, là où il y a négoce, manque la gloire que Bonaparte a rendue à la France.

La folie de Fiévée est de voir dans la France la première nation du monde, parce qu'elle n'est pas commerçante. Etrange mépris pour son

15. Fiévée, *Lettres sur l'Angleterre et réflexions sur la philosophie du XVIII° siècle*, Paris, Perlet, Desenne, 1802, p. 215. Le *Mercure* publia les lettres à partir du 5 prairial jusqu' au 17 fructidor; elles sont signées F..... ou F***. Il y a une trace de ces rencontres dans les lettres échangées entre Charles et Rosalie de Constant, cousins germains de Benjamin Constant (ces lettres se trouvent à la Bibliothèque publique et universitaire de Genève, Ms.). Charles était justement de ces banquiers étrangers résidant à Londres. Le 25 mai, il écrit à sa sœur: «Nous avons ici dans ce moment l'auteur de la Dotte de Susette et de Frédéric, Mr Fiévée. Si tu sais qui c'est, tu nous le diras. Il a tout l'esprit de son livre et cette connoissance des vices du genre humain qui donne un grand avantage sur ceux qui cherchent autre chose. Nous comptons nous amuser de sa conversation.» Le 7 juin, Rosalie le renseigne: «Nous avons entendu parler de Mr Fiévée comme d'un très joli petit auteur de Paris; l'homme qui a fait ces deux romans a sûrement bien de l'esprit et une imagination très aimable. La dot de Suzette est un petit chef-d'œuvre. Ce genre d'agrément doit faire une diversion piquante à la société et au genre de vie anglais.» Le 7 juillet, encore Rosalie: «J'ai demandé à B[enjamin] des renseignements sur M. Fiévée. Il m'a dit qu'il était dans ce moment à Londres comme espion de Bonaparte et pour acheter des journalistes anglais. D'ailleurs très aimable romancier, mais connu pour ces sortes de missions.» Ajoutons que Fiévée était très mal vu dans le milieu Staël-Constant.

devenir économique, contre un progrès si nécessaire par ce qu'il implique. Il est contre toute intervention de l'Etat, pour ce que nous appelons le libéralisme sauvage, dont il ne prévoit pas les conséquences, contre une bureaucratie engendrée par l'esprit philosophique qui, en créant des sciences inutiles, politiques et économiques, a, suivant lui, empêché les gouvernements de favoriser les peuples.

Ce qui frappe chez cet homme intelligent, qui n'est pas tout à fait aveuglé par sa haine pour l'Angleterre, c'est son ignorance des raisons profondes du succès commercial anglais. Craignant la ruine de la France si «elle s'ouvre au commerce extérieur», Fiévée pousse au protectionnisme et au retour vers le colbertisme, prôné par le Code commercial qui commençait à s'élaborer à cette époque.

Enfin, il s'attaque à toute idée de supériorité anglaise sur la France. Il y a dans ses écrits d'alors un chauvinisme, un nationalisme incroyables, quasi délirants, vraiment curieux à considérer. Ce goût pour une gloire dont il ne donne pas la définition est lui aussi bien étrange, car, au fond, elle n'a sans doute de sens que par la personne même de Bonaparte.

Telles quelles, ces notes minutieuses marquent sans doute un moment dans les conceptions politiques et économiques de Bonaparte; elles vont trop bien dans son sens, pour qu'il n'écoute pas Fiévée. Le mot de guerre n'est pas vraiment prononcé, le blocus est loin, mais le danger anglais pour ses ambitions est habilement souligné, l'orgueil du général Premier Consul flatté à travers la supériorité attribuée à la France. Ces études tendancieuses peuvent paraître bien peu de choses parmi la foule des écrits sur ces vastes sujets, mais Napoléon les a lues et retenues.

NOTE 1ère[16]

[Londres, prairial an X.]

Même avec le goût d'observer, il est difficile de se former en peu de jours une idée juste d'une nation où les lois sont aussi nombreuses, les usages et les opinions aussi contradictoires qu'en Angleterre. Cependant j'oserais affirmer que ce pays est à l'abri de toute révolution précipitée. L'exemple de la France y a vivement frappé les esprits, et le même sentiment qui nous fait appeler aujourd'hui le gouvernement d'un seul, en a rendu le besoin plus généralement reconnu en Angleterre. De sa constitution, c'est la partie monarchique qui triomphe à présent dans l'opinion.

16. A.N., AF IV 1672, pl. 1. Lettre autographe non signée. Au crayon, en haut d'une écriture ancienne: «De M. Fiévée, Londres, prairial an X» (entre le 21 mai et le 19 juin 1802).

C'est à cette cause qu'il faut attribuer le peu de considération dont jouit, depuis dix ans, le parti de l'opposition[17]. Ce parti, dans son ensemble et dans chacun de ses membres, a les idées les plus fausses de la Révolution française; il parle encore avec estime, avec regret même d'hommes populaires et criminels totalement oubliés aujourd'hui dans notre patrie; et il croit *à la vérité abstraite du principe*, indépendamment des circonstances. Cette confusion de pensées libérales, d'esprit de perfectibilité universelle a éloigné le parti de l'opposition de la véritable politique qui pouvait lui donner de l'influence; la nation anglaise qui voit en lui un allié possible des Français révolutionnaires, s'est attachée de préférence au parti ministériel quoique tous les hommes de mérite indépendant s'accordent pour avouer que le plus fort de ce parti, M. Pitt, est bien plus orateur qu'homme d'Etat.

Pour bien juger de l'opposition, il suffit de remarquer que les hommes de ce parti nous blâment hautement de revenir à l'unité et d'assurer notre avenir par la perpétuité de notre gouvernement; tandis que tout ce qui tient au parti ministériel se contente de nous plaisanter en public, mais, dans la conversation intime, avoue la sagesse de ce retour vers la tranquillité. Telle devait être en effet l'action de la France sur l'Europe: notre agitation intérieure faisait trembler l'univers; notre position actuelle rassure tous les gouvernements; et si une politique quelconque conseillait aujourd'hui une alliance, elle serait plus facile à opérer entre le Premier Consul et le parti ministériel anglais qu'entre le Premier Consul et le parti de l'opposition qui n'a pour lui que les démocrates, ainsi que s'appèlent eux-mêmes ici les partisans de la liberté indéfinie; or les démocrates sont les mêmes partout: tout pouvoir leur paraît despotique, et Bonaparte empereur leur arrache plus de soupirs que ne le ferait le renversement de leur patrie.

Les craintes que l'on montre ici sur le peu de sincérité de la paix tiennent beaucoup au parti formé de reporter de force M. Pitt au ministère. On répand le bruit que les dix années qui suivront la paix, exigeront une prévoyance plus grande que celle qu'il fallait pendant la guerre, afin d'en conclure tout naturellement que celui qui a gouverné pendant la guerre peut seul gouverner après la paix. Quoique M. Pitt n'ait pas la réputation d'un grand politique, on lui reconnaît généralement celle d'un bon financier, faible qualité chez un peuple qui aimerait la gloire, mais la plus grande de toutes les qualités chez un peuple qui n'a d'existence que par le commerce.

17. Les Whigs, c'est-à-dire notamment, Fox, Pitt représentant les Tories. Le Premier Ministre était alors l'ami de ce dernier, Addington, qui le remplaça en mars 1801 et contribua à la paix d'Amiens. Addington est alors au faîte de sa puissance qui va décliner dès l'automne avec la popularité de cette paix. Il mènera la guerre mais devra quitter le pouvoir en mai 1804, remplacé par Pitt.

Il est très certain que ce ministre n'a brusqué le roi sur un point de conscience[18], que pour avoir un prétexte de se retirer, de laisser faire la paix, et de rentrer ensuite au ministère débarrassé de ceux de ses collègues qui, pendant toute notre révolution, ont voulu influer directement sur nos destinées. M. Pitt a grand soin de se présenter comme ennemi de la France, cela tient à sa popularité; mais, avec une grande ambition, il a le caractère assez modéré pour ne point haïr, et même pour ne pas aimer.

Quelqu'un qui le voit beaucoup, et qui souvent en est consulté, me demandait si je croyais notre gouvernement sincère dans le désir annoncé de maintenir la paix. Voici quelle fut ma réponse:

«Je ne puis savoir si la paix sera durable; c'est le secret de l'avenir; mais je vous réponds que si la guerre se rallume par quelque cause que ce soit, cette guerre sera entièrement étrangère à la Révolution, et la cause en est simple. Si la guerre à venir avait le moindre contact avec la Révolution, elle reporterait Bonaparte au même point où il était au 18 brumaire, en ne le présentant à la France et à l'Europe que comme l'exécuteur des projets révolutionnaires; au lieu qu'une guerre de gouvernement à gouvernement sanctionnerait son pouvoir et jetterait la puissance de sa famille dans l'avenir[19]. Craignez ou ne craignez pas la guerre; mais ne craignez plus de guerre révolutionnaire; elle serait une grande faute en politique, et Bonaparte n'en fait pas.»

Après avoir dit que l'Angleterre est loin de toute révolution précipitée, et avoir montré que notre expérience lui a profité sous ce rapport, je crois devoir développer une autre cause de sa tranquillité.

La Révolution française n'a été le produit d'aucun malaise général; elle naquit d'une fausse direction que prirent les esprits, direction qui fut toute en sens contraire des principes de la monarchie. La France est faite pour la gloire; c'est par toutes les sortes de gloire qu'elle avait acquis une si grande prépondérance en Europe. Lorsque les bas calculs des économistes, lorsque l'esprit de commerce se répandirent sur la France, alors notre nation dégradée tomba dans le désordre dont la gloire militaire pouvait seule nous tirer. Plus que jamais aujourd'hui nous sommes dans les vrais principes qui conviennent à la France, parce que nous avons beaucoup de gloire; aussi notre influence en Europe est-elle plus grande qu'elle n'avait jamais été

La Nation anglaise (par toutes les fautes commises en France depuis un siècle) a su allier deux choses que tout tend à séparer: *commerce* et *gloire*.

18. Allusion à l'Acte d'Union avec l'Irlande en 1800 et à ses efforts pour émanciper les catholiques.

19. Fiévée entrevoit l'installation dynastique de Bonaparte. Il n'est pas le seul. Mme de Staël pense de même.

Pour dominer cette nation, pour la faire descendre du rang auquel elle prétend en Europe, il n'est qu'un seul moyen, c'est de lui apprendre que sa gloire n'est qu'orgueil, et de la traiter comme un peuple de marchands; elle n'est que cela.

Cet esprit de commerce que l'on dit si favorable à la liberté est incompatible avec tout ce qui est grand. Comment ce qui se nourrit de profits pourrait-il consentir à des sacrifices? Carthage est tombée devant Rome; les villes commerçantes et libres d'Allemagne ont été incapables d'aucune résolution pour défendre leurs privilèges; la Hollande s'est laissée conquérir dans la crainte de combattre; c'est dans les villes commerçantes que la Suisse a perdu ses mœurs et l'esprit de sa conservation; autant en arrivera à tous les peuples commerçants lorsqu'il paraîtra sur la terre une nation dont le premier mobile sera la gloire.

Montesquieu et tous les publicistes ont dit que le commerce était favorable à la liberté, parce qu'ils ont envisagé le commerce combattant contre la féodalité; il est vrai qu'alors le commerce donnait aux hommes le désir et le moyen de sortir d'esclavage. Mais dans le siècle des lumières, depuis que la politique est devenue une science vaste, et l'art de gouverner le premier des arts, le commerce a éteint tout sentiment de gloire dans les nations, et souvent donné aux gouvernements des entraves qui les ont empêchés de rien oser pour le salut des peuples.

Sans la mer qui forme un rempart à l'Angleterre, qui doute que cette nation n'eût subi, presque sans résistance, le joug de la conquête, et n'eût montré plus de bassesse que de courage pour l'éviter; tandis que la nation allemande, agricole et guerrière, a témoigné tant d'attachement à son souverain, et montré tant d'ardeur pour défendre son pays.

La grande politique de la France est de reporter chaque nation à son véritable rang; elle au premier; les nations commerçantes au dernier; rien n'est plus dans la nature des choses, et pour arriver à ce but important, il suffit que le gouvernement français ne permette plus que les intérêts du commerce viennent se jeter à travers la gloire de l'Etat.

La Nation anglaise tient plus a son *commerce* qu'à sa *gloire*; son commerce est son existence, sa gloire n'est pour elle qu'un accident dont on chercherait vainement la cause autre part que dans la faiblesse des derniers temps de la monarchie qui souffrit que les philosophes vantassent sans cesse une nation qu'il suffisait peut-être de mépriser pour l'empêcher de sortir des limites que la nature lui avait données. *C'est en France que la Nation anglaise a fait sa réputation; c'est en France qu'elle doit la perdre.* La langue anglaise n'a été apprise en Europe que depuis que nos écrivains ont parlé des auteurs anglais; la nation anglaise n'a tant estimé son gouvernement qu'en voyant le meilleur de nos publicistes le présenter à l'admiration des siècles; tous nos historiens, nos mauvais politiques, poètes et dramaturges, vanter ses lois, ses mœurs et sa liberté; nos économistes, plusieurs de nos ministres et, depuis la Révolution, la plupart de nos législateurs, puiser leurs exemples chez ce peuple devenu fier enfin de voir la nation qui donnait le ton à l'Europe, s'humilier devant une rivale qu'elle s'était créée. C'est à cette cause, et à cette cause seule, qu'il faut attribuer l'alliance si extraordinaire qui se trouve en Angleterre entre le commerce et la gloire; mais, je le répète, cette gloire n'est qu'un accident; cette gloire a déjà baissé devant celle si réelle de la France; cette gloire vaine comme l'orgueil, est l'ouvrage de l'inconsidération française; il faut qu'en France tout s'accorde pour abaisser cet orgueil; il faut apprendre aux Français la différence qu'il y a entre eux et une nation purement commerçante; il faut intéresser la vanité des grandes nations agricoles et guerrières à se croire plus que la banque de Londres; et comme la nation anglaise va contre la nature des choses en se montrant aussi fière que commerçante, le jour où elle sera forcée de renoncer à l'orgueil, elle entrera en révolution, parce qu'elle aura attaqué [l'orgueil] devenu aujourd'hui principe de son gouvernement. Tant qu'elle se croira la première ou l'égale de la première nation du monde, elle sera à l'abri des événements révolutionnaires dont elle porte le germe dans son sein; et la raison: c'est que, le fanatisme excepté des causes de la Révolution, aucune nation n'agit contre elle-même que quand elle déchoit à ses propres yeux. C'était la position des Français, depuis la fin du règne de Louis XV, et surtout depuis le partage de la Pologne. La gloire contre laquelle crient sans cesse et les philosophes, et les économistes, et tous ces malheureux écrivains qui perdent les peuples en prétendant les éclairer, la gloire est tellement un besoin pour les nations qui ont eu de la gloire, qu'elles ne peuvent sans... risquer leur tranquillité ou leur existence, et souvent toutes deux à la fois.

On pourrait dire que, depuis un siècle, toutes les nations sont tombées dans l'esclavage commercial, et l'on prouverait que si le commerce a détruit la féodalité, il a aussi détruit toutes les institutions grandes et généreuses si favorables à la gloire, si utiles à la liberté. Qu'un peuple de marchands courre à la Bourse chercher sur la hausse et sur la baisse des fonds publics ce qu'il doit penser de la conduite de son gouvernement, cela se conçoit; mais qu'on voit la même chose en France; qu'on ait entendu les *révolutionnaires*, devenus avares et politiques, dire qu'ils devaient se jeter dans les affaires afin d'être maîtres de la république par les finances, que ce qu'ils ont dit, ils l'aient fait; voilà ce qu'on ne concevrait pas si l'on se rappelait que celui qui nous gouverne a eu trop à faire pour avoir le temps de tout examiner.

Les idées qui ont dégradé la France monarchique sont encore beaucoup trop regardées comme des vérités; nous les avons toutes sucées avec le lait de nos nourrices; et combien peu d'hommes sauront s'en affranchir! faibles imitateurs d'un peuple de marchands, nous avons oublié qu'il était commerçant par nécessité, et qu'heureusement nous ne pourrions jamais l'être au même titre. Le désavantage de la position du peuple [anglais] y est devenu sa *gloire*, du moment que nous avons voulu le rivaliser, car nous devions nécessairement rester au-dessous de lui; et le besoin de commerce, et les livres, et les lois, et la philosophie, et la prétendue perfection de l'agriculture des Anglais, nous avons tout reçu comme des esclaves, tout imité comme des sots.

La providence des choses n'a rien refusé entièrement aux nations; mais elle a plus particulièrement donné aux uns tel ou tel avantage; à l'Angleterre le commerce; à la France tout, mais la grandeur par-dessus tout. La France s'est perdue pour avoir mis l'esprit de commerce au premier rang; l'Angleterre se perdra pour avoir désiré plus de gloire qu'à elle n'appartenait. Mais quelle suite de volonté, de prévoyance, de travail il faudrait pour assurer en France l'impulsion que la gloire militaire peut donner aux esprits, et de quels hommes ne faudrait-il pas voir entouré celui qui nous gouverne! Plus d'imitation anglaise; toute imitation forme contraste avec nos mœurs, tout ce qui contraste finit par s'entrechoquer, par se détruire, et c'est constamment dans nos vieilles idées nationales, dans le véritable principe de notre gouvernement (la gloire) qu'il faut chercher ce qui peut nous être avantageux. Notre élévation et l'abaissement de l'Angleterre sont liés dans l'avenir, comme étaient liées, avant la Révolution, notre dégradation et sa gloire.

Après avoir admiré ses lois dont la bizarrerie, si elle était toute connue, étonnerait ceux qui ne savent pas que ce que la législation assemble par la main des générations manque d'ordre, mais se soutient longtemps par ce qu'il y a de plus puissant parmi les hommes, l'habitude, nous ferons envier aux Anglais la perfection de notre code religieux et l'ensemble de notre code civil: que l'Angleterre cesse de croire ses lois plus parfaites que les nôtres, que nous cessions de parler de ses richesses bien moins stables que celles que nous possédons, et l'Angleterre marche vers la Révolution par la perte de sa propre estime, et l'esprit si dangereux d'une amélioration constitutionnelle.

En jugeant le commerce, je suis loin de croire qu'il ne soit pas utile à la prospérité d'un état; tout consiste dans le plus ou le moins d'importance qu'on y attache, et surtout à ne jamais permettre que le gouvernement tombe dans la dépendance de l'esprit mercantile, ce qui arrive plus facilement qu'on ne croit. Il y est en Angleterre, et la paix, et la guerre se font selon les vœux du commerce.

C'était dans l'espoir d'un traité de commerce que la Cité de Londres s'agitait pour la paix; toute son inquiétude aujourdhui est de savoir pourquoi il n'y a pas, si et quand il y aura un traité de commerce; et je suis persuadé que, demain, tous les cris seraient pour la guerre, si le peuple anglais averti enfin par notre grandeur, ne sentait qu'il n'obtiendra pas de la France un traité de commerce les armes à la main.

Ayant toujours vécu loin des affaires, j'ignore ce qui peut empêcher la France de faire aujourd'hui un pareil traité avec l'Angleterre, et je ne puis risquer aucune réflexion à cet égard. Les grandes pensées sont si familières à celui qui nous gouverne, qu'il mettra sans doute peu d'importance aux miennes. Si j'eusse été plus instruit de ses vues, elles auraient guidé mes études.

[Note] n° 2[20]

[Londres, prairial an 10.]

Depuis quelques jours il s'est opéré ici un grand changement dans l'opinion populaire; on croit plus à la stabilité de la paix, ce qu'il faut attribuer à quelques bons articles mis dans nos journaux, et plus encore à l'idée généralement répandue que le gouvernement français consent à négocier un traité de commerce.

Peut-être ne serait-il pas sans intérêt d'examiner jusqu'à quel point les lois d'un pays contribuent à la prospérité de son commerce, et si l'on acquérait la certitude de l'inutilité de la plupart des projets formés à cet égard par l'administration, on dissiperait d'un seul coup tous les embarras entassés autour du gouvernement par les hommes qui ont voulu faire du commerce une grande science administrative.

C'est une terrible manie que celle des livres sur des objets qu'on ne peut traiter que par hypothèse, et sur lesquels tous ceux qui ont écrit n'ont offert que des contradictions, par la raison toute simple qu'ils n'ont pu opérer qu'avec des calculs approximatifs.

Depuis que les savants ont voulu instruire les laboureurs, les disettes ont-elles été plus rares que lorsqu'on se fiait à l'habitude, ou qu'on se reposait sur l'intérêt particulier du soin de propager les améliorations? Ce qu'on peut dire de mieux en faveur des économistes, c'est qu'ils n'ont produit aucun changement réel dans la masse des récoltes; mais on leur reprocherait hardiment d'avoir embarrassé les gouvernements par des erreurs érigées en principes, d'avoir ajouté aux frais d'administration, et d'avoir formé une pépinière d'hommes inutiles qui se croient importants. Sans doute, il n'est aucun pays où l'on ait plus fait une science de l'agriculture qu'en Angleterre, et, toute proportion gardée, il est peu de pays où il y ait

20. A.N., AF IV 1672, pl. 1. Daté au crayon: "Londres, prairial an 10", comme la précédente.

autant de terres incultes, et dont les laboureurs s'expatrient plus volontiers pour aller former des établissements agricoles en Amérique[21]. La France est donc mieux cultivée puisqu'elle l'est davantage, l'homme des champs y est donc plus heureux puisqu'il ne s'expatrie pas. Ces deux vérités suffiraient pour montrer l'inutilité de la science dans des matières pareilles; mais pour en marquer les dangers, peut-être ne serait-il pas inutile d'observer que des économistes qui ont émigré par opinion, n'en ont pas moins eu l'impudeur de faire un crime à l'ancien gouvernement, depuis qu'il n'existe plus, d'avoir négligé d'encourager l'agriculture, tant sont naturellement inconséquents les hommes qui se font savants d'une science qui ne peut pas en être une.

Cette vérité s'applique bien plus encore au commerce qu'à l'agriculture. Que n'a-t-on pas dit en France, contre les lois prohibitives, contre les compagnies privilégiées, lorsqu'on attaquait déjà l'ancien gouvernement dans tout ce qui existait autour de lui, lorsqu'envieux du commerce de l'Angleterre on voulut nous rendre plus commerçants que l'intérêt de la France ne l'exige? Cependant, il est aujourd'hui bien prouvé par l'expérience, et aucun Anglais de mérite n'en disconvient, que le commerce en Angleterre ne doit sa grandeur et son importance qu'à la nécessité où est tout peuple insulaire de devenir commerçant pour s'étendre au-delà des limites que lui a tracées la nature. Les projets de l'administration, les livres des savants et les lois n'ont été pour rien dans ce résultat. Lorsque tous les peuples de l'Europe cherchaient à s'agrandir par des conquêtes, l'Angleterre entraînée par l'exemple général, faisait aussi sur le continent des conquêtes malheureuses; mais son commerce naissait peu à peu du besoin d'entretenir une marine, et, avertie enfin par l'expérience, elle chercha entièrement dans le commerce une grandeur qu'elle ne pouvait trouver dans les conquêtes. C'est donc la nécessité qui força les Anglais à voir un grand intérêt là où les peuples du continent n'en voyaient pas encore, et, comme l'avance en tout est un grand moyen de succès, l'Angleterre a profité de cet avantage.

Les autres nations, encouragées par la paix, ont aussi tourné leurs vues vers le commerce, mais outre qu'il n'était pas pour elles un besoin aussi pressant que pour l'Angleterre, cette nation qui avait l'avantage de la priorité, qui sentait que le principe de sa grandeur reposait uniquement sur le commerce, se tint aux aguets contre celui des autres peuples. Rien n'est plus naturel. Reprocher à l'Angleterre de vouloir envahir le commerce du monde est la même chose que lui reprocher d'agir conformément au principe de sa prospérité. Cette nation est entraînée aujourd'hui par la nécessité

21. Ce sont les ouvriers agricoles non propriétaires qui eurent à pâtir de l'enclosure et commencèrent à s'expatrier. Mais la prospérité des campagnes est indéniable; elle frappait tous les voyageurs, ce qui n'était pas toujours le cas en France.

autant que par l'avarice; aussi la trouvera-t-on alerte, prévoyante, courageuse même quand on annoncera l'intention de l'attaquer dans son premier, et, pour ainsi dire, dans son unique intérêt.

De ce que l'Angleterre est irrésistiblement entraînée à vouloir sans cesse étendre son commerce aux dépens des autres nations, il ne s'ensuit pas que les autres nations doivent le souffrir sans résistance. Je reviendrai sur ce sujet qui m'éloignerait d'une réflexion sur laquelle on ne peut trop insister, puisqu'elle tend à débarrasser le gouvernement des entraves que lui ont données les livres si lourds, si nombreux et si contradictoires sur la science la de l'administration.

Certes, l'histoire ne présente aucune nation qui ait élevé son commerce aussi haut que l'a fait l'Angleterre, et cependant c'est de toutes les nations celle qui a eu à la fois, celle qui a encore le plus de lois prohibitives, le plus de compagnies exclusives ou privilégiées. Le commerce, en Angleterre, devint intérêt national sous la reine Elisabeth; elle crut devoir l'encourager, et rien n'est plus généralement reconnu pour absurde que les lois qu'elle fit à cet égard. D'après tous les principes des économistes, ces lois auraient dû anéantir le commerce, quand il prospéra, non à cause des lois, mais contre les lois, et tout juste comme si le gouvernement ne s'en était point mêlé. C'est que l'Angleterre était déjà assez corrigée du désir de faire des conquêtes sur le continent pour que l'activité de ses habitants se concentrât dans le commerce; il s'augmenta par la découverte du nouveau monde, non comme on l'a dit, parce que les Anglais adoptèrent, pour leurs colonies, d'autres principes que ceux suivis par les Espagnols et par les Portugais; mais parce qu'il était réellement impossible que le plus grand avantage d'une pareille découverte ne fût pas pour une nation insulaire, et conséquemment maritime et commerçante. Les principes sont l'ouvrage des écrivains; les résultats sont toujours le fruit des circonstances.

De ces observations qu'il serait possible d'étendre, on peut conclure hardiment que les gouvernements ne créent point le commerce, que toutes les dépenses qu'on fait d'avance à cet égard sont inutiles, et qu'il suffit, en bonne administration, d'encourager un peu, et d'avoir l'air de protéger beaucoup. Il faut éviter les embarras dans cette renaissance que le commerce jette dans l'administration lorsqu'elle veut trop s'en occuper, et ne jamais oublier que si l'esprit de commerce prenait en France autant d'ascendant qu'il en a en Angleterre, comme le commerce n'y atteindrait jamais la même prospérité, par la force seule des choses, la France serait soumise à l'Angleterre; et c'était à peu près notre position avant la Révolution.

Si, parmi les Anglais, l'esprit public s'unit à l'esprit du commerce, ou plutôt si l'esprit de commerce y forme seul l'esprit public, cela tient au principe même de la prospérité de ce pays, et ne peut jamais rien produire de semblable en France. Qu'importe à nos marchands l'intérêt de leur partie! Ne les a-t-on pas vus, malgré la guerre et les lois, ne les voit-on pas encore s'agiter pour introduire des marchandises anglaises, pour en perpétuer le goût, goût ridicule, poussé à un excès qui tient de la folie, et qu'il faudrait attaquer de toutes les manières.

Ici se présente naturellement une réflexion sur la différence qui doit résulter, pour notre commerce, des étoffes qui servent aujourd'hui à la toilette des femmes.

Autrefois on regardait tout ce qui tient à la mode et au goût comme contribuant à la prospérité du commerce français, et l'on avait raison puisque ces objets étaient de fabrique française. Aujourd'hui que nous reste-t-il à cet égard? Tout au plus le privilège d'offrir les premiers modèles, car les étoffes généralement adoptées sont de fabrique anglaise, d'où il résulte que nous n'avons plus rien à échanger, dans cette partie avec l'Angleterre, et que nous donnons à tout le Nord l'exemple et l'habitude de ne porter que des étoffes fabriquées par cette nation. Ainsi notre folie contribue à la prospérité d'une nation rivale, et à la perte de nos propres manufactures. Sous ce rapport, rien n'est plus impolitique que les encouragements donnés en France aux fabriques qui imitent les basins, les piqués et autres étoffes anglaises; on dirait que nos efforts tendent à en perpétuer le goût. Mais, en tout, l'esprit d'imitation sera impolitique en France. Ce sont les produits de notre sol dont il faut remettre les fabriques en crédit, et rien ne sera plus facile au gouvernement lorsqu'il le voudra.

Les eaux de vie exceptées, j'ignore ce que nous échangeons avec l'Angleterre, car il est bien prouvé que l'introduction de nos vins y diminuait annuellement avant la guerre, et qu'ils n'auront jamais un très grand débit chez un peuple accoutumé à des vins épais, âcres et toujours fortement coupés avec des liqueurs spiritueuses. Il est impossible que les Anglais apprécient la qualité de nos vins dont la légéreté ne convient pas à des hommes qui n'aiment, dans toutes boissons, que la sensation forte et l'enivrement qu'elles procurent. Il leur en coûterait trop cher pour s'enivrer de vins français.

Cependant, les choses de goût et les vins sont les deux principaux objets que, de tous temps, nous avons mis dans la balance du commerce avec l'Angleterre, et de ces deux objets, la consommation de l'un se trouve diminuée, l'autre est presque perdu par la manie générale en France qui fait préférer les marchandises anglaises au produit de nos manufactures.

Dans un traité de commerce, l'Angleterre ne voit donc aujourd'hui que son propre intérêt, et cet intérêt est immense, car c'est parce que la France est riche et grandement peuplée, c'est parce que la France donne ensuite le ton aux autres nations que l'Angleterre met tant d'intérêt à commercer avec nous. Tel bien fait que soit un traité de commerce, il ne pourra lever pour la France un désavantage qui naît de la nature même des choses. Le voici.

L'Angleterre a des magasins pleins, ses nombreux ateliers en activité; elle livrait souvent à perte pendant la guerre pour éviter de grandes banqueroutes, pour entretenir ses ouvriers; à peine nos ports seront-ils ouverts, qu'elle nous écrasera à la fois de tout ce qu'elle possède, tandis que ce que nous possédons ne peut y venir avec assez d'abondance pour que le goût en naisse généralement et rapidement en Angleterre; et d'ailleurs l'esprit commerçant de la nation repousserait ce goût. Ce désavantage est tel que lors même qu'un traité de commerce serait rigoureusement parfait, il n'en fera pas moins crier en France toutes les villes manufacturières, ce qui est toujours arrivé, ce qu'on a toujours attribué à la manière dont le traité était fait, tandis qu'il fallait s'en prendre uniquement à notre folie et à l'abondance qui règne dans les magasins anglais, et qui doit régner en effet dans les magasins d'un peuple marchand.

De tout cela on peut conclure:

1° Que l'esprit de commerce a acquis trop d'ascendant en France, sans que le commerce de la France en soit augmenté, au contraire; ce qui prouve que l'esprit de commerce n'est pas et ne doit jamais être l'esprit de la nation française*.

2° Que cependant cet esprit est tel que le traité de commerce excitera bientôt les criailleries des marchands qui se plaignent toujours, et des manufacturiers qui aiment à rendre l'administration responsable de leurs spéculations; ils se permettront de juger le gouvernement sans respect pour sa gloire qui nous a fait plus de bien que tout le commerce du monde, tant il est vrai que l'esprit commerçant n'est pas le meilleur des esprits.

3° Que dans tout traité de commerce entre la France et l'Angleterre, la France sera lésée, car toute puissance qui n'est pas uniquement commerçante doit être dupe quand elle traite de commerce avec une nation qui n'est que commerçante. Les Anglais sentent si bien cela qu'à l'époque où ils croyaient qu'il n'y aurait pas de traité de commerce, ils étaient dans une alarme générale. Avertis par la grandeur de la France de l'inutilité d'une guerre nouvelle en faveur de leur commerce, ils se bornaient à désirer *non* un traité comme celui qui existait, mais quelque chose, disaient-ils, qui prouvât qu'on était en paix; c'est-à-dire que les ports de France leur fussent

* Ceux qui se sont opposés en France à l'etablissement d'un corps d'élite, et qui demandaient si l'on voulait rétablir une noblesse, sont trop ignorants et trop imbus des préjugés qui ont amené la révolution, pour savoir qu'il est plus que jamais à présent dans le principe de la prospérité de la France d'avoir des corps distingués, et que s'il était possible, comme je le crois, d'augmenter ces distinctions, pourvu qu'elles fussent bien calculées, elles ajouteraient à la certitude de notre avenir. (n.d.l.a.)[22]

22. Ici, Fiévée, qui prévoyait la restauration dynastique, pousse à la recréation d'une noblesse.

ouverts à des conditions quelconques, espérant que leur indépendance achèverait le reste.

4° Que depuis que des beaux esprits ont fait une vaste science du commerce, on a oublié qu'il n'y avait réellement pas de science qui pût créer le commerce, que tout se borne à le maintenir quand il existe, et à le rétablir autant que possible quand il est tombé, et que, pour rétablir le commerce de la France, il faudrait d'abord s'opposer à toute introduction de marchandises anglaises. Ainsi les économistes sont tombés dans une grande contradiction lorsqu'ils ont voulu mener ensemble la prospérité du commerce de leur nation et la prospérité du commerce du monde; ils n'ont pas senti qu'ils parlaient en faveur de l'Angleterre qui peut seule avoir cette prétention, puisqu'elle s'est faite la manufacturière de l'univers. Aussi faut-il remarquer que les savants en administration et en commerce ont pris tous leurs exemples en Angleterre, en oubliant que ces exemples n'étaient vrais qu'en Angleterre, et qu'imités partout autre part, ils ne tourneraient encore en résultat qu'au profit de l'Angleterre. Sous ce rapport, le seul des économistes qui ait souvent raison, Smith, est aussi dangereux en France qu'il peut être bon à consulter par ses concitoyens.

5° Que tout le secret du commerce entre les nations est de ne tirer des pays étrangers que des objets de nécessité et non manufacturés, parce que ce sont les choses de fantaisie et de luxe, qui ruinent, en ayant le double inconvénient d'enlever plus d'argent et d'arrêter l'industrie. Or l'Angleterre prohibe en général la sortie des objets non manufacturés, et ne livre au monde que le produit de son travail, ce qui fait réellement que le commerce de l'Angleterre est en guerre continuelle avec l'industrie des autres peuples; on ne conçoit pas trop comment d'un état de guerre continuelle, on peut faire un traité de paix, car un traité de commerce n'est ou ne devrait être que cela. M. de Vergennes l'avait envisagé ainsi; il s'est trompé; comment ne s'y tromperait-on pas, puisque les savants qui ont persuadé que le commerce était favorable à la paix, n'ont pas vu que celui de l'Angleterre était en guerre continuelle contre l'industrie des autres nations.

Il est donc irrécusable que le véritable intérêt de la France serait de ne pas faire de traité de commerce avec l'Angleterre, et si un pareil traité est devenu inévitable, n'en faut-il pas conclure, comme je l'ai fait, que l'ascendant que le commerce a pris de nos jours est souvent aussi contraire à l'intérêt national qu'aux grandes vues des gouvernements.

Et il est si vrai que le commerce crée un intérêt particulier opposé à l'intérêt des nations, que la guerre, les prohibitions, les lois, les saisies, rien n'a empêché que nous ne fussions inondés de marchandises anglaises. Les Français se sont faits volontairement esclaves de leurs rivaux**.

** Sur cent Français qui viennent à Londres, soixante y sont attirés par des spéculations,

C'est donc parce que le commerce existe en dépit des lois et du véritable intérêt national, et c'est uniquement à cause de cela qu'un traité de commerce peut être nécessaire pour la France, car alors le gouvernement entraîné lui-même par l'esprit de la nation qu'il ne peut corriger qu'avec le temps, est obligé de calculer la perte qu'il fait dans l'intérieur, et de s'en venger par les douanes.

Ainsi les douanes sont l'unique résultat que le gouvernement français est réduit à envisager dans un traité de commerce entre la France et l'Angleterre, et comme le commerce l'a déjà forcé à un traité, le commerce encore l'obligera à calculer les droits de douane de manière à craindre de les voir éludés, si ces droits équivalaient à une prohibition. Et l'on vante l'esprit du commerce!

Mais enfin il nous reste une ressource, toute entière dans cette vérité que je ne cesserai de répéter, parce que chaque jour me la prouve davantage: C'est en France qu'il faut sans cesse attaquer l'Angleterre, et dans sa gloire, et dans son intérêt, parce que c'est en France qu'on lui a fait sa réputation de grandeur, et aussi en France qu'on soutient la réputation qu'elle acquiert en Europe par son commerce. Il nous faut un gouvernement splendide, qui laisse l'égalité là seulement où elle doit être, dans les tribunaux, et qui rétablisse autant qu'il lui sera possible une certaine étiquette qui deviendra favorable à nos manufactures, et qui aura pour résultat certain d'accoutumer de nouveau l'Europe à nos étoffes comme à nos mœurs. Il faut tuer l'anglomanie si ridicule partout autre part qu'en Angleterre, et montrer l'origine des usages anglais pour prouver combien ils sont déplacés en France. A cet égard, je rassemble des notes qui, je l'espère, ne seront pas inutiles, et qui bien développées promettent d'autant plus de succès sur l'esprit des Français, que tous ceux que je rencontre ici, et qui ont du bon sens, avouent franchement l'ennui qu'ils y éprouvent. Il faut nous envoyer en Angleterre pour nous apprendre à mettre notre patrie, nos mœurs et notre esprit au-dessus de tout. Pour moi, sans un peu de réflexion, je me croirais ici en exil.

Comme mon étude continuelle tend à débarrasser le gouvernement de toutes les fausses connaissances dont l'entourent les savants en administration, je crois devoir noter une vérité qu'on ne trouverait dans aucun de leurs ouvrages: c'est que rien n'est prouvé sur ce qu'on appelle la balance du commerce. A la manière dont ces prétendues balances sont calculées, il y

qui se bornent à acheter ici pour revendre en France. Moyennant 20 pour cent d'assurance, on trouve à Londres des maisons qui s'engagent à vendre à Paris telle quantité de marchandises qu'on puisse désirer; ces marchandises y arrivent en effet, et toujours sans accident. Si elles étaient saisies, les assureurs en paieraient fidèlement la valeur déclarée. (n.d.l.a.)

a telle nation qui, en peu d'années, devrait se trouver absolument sans argent, et chez laquelle on ne reconnaît jamais de diminution sensible dans le numéraire en circulation; d'après ces balances encore, l'Angleterre devrait posséder l'argent du monde entier, et l'Angleterre n'a pas aujourd'hui plus de numéraire qu'elle n'en avait il y a 50 ans; elle en compte plus qu'à cette époque comme tous les autres pays, parce que l'argent a plus de valeur. Ce n'est pas par l'absence de commerce que l'Espagne voit diminuer son or et sa population, mais par un manque total d'activité; la preuve en est dans les Etats-Unis d'Amérique qui tirent des pays étrangers jusqu'à leurs instruments aratoires, et qui n'en sont pas moins dans un état de prospérité visible.

La France riche de son sol, de son activité, de son industrie, de ses plaisirs mêmes qui mettent l'Europe à contribution, n'a point à craindre les résultats de ce qu'on appelle la balance du commerce, mille choses que les savants en administration ne calculent pas, et qu'avait devinées M. de Colbert, lui rendront d'une part ce qu'elle perdra de l'autre, et pourvu qu'elle soit en état de gloire, elle sera toujours en état de prospérité. Voilà ce que les économistes n'entendent pas, et c'est pour avoir donné trop d'importance à toutes les inventions nouvelles de primes, d'encouragements, de patentes, à tous les projets renfermés dans les livres, à beaucoup de niaiseries sérieuses, que notre ministère de l'intérieur a presque toujours été depuis la Révolution un ministère ridicule et au-dessous de la France.

S'il n'y avait pas en Europe une nation marchande qui prétend à la gloire, et dont l'industrie s'est mise en guerre contre l'industrie de toutes les nations, il suffirait d'abandonner le commerce à lui-même pour qu'il atteignît en France toute la prospérité qui lui appartient, et pour qu'il établît naturellement la balance avec les autres pays dans des résultats avantageux; mais puisqu'il existe une nation dont toute la prospérité repose sur la ruine du commerce des autres peuples, puisque cette nation nous hait avec toute la force que donne l'intérêt public et particulier, puisque toute diminution dans son commerce diminue sa fierté, il faut bien que le gouvernement défende notre commerce, non pour le mettre en rivalité avec le commerce anglais, non dans la crainte très mal fondée, je crois, de voir diminuer notre numéraire, mais pour faire la guerre à un commerce guerroyant, et pour nous sauver de la honte de porter sans cesse la livrée d'un peuple rival. Il n'appartient qu'à la France de donner à tous les peuples sa langue, ses mœurs et ses goûts; c'est le droit irrésistible de la nation qui jouit le plus de toutes les sortes de gloire, et ce droit ne peut être partagé.

A cet égard, nous triomphons plus que jamais en Angleterre. Les gens sensés gémissent avec raison du changement rapide qui s'opère dans les mœurs, et de ce besoin de plaisir qui a saisi la capitale sans pouvoir la sauver de l'ennui. Jamais on n'a montré à Londres tant d'envie de rivaliser Paris, et plus de crainte de ne pouvoir y réussir; Paris est l'objet de tous les désirs, et ces désirs sont d'autant plus vifs qu'on met une espèce de honte à les avouer.

Les vrais politiques ne se laissent pas prendre aux discours ministériels; ils avouent franchement et avec douleur que leur nation est tombée du rang qu'elle occupait, et qu'elle doit maintenant renoncer à intervenir dans les affaires du continent. Mécontents de ceux qui ont fait la guerre comme de ceux qui ont fait la paix, méprisant l'opposition, ils forment des vœux pour en voir naître une qui donne de la vigueur à leur gouvernement, tout en convenant qu'ils ne voient pas comment ces vœux pourraient se réaliser. Ils ont raison: la Révolution française a tué l'opposition anglaise. Les indépendants sont aujourd'hui en Angleterre, ce qu'ils ont été longtemps en France, prévoyant des malheurs, n'ayant aucun pouvoir pour les prévenir, et les avançant peut-être par la crainte que répandent leurs prédictions.

Ces hommes paraissent persuadés que la France, d'accord avec la Russie et la Cour de Vienne pour arranger les affaires de la Porte, a le projet et l'espoir de rentrer en Egypte et d'y rentrer par un traité avec cette dernière puissance; cette idée les met au désespoir. J'ignore sur quoi repose cette appréhension; mais je puis assurer que l'esprit le plus inventif ne pourrait supposer à notre gouvernement aucun projet qui ne trouve ici les meilleures têtes disposées à la regarder comme possible, pourvu que ce petit projet annonce de la grandeur et l'envie de restreindre la puissance de l'Angleterre. C'est par des craintes pareilles, bien plus que par des journaux méprisés, que le gouvernement français doit juger l'opinion que les Anglais ont de lui. Il aurait moins de peine à les vaincre qu'à les rassurer.

SADISME ET THÉOLOGIE: À PROPOS DE «RÉVERSIBILITÉ» DE BAUDELAIRE

par
ANNIE BECQ

Depuis le commentaire de l'édition des *Fleurs du Mal* de J. Crépet et G. Blin[1], «le lecteur ne s'interroge plus guère sur le sens de ce poème», écrivait-on en 1971 à propos de «Réversibilité»[2] et l'auteur de cette note, P. Hambly, rappelait l'interprétation des deux célèbres baudelairiens: «Madame Sabatier qui l'inspire y est un «Agnus Dei, un ange intercesseur dont la joie compense les angoisses, dont la bonté contrebalance la haine, dont la santé rachète les fièvres, dont la beauté répare le vieillissement» du poète». Il rappelait également la mention de deux passages des *Soirées de Saint-Pétersbourg*: «Le juste en souffrant volontairement ne satisfait pas seulement pour lui, mais pour le coupable, par voie de réversibilité» et «on ne saurait expliquer par les lumières de la raison, les succès du méchant et les souffrances du juste dans le monde, ce qui signifie sans doute qu'il y a dans l'ordre que nous voyons une injustice qui ne s'accorde pas avec la justice de Dieu»[3], en exprimant de pertinentes réserves sur la cohérence du commentaire; en effet le dogme de la réversibilité «sert à rendre compte des souffrances du juste» alors qu'ici «c'est le méchant qui souffre et l'innocent qui jouit de tous les bienfaits de la vie».

Or P. Hambly n'est pas le premier à avoir éprouvé quelque malaise touchant la portée exacte du titre et, partant, l'unité même de ce poème. «Il

1. Corti, 1942, p. 372.

2. Dans «Notes sur deux poèmes de Baudelaire. *Réversibilité* et *Châtiment de l'orgueil*», *R.H.L.F.*, mai-juin 1971, p. 485-88.

3. 8e entretien. La Colombe, Éditions du Vieux Colombier, 1960, p. 255.

faut bien justifier le titre», écrivait J. Pommier dans une étude plus ancienne, «Les Anges des *Fleurs du Mal*», recueillie en 1967 dans les *Dialogues avec le passé*[4]; et ce souci, partagé par quelques éditeurs scolaires[5], lui inspirait une lecture des derniers vers, dont le caractère quelque peu acrobatique n'échappait pas à son humour: «Supposons — il faut bien justifier le titre — une prière comme celle-ci: «Faites, mon Dieu, que le mérite de ma gaieté soit imputé à Charles, afin que cesse son angoisse». C'est aussi à ces derniers vers que recourent les auteurs d'une édition scolaire plus récente[6] pour «expliquer» le fameux titre, mais en faisant bon marché de l'unité du poème, puisque cette limitation revient à refuser à tout ce qui précède tout rapport avec la notion de réversibilité: «Les prières de l'ange seront «reversées» sur le poète et lui apporteront la paix de l'âme à laquelle il aspire». Villiers de l'Isle Adam dont l'interprétation alimente le commentaire de C. Pichois[7] ne faisait pas autre chose en voyant dans les quatre premières strophes les reproches d'une «sublime amertume» à une indifférente: «Seule la dernière met en cause la notion de réversibilité et encore sous la forme d'une prière». Ou la notion en question conserve sa pureté théologique et elle ne convient qu'à la dernière strophe, ce qui est fâcheux pour l'unité du poème, ou elle se voit transposée en compensation des maux et des vices par les vertus et le bonheur, dans le cadre d'une espèce de conception mystique de l'amour, source de «délivrance et de salut»[8].

Soucieux à juste titre de préserver l'unité du poème, P. Hambly est allé plus loin dans l'altération du dogme de la réversibilité qu'il propose d'entendre au sens, fort peu orthodoxe, mentionné par Nerval dans *Les Illuminés*[9]: «Fatalité qui amenait forcément dans cette vie même la récompense des vertus et la punition des fautes»; hypothèse dont on se contentera de constater qu'elle n'a pas mis fin au questionnement, puisque le dernier commentaire, à notre connaissance, d'une édition savante autorisée[10] exprime à nouveau un malaise dont son auteur cherche à sortir en affirmant que Baudelaire confond ici les notions chrétiennes de réversibilité et d'intercession, pour retrouver cependant la même distinction entre les deux derniers vers et les strophes précédentes où s'exprimerait une notion de réversibilité «transformée» par Baudelaire «dans un sens tout personnel».

4. Mélanges publiés chez Nizet, p. 168.

5. ALESI par exemple, chez Hatier en 1965.

6. CART et HAMEL, Larousse, 1973.

7. Edition de la Pléiade, 1975.

8. A. ADAM, Classiques Garnier, 1961.

9. A la fin du chapitre sur Restif, *Œuvres complètes*, Bibliothèque de la Pléiade, tome II, p. 1184.

10. Celle des *Fleurs du Mal* à l'Imprimerie nationale, 1978.

M. Milner parle comme A. Adam de la substitution au «pouvoir rédempteur de la souffrance» d'une «sorte d'équilibre métaphysique, qui fait que le bonheur et la santé des êtres purs compensent les tourments des êtres coupables parmi lesquels Baudelaire se range». S'il en est ainsi, on ne voit pas la portée exacte du «aussi» qui introduit la phrase suivante, propre, elle, à ouvrir des perspectives différentes et autrement fécondes: «Aussi n'est-ce pas sans une certaine agressivité voisine de celle qui s'exprime dans «A celle qui est trop gaie» qu'il met en parallèle leurs situations respectives».

C'est en effet à la belle et définitive étude de G. Blin sur le sadisme de Baudelaire qu'il faut, croyons-nous, remonter. Quoiqu'il n'inclue pas expressément «Réversibilité» dans le corpus des textes à tonalité sadique qu'il explore, il y fait tout de même plus qu'allusion en désignant «la femme angélique» que «Baudelaire rêve de polluer, de flétrir, de châtier» par «[l']ange plein de bonheur, de joie et de lumière»[11] et c'est dans le droit fil de cette suggestion que, pour notre part, nous avons toujours été sensible à l'agressivité larvée des quatre premières strophes, ce qui permet à la fois de préserver le sens exact du dogme de la réversibilité et de produire l'unité du poème.

Il n'est donc absolument pas question, comme le voulait P. Hambly, d'oublier la référence maistrienne qui se révèle ici doublement éclairante. La notion de réversibilité inscrite dans le titre convient aussi à «l'alleluia», pour parler comme J. Pommier, des quatre premières strophes, sans qu'il soit besoin de l'édulcorer, si on entend dans le «connaissez-vous?» —qui serait autrement une question absurde— le désir inexprimé d'infuser le venin de l'angoisse, de la haine, etc. dans l'ange radieux incapable d'éprouver ces sentiments sans intervention extérieure, agression ou tentation. Il est donc bien question de faire souffrir l'innocent mais cette possibilité d'acquérir indirectement des mérites, simplement suggérée, hypothèse inavouable, est écartée au profit d'une autre voie, signalée également par Maistre qu'il importe de ne pas quitter d'un pas et qu'on peut s'étonner de ne pas voir ici davantage exploitée: la prière.

Peut-être toutefois ne faut-il pas aller trop vite. La voie, finalement préférée, de l'intercession est introduite à l'avant-dernier vers par un «mais» qui l'oppose exactement à quoi? Manifestement, à une contamination bénéfique analogue à celle qu'a pratiquée David, au contact immédiat avec le sain (le saint?). Or on peut se demander pourquoi cette évocation du cas de David, modèle possible aussitôt récusé; n'est-elle pas amenée par association

11. «Le sadisme de Baudelaire» dans *La Profondeur et le rythme*, Cahiers du Collège philosophique, B. Arthaud, 1948, p. 235-36.

autour de l'idée de contamination, ou plutôt par inversion en contact salutaire (ce qui revient à la masquer) de la contagion agressive, explicitement énoncée dans un autre poème? J. Pommier, sensible à ces échos, avait signalé sans l'exploiter davantage cette relation qu'il situait entre une conduite analogue à celle de David et celle que met en scène une autre pièce: «A l'opposé de la contamination dont il menace ailleurs celle qui est trop gaie, demandera-t-il la santé aux «émanations» de ce corps?». Le thème de l'infusion du venin hanterait donc les quatre premières strophes, garantissant ainsi la pertinence du titre. Il s'agit bien de reverser sur un candidat à la damnation du malheur les mérites de la femme angélique; mais, comme le notait encore J. Pommier, tenir les «qualités naturelles» de Madame Sabatier pour des mérites, «J. de Maistre y eût, je pense, regardé à deux fois». Certes! Les mérites s'acquièrent, et par la souffrance; il ne suffit pas que «l'ange» soit naturellement «plein de bonheur, de joie et de lumière». Pour qu'il puisse disposer de quelques mérites en faveur de son amoureux, il lui faut ou faire l'expérience de la souffrance ou se consacrer à la prière.

Loin de confondre ces notions, Baudelaire a pu les trouver, à la fois distinguées et associées, toujours dans *Les Soirées de Saint-Pétersbourg* où les thèmes de la prière et des souffrances du juste innocent sont étroitement tressés dès le début. Le prétendu scandale du bonheur des méchants et du malheur des justes prend rapidement, dans la bouche du comte, la forme d'une question plus exacte («pourquoi dans l'ordre temporel, le juste n'est pas exempt des maux qui peuvent affliger le coupable; et pourquoi le méchant n'est pas privé des biens dont le juste peut jouir?»[12]) laquelle, une fois admis que ce n'est pas, respectivement, *parce qu'*[13] ils sont homme de bien ou méchant que l'homme de bien et le méchant souffre ou prospère et que «le bien et le mal sont distribués indifféremment à tous les hommes»[14], ouvre sur celle de l'origine du mal et des voies de la Providence. Or tout mal est un châtiment, que tout homme en tant que tel mérite, et n'a donc rien de nécessaire comme le montre l'ordre temporel lui-même: le crime est l'acte d'une volonté libre et peut n'être pas commis. «J'ajoute, poursuit le Comte au début du 4e entretien où ce thème connaît une modulation importante, qu'après même qu'il est commis, le châtiment peut encore être prévenu de deux manières: car d'abord les mérites du coupable ou même ceux de ses ancêtres peuvent faire *équilibre*[15] à sa faute; en second lieu, ses ferventes supplications ou celles de ses amis peuvent désarmer le souverain»[16].

12. 1er entretien, *op. cit.*, p. 29.
13. En italiques dans le texte de Maistre.
14. 1er entretien, p. 33.
15. C'est nous qui soulignons.
16. *Op. cit.*, p. 113.

De même, le 8e entretien où s'épanouit le thème de la réversibilité dans les formules bien connues que nous avons nous aussi rappelées, reprend encore celui de la prière «en tant que remède accordé à l'homme pour restreindre l'empire du mal»[17].

Il n y a donc dans le poème de Baudelaire ni confusion de notions ni absence d'unité, à condition, croyons-nous, de conserver au dogme de la reversibilité, qu'inscrit le titre, le sens précis et radical qu'il revêt chez J. de Maistre. Ce qui peut équilibrer le mal, ce n'est pas l'existence pour ainsi dire brute des vertus et des biens mais les mérites acquis par la souffrance ou la prière et c'est par cette dernière voie de l'intercession que l'amant cherche son salut, une fois écartée la tentation de flétrir et de tourmenter l'innocence radieuse.

Lire ainsi ce poème permet peut-être aussi de mieux comprendre pourquoi, dans le recueil de 1857, c'était la pièce condamnée intitulée «A celle qui est trop gaie» qui la précédait immédiatement, sous le numéro 39. A bien des égards «Réversibilité» peut apparaître en relation de continuité mais aussi de rupture avec cette pièce. J. Pommier, nous l'avons rappelé, les associait autour du thème de la contamination. A l'instar de David, le poète cherchera-t-il la santé dans le contact immédiat de ce «corps enchanté»? Cette identification est vigoureusement écartée, refus de «la vieille loi», disait J. Pommier, et adoption de «la voie de l'intercession chrétienne», mais surtout, croyons-nous, refus d'un précédent qui n'est ici qu'un masque, et refus d'autant plus facile et vigoureux que c'est l'inverse qui vient d'être rêvé et qui est, de fait, récusé par le «mais». La double agression, blessure puis infusion du venin, dont le projet s'exprime nettement dans la pièce dédiée à celle qui est trop gaie, se poursuit mezzo voce dans le poème suivant qui s'ouvre précisément sur le thème de la gaieté; n'est-ce pas au reste en une espèce d'explicitation du «venin», spleen, mélancolie, mal à vivre, comme l'a expliqué Baudelaire lui-même[18], que consistent ses quatre premières strophes? Et ici encore il faudrait ne pas perdre de vue les *Soirées* du comte de Maistre dont le 3e entretien, dans un contexte où il est justement question aussi de la prière, évoque «autour du méchant» ce qu'il appelle «l'enfer des poètes»: «les soucis dévorants, les pâles maladies, l'ignoble et précoce vieillesse...»[19]. Mais il y a aussi rupture, puisque le salut ne sera finalement cherché que par la médiation des prières du juste et qu'il n'y a pour ainsi dire que suggestion et passage voilé par le désir, dont

17. *Ibid.*, p. 250.

18. Voir la note bien connue, concernant cette pièce reprise dans *Les Epaves*, où Baudelaire récuse «l'explication syphilitique des magistrats».

19. *Op. cit.*, p. 105.

l'évocation de David n'est peut-être que l'alibi, de souiller l'innocence. Or celle-ci existe-t-elle? Non, si l'on en croit toujours le comte de Maistre, et, comme on l'a parfois remarqué[20], la pièce suivante, «Confession», se charge de le démontrer: l'ange n'est pas étranger à quelques aspects de ce que le poète se proposait de lui faire connaître.

On pourrait alors se plaire à suivre la progression sinueuse, oscillant pour ainsi dire du plus au moins, des poèmes centraux du cycle dit de la Présidente, tels qu'ils s'enchaînent dans l'édition de 1857, où «Réversibilité» occupait une place médiane, entre les deux pièces marquées du signe négatif de la souillure, «A celle qui est trop gaie» et «Confession», jusqu'au sommet de «L'Aube spirituelle» où se noue entre le débauché souffrant et le fantôme de la déesse une relation plus complexe que l'adoration mystique du «Flambeau vivant».

Poème, croyons-nous, à la fois plus complexe et plus cohérent qu'on n'a pu le croire jusqu'à maintenant, s'il est vrai que la fidélité à Maistre dans la mise en œuvre des notions théologiques n'est parfaitement lisible —et réciproquement— que si on n'oublie pas la composante fondamentale sadomasochiste du psychisme baudelairien, ce «mouvement pendulaire de l'adoration à l'agression»[21], dont «Réversibilité», au cœur du cycle Sabatier, nous paraît être une phase particulièrement significative par son ambiguïté.

20. Notamment J. Pellegrin (*Revue des sciences humaines*, 1966), à la fin d'une subtile étude des rapports dans l'œuvre de Baudelaire, prélude à sa thèse intitulée *Réversibilité de Baudelaire*. Il était comme nous sensible à la dominance du thème de la contagion du péché dans les quatre premières strophes.

21. J.-C. Mathieu, *«Les Fleurs du Mal» de Baudelaire*, Collection Poche-critique, Hachette, 1972, p. 83.

SCIENCE, RELIGION AND CRISES OF FAITH IN THE NOVELS OF EMILE ZOLA.

by
COLIN BOSWELL

It is hardly contentious to state that Emile Zola was a scientific novelist. Writing at a time when science was only just becoming the full-scale professional and academic activity which it clearly is in in the twentieth century Zola, with his journalistic thirst for knowledge, seemed to have been intellectually seduced by science. This passion manifested itself in two ways. Controversially he equated the very method of the novelist with that of the scientist and this equation is seen in its clearest form in the rhetorically overstated arguments of the essay *Le Roman Expérimental* (1880) where Zola compared the activity of writing novels with that of conducting scientific experiments. But perhaps more importantly, issues which were at the forefront of scientific investigation, for example heredity, physiology, determinism, provided Zola with some of his most important themes. Science offered him a unified way of comprehending the world. In the words of Cupitt:

> The bold, highly metaphysical dream was that all life —not just natural science, but ethics, politics and human thought and feeling— could all be boiled down to classical mechanics. Thomas Hobbes and Jeremy Bentham were English philosophers who gave a rough intimation of what the result might be, and Emile Zola was a late example of a novelist influenced by deterministic ideas.[1].

Zola admitted that he might have been somewhat too enthusiastic in

1. D. Cupitt, *The worlds of science and religion*, London, Sheldon Press, 1976, p. 61.

his embrace of science. Speaking to students in Paris on 21 March 1893 he said:

> Ma génération, en effet, après d'illustres aînés, dont nous n'avons été que les continuateurs, s'est efforcée d'ouvrir largement les fenêtres sur la nature, de tout voir, de tout dire. En elle, même chez les plus inconscients, aboutissait le long effort de la philosophie positive et des sciences d'analyse et d'expérience. Nous n'avons juré que par la science, qui nous enveloppait de toutes parts, nous n'avons vécu que d'elle, en respirant l'air de l'époque. A cette heure, je puis même confesser que, personnellement, j'ai été un sectaire, en essayant de transporter dans le domaine des lettres la rigide méthode du savant. Mais qui donc, dans la lutte, ne vas pas plus loin que l'utile, et qui se borne à vaincre, sans compromettre sa victoire?[2]

We note here the admission of the excesses of the arguments he had used in *Le Roman Expérimental* and we also cannot ignore the religious connotations of the noun *sectaire*.

Zola's adherence to the doctrines of scientific determinism is clearly set out in the *Préface* to the *Rougon-Macquart* series. Talking of the members of his fictitious family and using language clearly influenced by Taine he wrote:

> Physiologiquement, ils sont la lente succession des accidents nerveux et sanguins qui se déclarent dans une race, à la suite d'une première lésion organique, et qui *déterminent*, selon les milieux, chez chacun des individus de cette race, les sentiments, les désirs, les passions, toutes les manifestations humaines, naturelles et instinctives, dont les produits prennent les noms convenus de vertus et de vices.[3]

For the critic J.C. Allan, determinism was the philosophical buttress for Zola's rationalism, for 'his conviction that all is knowable, that it is necessary for man to attain a complete understanding of himself and of his surroundings, and that the scientist and the artist alike have the duty of formulating the chain of cause and effects which lead to the production of natural and social phenomona'.[4] Allan went on to claim that determinism also provided Zola with the basis for some of his myths:

2. *Les Rougon-Macquart*, Pléiade edition, (ed. H. Mitterand), Vol. V, p. 1611. Zola's speech to the Association générale des étudiants de Paris is cited in its entirety on pages 1610-1616.

3. *Les Rougon-Macquart*, Pléiade edition, Vol. V, p. 4 (my italics). Henceforth all references to this edition will be given in the abbreviated form. *RM*, V, p. 4, etc.

4. J.C. ALLAN, *Myth and Determinism*, Ann Arbor, University Microfilms International, 1976, p. 2.

> Zola's scientific determinism is the structuralizing principle underlying the creation of the universe and laying the foundation for the myths. The systems of heredity, the cycles of nature, and the laws of determinism are integrated into the text through repetition, and are finally explained by Pascal.[5]

So far we have laid stress on Zola's unified scientific view of the universe, a view which seems to make religious belief redundant. Writing in 1968 the mathematician and Methodist lay preacher Coulson might have had the young Zola in mind when he stated:

> Every schoolboy knows —or thinks he knows— that modern science has destroyed any serious claims by Christianity to provide an understanding of the world in which we live, and of the people who live in it; for many people science has taken the place of Christianity as the sure and safe ground on which to build a way of life[6].

However when Zola was reaching the end of the *Rougon-Macquart* series in the early 1890s, critics such as Brunetière were declaring that science had failed humanity, had led to moral bankruptcy, and were advocating a return to religion. Zola did not stand aloof from this debate. Announcing to a *rédacteur* of *Le Temps* the subject matter of his forthcoming speech to the Paris students, Zola told him: 'Je parlerai des inquiétudes qui marquent cette fin de siècle et qui se traduisent par des retours vers le passé, par une résurrection des vieilles doctrines religieuses et philosophiques[...][7] And in the speech itself Zola told the students.

> Donc, messieurs, on nous affirme que votre génération rompt avec la nôtre. Vous ne mettriez plus dans la science tout votre espoir, vous auriez reconnu, à tout bâtir sur elle, un tel danger social et moral que vous seriez résolus à vous rejeter dans le passé, pour vous refaire, avec les débris des croyances mortes, une croyance vivante[8].

It is this debate which will be examined in the essay which follows. We will concentrate in particular on the final novel of the *Rougon-Macquart* series, *Le Docteur Pascal* and *Lourdes,* the first novel of the series *Les Trois Villes.* A superficial glance at the mere titles of the final series, *Les*

5. *Ibid.*, p. 296.

6. C.A. COULSON, 'The similarity of science and religion', in *Science and Religion; new perspectives on the dialogue,* London, SCM Press, Ch 4, ed. I. Barbour, 1968, p. 57.

7. Cited in R. TERNOIS, *Zola et son temps,* Paris, Les Belles Lettres, 1961, p. 277.

8. *RM,* V, p. 1612.

Quatre Evangiles, and at the names of their heroes (Matthieu, Marc, Luc and Jean), gives the impression that Zola might have followed the movement of those who had begun to turn back to religion.[9] The debate is given clear expression in both *Le docteur Pascal* and in *Lourdes*. Both novels use medicine and medical research as the paradigm of scientific activity and in both novels medicine is sharply contrasted with religion. In *Lourdes* Zola had his central character Pierre Froment comment specifically on the late nineteenth-century religious renaissance. As he returns to Paris on the train bringing the pilgrims back from Lourdes, Pierre muses:

> Si les pères de la Grotte faisaient de si glorieuses affaires, c'était qu'ils vendaient du divin. Cette soif du divin, que rien n'a pu étancher au travers des siècles, semblait renaître avec une violence nouvelle, au bout de notre siècle de science[10].

We will address the question of whether the two novels mark a transition in Zola's work, a point where he begins to explore and even to accept the possibility that science does not provide all the answers and that there may after all be an intellectual and emotional necessity for religion. Brian Nelson clearly saw *Le Docteur Pascal* as something of a watershed:

> Although the novel [*le Docteur Pascal*] reads more like a summarising conclusion than a creative achievement, it may be considered a pivotal work in the sense that Clotilde's nostalgia for transcendental meanings, together with Pascal's awareness of the insufficiency of science alone to cure the social ills so clearly documented in his own history of the Rougon-Macquart family, announces the quasi-religious nature of Zola's later fiction.[11]

Religion and the Church are not of course absent from the first nineteen of the *Rougon-Macquart* novels; given that part of Zola's programme was to write a fictional social history of the Second Empire, he was obliged to take account of the role of the Church. We note for example that the nouns *abbé* (1,225), *prêtre* (614) and *curé* (357) occur 2,196 times in the

9. Clive Thompson also pointed out the religious connotations of the titles of *Les Trois Villes:* 'Ces trois signifiants dénotent tout de suite le roman historique d'actualité religieuse, mais leur valeur connotative est d'un grand pluriel. *Lourdes, Rome, Paris* possèdent tous le même sème: «ville catholique d'Europe»', Clive Thompson, 'Une typologie du discours idéologique dans *Les Trois Villes'*, in *Cahiers naturalistes*, 54, 1980, pp. 96-105 (p. 97).

10. E. Zola, *Lourdes*, Paris, Charpentier & Fasquelle, 1894. All references to *Lourdes* are to this edition.

11. Brian Nelson, *Zola and the bourgeoisie: a study of themes and techniques in* Les *Rougon-Macquart*, London, Macmillan, 1983, p. 37.

Rougon-Macquart series whereas *docteur* (756), *médecin* (336) and *praticien* (7) occur 1,099 times. Zola referred to priests twice as frequently as to doctors in his novels. This statistical pattern is reproduced when we examine the terms *religion* (137), *religieux* (142) and *religieusement* (17) which occur 296 times in all, against the 179 occurrences of *science(s)* (163), *scientifique* (22) and *scientifiquement* (4). In his Introduction to Pierre Ouvrard's recent book[12] Henri Mitterand wrote:

> L'omniprésence du prêtre, parmi la population des *Rougon-Macquart*, n'est qu'un apparent paradoxe. Certes, de sa jeunesse jusqu'à sa mort, Zola n'a cessé d'opposer la raison à la foi, et la science au dogme; il n'a cessé de contrebattre l'influence de l'Eglise dans les affaires civiles. Et l'on ne saurait trouver sous sa plume la moindre trace d'incertitude sur le silence des cieux...[13]

In the same year Mitterand had also written:

> Zola abordera rarement de front les problèmes philosophiques et religieux, mais, malgré sa curiosité pour les manifestations de la foi, malgré la relative abondance des personnages de prêtres dans son œuvre, et même malgré l'analogie de certains de ses thèmes et de ses symboles avec ceux qui tissent le discours de l'Eglise chrétienne, une lecture attentive de son œuvre ne laisse aucun doute sur son incroyance.[14]

In the first nineteen novels of the series Zola portrays the Church in a variety of ways: as a body playing a sinister role in politics *(La Conquête de Plassans)*, as one uninterested in the problems of the working class (*L'Assommoir* and *Germinal*). This is not to say that all priests are portrayed in a totally unsympathetic light, as is clear from an examination of say l'Abbé Godard of *La Terre* or l'Abbé Mauduit of *Pot-Bouille.* But above all the Church is represented as a flight from reality, as a flight from Nature itself. We see this clearly in *Le Rêve* but most of all in *La Faute de l'Abbé Mouret* where Serge uses the priesthood as a refuge from the overwhelming abundance and sensuality of life and in the end becomes quite literally a death-force, inducing Albine's suicide and thus the death of his and her unborn child. Earlier in the novel we have been told of the disquieting effect that Désirée has on Serge:

> Elle [Désirée] sentait trop la vie. Mais c'était à peine un malaise. Il

12. P. Ouvrard, *Zola et le prêtre,* Paris, Beauchesne, 1986.
13. *Ibid.*, p.i,
14. H. Mitterand, *Zola et le naturalisme,* Paris, P.U.F., 1986, p. 14.

> [Serge] passait ses journées dans l'existence intérieure qu'il s'était faite, ayant tout quitté pour se donner entier. Il fermait la porte de ses sens, cherchait à s'affranchir des nécessités du corps, n'était plus qu'une âme ravie par la contemplation. La nature ne lui présentait que pièges, qu'ordures; il mettait sa gloire à lui faire violence, à la mépriser, à se dégager de sa boue humaine.[15]

One of the most symbolic gestures of the novel is the one where Archangias, finding some of his pupils truanting in order to observe a nest of birds which have just hatched, dispatches the chicks to their death at the bottom of a ravine with a well aimed clod of earth. It is also interesting to observe the contrast in the final chapter between the actions of Serge, officiating at the burial of Albine, and the language of his retarded sister Désirée who stresses her role as a life-force with the words: 'Serge! Serge! [...] la vache a fait un veau!'[16]

Professional science is not examined in as much detail as religion in the earlier novels. Pascal has made an engaging impression in *La Fortune des Rougon* and in *La Faute de l'Abbé Mouret* but we have not had a really detailed examination of his work. In *La Joie de Vivre* we have seen the failures of Lazare, but these are not so much the failures of science as the result of an easily discouraged and second-rate mind. We have also seen the questionable side of science and technology in novels such as *Germinal* and *La Bête Humaine*, where the sophisticated machinery has a demonic will of its own and is antagonistic to a humanity whose civilisation proves itself to be no more than skin deep. Hourdequin in *La Terre* attempts to apply scientific methods on his farm and yet is no more successful than the peasants who unthinkingly carry out methods which their ancestors have taught them.

It is rather in his ameliorative use of a number of terms from the associative field of 'science' that Zola reveals how deep his positive feelings are. In *La Fortune des Rougon* Pascal's objectivity is underlined when in an aside, spoken 'd'un ton de chimiste', he summarises the character of Silvère.[17] Hourdequin states that there should be a 'chimiste-expert' at every market who would give an opinion on the chemicals to be found in the fertilisers being sold; for him this would be the only way forward.[18] In *La Débâcle*, via free indirect speech, we have Major Bouroche's view of General Moltke

15. *RM*, I, p. 1233.
16. *RM*, I, p. 1527.
17. *RM*, I, p. 212.
18. *RM*, IV, p. 710.

'avec sa face glabre de chimiste mathématicien, qui gagnait des batailles du fond de son cabinet, à coups d'algèbre!'[19] Zola thus reinforces his thesis that it was inevitable that Prussia should defeat France, for not only do we have a struggle between a well-prepared and an ill-prepared army but also that between science on the one hand and romantic bravura on the other. One notes that in the Preface to the series Zola writes of 'le fil qui conduit mathématiquement d'un homme à un autre homme'. The word *mathématiquement* occurs eight times in the series and another adverb *scientifiquement* four times; both words invariably seem to carry strong positive connotations. Zola seemed to have been quite sensitive to the powerful associations of adverbs and thus their possible misuse: 'C'est bien la fin des *Rougon-Macquart* que j'écris, historiquement, scientifiquement et philosophiquement. Voilà trois vilains adverbes, mais ils disent avec netteté ce que je veux dire.'[20]

In a number of earlier novels Zola has placed a priest in a paradigmatic relationship with a doctor and shown the doctor in the more favourable light. Ouvrard talks of 'un schéma mental constamment présent chez le Zola des *Rougon-Macquart:* l'opposition-rapprochement entre le médecin et le prêtre, personnages témoins de la société où ils vivent, que leur position et leur savoir rendent plus clairvoyants'.[21] We have Serge contrasted with Pascal in *La Faute de l'Abbé Mouret*, l'Abbé Mauduit with Dr Juillerat in *Pot-Bouille* and l'Abbé Horteur with Dr Cazenove in *La Joie de Vivre.* Cazenove gives a hint of some of the issues Zola will debate in *Le Docteur Pascal* and *Lourdes* when he states:

> Ah! je reconnais là nos jeunes d'aujourd'hui, qui ont mordu aux sciences, et qui en sont malades, parce qu'ils n'ont pu y satisfaire les vieilles idées d'absolu, sucées avec le lait de leurs nourrices. Vous voudriez trouver dans les sciences, d'un coup et en bloc, toutes les vérités, lorsque nous les déchiffrons à peine, lorsqu'elle ne seront sans doute qu'une éternelle enquête.[22]

In *Pot-Bouille* Zola contrives a scene where Mauduit and Juillerat, both of whom have been busy with dramas (a birth, an attempted suicide, servants living in sin and refusing to marry) taking place in the imposing apartment block, leave the building together. Their conversation is reported as follows:

19. *RM,* V, p. 713.
20. Letter to Van Santen Kolff (25 January 1893), cited in *RM,* V, p. 1607
21. Ouvrard, *op. cit.*, p. 186.
22. *RM,* III, p. 993.

> Sous la voûte, le prêtre s'arrêta, comme brisé de fatigue.
> —Que de misères! murmura-t-il avec tristesse.
> Le médecin hocha la tête, en répondant:
> —C'est la vie.
> Ils avaient de ces aveux, lorsqu'ils sortaient côte à côte d'une agonie ou d'une naissance. Malgré leurs croyances opposées, ils s'entendaient parfois sur l'infirmité humaine. Tous deux étaient dans les mêmes secrets: si le prêtre recevait la confession de ces dames, le docteur, depuis trente ans, accouchait les mères et soignait leurs filles.
> —Dieu les abandonne, reprit le premier.
> —Non, dit le second, ne mettez donc pas Dieu là-dedans. Elles sont mal portantes ou mal élevées, voilà tout.[23]

Having allowed Juillerat to win the argument, Zola then lets him overstate his case with 'ses fuites d'homme médiocre' but still praises him for his 'observations justes de vieux praticien'. Zola treats both of the characters with irony, but is considerably more tolerant of the doctor. This contrasts strongly with a similar scene in Flaubert's *Madame Bovary* where the priest and the chemist attend at Emma's deathbed and of the two the chemist is treated by the narrator as possibly the more foolish:

> Le pharmacien et le curé se replongèrent dans leurs occupations, non sans dormir de temps à autre, ce dont ils s'accusaient réciproquement à chaque réveil nouveau. Alors M. Bournisien aspergeait la chambre d'eau bénite et Homais jetait un peu de chlore par terre.[24]

In *Le Docteur Pascal* Zola does not literally oppose a doctor with a priest but rather Pascal with his mother and with Clotilde, whose taste for mysticism is increased by the influence of an evangelical preacher who has come to Plassans. Félicité's attitude to religion and to science is summed up neatly:

> —La science! s'exclama Félicité, en piétinant de nouveau, elle est jolie leur science, qui va contre tout ce qui est sacré au monde! Quand ils auront tout démoli, ils seront bien avancés... Ils tuent le respect, ils tuent la famille, ils tuent le Bon Dieu...[25]

And in one sense this implacable hostility to scientific research triumphs towards the end of the novel when after Pascal's death, to safeguard the

23. *RM,* III, p. 362.
24. G. FLAUBERT, *Madame Bovary,* 1857, (Livre de Poche edition, Paris, Fasquelle, 1961), p. 392.
25. *RM,* V, p. 931.

honour of the Rougons, she burns the papers which contain his life-long study of the genetic inheritance of five generations of the family.

But it is the intellectual struggle between Pascal and Clotilde which provides one of the major strands of the plot and which Zola uses to examine the debate which was taking place between science and idealism at the end of the nineteenth century. For Mitterand this is the key to an understanding of the novel:

> C'est une œuvre [*Le docteur Pascal*] qui ne peut être bien comprise que si on la situe au sein de la bataille des idées qui occupe les dernières années du XIXe siècle, et si l'on en fait, de ce point de vue, un prélude aux *Trois Villes* et aux *Quatre Evangiles.* Le fait marquant est alors la renaissance de l'idéalisme[26]

We are told that even from early childhood Clotilde would pose questions about why the universe operated as it did rather than be satisfied by explanations of how it worked:

> [...] elle exigeait les raisons dernières. S'il [Pascal] lui montrait une fleur, elle lui demandait pourquoi cette fleur ferait une graine, pourquoi cette graine germerait. Puis, c'était le mystére de la conception, des sexes, de la naissance et de la mort, et les forces ignorées, et Dieu, et tout. En quatre questions, elle l'acculait chaque fois à son ignorance fatale.[27].

Clotilde is exasperated by the slow pace of scientific progress and this is used by Zola as part of the explanation for what separates her from Pascal. Moreover, she is not satisfied by a rational explanation of the world about her and needs to believe in the existence of an unknown and perhaps unknowable world:

> Chez elle [Clotilde], la croyance ne se pliait pas à la règle stricte du dogme, le sentiment religieux ne se matérialisait pas dans l'espoir d'un paradis, d'un lieu de délices, où l'on devait retrouver les siens. C'était simplement, en elle, un besoin d'au-delà, une certitude que le vaste monde ne s'arrête point à la sensation, qu'il y a un autre monde inconnu, dont il faut tenir compte.[28]

Clotilde's mysticism is contrasted with Pascal's scientific rationalism. In folios 228-235 of Ms 10.290 containing the plan of the novel Zola had copied out extracts of newspaper articles about the publication of Renan's

26. *RM,* V, p. 1572.
27. *RM,* V, p. 985.
28. *RM,* V, p. 932.

L'Avenir de la Science; one of these is entitled *Credo de Renan, d'après de Vogüé* and much of it appears in the following 'speech' by Pascal:

> —Veux-tu que je te dise mon *Credo*, à moi, puisque tu m'accuses de ne pas vouloir du tien... Je crois que l'avenir de l'humanité est dans le progrès de la raison par la science. Je crois que la poursuite de la vérité par la science est l'idéal divin que l'homme doit se proposer. Je crois que tout est illusion et vanité, en dehors du trésor des vérités lentement acquises et qui ne se perdront jamais plus. Je crois que la somme de ces vérités, augmentées toujours, finira par donner à l'homme un pouvoir incalculable, et la sérénité, sinon le bonheur... Oui, je crois au triomphe final de la vie.[29]

The victory of science over mysticism, despite the setback of the destruction of Pascal's life's work, is made clear for the reader as Clotilde moves emotionally and intellectually closer to her uncle, so that the niece/pupil becomes the lover and the mother of his child. But even Pascal does not maintain his belief in science without the occasional 'crisis of faith'. He experiments on himself and on others with rejuvenating injections and is excited at the good results he achieves:

> Et, devant cette trouvaille de l'alchimie du XXe siècle, un immense espoir s'ouvrait, il croyait avoir découvert la panacée universelle, la liqueur de vie destinée à combattre la débilité humaine, seule cause réelle de tous les maux, une véritable et scientifique fontaine de Jouvence, qui, en donnant de la force, de la santé et de la volonté, referait une humanité tout neuve et supérieure.[30]

But at the same time he is worried by the empirical nature of a treatment he does not truly understand and which he therefore regards as barbaric. When Lafouasse, one of the patients he has been treating with the elixir, dies of an embolism Pascal is plunged into intellectual doubt which he voices to Clotilde:

> —Ecoute, je vais te dire ce que je ne dirais à personne au monde, ce que je ne me dis pas tout haut à moi-même... Corriger la nature, intervenir, la modifier et la contrarier dans son but, est-ce une besogne louable? Guérir, retarder la mort de l'être pour son agrément personnel, le prolonger pour le dommage de l'espèce sans doute, n'est-ce pas défaire ce que veut faire la nature? Et rêver une humanité plus saine,

29. *RM,* V, p. 953.
30. *RM,* V, p. 949.

> plus forte, modelée sur notre idée de la santé et de la force, en avons-nous le droit?[31]

Earlier in the novel Pascal has accused science of preventing him from living a full life, in particular from procreating, and with an uncanny foresight predicts the uncertain future that awaits his research, the fruit of his labours:

> Certaines nuits, il arrivait à maudire la science, qu'il accusait de lui avoir pris le meilleur de sa virilité. Il s'était laissé dévorer par le travail, qui lui avait mangé le cerveau, mangé le cœur, mangé les muscles. De toute cette passion solitaire, il n'était né que des livres, du papier noirci que le vent emporterait sans doute, dont les feuilles froides lui glaçaient les mains, lorsqu'il les ouvrait.[32]

It is perhaps worth recalling that Pascal's words, with the substitution of 'littérature' for 'science', would probably have been an accurate account of Zola's own state of mind prior to the births of Denise and Jacques in 1889 and 1891 respectively.

The contrast between the doctor and the priest recurs in *Lourdes* although here Zola has chosen to treat the opposition in a somewhat paradoxical fashion. For it is the priest, l'Abbé Pierre Froment, who has lost his faith who is the major representative of the scientific viewpoint whilst faith is at times represented by Chassaigne, an atheist doctor who has been reconverted as a response to the sudden deaths of his wife and daughter. The paradox is recognised by Pierre himself:

> Et il [Pierre] s'émotionnait, car n'était-ce pas la plus étrange des aventures? Lui, prêtre, autrefois résigné à la croyance, ayant achevé de perdre la foi, au contact de ce médecin alors incroyant, qu'il retrouvait maintenant converti, gagné au surnaturel, lorsque lui-même agonisait du tourment de ne plus croire?[33]

Pierre is first of all astonished that Chassaigne, whom he has remembered as a man imbued with the spirit of scientific enquiry, could now believe in miraculous cures and in the concept of a spring suddenly welling up from the ground under the fingers of a child. But finally he understands:

> Un petit grelottement de vieillard débile l'agitait, et Pierre comprenait enfin, rétablissait ce cas de conversion: le savant, l'intellectuel vieilli, qui

31. *RM,* V, p. 1084.
32. *RM,* V, p. 1047.
33. *Lourdes*, p. 179.

> retournait à la croyance, sous l'empire du sentiment. D'abord, ce qu'il n'avait pas soupçonné jusque-là, il découvrait une sorte d'atavisme de la foi, chez ce Pyrénéen, ce fils de paysans montagnards, élevé dans la légende, et que la légende reprenait, même lorsque cinquante années d'études positives avaient passé sur elle. Puis, c'était la lassitude humaine, l'homme auquel la science n'a pas donné le bonheur, et qui se révolte contre la science, le jour où elle lui paraît bornée, impuissante à empêcher ses larmes. Et, enfin, il y avait encore là du découragement, un doute de toutes choses qui aboutissait à un besoin de certitude, chez le vieil homme, attendri par l'âge, heureux de s'endormir dans la crédulité.[34]

Later in the novel Pierre will come to realise that it is only Chassaigne's refound belief in an after-life which enables him to cope with the grief of his bereavement:

> Le cœur avait emporté la raison [de Chassaigne], l'homme vieux et seul ne vivait que de l'illusion de revivre, au paradis, où l'on se retrouve. Et le malaise du jeune prêtre en fut accru. Devrait-il donc attendre de vieillir et d'endurer une souffrance égale, pour enfin trouver un refuge dans la foi?[35]

And yet, despite his reconversion to religious faith, it is also Chassaigne who voices scientific objections to the methods of the panel of doctors, whose role it is to pronounce on the validity of the miraculous cures which have occurred at the grotto. Criticising Dr Bonamy who presides at these sessions, Chassaigne states:

> —Les plaies apparentes, les plaies apparentes... Ce monsieur ne se doute pas qu'aujourd'hui nos savants médecins soupçonnent beaucoup de ces plaies d'être d'origine nerveuse. Oui, l'on découvre qu'il y aurait là simplement une mauvaise nutrition de la peau. Ces questions de la nutrition sont encore si mal étudiées!... Et l'on arrive à prouver que la foi qui guérit peut parfaitement guérir les plaies, certains faux lupus entre autres. Alors, je vous demande quelle certitude il obtiendrait, ce monsieur, avec sa fameuse salle des plaies apparentes! Un peu plus de confusion et de passion dans l'éternelle querelle... Non, non! la science est vaine, c'est la mer de l'incertitude![36]

It is he also who points out that the committee, who have increased the

34. *Lourdes*, p. 180.
35. *Lourdes*, p. 351.
36. *Lourdes*, p. 208.

number of doctors who must pronounce on cures in order to give the miracles greater credibility, is in fact obscuring the truth even more:

> Plus il y aurait de médecins, moins la vérité se ferait, au milieu de la bataille des diagnostics et des méthodes de traitement. Si l'on ne s'entend pas sur une plaie apparente, ce n'est pas pour s'entendre sur une lésion intérieure, que les uns nient, quand les autres l'affirment. Et pourquoi, dès lors, tout ne deviendrait-il pas miracle? Car, au fond, que ce soit la nature qui agisse ou une puissance surnaturelle, les médecins n'en restent pas moins surpris le plus souvent, devant des terminaisons qu'ils ont rarement prévues...[37]

Pierre has been conducting his own researches into the background of Saint Bernadette and has discovered that as a child she suffered from severe asthma. Pierre wonders whether this might explain the vision she has had:

> Parfois, aux vilains temps, lorsque son asthme l'oppressait davantage, elle [Bernadette] rêvait pendant des nuits entières, des rêves souvent pénibles, dont elle gardait l'étouffement au réveil, même lorsqu'elle se souvenait de rien. Des flammes l'entouraient, le soleil passait devant sa face. Avait-elle ainsi rêvé, la nuit précédente?[38]

And later in the novel the miraculous nature of the spring itself is called into question when Pierre muses 'que la source, toute miraculeuse qu'elle fût, était soumise aux lois des autres sources, car elle communiquait sûrement avec des réservoirs naturels, où les eaux de pluie pénétraient et s'amassaient.'[39]

In Part One of the novel, as the train of pilgrims slowly makes its way from Paris to Lourdes, Pierre listens to the reading aloud of a naive account of Saint Bernadette's life:

> Et Pierre, frémissant de tout le mystère évoqué, éperdu et ne se retrouvant pas, dans ce milieu délirant de fraternité souffrante, finissait par détester sa raison, en communion étroite avec ses humbles, résolu à croire comme eux. A quoi bon cette enquête sur Bernadette, si compliquée, si pleine de lacunes? Pourquoi ne pas l'accepter ainsi qu'une messagère de l'au-delà, une élue de l'inconnu divin?[40]

But all attempts to regain his faith whilst at Lourdes end in failure for him.

37. *Lourdes*, p. 213.
38. *Lourdes*, p. 112.
39. *Lourdes*, p. 349.
40. *Lourdes*, p. 122.

There is one sacrifice that Pierre is not able to make in order to regain his faith, namely the sacrifice of his intelligence. The first intimation of this comes early in the novel:

> C'était la ruine totale et irréparable de la foi. S'il avait pu tuer la chair en lui, en renonçant au roman de sa jeunesse, s'il se sentait le maître de sa sensualité, au point de n'être plus un homme, il savait maintenant que le sacrifice impossible allait être celui de son intelligence.[41]

Later Pierre hopes that a visit to the Grotto will help:

> Mais depuis qu'il [Pierre] était devant la Grotte, il sentait un singulier malaise le gagner, une sourde révolte qui gênait l'élan de sa prière. Il voulait croire, il avait espéré toute la nuit que la croyance allait refleurir en son âme, comme une belle fleur d'ignorance et de naïveté, dès qu'il s'agenouillerait sur la terre du miracle.[42]

But the sacrifice of his reason which seems to be required is too great for Pierre and leads to his experiencing a sense of physical malaise:

> Et, dès qu'il [Pierre] s'était trouvé devant la Grotte, voilà que l'idolâtrie du culte, la violence de la foi, l'assaut contre la raison, venaient de l'incommoder jusqu'à la défaillance![43]

Another obstacle to Pierre's regaining his faith is his sense of dismay at the commercial activities of Lourdes where trinkets, made by workers in Paris who he suspects are not even believers, are sold to the gullible pilgrims. Accompanying M. de Guersaint to the barber-shop, Pierre listens to Cazaban's complaints from behind his newspaper:

> Il [Pierre] écoutait, il avait pour la première fois l'intuition des deux Lourdes, l'ancien Lourdes si honnête, si pieux dans sa tranquille solitude, le nouveau Lourdes gâté, démoralisé par tant de millions remués, tant de richesses provoquées et accrues, par le flot croissant d'étrangers qui traversaient la ville au galop, par la pourriture fatale de l'entassement, la contagion de mauvais exemples.[44]

Neither of the two 'miraculous' cures that Pierre witnesses stands up to close investigation. La Grivotte, who appears to make an instantaneous

41. *Lourdes*, p. 36.
42. *Lourdes*, p. 170.
43. *Lourdes*, p. 175.
44. *Lourdes*, p. 299.

recovery from tuberculosis whilst at Lourdes, succumbs to the illness again on the return journey to Paris. The reader also discovers that Marie de Guersaint, confined to a wheelchair since a riding accident, who is suddenly able to walk again, is in fact only realising the predictions of one of the many doctors who had examined her before her journey to Lourdes and who had stated that her paralysis was more a mental than a psysical condition and might be cured by an emotional schock. Pierre is tempted more than once to tell Marie the truth about her cure, but in the end decides that it would be kinder to leave her with her belief in a miracle. In disturbingly sexist language Pierre's thoughts are conveyed to us thus:

> Mais une invincible pitié l'envahissait, dans son chagrin. Non, non! il ne troublerait pas cette âme, il ne lui enlèverait pas sa croyance, qui, peut-être un jour, serait son unique soutien, au milieu des douleurs de ce monde. On ne peut demander encore ni aux enfants ni aux femmes l'héroïsme amer de la raison. Il n'en avait pas la force, il pensait même n'en avoir pas le droit.[45]

Pierre is finally forced to admit to himself that he will never be able to return to his former faith and therefore wonders whether it might be possible to envisage a new and different religion:

> Comment féconder le doute universel pour qu'il [Pierre] accouchât d'une nouvelle foi, et quelle sorte d'illusion, quel mensonge divin pouvait germer dans la terre contemporaine, ravagée de toutes parts, défoncée par un siècle de science?[46]

And it is this ultimately unsuccessful quest which Zola will chart in the following two novels, *Rome* and *Paris.*

We have seen that Zola has clearly articulated the late nineteenth-century debate between science and religion[47], but that there is really no evidence to suggest that he ever had more than momentary doubts about the value of science and none whatsoever to suggest that he subscribed to the view that it had morally bankrupted mankind. But Zola does however make a number of moving statements in which he shows that he under-

45. *Lourdes*, p. 600.

46. *Lourdes*, p. 630.

47. DAVID BAGULEY has pointed out that there was an odd juxtaposition at the end of the nineteenth century between an enthusiasm for cycles, cars, balloons, telephones and electricity and the notion of 'la faillite de la science'. See D. BAGULEY, 'Du récit polémique au discours utopique: l'Evangile républicain de Zola', in *Cahiers naturalistes,* 54, 1980, pp. 106-121, especially p. 109.

stands how for some religion may act as the only refuge against the cruelty, the ugliness, the injustice of the world, particularly the chronically sick for example whom science seems to have failed and abandoned. The following is typical of a type of discourse frequently encountered in *Lourdes:*

> La réalité, pour eux, était trop abominable, il leur naissait un immense besoin d'illusion et de mensonge. Oh! croire qu'il y a quelque part un justicier suprême qui redresse les torts apparents des êtres et des choses, croire qu'il y a un rédempteur, un consolateur qui est le maître, qui peut faire remonter les torrents à leur source, rendre la jeunesse aux vieillards, ressusciter les morts! Se dire, quand on est couvert de plaies, qu'on a les membres tordus, le ventre enflé de tumeurs, les poumons détruits, se dire que cela n'importe pas, que tout peut disparaître et renaître sur un signe de la sainte Vierge, et qu'il suffit de prier, de la toucher, d'obtenir d'elle la grâce d'être choisi![48]

In the novels which follow *Lourdes* Zola's hostility to the Church and to clericalism increased markedly. In *Paris* for example Pierre Froment regards catholicism as a religion of death which has for some 1800 years stood in the way of progress towards the truth and justice. We note that Zola refutes the claim that science has failed humanity by failing to bring happiness. Addressing the Paris students Zola reminded them that science had never promised happiness, rather it had promised truth:

> A quoi bon savoir, si l'on ne doit pas tout savoir? Autant garder la simplicité pure, la félicité ignorante de l'enfant. Et c'est ainsi que la science, qui aurait promis le bonheur universel, aboutirait, sous nos yeux, à la faillite.
>
> La science a-t-elle promis le bonheur? Je ne le crois pas. Elle a promis la vérité, et la question est de savoir si l'on fera jamais du bonheur avec la vérité[49].

The problem for mankind, as Zola saw it, was to find the stoicism to be able to live 'sans mensonge et sans illusion', without the opiate of religion. Life will be a constant struggle to inch back the frontiers of ignorance and one of the few certainties is that we will never know everything. But the way forward did not lie with the Church. In the words of Brian Nelson:

> Zola's work from *Le Docteur Pascal* onwards represents a systematic attack on the obscurantism of the Church, its politically reactionary

48. *Lourdes,* p. 94.
49. *RM,* V, p. 1613.

> nature, its hostility to science, and its inability to come to terms with the deepening social problems of the modern world[50].

The final question we will evoke is whether there is not frequently a certain religiosity about Zola's treatment of science which might imply that for him science has not so much killed religion but become a religion in its own right[51]. The discourse which Zola uses when writing about science is frequently a quasi-religious discourse. The most obvious example is Dr. Pascal's 'creed' which he outlines to Clotilde[52] but a few pages earlier the narrator summarises Pascal's 'beliefs' in the following terms:

> En somme, le docteur Pascal n'avait qu'une croyance, la croyance à la vie. La vie était l'unique manifestation divine. La vie, c'était Dieu, le grand moteur, l'âme de l'univers. Et la vie n'avait d'autre instrument que l'hérédité, l'hérédité faisait le monde; de sorte que, si l'on avait pu la connaître, la capter pour disposer d'elle, on aurait fait le monde à son gré[53].

Putting on one side Zola's strangely prophetic statement about genetics, in the light of the discovery of DNA and current research in biotechnology and genetic engineering, we seem to have here a statement of a type of natural religion where God is not so much the Creator of the natural world, but that very world itself, or rather the system of laws governing that world. Science is not the only phenomenon which Zola described in religious terms; political ideology, in particular socialism, is often similarly treated although in those cases (for example in *La Fortune des Rougon, Germinal, L'Argent*) the exaltation of the 'néophytes' is often treated with deep suspicion. In the case of science the connotations are openly religious but the overall effect is ameliorative rather than pejorative. It is widely held that Sandoz, the novelist in *L'Œuvre,* is, like Pascal, a character who is largely based upon Zola himself. Sandoz expresses a similarly 'religious' view of nature when he outlines his philosophy to Claude:

> Ah! bonne terre, prends-moi, toi qui es la mère commune, l'unique source de la vie! toi l'éternelle, l'immortelle, où circule l'âme du monde, cette sève épandue jusque dans les pierres, et qui fait des arbres nos

50. B. NELSON, *op.cit.,* p. 58.

51. ROBERT NIESS has drawn attention to the similarity between religious belief and scientific doctrines: 'Une des vraies religions de la dernière partie du XIXe siècle, période riche en cultes et en doctrines de toute sorte, fut le darwinisme', ROBERT J. NIESS, 'Zola et le capitalisme: le darwinisme social', in *Cahiers naturalistes,* 54, 1980, pp. 57-67 (p. 57).

52. See above, p. 84.

> grands frères immobiles! [...] Oui, je veux me perdre en toi, c'est toi que je sens là, sous mes membres, m'étreignant et m'enflammant, c'est toi seule qui seras dans mon œuvre comme la force première, le moyen et le but, l'arche immense, où toutes les choses s'animent du souffle de tous les êtres![54]

And on the following page Sandoz calls into question the necessity for the concept of the soul when he states: 'Est-ce bête, une âme à chacun de nous quand il y a cette grande âme!'

For Zola many of the goals of science seem to be equated with religious ones: for example, a desire to reveal the truth, a desire to understand creation. One might even claim that Zola reconciled the belief in the resurrection of the body and the life everlasting with his cyclical view of life which seems to be based upon the theory of the indestructibility of matter. We die, we decompose, we fertilise the earth and we then spring forth again as some new form of life. The crucial difference between 'nature' and 'God' has disappeared for nature has become God. Was this the 'religion nouvelle' that Pierre Froment was seeking?

> Une religion nouvelle! une religion nouvelle! Il la faudrait sans doute plus près de la vie, faisant à la terre une part plus large, s'accommodant des vérités conquises. Et surtout une religion qui ne fût pas un appétit de la mort. Bernadette ne vivant que pour mourir, le docteur Chassaigne aspirant à la tombe comme à l'unique bonheur, tout cet abandon spiritualiste était une désorganisation continue de la volonté de vivre. Au bout, il y avait la haine de la vie, le dégoût et la paralysie de l'action. Toute religion, il est vrai, n'est qu'une promesse d'immortalité, un embellissement de l'au-delà, le jardin enchanté au lendemain de la mort[55].

Or are the concerns of religion and science demonstrably different? For Harold Schilling science centres its attention on what is symbolised by the word 'nature' whilst religion focuses upon that symbolised by the term 'God'[56]. For Schilling, rather as for Clotilde, God is 'the source of, and answer to, our ultimate questions and concerns, i.e., the answer to our whys, whences and whithers[...] For Pascal and for the Zola of *Le Roman Expérimental* it was enough to attempt to answer the question of 'comment'

53. *RM,* V, p. 947.
54. *RM,* IV, p. 162.
55. *Lourdes,* p. 630.
56. H. SCHILLING, *Science and religion: an interpenetration of two communities,* London, Allen and Unwin, 1963, pp 22-23.

rather than of 'pourquoi'. But nowadays scientists have become more ambitious and have started to make attempts on the higher intellectual peaks. As Stephen Hawking, writing about the search for a unified mathematical theory of the universe, has recently explained:

> However, if we do discover a complete theory, it should in time be understandable in broad principle by everyone, not just a few scientists. Then we shall all, philosophers, scientists, and just ordinary people, be able to take part in the discussion of the question of why it is that we and the universe exist. If we find the answer to that, it would be the ultimate triumph of human reason - for then we would know the mind of God[57].

I do not think that Zola, who frequently saw himself as a prophet of the twentieth century, would disagree with that conclusion.

57. STEPHEN HAWKING, *A brief history of time,* London, Bantam Press, 1988, p. 175.

IDÉALISME, MATÉRIALISME ET LA FEMME CHEZ GAUTIER[1]

par

HARRY COCKERHAM

Dans la première semaine de juin 1849, se rendant en diligence de Londres à Ascot, où il allait passer sa journée aux courses, Gautier aura vu à droite de la route et à deux kilomètres de sa destination, le grand lac Virginia Water[2]. Il en fut sans nul doute profondément impressionné, car il s'en souvenait encore quatorze ans après, au moment où il rédigeait, pour le *Moniteur universel,* la notice nécrologique d'Alfred de Vigny — de ce Vigny dont il avait dit en 1848 que sa patrie intellectuelle, comme celle de Musset, était l'Angleterre[3]:

Il était bien le poëte d'Eloa, cette vierge née d'une larme du Christ et

1. Texte, remanié et raccourci, d'une conférence donnée à Nice en avril 1983, dans le cadre des échanges Nice-Royal Holloway College instaurés par Brian Juden et Jean Richer. Depuis cette date, M.C. SCHAPIRA a également attiré l'attention sur le sujet des images de l'idéal féminin, mais uniquement dans l'œuvre romanesque de Gautier, et en lui donnant une tournure assez différente: *Le Regard de Narcisse; romans et nouvelles de Théophile Gautier,* Presses Universitaires de Lyon, 1984, pp. 48-61. Voir aussi J. SAVALLE, *Travestis, métamorphoses et dédoublements,* Paris, Minard, 1981, pp. 21-22 et *passim.*

2. Cette excursion eut lieu le 5 ou le 7 juin, les deux jours où, selon les journaux anglais, la reine Victoria assista aux courses cette année-là. Dans son feuilleton de *la Presse* du 11 juin 1849, Gautier parle de la présence de la reine. Il précise également la route qu'il avait suivie pour arriver à Ascot, route qui contourne le lac dont, cependant, Gautier ne parle pas dans son feuilleton (reproduit en partie dans *Caprices et Zigzags,* 1852, sous le titre: *Les «races» d'Ascot*).

3. *Marilhat,* dans *Portraits contemporains,* nouv. édition, Paris, Charpentier, 1898, p. 243 et *Revue des Deux-Mondes,* 1er juillet 1848.

> descendant par pitié consoler Lucifer. Ce poème, le plus beau, le plus parfait peut-être de la langue française, de Vigny seul eût pu l'écrire. [...]. Lui seul possédait ces gris nacrés, ces reflets de perles, ces transparences d'opale, ce bleu de clair de lune qui peuvent faire discerner l'immatériel sur le fond blanc de la lumière divine. [...]. Quand on pense à de Vigny, on se le représente involontairement comme un cygne nageant, le col un peu replié en arrière, les ailes à demi gonflées par la brise, sur une de ces eaux transparentes et diamantées des parcs anglais; une Virginia Water égratignée d'un rayon de lune, tombant à travers les chevelures glauques des saules. C'est une blancheur dans un rayon, un sillage d'argent sur un miroir limpide, un soupir parmi des fleurs d'eau et des feuillages pâles. On peut encore le comparer à une de ces nébuleuses gouttes de lait sur le sein bleu du ciel, qui brillent moins que les autres étoiles parce qu'elles sont placées plus haut et plus loin[4].

En accentuant un aspect quelque peu insolite du poète-philosophe, ce remarquable portrait à la plume en dit plus long sans doute sur le portraitiste que sur son prétendu sujet, car pour apprécier le vrai sens de l'hommage rendu ici à Vigny, il faudrait d'abord que l'on comprenne jusqu'à quel point ce portrait, par son vocabulaire et ses thèmes, s'intègre dans l'univers poétique de son auteur. L'association, autour de Vigny et de son Éloa, du thème de la jeune fille avec ceux du nord, de blancheur, de transparence, d'immatérialité, relie ce texte à bien d'autres écrits de Gautier où se révèle une tendance idéaliste et spiritualiste sur laquelle, depuis quelques trente ans, et en suivant une des voies ouvertes par Georges Poulet[5], la critique ne cesse d'attirer l'attention[6].

Car, surtout depuis qu'on s'est mis à étudier de près ses romans et ses contes, le trop célèbre «hippopotame»[7] de la littérature a cédé la place à un être profondément inquiet et dont l'angoisse, provoquée par la hantise de la mort et de l'au-delà, explique les contradictions apparentes de l'œuvre. Tout au long de son œuvre Gautier hésite entre diverses conceptions d'un au-delà qui est capable de le repousser et de le magnétiser tour à tour. C'est

4. *Alfred de Vigny* dans *Histoire du romantisme,* nouv. édition, Paris, Charpentier, s.d., pp. 163-165 et *Moniteur universel* 28 septembre 1863.

5. «Théophile Gautier», *Études sur le temps humain,* Paris, Plon, 1949, chapitre XIV.

6. Voir par exemple ALBERT B. SMITH, *Ideal and reality in the fictional narratives of Théophile Gautier,* Gainesville, University of Florida Press, 1969; MARCEL VOISIN, *Le Soleil et la nuit; l'imaginaire dans l'œuvre de Théophile Gautier,* Éditions de l'Université de Bruxelles, 1981; JEAN RICHER, *Études et recherches sur Théophile Gautier prosateur,* Paris, Nizet, 1981; J. SAVALLE, *op.cit.*

7. *L'Hippopotame, Poésies complètes,* éditées par RENÉ JASINSKI, nouv. édition, Paris, Nizet, 1970, t. II, p. 207.

d'abord l'abîme du néant. La jouissance sensuelle, aussi bien que le besoin permanent de dépaysement ou d'évasion dans le temps et dans l'espace, besoin sensible dans ses écrits de voyage comme dans tant d'ouvrages d'un exotisme éclatant, compensent, certes, une réalité journalière terne et décevante, mais à un tout autre niveau de tels recours sont autant de façons d'éluder l'angoisse du gouffre, si ce n'est qu'ils trahissent un véritable nihilisme. Ainsi Albertus «désira mourir» mais «il n'osa pas». Et dans la strophe suivante le poète s'exclame:

> — Oh! si je pouvais vivre d'une autre vie encor!
> Certes, je n'irais pas fouiller dans chaque chose
> Comme j'ai fait. [...].
> — Jouissons, faisons-nous un bonheur de surface; [...][8].

Mais de par cette loi de l'attraction-répulsion qui opère chez Gautier lorsqu'il envisage l'au-delà, l'horreur du néant alterne, d'une manière toute mallarméenne, avec l'attraction puissante exercée par l'idéal. D'une part donc, chez Gautier, «latinité» et matérialisme païen, «rêverie méditerranéenne», qui soulagent l'être en proie à l'angoisse de l'éphémère, d'autre part «germanité» et spiritualisme, «rêverie aérienne», «esprit platonicien ou chrétien»[9]. Il s'agit, dès lors que nous avons affaire au spiritualisme de Gautier, non plus de ce genre d'écriture fantastique où le refus obscur de la mort commande le vœu de ramener dans le monde réel l'ombre d'une morte[10] (de tels récits confirment tout au plus chez Gautier le flottement entre la peur et la fascination de l'au-delà), mais plutôt de ces œuvres dont les héros, attirés par l'aimant de l'idéal, franchissent toutes barrières pour y rejoindre l'être aimé. L'idéalisme mi-platonicien mi-chrétien de Gautier y a enfin raison de l'antique terreur du tombeau, comme de ce nihilisme dont la tentation avait pourtant été si forte.

Ainsi l'étude renouvelée de Gautier a eu l'énorme mérite de nous faire voir que son œuvre —longue confidence le plus souvent indirecte, sorte de thérapeutique de l'âme angoissée— révèle une sensibilité et une vie imaginative riches et variées. Cependant, l'attention des critiques modernes, dans leur grande majorité, s'est portée surtout sur les contes fantastiques ou plus généralement sur l'oeuvre en prose de la maturité. Or, en étudiant à partir des toutes premières œuvres de Gautier l'évolution de certains thèmes,

8. *Albertus, Ibid.*, t. I, strophes LXXI-LXXII.

9. J'emprunte les termes employés par M. VOISIN, *op.cit.*, pp. 107-118, 160, 224 et *passim*. Sur le caractère flou, incertain des croyances religieuses de Gautier, voir aussi JEAN RICHER, *op.cit.*, p. 62 et *passim*.

10. Par exemple *La Morte amoureuse* (1836), *Arria Marcella* (1852).

— en gros ceux que l'on retrouve dans la notice sur Vigny (rédigée, ne l'oublions pas, deux ans seulement avant la parution de *Spirite*), et parmi eux surtout celui de la jeune fille — l'on perçoit que le jeune poète débutant est déjà à beaucoup d'égards le prosateur de la maturité, et que chez lui la signification est à chercher moins dans tel ou tel ouvrage que dans la structure de l'œuvre entière.

Le premier recueil de poèmes de Gautier[11], quoiqu'on ait pu y trouver de ces maladresses et de ces imitations de débutant qui font sourire, n'en saisit pas moins l'attention par l'opposition qui y transparaît déjà entre l'idéalisme et le matérialisme et par la conception équivoque de l'au-delà qui en découle. C'est surtout son matérialisme qui a frappé Sainte-Beuve, qui parle du recueil en termes de «peinture écrite» ou de «soumission absolue à l'objet»[12], et à vrai dire, la volonté de rendre les contours et les détails du monde visible est manifeste un peu partout dans ces poèmes. C'est justement là ce qui risque d'aveugler le lecteur par trop habitué à une certaine manière de considérer le poète, car dans ces *Poésies* de 1830 se manifeste déjà, et d'une manière tout aussi frappante, tout le côté idéaliste de son tempérament.

En alternance avec la rêverie exotique qui transporte dans cet ailleurs splendide évoqué dans *Les Souhaits,* s'impose la rêverie «verticale». Un premier exemple se trouve dans le *Sonnet I,* où le thème aérien est déjà explicite:

Alors les vibrements de la cloche qui tinte,
D'un monde aérien semblent la voix éteinte,
Qui par le vent portée en ce monde parvient;

Et le poète assis près des flots sur la grève,
Écoute ces accents fugitifs comme un rêve,
Lève les yeux au ciel, et triste se souvient, [...]

Ce thème platonicien du retour aux origines par la voie du souvenir se retrouve dans *L'Oiseau captif,* où l'élan de l'oiseau vers le ciel est aussi celui du poète rêveur:

Mon âme est comme toi; de sa cage mortelle
Elle s'ennuie hélas! et souffre, et bat de l'aile;
Elle voudrait planer dans l'océan du ciel,
Ange elle-même, suivre un ange Ithuriel,

11. *Poésies.* Les citations qui suivent sont tirées de mon édition, London, The Athlone Press, 1973, qui reproduit le texte de la première édition, Paris, Charles Mary, 1830.

12. *Nouveaux lundis,* Paris, Calmann-Lévy, t. VI, 1883, p. 319.

S'enivrer d'infini, d'amour et de lumière,
Et remonter enfin à la cause première; [...]

Les indices ne manquent pas qui confirment par quels intermédiaires littéraires la métaphysique platonicienne et le christianisme viennent alimenter ici l'imagination du poète. L'épigraphe du *Sonnet I* est extraite du *Traicté de l'immortalité de l'âme,* dans lequel Théophile de Viau paraphrasait, en 1621, le *Phédon* de Platon et sa théorie de la réminiscence. Et avec Théophile, bien entendu, Lamartine, non seulement par l'exemple des *Méditations poétiques,* mais encore par son poème philosophique *La Mort de Socrate,* également inspiré d'une traduction de Platon[13]. Quant aux exemples littéraires d'idéalisme chrétien qui s'offraient au jeune poète, il en est un très frappant qui risquait de passer inaperçu par suite de la fausse attribution d'une autre épigraphe, la deuxième de *L'Oiseau captif,* que Gautier prête à Byron, alors qu'elle vient du *Paradis perdu* de Milton:

For who can yet believe though after loss,
That all those puissant legions, whose exile
Hath emptied Heaven, shall fail to reascend
Self-raised, and repossess their native seat?[14]

Et que dire de cet «ange Ithuriel» des derniers vers de *L'Oiseau captif?* Gautier l'évoque après Lamartine et Hugo[15], mais tous les trois ne pouvaient manquer de remarquer sa présence au chant quatrième de l'épopée de Milton[16]. Constatons ici un premier exemple de l'apport de la littérature «nordique» à l'inspiration idéaliste de Gautier.

Rappelons aussi, en passant, dans la *Notice* du *Moniteur* et ailleurs, l'association de Vigny et de son Éloa, comme de Lamartine, avec l'Angleterre. Outre la reconnaissance d'une dette commune envers Milton, les *Poésies* contiennent, dans *Les Souhaits,* cet autre hommage, plus direct cette fois, rendu à l'auteur d'*Éloa*: une rime manifestement empruntée à ces deux vers du chant deuxième[17]:

Pour que dans son palais, la jeune Italienne
S'endorme en écoutant la harpe éolienne.

13. Gautier consacra à Théophile, en 1834, une étude dont une page prouve qu'il connaissait également l'ouvrage de Lamartine. Voir *Les Grotesques,* Paris, Desessarts, 1834, p. 190.

14. *Paradise Lost,* I, vv. 631-634.

15. Lamartine, *L'Ange (Nouvelles Méditations);* Hugo, *Pluie d'été (Odes et Ballades,* V, 24).

16. Vv. 786-876.

17. *Les Souhaits,* huitième strophe.

L'ange de Vigny, «vierge née d'une larme du Christ», ainsi présent à l'esprit de Gautier au moment où il composait ses *Poésies,* comme en 1849 près du lac Virginia Water avec ses cygnes, et comme de nouveau quatorze ans après, nous amène au thème de la jeune fille. Dans un troisième poème, qui porte ce titre, la jeune fille vient s'unir au thème du souvenir céleste:

La jeune fille! Elle est un souvenir des cieux [...]

Ici, plus de trente ans avant que le souvenir du créateur d'Eloa ne lui suggère un cygne nageant sur une Virginia Water anglaise, mais seulement un an après la deuxième édition du poème de Vigny, Gautier a déjà recours aux images identiques du lac, du cygne, du miroir limpide, pour évoquer celle qui inaugure la série entière de ses jeunes filles de rêve:

[....] jamais imprégnée de fraîcheur
Sur nos yeux endormis un rêve de bonheur
Ne passe fugitif comme l'ombre du cygne
Sur le miroir des lacs, qu'elle n'en soit; d'un signe
Nous appelant vers elle, et murmurant des mots
Magiques [...]

De même que cette première jeune fille est un souvenir des cieux, de même Spirite, dont elle est le prototype, jouera un morceau de musique qui rappelle «le souvenir des cieux et des paradis d'où [l'âme] a été chassée» -Spirite chez qui Guy de Malivert observe (et c'est de nouveau le vocabulaire de la *Notice* sur Vigny) «la naissance d'épaules nacrées, opalines, dont la blancheur se fondait dans celle de la robe»[18]. De la jeune fille de 1830 à Spirite il n'y a évidemment qu'un pas, mais c'est un pas qui a la longueur d'une vie.

Nous n'en sommes pas encore à Spirite. Remarquons cependant que celle qui incarne l'idéal, celle dont le regard «avait encore quelque chose de la jeune fille», est d'une beauté «frêle, mignonne et blonde»[19]. Lorsqu'au cinquième chapitre du conte, Malivert contemple l'apparition de Spirite dans le miroir, il est ébloui par «une vague blancheur laiteuse», «des couleurs légères, immatérielles», «une vapeur traversée de lumière», «une pâleur rosée», «des prunelles d'un bleu nocturne» et par «le col flexible, un peu ployé sur la tête». Ce portrait physique, si c'est bien le mot, mêle aux traits de la blonde aux yeux bleus et au col de cygne, une diaphanéité surhumaine qui les idéalise.

18. *Spirite,* 3e édition, Paris, Charpentier, 1872, p. 181.
19. *Ibid.,* pp. 182, 100.

Cependant, à deux reprises dans le conte, nous voyons Malivert, parmi les femmes qui l'entourent, montrer son indifférence à l'égard de la beauté blonde, comme de la brune[20]. Dans ses tiroirs, proteste-t-il à Madame d'Ymbercourt, on ne trouverait «ni portrait brun ou blond». C'est que Malivert, le dernier héros de Gautier, a enfin rejoint cette beauté idéale qui participe de l'un des deux types de beauté purement humaine, la beauté nordique, mais en le parachevant.

Or, dans l'univers gautiéresque, il y a peu de changement véritable: tout est en place dès le début dans une structure qui désormais ne fera que se reproduire indéfiniment, et que n'altère aucune des variations qu'elle subit. On ne s'étonne donc guère de ce que Spirite reproduise, *grosso modo,* la structure du poème *La jeune Fille,* dont les premiers vers introduisent le contraste entre la beauté blonde et la brune, avant que ne surgisse la vision de la jeune fille rêvée:

Brune à la taille svelte, aux grands yeux noirs, brillants,
À la lèvre rieuse, aux gestes sémillants,
Blonde aux yeux bleus rêveurs, à la peau rose et blanche,
La jeune fille plaît: ou réservée ou franche,
Mélancolique ou gaie, il n'importe [...].

Cette même structure de l'imaginaire, perceptible ainsi dans un des poèmes du recueil, s'étend au volume entier. Le thème de la jeune fille, un de ceux autour desquels la structure s'organise, revient dans un poème sur quatre, soit une quinzaine de poèmes sur un total de quarante-deux. La jeune fille idéalisée, par exemple, se trouve, en dehors du poème qui porte ce titre, dans trois autres pièces — et à chaque fois elle n'est ni tout à fait la blonde, ni tout à fait la brune. Dans *Èlégie III,* comme dans *La jeune Fille,* elle est presque sans physionomie, à un détail près: «ses grands yeux expressifs», dont la couleur n'est point, pour autant, observée. C'est qu'elle n'existe plus qu'en tant qu'être angélique dans la rêverie du poète: «ange exilé des cieux, /Vrai rêve de poète, étrange et gracieux». Les jeunes filles idéalisées des deux autres poèmes ressemblent davantage, l'une à la brune, l'autre à la blonde, mais sans que la correspondance soit en tout point exacte. Ainsi celle du poème *Rêve* possède, de la brune, un aspect de fée et ces yeux brûlants sous de longs cils, que nous retrouverons plus tard:

[...] une femme
Que j'aime dès longtemps du profond de mon âme,
Comme une jeune fée accourt vers moi; ses yeux

20. *Ibid.*, pp. 40, 200.

A travers ses longs cils brillent de plus de feux
Que les astres du ciel [...]

Par contre, dans *Une âme* (l'une des pièces où la poésie du cimetière se mêle étrangement à l'idéalisme) c'est une «frêle» jeune fille, qui a toute la mélancolie éthérée de l'héroïne nordique, «cachant à ce monde frivole /Ce qui fait le poète, un inquiet désir»:

Et capable d'aimer comme aimerait un ange [...]
Sans consolation, traversant cette vie;
Aux entraves du corps à regret asservie [...]

Si, pour la réalisation littéraire de l'idéal féminin, Gautier ne penche pas encore, entre la blonde et la brune, d'un côté ou de l'autre, comme il le fera dans *Spirite,* c'est que l'attraction des forces vives que représente la brune aux yeux noirs est encore en équilibre avec celle de l'amour du mystère incarné dans la «blonde aux yeux bleus rêveurs». Ce tiraillement, moral autant qu'esthétique, entre l'idéal et le néant, le pur et l'impur, l'amour absolu et l'amour profane, est une constante de l'œuvre jusqu'au dernier moment[21].

La brune et la blonde ont chacune aussi leurs poèmes à elles dans le recueil. Ainsi *Maria,* aux «longs cils de jais» et aux «yeux noirs» est à rapprocher de la jeune fille du *Jardin des Plantes,* où le poète est «séduit par l'étincelle /Qui, furtive, jaillit d'une noire prunelle» — comme de celle d'*Imitation de Byron,* «jeune fille aux yeux bruns qui tremble et ne veut pas». Mais les portraits les plus achevés de la brune en sont ceux de *Serment* et de *Ballade II,* entierement consacrés tous les deux à cette beauté d'Espagnole. Quant à la blonde, elle est celle dont le visage s'assombrit à la fin du poème *Les deux âges,* où l'identité des motifs (parc, lac, eau transparente, col blanc) avec ceux que partagent *Spirite* et la *Notice* sur Vigny est saisissante:

Ce n'était l'an passé qu'une enfant blanche et blonde
Dont l'œil bleu, transparent et calme comme l'onde
Du lac qui réfléchit le ciel riant d'été,
N'exprimait que bonheur et naïve gaîté.

Que j'aimais dans le parc la voir sur la pelouse, [...]
[...] Un col éblouissant de fraîcheur dont l'albâtre
Sous la peau laisse voir une veine bleuâtre [...]

21. M. Voisin, *op.cit.,* pp. 101-118 étudie à partir de *Fortunio* (1837) cette même «dialectique étrange [qui] écartèle la rêverie entre la sensualité la plus effrénée et une aspiration éthérée à la pureté morale [...]».

Cette même tête, et l'on pouvait presque s'y attendre, est celle de la jeune morte qui hante l'imagination du poète dans *La Tête de mort:*

> Belle, qui le dirait! Où sont les cheveux blonds,
> Qui roulent vers son col si soyeux et si longs; [...][22]

Restent les poèmes où, comme dans les premiers vers de *La jeune Fille,* le poète hésite entre la blonde et la brune, ou exprime une préférence passagère pour l'une ou pour l'autre selon l'alternance de ses rêveries contrastées. *Les Souhaits,* comme *La jeune Fille,* met côte à côte une «jeune fée à l'aile de saphir, /Blanche comme un reflet de la perle d'Ophir» et «les seins nus, une Almée agitant /Son écharpe de cachemire», mais passe ensuite à l'idéal rêvé:

> Mais surtout je voudrais un cœur fait pour le mien,
> Qui le sentît, l'aimât, et qui le comprît bien,
> Un cœur naïf de jeune fille.

Élégie I, pourtant, donne la préférence à la beauté piquante et sensuelle de la brune:

> Et je l'aime d'amour profond: car ce n'est pas
> Une femme au teint blanc, qui mesure ses pas,
> Au regard nuagé de langueur, une Anglaise
> Pâle comme le ciel de Londres, [...]
> Mais une jeune fille inconstante et frivole,
> Qui ne rêve jamais; une brune créole
> Aux grands sourcils arqués, à l'œil brillant et noir [...]

Dans tous ces poèmes et ailleurs, certaines allusions attirent l'attention sur la question des sources de ce double thème. En dehors de certaines femmes ou jeunes filles qu'il a connues vers 1830[23], il est bien évident que Gautier puise à des sources livresques ou plastiques multiples. L'opposition

22. Il est bien évident que la blondeur féminine dont il s'agit ici n'est pas cette blondeur vénitienne ou flamande, la beauté à la Rubens, aux formes rondes et opulentes, et à l'œil noir, dont GEORGES POULET a retracé l'evolution à travers certaines œuvres de Gautier. Voir *Trois essais de mythologie romantique,* Paris, Corti, 1966, pp. 83-134.

23. Selon RENÉ JASINSKI, *Les Années romantiques de Théophile Gautier,* Paris, Vuibert, 1929, p. 54 et note 3, et dans les notes de son édition des *Poésies complètes* (voir ci-dessus), la brune de *Serment* ou de la *Ballade II* serait Eugénie Fort, mère de Théophile Gautier fils, et «l'enfant blanche et blonde» serait la petite Hélène, compagne de jeu de Gautier à Mauperthuis, morte très jeune. D'autres ont repris l'une ou l'autre de ces deux idées, par exemple M. VOISIN, *op.cit.,* p. 223; J. SAVALLE, *op.cit.,* p. 235.

de la beauté orientale et celle de l'Occident —la péri et la fée— est un des clichés de l'exotisme romantique. En ce qui concerne l'angélisme, deux épigraphes tirées de l'*Isaure* (1824), poème élégiaque d'Alexandre Guiraud, attestent l'influence de celui-ci[24]. La jeune fille blanche et blonde est évoquée plusieurs fois dans les *Poésies de Joseph Delorme* de Sainte-Beuve en 1829, tandis que la femme frêle et mélancolique, beauté nordique aux yeux bleus, se rencontre souvent dans la littérature de l'époque, par exemple, dans *Mardoche* de Musset, la «petite Anglaise à l'air mélancolique»[25] et dans *La Peau de chagrin* de Balzac «une Anglaise, blanche et chaste figure aérienne, descendue des nuages d'Ossian [et ressemblant] à un ange de mélancolie». De tels passages attestent évidemment la vogue des héroïnes anglaises de Richardson (évoquées dans un vers de l'*Élégie I*), de Scott ou de Shakespeare. D'ailleurs une page de *Fortunio* révèle une source livresque anglaise un peu moins évidente car Gautier y remarque, à propos de sa Musidora, qu'on «la prendrait pour une vignette animée des *Amours des anges* par Thomas Moore»[26].

Il est curieux de voir avec quelle fréquence, au fil des années, Gautier a recours à la gravure ou à l'art anglais lorsqu'il veut évoquer, dans les œuvres en prose, le type de la beauté blonde. Parmi une foule d'exemples, prenons d'abord celui qui se trouve dans *Les Jeunes-France,* lorsqu'Onuphrius «baise la main d'une angélique créature de quinze ans, blonde et nacrée, un idéal de Lawrence»[27]. Ou bien ce paragraphe de *Fortunio* où la Musidora lui rappelle également les portraits de Lawrence: «La couleur fauve et blonde de Fortunio contrastait heureusement avec l'idéale blancheur de Musidora; c'était un Georgione à côté d'un Lawrence, l'ambre jaune italien à côté de l'albâtre à veines bleuâtres de l'Angleterre [...]»[28]. Dans *Jettatura* ce sont de jeunes demoiselles anglaises «au teint pétri de crème et de fraïses, aux brillantes spirales de cheveux blonds [...] rappelant les types affectionnés par les keepsakes, et justifiant les gravures d'outre-Manche du reproche de mensonge qu'on leur adresse souvent»[29]. Les noms des graveurs auxquels Gautier pense ici sont révélés dans une phrase du compte-rendu de son excursion à Ascot, en 1849: «À la fenêtre se penchait dans un cadre de fleurs une de ces têtes de keepsake popularisées en France par le burin des

24. Épigraphes de *La jeune Fille* et de *Rêve.* Voir mon édition des *Poésies,* citée ci-dessus note 11, pp. 105 et 133.

25. Musset, *Contes d'Espagne et d'Italie.*

26. *Nouvelles,* 12e édition, Paris, Charpentier, 1876, p. 12.

27. *Les Jeunes-France, suivis de Contes humoristiques,* nouv. édition, Paris, Charpentier, 1875, p. 66.

28. *Nouvelles,* p. 119.

29. *Romans et contes,* Paris, Charpentier, 1923, p. 130.

Robinson et des Finden»[30]. Lors de son deuxième voyage en Angleterre, en 1843, Gautier avait déjà fait ce même rapprochement, en parlant d'une petite fille entrevue au théâtre:

> L'autre [petite fille] était pâle, et ses joues ressemblaient à des pétales de rose-thé tombés dans du lait; ses sourcils se distinguaient à peine de son front aux tempes veinées, transparent comme une agate; ses cheveux minces et faiblement bouclés avaient des tons d'or vert tout à fait singuliers [...]. [Elle] semblait éclairée par la lune; ses mains fluettes étaient si délicates, qu'elles laissaient pénétrer la lumière. Ses prunelles, d'un azur tendre [...] se dessinaient à peine sur la nacre onctueuse du cristallin; de longs cils [...] adoucissaient encore son regard mélancolique et velouté.
> On aurait dit deux pages de keepsake détachées du livre, et animées par un pouvoir merveilleux[31].

Cette liste d'éléments, anglais ou autres, de son musée imaginaire sert à démontrer la permanence chez Gautier de l'image de la jeune fille et la manière dont ce thème s'insère dans la structure profonde de son œuvre. Jusqu'ici nous n'avons fait que relier le début de l'œuvre à la fin, les *Poésies* à *Spirite.* Mais dans l'intervalle, et au fil des années, la même double image de la blonde et de la brune, à quelques légères variations près, ne cesse de revenir à la surface. Quelques exemples recueillis dans les œuvres en prose indiqueront toute l'ampleur que prend ce thème, après 1830, les transformations successives qu'il subit, avant d'atteindre à ses ultimes manifestations dans les années soixante.

Première étape —et combien révélatrice!— sur ce chemin qui mène à *Spirite:* le petite conte de 1833, *Laquelle des deux,* l'histoire en dix pages d'un jeune homme qui aime deux Anglaises à la fois. Clary partage les traits de la brune des *Poésies:* elle est pour le narrateur «une vraie péri». Musidora (qui annonce son homonyme, la Musidora de *Fortunio*) a «des chairs diaphanes, une tête blonde et blanche, et des yeux d'une limpidité angélique, des cheveux si fins et si soyeux [...]. On l'aurait pris pour une fée». Partagé entre les deux, le narrateur nourrit des idées de bigamie, car selon cette loi qui règne chez Gautier, le rêve prend le pas sur la réalité, et il cherche le baiser, non de Musidora ou de Clary, mais de «la femme complète qu'elles formaient à elles deux [...], le baiser de la sylphide idéale»:

> Ce n'était pas de la brune ou de la blonde que j'étais épris, c'était de la

30. *Caprices et Zigzags,* 3e édition, Paris, Charpentier, 1884, p. 221 et *la Presse* 11 juin 1849.

31. *Ibid.,* p. 177 et *la Presse* 19 décembre 1843.

> réunion de ces deux types de beauté que les deux sœurs résumaient si parfaitement; j'aimais une espèce d'être abstrait qui n'était pas Musidora, qui n'était pas Clary, mais qui tenait également de toutes deux; un fantôme gracieux né du rapprochement de ces deux belles filles, et qui allait voltigeant de la première à la seconde [...], corrigeant la mélancolie de la blonde par la vivacité de la brune [...]. Je les avais fondues dans mon amour et je n'en faisais véritablement qu'une seule et même personne[32].

Lovenjoul a bien vu dans ce récit comme un premier germe (on ne voudrait contester que le mot «premier») de *Mademoiselle de Maupin*[33]. À première vue, ce roman de 1835-36 fait obstacle à la thèse d'un Gautier déchiré entre le spirituel et le matériel. D'Albert ne ressasse-t-il pas son antipathie pour les choses impalpables? «Je l'avoue, s'exclame-t-il, toute cette beauté immatérielle, si ailée et si vaporeuse qu'on sent bien qu'elle va prendre son vol, ne m'a touché que médiocrement. J'aime mieux la Vénus d'Anadyomène, mille fois mieux»[34]. Pourtant ce même d'Albert, dans les premiers chapitres, nourrit le rêve d'une femme idéale dont il dit qu'elle serait «blonde avec des yeux noirs, blanche comme une blonde, colorée comme une brune [...], [ayant] un caractère de beauté [...] élégant et vivace, poétique et réel». Il ne sait pas trop si elle vient «du nord ou du midi» et se demande: «votre idéal est-il un ange, une sylphide ou une femme?»[35] Il est partagé entre le ciel et la terre: «le ciel m'attire quand je suis sur terre, la terre quand je suis au ciel»[36]. D'ailleurs les deux pôles de sa rêverie se matérialisent sous la forme de Rosette, la dame en rose aux «cheveux d'un noir bleu comme des ailes de geai» et à la «bouche humide et sensuelle», et de cette autre dame de rencontre, la «modeste colombe» qui, comme tant de jeunes blondes gautiéresques, et comme son Vigny, ressemble à un «beau cygne mélancolique qui déploie son cou si harmonieusement et fait remuer ses manches comme des ailes»[37]. La suite du roman s'insère parfaitement, après tout, dans le schéma que nous traçons, car, tiraillé comme tout héros de Gautier entre l'esprit et la chair, d'Albert, cet antipode de Malivert, se tourne avant longtemps du côté de l'amour profane, pour en devenir l'incarnation suprême. Voilà qui explique l'érotisme furieux des derniers

32. *Les Jeunes-France,* p. 265.

33. Spoelberch de Lovenjoul, *Histoire des œuvres de Théophile Gautier,* Paris, 1887; Slatkine Reprints, 1968, t. I, p. 56.

34. *Mademoiselle de Maupin,* nouv. édition, Paris, Charpentier, 1880, p. 213.

35. *Ibid.,* pp. 53-64.

36. *Ibid.,* p. 269.

37. *Ibid.,* p. 75.

chapitres, lorsque vient à son lit Rosalinde-Théodore-Madelaine. Cette dernière sait quel est son rôle et son attrait pour d'Albert, car n'a-t-elle pas dit à Graciosa que son amant «a une perpétuelle aspiration [...] vers le beau, — vers le beau matériel seulement»?[38] Voilà pourquoi, à la différence de la blonde Spirite, Madelaine est brune: «un torrent de beaux cheveux bruns légèrement crêpelés [...] descendait à petites vagues au long d'un dos d'ivoire [...]»[39]. Ce roman et *Spirite* sont, à vrai dire, à trente ans de distance l'un de l'autre, les deux pôles de l'axe autour duquel tourne l'œuvre entière, œuvre qui retentit incessamment du déchirement de son auteur.

De ce déchirement découle ensuite l'étrange nouvelle *La Morte amoureuse,* parue dans la *Chronique de Paris* en 1836. La belle Clarimonde, aux «cheveux d'un blond doux [qui] coulaient sur ses tempes comme deux fleuves d'or», vient mettre à l'épreuve de sa beauté le jeune prêtre Romuald, le jour de son ordination. Morte peu après, elle lui revient en rêve, ayant forcé les portes du tombeau pour faire de lui son amant. Par sa blondeur elle tient de l'ange, mais par la tentation à laquelle elle soumet Romuald, lié par le vœu de chasteté, elle tient également du démon. Romuald reconnaît ce caractère équivoque de sa beauté, lui qui s'étonne de voir, sous les cheveux blonds, non des yeux bleus, mais: «deux cils presque bruns, singularité qui ajoutait encore à l'effet de prunelles vert de mer [...]». «Je ne sais, dit Romuald, si la flamme qui les illuminait venait du ciel ou de l'enfer [...]. Cette femme était un ange ou un démon, et peut-être tous les deux»[40].

Ces yeux vert de mer, signe de la pureté corrompue, se retrouvent un an plus tard chez la Musidora de *Fortunio.* Entre elle, — «frêle jeune fille», «limpide et diaphane», «aux cheveux blonds», et en qui Fortunio reconnaît «le type suprême de la beauté anglaise» — et la jeune Javanaise Soudja-Sari, aux «yeux de jais» — Fortunio hésite. Musidora, qui a «un air de mélancolie pudique» a éveillé en lui le désir de pureté idéale. Mais elle a «certains tours d'yeux un peu moins angéliques». C'est qu'elle a été corrompue à l'âge de treize ans par un vieux lord anglais! Et c'est pourquoi elle est, comme Clarimonde le vampire femelle, «la belle aux yeux vert de mer», dont Fortunio, obsédé par l'idée de son impureté physique, cherche vainement à purifier symboliquement la souillure en mettant le feu à la maison où d'autres l'ont possédée[41].

Saluons brièvement, avant de conclure, d'autres parmi les blondes et les brunes innombrables dont Gautier peuple inlassablement son univers.

38. *Ibid.,* p. 403.

39. *Ibid.,* p. 415.

40. *La Morte amoureuse, Avatar et autres récits fantastiques,* édition présentée par JEAN GAUDON, Collection «Folio», Gallimard, p. 264.

41. *Ibid.,* pp. 12-13, 37, 121, 132-5.

D'abord Oluf, *Le Chevalier double* (1840), brun et blond lui-même, qui un jour s'écrie «Oh blanches vierges du nord, étincelantes et pures comme les glaces du pôle» — et l'autre jour: «Oh filles d'Italie, dorées par le soleil et blondes comme l'orange! Cœurs de flamme dans des poitrines de bronze». Et qui est «sincère dans les deux exclamations»[42]. En 1846, dans *Les roués innocents,* c'est d'une part Calixte, la blonde aux yeux bleus, et d'autre part Amine, aux «cheveux d'un châtain opulent», la «sirène irrésistible». Elles sont pour Dalberg, respectivement la vertu et le vice[43]. L'année suivante c'est *Militona,* jeune Espagnole au teint olivâtre et dont les prunelles «étaient d'un noir si âprement noir [...]». Le jeune Andrès, un des avatars du Gautier méridional, aime mieux Militona que sa fiancée Feliciana. Celle-ci est Espagnole comme lui, mais «on l'eût prise [...] pour une Allemande ou une Française des provinces du Nord; ses yeux bleus, ses cheveux blonds [...] répondaient aussi peu que possible à l'idée que l'on se fait généralement d'une Espagnole d'après les romances et les keepsake». Elle se marie donc forcément — car c'est ici l'un des romans les plus sereins et les plus souriants de Gautier (la date est significative) — avec Sir Edward, «l'Anglais de ses rêves! l'Anglais rasé de frais, vermeil, luisant, brossé, peigné, poncé [...], l'Anglais waterproof et mackintosh [...]»[44].

Après 1848 l'angoisse reprend, et l'étude de cette dernière étape qui mène à *Spirite* nous obligerait à examiner en plus de détail *Arria Marcella* (1852) — «brune et pâle», aux «cheveux ondés et crespelés comme ceux de la nuit» et aux «yeux sombres et doux», sorte de Madelaine de Maupin mais morte et ressuscitée par la puissante évocation du cœur de cet autre d'Albert qu'est le jeune Octavien, convaincu que «rien ne meurt, tout existe toujours»[45]. Et puis l'héroïne de *Jettatura* (1856), Alicia Ward, mélange de la brune et de la blonde, comme cette femme idéale que concevait d'Albert avant de connaître Madelaine:

> Miss Alicia Ward appartenait à cette variété d'Anglaises brunes qui réalisent un idéal dont les conditions semblent se contrarier: c'est-à-dire une peau d'une blancheur éblouissante [...] et des cheveux aussi noirs que la nuit sur les ailes du corbeau. L'effet de cette opposition est irrésistible [...]

Alicia qui, pourtant, plus près de sa mort, par sa ressemblance avec «les héroïnes de Shakespeare» ou avec «un ange de Thomas Moore» rappelle

42. *Ibid.,* p. 124.
43. *Un Trio de romans,* Paris, Charpentier, 1888, p. 76.
44. *Ibid.,* pp. 131, 140, 147, 230-1.
45. J. GAUDON, *édition citée,* p. 193.

toutes ses devancières, comme par sa «perfection éthérée» et son caractère angélique elle préfigure Spirite:

> On eût dit un ange retenu sur terre et ayant la nostalgie du ciel; la beauté d'Alicia était si suave, si délicate, si diaphane, si immatérielle, que la grossière atmosphère humaine ne devait plus être respirable pour elle; on se la figurait planant dans la lumière d'or du Paradis[46].

Le Gautier de l'âge mûr est encore à beaucoup d'égards le Gautier de 1830. Il puise à des sources multiples les éléments d'une mythologie personnelle qui persiste à travers ses transformations jusqu'à la fin de sa carrière. Étudier chez lui l'image de la femme, c'est suivre les mouvements d'une âme en peine, dont la sourde plainte remplit l'œuvre d'un bout à l'autre, avant qu'elle n'ose enfin quitter son enveloppe mortelle.

46. *Ibid.*, pp. 342, 398, 377, 410, 437.

ALBERTINE DE STAEL, DUCHESSE DE BROGLIE ET PROSPER DE BARANTE. AMITIE, POLITIQUE ET RELIGION

par
PIERRE DEGUISE

Lorsqu'apparaissent dans les *Souvenirs* de Prosper de Barante les premières lettres d'Albertine de Staël, Duchesse de Broglie, datées de juin-juillet 1819, les deux amis se connaissent depuis l'enfance d'Albertine. Prosper de Barante n'avait pas choisi de publier ces lettres. C'est son petit-fils qui, continuant l'œuvre de son grand-père après décembre 1818, ne trouvant que quelques notes, décida de publier sa correspondance. Celle-ci ne peut être considérée comme complète, mais les lettres d'Albertine entre 1819 et sa mort en 1838 sont suffisamment nombreuses et détaillées pour permettre de cerner une personnalité riche et passionnée que l'on voit trop, d'ordinaire, dans le contexte austère des dernières années.

Prosper, lui, se devine indirectement, car on ne possède pas ses lettres. Mais il apparaît bien tel que le révèle sa correspondance avec Constant et avec Mme de Staël, un homme plein de charme, brillant, sensible, avec un sens exigeant de ses devoirs, facilement pessimiste et découragé, mais comprenant admirablement ses amis.

Prosper et Albertine avaient été rapprochés encore par la mort de Mme de Staël. On peut suivre les dernières semaines dans les lettres adressées par Prosper à sa femme en juin-juillet 1817, depuis celle du 13 juin, date d'un dîner chez Mme de Staël, qui a dû être décommandé «parce qu'elle était trop souffrante», du 17 juin, quand «elle fait ses adieux à tous ceux qui l'entouraient», du 19 juin: «je passe presque tous mes moments libres, et j'en ai peu, chez Mme de Staël, au milieu des angoisses de cette horrible agonie», tandis que «Albertine est admirable de tendresse et de dévouement», jusqu'à la lettre du 15 juillet[1], au lendemain de la mort, dans

1. *Souvenirs du baron de Barante, publiés par son petit-fils Claude de Barante.* Paris,

laquelle il écrit à sa femme, avec émotion et dans un sentiment de culpabilité pour ne pas avoir soigné son amie comme il l'aurait dû, tout ce qu'il doit à Mme de Staël[2].

Leurs relations dataient de beaucoup plus loin. Barante avait connu Albertine à Coppet. Elle avait alors huit ans en 1805[3], et dans ce milieu si brillant, elle avait montré une intelligence précoce. La sœur de Prosper, Sophie, devenue plus tard Mme Anisson du Perron, nous la décrit ainsi dans ses Carnets: «Albertine était toute charmante. Ses yeux énormes, voilés de longues paupières brunes, donnaient à son regard un charme pénétrant. Son sourire avait une grâce enjouée et les fossettes de son visage rond la rendaient à la fois belle et jolie [...] mais son expression dans le repos n'avait rien de l'enfant»[4]. Devenue son amie, elle vient passer des journées à Coppet: «Comme tous les enfants, nous imitions dans une petite mesure ce que nous voyions autour de nous, et nos jeux, ainsi que nos conversations, n'avaient guère le caractère de notre âge»[5]. La religion est même assez souvent un objet de discussion: «Albertine soutenait avec vivacité le principe de la Réforme, et moi je soutenais ardemment la cause catholique». Ainsi se dessine déjà la personnalité d'Albertine.

En 1819, la différence d'âge entre Albertine et Prosper tend à s'effacer. Prosper a épousé Césarine d'Houdetot en 1811, Albertine, le duc Victor de Broglie en 1816. Tous les deux ont une situation mondaine et politique. Barante, d'abord préfet sous l'Empire, s'était vite trouvé en juillet 1815 conseiller d'Etat, secrétaire général du Ministère de l'Intérieur, puis député du Puy-de-Dôme et de la Loire-Inférieure. Il devait devenir plus tard Directeur des Contributions directes et participer à la vie politique dans ce groupe qui devait s'appeler «les Doctrinaires» et jouer un rôle important jusqu'à la chute du ministère Decazes après l'assassinat du duc de Berry. Il définit lui-même ce qu'il appelle le «parti ministériel» en 1815: «Le groupe dont je faisais partie avec MM Royer-Collard, de Serre, Becquey et Pasquier n'était qu'une minorité, mais nous étions, à proprement parler, le parti ministériel, défendant sans cesse ce que le ministère concédait [...]. M. Molé et le général Dessolles personnifiaient nos opinions à la Chambre des Pairs»[6].

Calmann Lévy, 1890-1901, II, 283 et 287-8. Cet ouvrage sera désormais désigné dans les références par *S.* Lorsque la date seule est indiquée, sans mention de l'auteur et du destinataire, il s'agit d'une lettre d'Albertine à Prosper.

2. Voir aussi sur la mort de Mme de Staël, son énergie et son dévouement jusqu'à la fin, le désespoir de ses enfants, les *Mémoires de la comtesse de Boigne,* I, 479-80.

3. Albertine était née en 1797, Barante en 1782.

4. ALBERT DE BROGLIE. «Mme Anisson», in *Histoire et politique.* Paris, Calmann Lévy, 1897, p. 266. Le duc Albert de Broglie a eu entre les mains les «Carnets» de Mme Anisson et en cite de nombreux extraits.

5. *Ibid.,* p. 270.

6. *S,* II, 221.

Plus tard, lorsqu'il doit abandonner son mandat de député parce qu'il n'a pas encore quarante ans, à la fin de 1817, il ajoute: «Le cabinet [Decazes] possédait cependant quelques amis dévoués: M. de Broglie à la Chambre des Pairs, M. de Saint Aulaire au Parlement. M. Guizot et moi, en dehors des Chambres, lui témoignions le plus grand zèle»[7].

L'homme charmait ses amis. La duchesse de Dino, quinze ans plus tard, lui déclare: «Vous n'êtes pas la personne à laquelle j'ai le plus dit les particularités de cette vie, mais vous êtes celle par laquelle je me suis toujours sentie le plus devinée; jamais vous n'avez appuyé sur ce qui vous apparaissait, et l'extrême délicatesse avec laquelle vous indiquez sans articuler rend votre commerce singulièrement commode, doux et agréable»[8]. Albertine est moins élogieuse. Prosper, selon elle, pouvait être «colère» et se «fâcher tout rouge», mais elle ajoute: «vous n'êtes pas dogmatique»[9], et leur amitié est profonde. Presque tout les rapproche: de grands souvenirs communs, une appartenance aux mêmes idées politiques, et un intérêt très vif pour les choses religieuses, Albertine en protestante convaincue et Prosper en catholique pratiquant.

Cependant, dans les débuts, quand le duc de Broglie, qui s'est signalé à la Chambre des Pairs en votant contre la peine de mort requise contre le maréchal Ney, cherche encore sa voie, Barante s'irrite de voir Albertine, «maigrie et la physionomie toute empreinte de douleur», un mois après la mort de sa mère, se disposer à aller passer un mois chez Lafayette. «La voilà qui va se mettre aveuglément dans cette société [...]. Elle bravera les salons de Paris tout tranquillement»[10]. C'est que la gauche libérale de Lafayette ne fait pas l'affaire des Doctrinaires, pas plus que le salon de Mme Delessert qu'ils verront plus tard, avec dédain, fréquenter Constant.

Après la chute du ministère Decazes en 1820, et le regroupement des libéraux de toutes tendances dans l'opposition, c'est bien la même cause politique qu'ils défendent. Déjà quelques mois auparavant, Albertine lui écrivait que c'était une grande jouissance pour elle que la politique les réunisse[11]. Cette pensée politique commune est celle des Doctrinaires, libéraux modérés partisans résolus de la Charte et d'une «évolution nécessaire», mais ennemis de «l'esprit de révolution» contraire à la liberté et à l'ordre. Pour eux, la souveraineté de la raison est supérieure à celle d'un roi ou d'une assemblée. Ils croient à la «capacité» des citoyens assez riches pour

7. *S*, II, 348.
8. *S*, V, 178. La duchesse de Dino à Barante, 26 avril 1833.
9. *S*, II, 374, 12 juillet 1819 et 379, 26 août 1819.
10. *S*, I, 294. Prosper de Barante à Mme Anisson, 29 août 1817.
11. *S*, II, 381, 26 août 1819.

payer un cens électoral élevé, qui garantit, selon eux, la faculté de juger des affaires du pays. La politique du «juste milieu», conseillée par la raison, leur fait préférer la classe moyenne, qui se renouvelle, à l'aristocratie, qui veut dominer et au peuple ignorant. Plus tard, sous la Monarchie de Juillet, le triomphe de la bourgeoisie inspirera des réflexions bien différentes au même groupe politique.

Les lettres d'Albertine ne contiennent aucune théorie politique, mais on la voit, imprégnée des idées du groupe, juger les choses dans cette perspective. Dès 1819, elle écrit à Barante qui, au sein de la plus grande activité, rêvait de se retirer à la campagne pour écrire: «Je crois que la plus douce jouissance que l'homme puisse avoir, c'est d'oublier ses impressions personnelles pour se plonger dans les intérêts généraux [...]. Vous voyez que je ne suis pas si en train que vous de repos et d'oisiveté»[12]. La politique est donc pour elle un devoir moral, comme le pensent les Doctrinaires, avec, en plus, ce besoin d'oubli de soi qui la conduira à se plonger entièrement plus tard, dans la religion.

Pourtant elle n'hésite pas à reconnaître ce qu'elle appelle alors son ambition, son désir de participer à la vie politique, de lutter, ce besoin de combat bien caractéristique de sa personnalité passionnée, et qu'elle ne trouve pas assez vif chez son mari Victor de Broglie, plus homme d'étude qu'homme d'action: «La carrière d'ambition, même la plus honorable, ne va pas avec l'ensemble de son caractère [...]. Je vous ai dit souvent qu'il n'y avait que moi d'ambitieuse dans la famille»[13]. Elle se tient au courant. De Coppet, le 12 juillet 1819, elle fait savoir à Barante qu'elle trouve le *Courrier,* dans lequel écrivent les Doctrinaires, trop dogmatique: «Ce ton d'infaillibilité ne va pas même à Royer-Collard que je serais pourtant portée à croire plus infaillible que tous les papes du monde [...]. N'allez pas me trahir; quoique j'aie le malheur d'être comprise par le vulgaire par la raison que je ne dis rien au-dessus de sa portée, je suis pourtant très bonne Doctrinaire»[14]. Et n'écrit-elle pas cette phrase qui aurait été droit au cœur d'un Royer-Collard ou d'un Guizot, et qui définit bien son attitude politique: «Semer des idées. Il n'y a que cette voie pour ceux qui ne se mettent pas dans les intrigues»[15]. En juillet 1820, dans une France en pleine réaction après l'assassinat du duc de Berry le 20 février 1820, elle s'indigne contre de Serre qui, dans le ministère, n'a pas hésité à se débarrasser des Doctrinaires, malgré les déclarations contraires qu'il avait faites précédemment: «Non,

12. *S,* II, 377, 3 août 1819.
13. *S,* II, 379-380, 26 août 1819.
14. *S,* II, 375, 12 juillet 1819.
15. *S,* III, 26, 23 juillet 1822.

jamais de ma vie, je n'ai éprouvé une indignation pareille à celle que j'éprouve contre M. de Serre [...]. Il y a là dedans une telle médiocrité de vues que cela me révolte, et vis-à-vis de Guizot surtout»[16].

Ce n'est pas que les combinaisons politiques l'intéressent. Elle ne tient qu'aux grandes causes, aux libertés, en particulier celles des peuples qui, en ces années de Sainte-Alliance, luttent pour leur indépendance. Elle s'inquiète des affaires européennes: «On voit chaque jour que les Russes se mêleront des affaires des Grecs [...]. Les nouvelles qui nous viennent d'Italie sont affreuses [...]. Ce qui vaut mieux, c'est qu'il y a en Angleterre une réaction très vive contre les principes de la Sainte-Alliance [...]. Cependant ce qui me fait de la peine, c'est qu'ils ont l'air en bonne intelligence avec les Turcs»[17]. Elle salue «le sublime courage» des Grecs, dénonce «l'indignité des Anglais en abandonnant les Grecs»[18]. Quelques années plus tard, elle cite Piscatory, «défenseur zélé des Grecs», pleure les malheurs de la guerre et de la répression: «c'est un récit qu'on ne peut entendre sans se sentir les yeux pleins de larmes à chaque mot» (18 bis). Elle s'enflamme lors de l'intervention française: «Les treize mille Français en Morée me font bien battre le cœur»[19]. Plus tard encore, elle s'enthousiasmera pour la Pologne et souffrira de la voir écrasée[20]. Avec Albertine, continue à vivre la passion de Coppet pour la liberté. Aussi déteste-t-elle l'intervention de la France pour rétablir la monarchie espagnole[21].

Mais cette passionnée de liberté écrivait aussi à Barante, à la même époque, des lettres où il n'était pas question de politique, pour évoquer par exemple, la vallée d'Argelès dans les Pyrénées, où Victor de Broglie et elle vont prendre les eaux de Cauterets. Au paysage sauvage de Gavarnie, elle

16. *S*, II, 448, 21 juillet 1820.
Une lettre de Barante à Decazes, datée du lendemain, accuse de Serre de «gaucherie et de rudesse»: «Guizot, le plus maltraité, parce qu'il n'est pas, comme les autres, soutenu par une existence personnelle un peu considérable, a refusé les six mille francs de pension qu'on lui offrait. Il se retire à la campagne». *Ibid.*, 457.

17. *S*, II, 499-500. 7 juillet 1821.
Après le soulèvement de Naples en juillet 1820, Metternich était parvenu à faire adopter au congrès de Troppau le principe d'intervention contre les mouvements insurrectionnels. En mars 1821, les armées autrichiennes avaient restauré à Naples le roi Ferdinand, et en avril battu à Novare les libéraux piémontais. En Allemagne, l'effervescence universitaire avait été réprimée. Les Grecs venaient de se soulever en 1821, conduits par Alexandre Ypsilanti.

18. *S*, III, 32, 16 août 1822 et 40, septembre 1822.

18 bis. *S*, III, 280-2, 11 octobre 1825.

19. *S*, III, 468, 23 octobre 1828.

20. «Mais la Pologne est là pour pénétrer le cœur d'admiration et de douleur». *S*, IV, 240, 29 mai 1831. «C'est affreux qu'on ne puisse pas les secourir». *S*, IV, 268, 22 juin 1831.

21. *S*, III, 141-2. Quelques mois auparavant, Constant avait remercié Barante de son discours contre les cent millions destinés à l'intervention. *S*, III, 73, 18 mars 1823.

préfère la vallée d'Argelès «qui est d'une fertilité et d'une douceur admirables. Il y a une surabondance de vie, un luxe de végétation. On sent le Midi, on sent cette influence du soleil qui est ce que j'aime le mieux dans la nature»[22]. «Surabondance de vie, soleil», voilà bien Albertine à vingt-cinq ans, bien différente de la femme qui, dix ans plus tard jettera un coup d'œil distrait aux bords du Rhin et à la plaine de Waterloo[23], le regard désormais tourné vers l'intérieur.

La politique est devenue décourageante. Les Constitutionnels, chassés du pouvoir au profit des Ultras, les Doctrinaires rejetés dans l'opposition, Royer-Collard remplacé à la Commission de l'Instruction publique, Barante, Guizot perdant leurs fonctions de conseiller d'État, la réaction se fait de plus en plus pesante. La loi électorale du double vote favorise les grands propriétaires terriens et la liberté de la presse est réduite. Albertine note l'apathie générale qui s'est emparée des esprits[24], se moque du duc de Laval, ambassadeur en Espagne, qui «n'a pas encore compris qu'il y avait eu la Révolution»[25]. Elle se félicite que sa mère n'ait pu voir «la persécution et l'outrage en France des anciens amis et des noms qu'elle révérait, l'effronterie de l'injustice, tout cela mené ou suivi par le plus ancien compagnon de sa vie»[26], et note avec ironie que le même Mathieu de Montmorency «s'est très bien entendu avec l'empereur Alexandre sur le mysticisme. La Providence est mêlée à tous ses discours et était particulièrement invitée au Congrès de Vérone»[27]. Constant, qui vient d'échouer aux élections, montre la même amertume[28]. Elle s'indigne aussi qu'on ait «sacrifié les proscrits, renvoyé des réfugiés, suspendu la liberté de la presse, moyennant quoi on espère être tranquille»[29]. Mais elle n'est pas femme à se décourager. «Ne faudrait-il pas», écrit-elle «tâcher de tourner ses pensées vers d'autres objets, tout en restant toujours à son poste pour faire son devoir?»[30]. Il y a bien les discussions philosophiques sur Cousin, sur Jouffroy «plus intéressant que l'éternel rabâchage des petites affaires»[31], comme il y avait eu déjà en 1819

22. *S*, II, 460, 22 août 1820.
23. *S*, V, 156-7, 3 octobre 1834.
24. *S*, II, 526, 3 octobre 1821.
25. *S*, II, 5, 16 août 1821.
26. *S*, III, 40, septembre 1822. Mathieu de Montmorency soutenait la politique ultra.
27. *S*, III, 62, 5 décembre 1822.
28. *S*, III, 61, novembre 1822. Constant se dit «affligé par la position morale de ce malheureux pays [...]. On sent que ce qui a lieu est infâme [...]. Cette époque a l'avantage de réunir tout ce qu'il y a de vil à tout ce qu'il y a de violent et combine le dégoût et le danger».
29. *S*, III, 85, 1er juin 1823.
30. *S*, III, 107, 21 juillet 1823.
31. *S*, III, 158, 30 décembre 1823.

la lecture de Kant. Elle sentait alors «un grand attrait pour les idées insolubles»[32]. Mais c'est vers la religion surtout qu'elle se tourne, en particulier lorsqu'elle se met à écrire une préface à la traduction d'un ouvrage d'un prédicateur écossais, Thomas Erskine, qu'elle va même rencontrer.

Dans une lettre du 20 octobre 1823, déplorant la situation politique qui lui «met un poids sur le cœur», elle se félicite de vivre souvent dans d'autres pensées. «J'ai rencontré cet été un Anglais —ce M. Erskine dont nous avons fait traduire le livre—, la conversation et les sentiments religieux m'ont fait un bien prodigieux; j'ai trouvé en lui la rectitude morale des Anglais avec une teinte de mysticisme allemand; il m'a mieux fait sentir le christianisme que personne»[33].

Albertine avait toujours été une âme religieuse. Mme de Staël avait confié l'éducation religieuse de ses enfants au pasteur Cellerier, de Satigny, et elle le peint, dans un passage souvent cité de *De l'Allemagne,* célébrant le service dans son église de campagne[34]. Coppet, dans son ensemble, au temps de Mme de Staël, était plus proche de la religion naturelle que de celle à laquelle va s'attacher Albertine, mais de Necker à Mme de Staël et à Constant, le sentiment religieux a tenu une place très importante, et ce n'est pas par hasard qu'Albertine et Sophie de Barante encore enfants, avaient sur ce sujet des discussions très vives.

Albertine se dit méthodiste[35]. Elle définit son «méthodisme» non comme une doctrine, mais comme une attitude religieuse opposée au mysticisme «qui aboutit à une paresse et à un détachement des autres... à un égoïsme rêveur ... tandisque le méthodisme appelle dans l'action le développement de toutes nos facultés»[36]. Barante avait dû faire de sérieuses objections à la

32. *S,* II, 374, 12 juillet 1819.

33. *S,* III, 131, 20 octobre 1823.

34. *De l'Allemagne,* III, 4.

Si l'on en croit les précisions données par Albertine au pasteur ROBERT BAIRD, auteur de: *Transplanted Flowers. Memoirs of Mrs Rumpf and the Duchess de Broglie, daughter of Mme de Staël,* New York, John S. Taylor, 1839, le pasteur Cellerier est venu pendant plusieurs années à Coppet, deux ou trois fois par semaine, pour l'instruction religieuse des enfants. *Op. cit.* p. 114. Les témoignages contenus dans ce livre de souvenirs sont précieux. Le pasteur américain Robert Baird a dirigé en France des sociétés protestantes de 1835 à 1843 et bien connu Albertine.

35. *S,* III 7, 27 mai 1822.

36. *Ibid.* Dans sa préface à la traduction de l'*Histoire des Quakers* de CLARKSON, (1820), recueillie, après la mort d'Albertine par Victor de Broglie, dans: *Fragments sur divers sujets de religion et de morale,* Paris, Imprimerie royale, 1840, Albertine admire surtout les quakers «d'avoir le plus appliqué le christianisme à la vie réelle» (p. 3). La «Préface» à la traduction d'un ouvrage intitulé: *Réflexions sur l'évidence intrinsèque du christianisme* se trouve aussi dans les *Fragments,* p. 15-26.

préface écrite pour la traduction de *Remarks on the Internal Evidence for the Truth of Revealed Religion*[37], puisqu'Albertine a supprimé des pages[38], mais on peut résumer les idées d'Erskine, dont la pensée d'Albertine est très proche à cette époque, de la manière suivante[39]: La conviction religieuse provient d'une évidence interne. Les preuves externes ne peuvent suffire. La religion naturelle peut conduire dans la bonne direction, de même que le sens du devoir, mais la foi est très supérieure à l'intelligence, et la vraie religion est celle de l'amour de Dieu, grâce auquel l'obéissance à la volonté divine n'est pas seulement acceptation mais joie. La foi est une faculté qu'il faut exercer pour admettre encore d'autres révélations. Elle appelle à l'action. Le salut, qui n'est pas autre chose que l'obéissance du cœur à l'amour divin, est pour tous. Il se fait non par les œuvres et le mérite, mais par la foi.

Albertine, dans ses lettres à Barante, excepté celle du 20 octobre 1823, ne parle guère d'Erskine qui a pourtant exercé sur elle une grande influence. Elle dit seulement qu'elle l'a rencontré pendant l'été 1823. La correspondance d'Erskine[40] nous donne là-dessus plus de détails, sur ses voyages sur le continent et ses relations avec Auguste de Staël et Albertine. En avril 1823, il a assisté à une séance de la «Société de la morale chrétienne», qu'Auguste soutient activement et déclare qu'Albertine et son frère lui ont montré beaucoup d'amitié[41]. Deux ans plus tard, Albertine lui envoie le discours de Victor de Broglie à la Chambre des Pairs sur la loi du sacrilège alors en discussion, et surtout, en 1826, reçu à Coppet, il écrit que la famille a été pour lui «comme un frère et une sœur» et qu'«il y a peu de personnes au monde pour qui il ait autant de sympathie que pour Mme de Broglie»[42]. Le 2 janvier 1827, il est enchanté d'apprendre le mariage d'Auguste avec la fille de Mme Vernet parce qu'il est l'ami des deux familles[43]. C'est dire les

37. Edinburgh, Waugh & Innes, 1822. Le livre a eu de nombreuses rééditions. La traduction française est de 1822. THOMAS ERSKINE est aussi l'auteur de: *Essay on Faith.* Edinburgh, Waugh & Innes, 1822, traduit aussi en français en 1822.

38. *S,* III, 8, 27 mai 1822. «J'ai cédé à votre anathème sur ma pauvre préface; j'ai ôté toutes ces pages et j'ai raccommodé le reste tant bien que mal».

39. Albertine elle même a résumé et interprété cette pensée dans: «Introduction» à la traduction d'un ouvrage intitulé: *Du salut gratuit, Fragments,* p. 53-143.

40. THOMAS ERSKINE. *Letters of Thomas Erskine from 1800 to 1840,* vol. I. ed. W. Hanna. New York, Putnam's sons, 1877.

41. A sa sœur Mrs Patterson. Paris, 19 avril 1823. *Letters,* p. 50-51.

42. A sa cousine Miss Rachel Erskine. Coppet, 1er novembre 1826; «This house has been a home to me and the family have been my brother and sister [...]. There are few people in the world, at home or abroad, that I like as well as I like Madame de Broglie [...]. I have received from her the kindness of sisterly friendship». *Letters,* p. 82.

43. A sa cousine, 2 janvier 1827: «I am a friend of both sides. Dear Mme Vernet is well pleased and Madame de Broglie is delighted». *Letters,* p. 98.

relations étroites à cette époque qu'entretiennent Albertine et Thomas Erskine.

Quelques grand thèmes de réflexions religieuses reviennent dans les lettres d'Albertine à Prosper. Tout d'abord le rôle de la spontanéité et de la règle dans la religion. On peut penser que le catholique Barante, qui n'avait pourtant rien d'un rigoriste, devait cependant tenir à une religion structurée, définie par un ensemble de croyances précises et l'adhésion à des dogmes et à des règles. Albertine sent elle-même un conflit entre la spontanéité, qu'elle considère comme nécessaire au développement de la personnalité, et la règle dont l'envahissement «combat la partie animée de soi-même»[44]. Seule la religion peut résoudre cette contradiction parce qu'elle «met de l'enthousiasme au fond de l'âme et du calme dans la vie extérieure». Elle reprend ce thème dans une longue lettre du 27 janvier 1825: «Il faut conserver de l'abandon et de l'involontaire dans le bien [...]. La contrainte est le chemin mais non le but [...]. Je n'ai jamais vu la foi prise de l'Evangile manquer de produire une sublime image là où elle est gravée»[45].

Elle affirme que «puritaine, [elle] ne croit pas au mérite des œuvres»[46], mais, de même que pour Erskine la foi véritable conduit à l'action, les activités religieuses d'Albertine, moins diverses que celles de son frère[47] ont été cependant considérables. Selon le pasteur Robert Baird on pouvait la considérer comme à la tête d'un petit groupe de chrétiens évangéliques de Paris et on la consultait sur tout[48]. D'ailleurs les *Fragments* contiennent plusieurs comptes-rendus de la Société auxiliaire de femmes à la Société biblique et à la Société des missions évangéliques de Paris, dans lesquelles Albertine a joué un très grand rôle[49].

Mais là n'est pas encore pour elle l'essentiel. La spiritualité d'un Guizot, qui est de ses amis et dont elle admire les livres, ne lui suffit pas. Il faut d'abord faire confiance à la volonté divine: «J'attends; j'ai une confiance intime au fond de moi que je suis guidée par une main qui sait tirer parti du mal en moi pour me délivrer entièrement de mes misères»[50]. Dieu est

44. *S*, III, 192, 12 juillet 1824.

45. *S*, III, 248-9, 2 juin 1825.

46. *Ibid.*, 247.

47. Sur l'activité inlassable d'Auguste dans les organisations religieuses, voir: THOMAS SIMS, *Brief Memorial of Jean-François Oberlin and of Auguste Baron de Staël-Holstein.* London, James Nisbet, 1830. L'auteur n'hésite pas à égaler l'action d'Auguste à celle du pasteur Oberlin. Voir aussi le long article consacré par Albertine à son frère et recueilli dans les *Fragments*, p. 143-240.

48. *Transplanted Flowers*, p. 116.

49. *Fragments*, p. 273-367.

50. *S*, III, 458, 18 juillet 1826.

amour et on ne peut le rejoindre que par la prière et par le cœur. Le Dieu de bonté accorde «cette nourriture du cœur et de l'intelligence qui, par moments du moins, ne nous laisse plus rien à désirer et satisfait toutes les facultés si diverses de notre être»[51]. Lorsque c'est l'esprit seul qui admet les convictions religieuses, «il ne sort pas des régions de l'intelligence. Je suis convaincue que c'est là ce qui arrive aux vertus religieuses tant qu'elles ne sont que d'autorité et de raisonnement, mais quand elle deviennent véritablement une foi, leur caractère change»[52].

Elle adjure Barante de se persuader que les pratiques ou l'autorité et même les témoignages historiques sont de peu de poids en comparaison de la foi, «cette foi chrétienne qui, pour moi du moins, est toute d'expérience morale, qui se compose de la connaissance de nous-même et de la révélation des attributs de Dieu, [et] à laquelle on ne peut espérer accéder que par la prière et par la lecture de l'Evangile»[53]. Enfin, elle affirme, comme Erskine, que le salut est pour tous, accordé à tous ceux qui le demandent[54]. Elle admire Mme Vernet, la trouve «sublime» à la mort de son fils: «Ce n'était pas un effort de résignation. C'était une paix reçue d'en haut. Celui qui la frappait la consolait en même temps, et la pensée de l'infinie bonté de Dieu inspirait à Madame Vernet de s'écrier, au milieu de la plus terrible douleur: Dieu est bon, Dieu est bon»[55]. Inspirée par une foi aussi profonde, l'expérience religieuse est bien, selon l'expression d'Albertine «naître de nouveau»[56].

On comprend bien, alors, son dédain pour le *Génie du Christianisme,* «l'œuvre la plus frivole et la plus légère qu'on puisse lire [...] C'est un homme qui veut faire de la religion pour la bonne compagnie [...] C'est un livre qui me met en fureur»[57]. Son appréciation sur le premier volume de *De la Religion* est assez favorable, mais dépourvue d'enthousiasme. En janvier 1824, clle a entendu «en secret» lire quelques morceaux de l'ouvrage: «Cela brille d'éloquence à chaque page, il y a même de l'émotion et de l'entraînement [...] mais il établit la faculté religieuse et rien de plus»[58]. Le 6 novembre 1825, elle écrit à Barante que le livre de «M. Constant» le fâchera plus qu'elle: «Je ne suis pas très chatouilleuse sur le sujet des prêtres; vous

51. *S,* III, 353, 2 octobre 1826.

52. *S,* III, 300, 7 décembre 1825.

53. *S,* III, 399, 28 juillet 1827.

54. *S,* III, 300, 7 décembre 1825. Elle développe longuement dans les *Fragments,* IV, 9, l'idée que «la grâce de Dieu, comme son pardon, est parfaitement gratuite» (p. 171).

55. *S,* III, 249, 21 janvier 1825.

56. *S,* III, 399, 28 juillet 1827.

57. *S,* II, 461, 22 août 1820.

58. *S,* III, 168, janvier 1824.

me direz que vous ne l'êtes pas non plus, mais vous croyez plus au besoin de l'autorité que moi»[59]. Jugement un peu sommaire; mais il est vrai que si le «coin de religion» de Constant et le besoin de religion et d'enthousiasme de Mme de Staël allaient dans un sens favorable à la pensée religieuse, ils étaient bien loin d'atteindre à la conviction ardente d'Albertine.

Sans doute, au départ, la pensée de la mère et de la fille ne sont pas sans ressemblances. Elles rejettent toutes deux la règle et l'autorité, et lorsque Mme de Staël oppose à l'intérêt bien entendu le sentiment du devoir, qu'Albertine loue mais considère insuffisant pour conduire à la foi, c'est pour affirmer qu'en nous permettant d'échapper aux calculs de l' égoïsme, il assure notre liberté[60]. Mme de Staël va jusqu'à dire: «Tout ce qui est désintéressé est religieux», conception qui serait pour Albertine trop proche de cette religion de l'intelligence, «lumière des lumières»[61] dans laquelle, selon sa mère, l'esprit d'examen va confirmer la foi. La direction peut être la même, mais les perspectives sont bien différentes.

Le mysticisme suscite à la fois attirance et réticence, et même méfiance de la part d'Albertine. La mère et la fille ont été en contact avec la pensée mystique[62], mais Albertine lui oppose son «méthodisme»; Mme de Staël, elle, intègre la «mysticité» à son ardeur pour la liberté, et la voit surtout dans la résignation. Mais celle-ci, quand elle est religieuse, exalte l'âme et lui «donne toutes les vertus de l'indépendance. Rien ne ressemble moins à la condescendance pour le pouvoir»[63], souligne Mme de Staël qui résout là, sur le plan moral, une contradiction entre résignation et action qu'Albertine résoudra aussi, mais dans la foi religieuse, entre la résignation à la souffrance et l'amour de Dieu qui est pour elle la suprême liberté.

Pour Constant qui, vers les années de crise de 1808, a trouvé un repos momentané dans «l'abnégation» en se soumettant à la volonté de Dieu, il s'agit plutôt d'une renonciation à la volonté, qui ne se confond pas avec l'humilité et la confiance en l'amour de Dieu, sentiments profonds d'Albertine.

Ce qui distingue en effet le plus Albertine de Mme de Staël et de Constant, c'est la place de l'amour de Dieu dans la religion. Il est vrai que Mme de Staël déclare que «le fonds de notre cœur appartient toujours à

59. *S*, III, 288, 6 novembre 1825.

60. *De l'Allemagne,* III, 12 «De la morale fondée sur l'intérêt personnel».

61. *Ibid.*, III, 2, «Du protestantisme».

62. La secte de Langallerie, les «Ames intérieures», pour Mme de Staël; pour Albertine, on peut citer son éloignement momentané de Thomas Erskine lorsque celui-ci publie *The Brazen Serpent* en 1831, et soutient, comme les pasteurs du «Réveil» et du «Revival», que Dieu peut se manifester en chaque fidèle d'une manière soudaine et irrationnelle.

63. *De l'Allemagne,* IV, 5, «De la disposition religieuse appelée mysticité».

l'amour, et ce qu'on appelle mysticité, c'est cet amour dans sa partie la plus profonde»[64]. Et elle écrit, dans le chapitre sur l'enthousiasme: «La loi du devoir, quelque sublime qu'elle soit ne suffit pas pour faire goûter toutes les merveilles du cœur et de la pensée»[65]. Mais les mots de piété, d'amour de Dieu, d'humilité et surtout de péché ne sont guère de son vocabulaire. Son mot favori, qu'on ne trouve que rarement chez Albertine est «enthousiasme». «L'enthousiasme, écrit-elle, signifie Dieu en nous. En effet, quand l'existence de l'homme est expansive, elle a quelque chose de divin»[66]. C'est une définition toute romantique, proche des idées de Schleiermacher qui rapprochait infini et divin. Pour elle, le besoin d'admiration et de la gloire, l'espoir de l'immortalité, l'inspiration du génie sont des sentiments exaltés qui en sont la manifestation. Constant concevait aussi la religion comme le sommet de l'idéal.

Il y a donc, dans la religion d'Albertine, qui se rattache bien, au départ, aux sympathies et aux aspirations religieuses de Coppet, des différences majeures. On ne parlait pas de péché ni de rédemption ni d'humilité chrétienne à Coppet, et peu de l'Évangile. L'abnégation constantienne est bien différente de l'acceptation joyeuse des épreuves, et, s'il le faut, de la souffrance, parce que Dieu ne peut vouloir que le bien; et ce lien d'amour entre Dieu et ses créatures, pour Albertine, est l'essentiel de la foi.

La foi s'approfondit chez elle à mesure que la vie semble lui apporter déceptions et souffrances. Déception de la politique, comme on l'a vu, quand les Doctrinaires sont rejetés dans l'opposition et le silence. Déception peut-être aussi d'un mari dont elle attendait davantage comme homme politique et comme écrivain. Elle aurait voulu le voir plus actif et déplore que «la carrière d'ambition n'aille pas avec l'ensemble de son caractère». Elle n'a pas même grande confiance dans ses efforts d'écrivain. Elle confie à Barante le 23 juillet 1822 que Victor écrit sur les lois pénales, «mais il est trop paresseux pour que cela devienne jamais rien»[67]. Il est vrai que sa santé n'est pas bonne. Il est sujet à des crises d'asthme et Albertine et lui, en ces années, vont aux eaux de Cauterets. «Victor a eu des attaques d'oppression, écrit-elle quelques années plus tard, ce qui le rend peu capable de travailler; quoique cela ne le change pas, cela n'a pas peu contribué à me décourager»[68].

La vie elle-même lui paraît de plus en plus décevante. Elle partage avec

64. *De l'Allemagne*, IV, 10 «De l'enthousiasme».
65. *Ibid.*
66. *Ibid.*
67. *S*, III, 26, 23 juillet 1822.
68. *S*, III, 465, 6 octobre 1828.

Barante, bien qu'elle ait trouvé la foi qui la soutient «cette maladie du découragement des choses et de soi-même qui est une des situations que je connais le mieux»[69]. Et elle ajoute, quelques mois plus tard: «D'où vient que nous sommes des spectateurs blasés, d'où vient qu'il y a en nous tant d'agitation et d'insouciance réunies? Dites-moi cela, vous qui éprouvez aussi ce découragement, quoique je ne sache personne dont les impressions sont si originales, si animées, si brillantes pour ainsi dire»[70]. Elle considère trente ans comme la fin de la jeunesse, sentiment auquel Prosper est, lui aussi sensible. Elle lui oppose «la pérennité de la vie intérieure qui renferme des émotions toujours nouvelles quoique toujours semblables»[71], et souhaite qu'il s'approche davantage de la source où il retrouvera «tout ce que le cours de la vie nous fait perdre, un mouvement plus réel et non moins animé que celui de la jeunesse»[72].

Enfin s'ajoutent des souffrances plus vives encore. Sa santé n'est pas toujours bonne et va se détériorer au cours des années. En juillet 1822, elle souffre «d'une bête de fluxion dans la tête et dans l'oreille qui la fait souffrir comme un chien»[73]. A la fin de septembre 1826, elle accouche d'un enfant qui meurt presqu'à sa naissance, «pauvre cher enfant qui n'a vécu que quelques heures, moins qu'un insecte de l'air et qui sera oublié de tous, excepté de moi»[74]. Et à la joie de voir Auguste épouser Mlle Vernet en février 1827, succède la grande douleur de sa mort, le 17 novembre 1827, à 37 ans, après dix jours de maladie. En route pour aller le voir, elle apprend sa mort à Auxerre et n'arrive pas à temps pour l'enterrement[75]. Atteinte dans son affection, elle sent aussi qu'avec son frère, c'est toute une partie de sa vie personnelle qui disparaît. «Ce cher Auguste, écrit-elle à Barante, était pour vous comme pour moi, quoiqu'à un moindre degré, uni à tout votre passé»[76].

Sa douleur est ravivée lorsque meurt à son tour, en novembre 1829, l'enfant posthume d'Auguste. De Coppet, elle remercie Prosper de sa lettre de sympathie et lui écrit: «Le cercle est refermé. Il commence par la figure grave et digne de mon grand-père et finit par celle d'un pauvre petit ange de Dieu»[77]. L'année suivante, retournée à Coppet tristement, elle a revu «Mme

69. *S*, III, 252, 23 juillet 1822.
70. *S*, III, 85, 1er juin 1823.
71. *S*, III, 362, 8 novembre 1826.
72. *S*, III, 391, 11 juillet 1827.
73. *S*, III, 16, 1er juillet 1822.
74. *S*, III, 352, 2 octobre 1826.
75. Th. Sims, *op. cit.*, p. 142.
76. *S*, III, 438, 4 décembre 1827.
77. *S*, III, 529, 2 décembre 1829.

Necker, Mme Rillet, tout ce qui reste d'un passé qui s'efface tant [...]. Ce séjour si désert est peuplé de souvenirs»[78]. Sa jeunesse s'en allait, mais, en même temps, tout son passé lui semblait s'abolir.

La Monarchie de Juillet apporte un changement très important dans sa vie. Victor de Broglie va jouer, dans les premières années, un rôle de premier plan. Il est du ministère du 11 août 1830 avec Guizot, Casimir Périer, Dupont de L'Eure, Laffitte. Dupont, Laffitte sont du parti du «mouvement» et souhaitent que le gouvernement marche dans la voie de la révolution de juillet; le duc de Broglie, Guizot sont pour la «résistance», partisans de la Charte mais d'un minimum d'innovations. Ces libéraux de la Restauration sont devenus les conservateurs de la monarchie de Juillet. Les émeutes populaires, les insurrections nombreuses dans les premières années du règne, les confirment dans leur soutien de l'ordre.

Après la chute du ministère et l'arrivée au pouvoir de Laffitte et du parti du mouvement, son échec avec les émeutes de Saint-Germain-l'Auxerrois et la crise financière, la politique de non-intervention en Europe, Albertine, Guizot, tous les anciens Doctrinaires saluent avec espoir le gouvernement autoritaire de Casimir Périer[79]. A la mort de Casimir Périer, en mai 1832, son héritage politique est repris par le «triumvirat»: le duc de Broglie, Guizot et Thiers, qui, sous la présidence d'abord de maréchaux, sera constamment au pouvoir. Le duc de Broglie, ministre des Affaires étrangères de 1832 à 1834, sera président du Conseil de 1834 à 1836. Ces années ont été agitées, avec la tentative légitimiste de la duchesse de Berry en avril 1832, les émeutes lors des funérailles du général Lamarque et la bataille du cloître Saint-Merri en juin 1832, les insurrections d'avril 1834 à Paris et à Lyon, l'attentat de Fieschi en juillet 1835, mais finalement le régime a été établi plus solidement avec le rétablissement des finances, la réorganisation des conseils généraux, la loi Guizot sur l'enseignement primaire. Le gouvernement a eu aussi recours à des mesures de rigueur, comme celles de septembre 1835 sur la presse et une dure répression des insurrections, en particulier à Lyon.

A la fin de juillet 1830, arrivant de Coppet, Albertine voulait «entrer à Paris avec son fils, en vraie Romaine, pour l'accoutumer à ne point s'effrayer des discordes civiles». Son mari le lui interdit. «Elle chante avec ses amies des chants patriotiques et fait de la charpie pour les blessés»[80]. Mais quelques mois plus tard, ce sont des plaintes. On ne trouve dans ses lettres

78. *S*, III, 546, 22 mai 1830.

79. *S*, IV, 179, 5 avril 1831.

80. COMTE D'HAUSSONVILLE. «La jeunesse d'Albert de Broglie», dans: *Ombres françaises et visions anglaises.* Grasset, 1914, p. 164.

à Prosper qu'inquiétude, fatigue et découragement. Il n'est question que de décadence et de déceptions. Elle écrit: «La Chambre semble se fatiguer elle-même. La critique atteint tellement chaque chose et chacun, qu'elle ôte la vigueur et la confiance de partout»[86]; et quelques jours plus tard: «La société est dans l'état de René ou d'Adolphe de M. Constant, critiquant tout, dégoûtée de tout, et faisant du bon sens même un élément dissolvant plutôt que constituant»[82]; et le 18 octobre 1831: «La Chambre joint à très peu de lumières toutes les incertitudes d'une conscience chimérique secondée par de mauvaises passions»[83].

Ni elle-même ni ses amis ne se sentent triomphants. Guizot parle d'un «abaissement progressif, cette annihilation du pouvoir»[84], et écrit à Barante le 11 août 1831: «Voilà où nous en sommes. C'est la politique de café qui nous fait le plus de mal»[85]; et le 18 octobre: «L'incapacité, la subalternité, le tâtillonage, le commérage, voilà le vice radical de celle-ci [la Chambre] [...]. Ce sont des forêts d'Amérique à défricher que ces esprits-là»[86]. Et Barante, de son ambassade de Turin, écrit à Montlosier le 3 septembre: «Je suis presque de l'avis de l'abbé de Pradt, et j'ai envie de partager son irritation non contre le régime représentatif et la liberté de la presse, mais contre les petites gens et les passions basses. Le drame est bon, mais les acteurs sont de trop bas lieu. La liberté est aristocratique de sa nature. Les classes inférieures, livrées à elles-mêmes ne savent faire que de l'anarchie ou du despotisme»[87]. Les libéraux de la Restauration sont bien devenus les conservateurs de la monarchie de Juillet.

Un nouveau personnel politique, une Chambre choisie par un électorat élargi, grâce à la diminution du cens, composée de bourgeois de province dont l'éducation politique n'est pas faite, une classe ouvrière dont la force s'accroît avec les débuts de la révolution industrielle, qui a contribué aux journées de Juillet, mais, privée du droit de vote, n'a de moyen de se faire entendre que les barricades, voilà ce que les Doctrinaires n'avaient pu prévoir. «Les classes supérieures», écrit Albertine, «sont travaillées d'un mal sans nom et sans cause»[88]. Ce mal, dans le milieu politique de Guizot, de Barante, de Victor de Broglie, c'est d'avoir su défendre la liberté sous la Restauration, mais de ne pas comprendre l'évolution démocratique et l'

81. *S,* IV, 52, 2 février 1831.
82. *S,* IV, 116, 3 mars 1831.
83. *S,* IV, 355, 18 octobre 1831.
84. Guizot à Barante. *S,* IV, 265, 20 janvier 1831.
85. Guizot à Barante. *S,* IV, 314, 11 avril 1831.
86. Guizot à Barante. *S,* IV, 363, 18 octobre 1831.
87. Barante à Montlosier. *S,* IV, 334, 3 septembre 1831.
88. *S,* IV, 116, 13 février 1831.

avènement d'une société nouvelle en gestation, avec ses ignorances, ses violences, ses petitesses et ses contradictions. Pour eux, le gouvernement ne peut appartenir qu'à des esprits raisonnables et cultivés qu'on ne rencontre que dans une élite.

On n'ignore pas la misère populaire. Albertine est trop active dans les œuvres religieuses charitables pour n'en avoir pas conscience. En parlant d'une émeute de septembre 1831, elle note qu'«elle semble avoir la misère pour prétexte»[89]; et quelques mois auparavant, séjournant à Broglie pendant l'été, elle remarque: «Notre pays est fort paisible; le peuple souffre pourtant, ce pauvre peuple au-dessus duquel on fait toutes les révolutions sans qu'il lui en arrive un verre d'eau de plus, au contraire»[90]. Mais pour elle et pour son milieu politique, cette «renaissance des troubles presque périodiques, qui a quelque chose de bien singulier» ne peut avoir que des causes morales. «Je ne puis m'empêcher de croire que cela tient à l'absence de convictions profondes dans les esprits. Notre ordre social pose sur lui-même; il n'évoque rien de supérieur, et ceux qui nous gouvernent n'ont recours qu'en eux-mêmes»[91].

C'est une vue qui se retrouve chez Guizot, tributaire des analyses doctrinaires de l'histoire: la politique doit faire régner la raison et dépend donc essentiellement de principes moraux, non d'une analyse de la société. «La lutte du bien et du mal n'appartient plus à l'histoire de la civilisation. Elle s'inscrit dans une histoire sans résolution terrestre, l'histoire du salut perpétuellement rejouée dans chaque individu et chaque génération»[92].

Dans ce domaine, la pensée libérale s'est usée, faute de renouvellement, incapable d'aborder les problèmes sociaux autrement que sous l'angle moral. Quand tombe le ministère Victor de Broglie le 5 février 1836, on parle beaucoup de sa raideur, de sa hauteur qui ont suscité «une levée de boucliers contre lui» à la Chambre. La duchesse de Dino[93] accuse son «âpre gaucherie» et signale «le soulagement général [...] qui a fait accueillir son successeur avec joie»[94]. En fait, Victor de Broglie, qui ne transigeait pas avec les principes, en particulier avec ceux de la Charte, n'entendait pas laisser le roi établir un pouvoir personnel. Lorsque se pose la question du paiement d'une dette aux Etats-Unis contractée au temps de Napoléon, persuadé que

89. *S,* IV, 336, 9 septembre 1831.

90. *S,* IV, 267, 22 juin 1831.

91. *Ibid.,* 266.

92. PIERRE ROSANVALLON. *Le moment Guizot.* Gallimard, 1985, p. 308.

93. Elle représente naturellement la tendance Talleyrand-Thiers. Thiers allait succéder à Victor de Broglie, qui soutenait l'entente avec l'Angleterre. Louis-Philippe songeait à se rapprocher des «trois cours» des puissances continentales.

94. *S,* V, 309, 28 février 1836.

la moralité publique était engagée, victime d'ennemis plus souples, meilleurs courtisans et moins scrupuleux, il donna sa démission. S'il y a eu un «moment Guizot» après 1840, quand l'héritier des doctrinaires se dégoûte des combinaisons politiques, n'y-t-il pas eu auparavant un «moment Broglie» qui montre, le premier, que le goût de la liberté, les grands principes, la raison doctrinaire ne peuvent plus suffire à gouverner un pays où l'âpreté des luttes politiques reflète une société en pleine mutation?

Aussi Albertine ne dit-elle que la vérité quand elle écrit, après la chute du ministère: «Victor se retire satisfait, bien qu'on ne le soit guère de lui, qu'on l'ait trouvé raide, hautain [...]. Nous avons repris une vie très paisible [...] Je suis satisfaite de quitter notre triste politique»[95]. C'est le soulagement d'être désormais en dehors d'intrigues et de problèmes qui ne l'intéressent plus.

Après 1830, la correspondance avec Barante se fait plus rare. En novembre 1830, il est nommé ambassadeur à Turin et, après un congé de six mois en France, en septembre 1834, ambassadeur à Saint-Pétersbourg. Les relations restent pourtant toujours confiantes et affectueuses. Albertine a besoin de Prosper, gardien avec elle, de ses souvenirs de Coppet. En octobre 1834, elle aurait aimé s'y retrouver avec lui: «Il y aurait eu de la douceur à se retrouver ensemble dans ces lieux où nous avons été si jeunes, où nous avons vécu une vie si forte. Coppet est à présent un temple, mais un temple serein et paisible, et celle qui l'habite y garde les souvenirs du passé»[96].

Albertine retrouve sa force dans sa foi consolante: «Les affaires humaines seraient souvent bien décourageantes sans le flambeau de la foi qui nous montre quelque chose de meilleur»[97]. Barante manifeste plus de tiédeur. C'est maintenant, pour elle, un lien de plus, Elle voit en lui une âme à sauver. Elle respecte son attachement au catholicisme, mais elle souhaite chez lui une foi plus vive et passionnée qui se rapproche de la sienne. A Prosper, attristé par des malheurs domestiques, elle avait écrit en 1827: «Je ne doute pas que vous soyez conduit par là à vous approcher plus de la source où vous retrouverez tout ce que le cours de la vie nous fait perdre»[98], et, un peu plus tard, «Je comprends parfaitement vos dispositions [...] personne ne les éprouve plus que moi. Le monde, la vie, vous-même vous ont tout dit; vous savez ce qu'ils contiennent et le sentiment de leur

95. *S*, V, 306, 25 février 1836.

96. *S*, V, 156-7, 3 octobre 1834. Coppet, depuis la mort d'Auguste, était habité par sa femme seule.

97. *S*, V, 75, 20 septembre 1833.

98. *S*, III, 391, 11 juillet 1827.

incomplet, de leur imperfection vous poursuit». Mais il y avait une source où elle se ranimait: «C'est Dieu révélé à moi dans l'Evangile»[99]. Quelques mois plus tard, après la mort d'Auguste, elle ajoutait, faisant écho à la lettre précédente; «Ah! cher Prosper, si mes paroles avaient aujourd'hui un peu de poids auprès de vous, j'obtiendrais que chaque jour de votre vie, vous cherchassiez Dieu dans l'Evangile, dans l'Evangile seul, en lui demandant de s'y révéler lui-même»[100]. Mais à partir de 1830 ce confident, cette âme soeur qu'elle voudrait voir partager sa foi, est de plus en plus absorbé par sa vie d'ambassadeur qui l'éloigne de Paris.

Il lui reste sa famille, à laquelle elle a été parfaitement dévouée, mais sans trouver peut-être l'intimité qu'elle aurait souhaitée. Victor de Broglie, plus guidé par les analyses de l'intelligence que par les élans du cœur et peu sujet aux débordements d'affection, intimidait ses enfants eux-mêmes. A-t-elle été proche de ses enfants? Les lettres d'Albertine, publiées par son fils[101], montrent toute l'affection d'une mère aimante. A-t-elle été payée de retour? L'aînée, Louise, née en 1818, heureuse de vivre, ne partageait pas les préoccupations de sa mère[102]. Elle devait se marier en octobre 1836, avec le comte d'Haussonville, à Kehl, où une double cérémonie protestante et catholique était possible, comme avait eu lieu le mariage de ses parents à Pise en 1816[103]. Albert, né en juin 1821, ne paraît pas non plus avoir été intime avec elle. Elevé dans le catholicisme, en accord avec les décisions prises en 1816, il raconte que sa mère, «pour ne pas le laisser absolument sans culte», l'emmenait le dimanche, au temple protestant où il trouvait le sermon bien long et le culte austère[104]. Et c'est seulement dans l'été 1838, à dix-sept ans, selon lui, qu'après avoir remporté tous les prix au lycée Bourbon, sa mère lui laisse évoquer avec elle des sujets de politique, de religion et de philosophie: «Ce fut la première fois que je pus apprécier dans toute son étendue, la grande supériorité de son esprit. Hélas! ce fut aussi la dernière»[105].

Il y eut la naissance du petit Paul dans l'été de 1834, qui la remplit de joie: «Le sourire de cet enfant m'apparaît comme les rayons du soleil

99. *S,* III, 398, 28 juillet 1827.

100. *S,* III, 439, 4 décembre 1827. En cette année 1827, on trouve cette préoccupation de la lecture de l'Evangile dans ses lettres à Mme Guizot, à Mme de Castellane, à Mme Anisson. (*Lettres de la duchesse de Broglie,* p. 144, 152, 159).

101. *Mémoires du duc Albert de Broglie,* Calmann Lévy, 1938, I, 63.

102. C'est ce que montre son Journal inédit, selon la communication faite par M. le comte d'Haussonville à la Journée de Coppet de septembre 1987.

103. *S,* V, 494, 12 novembre 1836.

104. *Mémoires du duc Albert de Broglie,* I, 44.

105. *Ibid.,* I, 167.

couchant qui viennent éclairer une vallée déjà sombre»[106]. Mais elle allait mourir quatre ans plus tard. Il y eut aussi deux deuils: la mort d'un bébé de quelques heures en septembre 1826, et surtout celle de la petite Pauline, âgée de treize ans, au début de 1832. Albertine dit toute sa souffrance dans une lettre à Prosper du 20 janvier 1832, mais elle trouve dans l'amour de Dieu, une paix «qui va très bien avec la souffrance quand elle est pleine d'espoir [...]. Cette volonté de Dieu, qui est non seulement sainte mais pitoyable à l'infini, a compté toutes nos larmes, et quand elle nous en fait tant verser, c'est qu'il y a un but, un but bien grand, bien salutaire dans le mal qu'elle permet [...]. Je pleure avec paix et espérance, je ne cherche à rien concilier, j'alterne entre un regret déchirant de ne pas la voir et un sentiment de repos en pensant qu'elle est bien [...]. Celui qui a pris soin de l'enfant accomplira son œuvre dans le cœur dévasté de la mère»[107].

Aucune lettre ne peint mieux la profondeur des sentiments religieux d'Albertine, qui «pleure avec paix et espérance» et accepte cette contradiction comme inhérente à la condition humaine, sans que sa douleur puisse être apaisée. Ses amis-mêmes parfois ne la comprennent pas: «Quelques personnes m'ont cru de la force et du courage, ont vu en moi quelque chose de singulier; tout cela n'est pas»[108]. La marquise de Castellane s'indigne et s'attriste de ce qu'elle appelle «une surnaturelle résignation», s'étonne de ne pas «lui avoir vu verser une larme»: «Elle voulait me montrer son enfant dans un asile digne d'envie [...]. J'ai regretté pour elle-même cette jeune fille que j'avais portée dans mes bras [...] et puis j'ai pleuré cette amie de toute notre vie que nous n'avons plus et que vous ne retrouverez pas plus que moi [...]. Elle n'est plus à nous, elle n'est plus qu'à une religion que je n'entendrai jamais»[109]. Mais la duchesse de Dino a su voir plus loin, comprendre que le sentiment religieux n'étouffait nullement la douleur de la mère: «Mme de Broglie m'a été au cœur [...]. Plus à Dieu et en Dieu que jamais, elle a des explosions de douleur involontaire, fort courtes, mais assez fréquentes, où la mère reprend ses droits, et qui me l'ont rendue on ne peut plus chère»[110].

Aussi Albertine, dans ses dernières années, se donne t-elle de plus en plus à son œuvre religieuse, puisque pour elle, la religion est aussi action. Elle est très active dans la «Société auxiliaire de femmes à la Société des

106. *S*, V, 149, 23 juillet 1834.
107. *S*, IV, 429-30, 20 janvier 1832.
108. *Ibid.*
109. La marquise de Castellane à Barante. *S*, IV, 426-7, janvier 1832.
110. La duchesse de Dino à Barante. *S*, V, 34, 17 octobre 1832.

missions évangéliques de Paris»[111]. Elle est liée avec deux femmes de pasteur: Mme Grandpierre, dont le mari, originaire de Neuchâtel, dirigeait à Paris l'école missionnaire soutenue par la Société, et prêchait souvent à la chapelle de la rue Taitbout que fréquentait Albertine. Selon son fils, c'était une chapelle indépendante, car «elle avait cessé de suivre les offices et les prédications des églises officielles protestantes, trouvant que les doctrines chrétiennes, et principalement celles de la grâce et du salut par Jésus-Christ, y avaient été altérées sous l'influence du déisme du dix-huitième siècle. Elle s'était rattachée à une communion dissidente, à son gré plus fervente et plus orthodoxe, qui tenait séance dans une petite chapelle de la rue Taitbout»[112]. C'est-ce qu'Albertine appelait son «méthodisme».

Peut-être n'était-elle pas toujours d'accord avec les sermons du dimanche: en juin 1838, Thomas Erskine, qui séjourne à Paris, assiste là à un service et n'approuve pas ce qu'il entend sur le thème du salut, réservé, selon le prédicateur, à ceux qui «peuvent reconnaître en eux les qualités requises par l'Evangile». Pour Erskine et pour Albertine, qui l'a écrit maintes fois[113], le salut est pour tous ceux qui ont confiance en Dieu[114].

Elle travaille aussi avec Mme Monod[115], femme du pasteur Frédéric Monod, pasteur de l'Eglise réformée de Paris, où il avait succédé à son père. Il était aussi l'éditeur des *Archives chrétiennes* et s'intéressait particulièrement à l'éducation des orphelins protestants.

Albertine se dévoue avec un courage admiré par la comtesse de Boigne, lors de la grande épidémie de choléra de 1831-32. La comtesse de Boigne la juge héroïque ainsi que son mari: «se rendant aussitôt à Broglie, où le choléra venait d'éclater, soignant eux-mêmes les malades qu'on abandonnait, calmant la peur et allant jusqu'à ensevelir les morts de leurs propres mains»[116]. Mais, avec modestie, rien ne transparaît de cette conduite courageuse dans ses lettres à Barante, alors embassadeur à Turin. Elle note seulement, en septembre 1831, que «tous les fléaux sont déchaînés»[117],

111. Voir dans les *Fragments,* les comptes rendus rédigés par Albertine pour les années 1827, 1830-31, 1833-34, 1836-37, p. 291-367.

112. Sur le pasteur et Mme Grandpierre, voir *Transplanted Flowers,* Appendice, p. 148 *et sq.* Sur la chapelle de la rue Taitbout: *Mémoires du Duc Albert de Broglie,* I, 44.

113. La dernière fois encore, le 12 novembre 1836: «L'appel de Dieu est universel, pour toutes les conditions d'âme». *S,* V, 496.

114. A Miss Rachel Erskine, in: *Letters of Thomas Erskine from 1800 to 1840,* I, 314.

115. Le livre de ROBERT BAIRD: *Transplanted Flowers,* fait l'éloge de quatre femmes très pieuses mortes entre trente et quarante ans à quelques années de distance: Mme Grandpierre, à l'automne de 1836, Mme Monod, un an après, en 1837, Mme Rumpf en août 1838, la duchesse de Broglie, en septembre 1838.

116. *Mémoires de la comtesse de Boigne,* II, 264.

117. *S,* IV, 337, 9 septembre 1831.

s'afflige de la mort de la fille du comte Molé, «emportée en quelques heures par la maladie»[118] et, le fléau passé, écrit une très belle lettre; «La vie est un beau don. Il suffit, pour s'en convaincre, de voir ce qu'est le souvenir des heures, des jours du passé»[119].

L'essentiel, comme toujours et plus encore dans les dernières années, est la piété. Nous avons sur ce point le témoignage de Thomas Erskine, qui avait quitté l'Ecosse à la fin de 1837 pour un voyage sur le Continent, où il devait rester jusqu'à la fin de 1839. En avril 1838, il est à Paris et il voit les Broglie pendant trois semaines jusqu'à leur départ pour la campagne[120]. Il fait une visite à Broglie au début de juillet et la correspondance avec Albertine est abondante. Il répète sa maxime favorite que «le christianisme n'est pas hors de nous mais en nous, non pas dans un livre ou un traité, mais en nous»[121]. Il loue «Celui qui refuse d'être son propre guide et sa propre fin et crée en lui le vide nécessaire dans lequel puisse monter l'eau profonde de Dieu»[122]. Ce langage était peut-être trop mystique pour le goût d'Albertine et sa fidélité à l'Evangile dut lui inspirer des objections. Dans une lettre du 13 août, Thomas Erskine répond à ses critiques et affirme qu'il n'a pas voulu dire que la conscience pouvait agir en l'homme sans l'aide de la Bible, mais que la Bible ne parle à l'homme que si sa conscience est déjà éveillée: «La conscience est l'œil, la Bible est le téléscope qui ne change pas la vue mais rapproche les objets»[123]. Albertine savait donc garder son indépendance dans sa foi religieuse.

L'une des dernières lettres à Prosper, un an plus tôt, est pour souhaiter que, conscient de sa faiblesse, il recourre à la force de Dieu «pour recevoir tout de celui qui aime ses créatures»[124]. En juillet 1838, Prosper de Barante, alors en congé, et les Broglie avaient été passer quelques jours à Angervilliers, chez la marquise de Castellane. Le 17 juillet, Albertine écrit à Prosper «Notre voyage à Angervilliers m'a laissé une impression douce et plus vraie que tout le temps passé à Paris où l'on se voit si mal. Deux ans d'absence! Et que contiennent ces deux ans?»[125].

C'est sur cette note d'amitié que se clôt cette correspondance, du moins

118. *S,* IV, 515, 17 avril 1832.

119. *S,* IV, 539, 8 mai 1832.

120. To his sister Mrs Patterson, 14th May 1838, *Letters,* I, 305.

121. «Our christianity is not out of us, but in us [...]. It is not in a book or a discourse, it is in us». To the duchess of Broglie, 4th June 1838. *Ibid.,* 308.

122. «He who refuses to be his own guide and his own end, and thus creates the necessary vacuum [...] into which God's deep water may rise». *Ibid.,* 309.

123. *Ibid.,* 324. «The conscience is the eye, the Bible is the telescope».

124. *S,* VI, 9, 2 mai 1837.

125. *S,* VI, 81, 17 juillet 1838.

les lettres dont nous disposons. Thomas Erskine nous apprend qu'Albertine, tombée malade le 7 septembre, et dans un état grave à partir du 11, est morte le 22 d'une «fièvre cérébrale»[126]. Sa santé, depuis longtemps, était mauvaise; elle s'était remise avec peine de la naissance de son dernier enfant; son état moral ne semblait pas meilleur et la faisait aspirer à un autre monde[127]. Ainsi se terminait prématurément une existence où la foi et l'amour de Dieu avaient tenu la première place, mais aussi la passion pour les grandes causes, la fidélité à Coppet, et cette amitié qui brille si clair dans les lettres à Prosper de Barante.

126. To Miss Jane Stirling, 7th October 1838. *Letters,* I, 328.

127. Thomas Erskine parle d'une lettre d'Albertine, probablement de juillet 1838, où il s'agit d'un «fardeau insupportable de douleur», «an unsupportable burden of grief». Il l'exhorte à trouver la volonté et l'amour de Dieu dans chaque douleur qui peut alourdir son cœur. To the duchess of Broglie, 21st July, 1838. *Ibid.,* I, 321-22.

NOTE SUR LA DATE DU *CAHIER ROUGE* DE BENJAMIN CONSTANT

par

PAUL DELBOUILLE

Quand Constant a-t-il rédigé le texte inachevé que son premier éditeur a baptisé *Le Cahier Rouge* par référence à la couverture du manuscrit qui le contient[1]?

La question est intéressante parce qu'on souhaiterait comprendre à quel moment précis de son existence l'écrivain a entrepris ce qui devait être le récit de sa vie entière, ainsi que l'indique le titre même, «Ma Vie», que porte le manuscrit qui est aujourd'hui à la Bibliothèque Cantonale et Universitaire de Lausanne, et dans quelles circonstances il a cru devoir donner de sa jeunesse cette image où se combinent subtilement une apparente sincérité et une évidente attitude de dérision à son propre égard comme à l'égard du monde où il avait vécu.

Le texte lui-même n'est pas tout à fait muet sur ce point. A deux reprises en effet, le narrateur donne des indications directes sur le moment où il écrit. Dans un premier passage, il précise qu'il a quarante-quatre ans[2]; dans un second[3], il dit qu'on est en 1811. Sur la foi de ces informations qui se recoupent, on pourrait affirmer que le document est clairement daté. Ce serait cependant aller vite en besogne. Comme toujours chez Constant, les choses ne sont pas aussi simples qu'il y paraît.

1. Publié en 1907 dans la *Revue des Deux Mondes,* il a paru la même année en volume: *Le «Cahier rouge» de Benjamin Constant,* publié par L. Constant de Rebecque, Paris, Calmann-Lévy.

2. Benjamin Constant, *Œuvres,* texte présenté par Alfred Roulin, Paris, Gallimard, Bibliothèque de la Pléiade, 1957, p. 128.

3. *Œuvres,* p. 142.

Ailleurs dans son récit, en effet, Constant parle de son père en termes qui signifient que ce dernier est mort: «le repos des vingt-cinq dernières années de sa vie». Or, ce décès n'est intervenu que le 2 février 1812 et Benjamin n'en a eu connaissance que le 19. A partir de là, deux solutions sont possibles. Ou bien le passage en cause est le résultat d'une correction tardive, comme le croit Alfred Roulin[4]; ou bien la rédaction s'est prolongée jusqu'au 19 février au moins, et c'est ce que propose Kurt Kloocke[5].

L'attitude qu'on adopte devant ce problème n'est pas exempte de conséquence sur un autre plan. La première hypothèse, en effet, vient en appui d'une conviction plus large, selon laquelle la rédaction a lieu au Hardenberg, où Constant séjourne dans la famille de sa femme «de la mi-août à la fin d'octobre [1811]» (Roulin, Pléiade, p. 1454). La seconde, en revanche, conduit à supposer que le travail a lieu à Gottingue, où l'écrivain réside, en compagnie de Charlotte, jusqu'en décembre 1812[6].

On ne peut nier, me semble-t-il, que des deux hypothèses, la seconde est la plus vraisemblable, car elle n'impose pas d'imaginer une intervention tardive que rien ne vient confirmer par ailleurs. On remarquera du reste que si l'on accepte ici l'idée d'une possible addition ou correction *a posteriori,* on affaiblit singulièrement la valeur des autres indications chronologiques, qui pourraient être le résultat de la même remise à jour d'un état antérieur. N'entrouvre-t-on pas ainsi, et gratuitement, la porte par où risqueraient de s'enfuir les seuls éléments un peu solides que nous possédons?

Les deux raisonnements que je viens de rappeler se font, notons-le, sur la base du contenu de la narration, d'une part; de ce qu'on sait de la réalité vécue, d'autre part. Si l'on veut aller plus loin, il est indispensable de prendre en compte un troisième ordre de faits, jusqu'ici négligé curieusement par ses éditeurs, en voyant si le manuscrit même, dans sa matérialité, ne nous apporte pas, sinon une information décisive, à tout le moins des éléments complémentaires sur la question posée. Je dirai tout de suite que si ce n'est pas le hasard qui m'a conduit sur cette piste, on va voir que ce qu'on y trouve doit bien quelque chose à sa malice.

Pour comprendre la portée de ce qui va suivre, il faut savoir comment se présente le manuscrit. Il s'agit d'un volume, un «cahier rouge», de 21 x 15,5 centimètres, qui compte 236 pages, dont 227 sont écrites. Il est

4. «Il faut [...] conclure que ce passage tout au moins a dû être modifié et [...] on doit penser que cette modification a été opérée au cours d'une nouvelle copie, postérieure au 2 février 1812» (*Œuvres*, p. 1454).

5. *Benjamin Constant. Une biographie intellectuelle,* Genève, Droz, 1984, p. 342.

6. Constant a vécu au Hardenberg du 19 août à la fin d'octobre; il est à Gottingue entre le 2 novembre 1811 et la fin décembre 1812.

entièrement autographe et les larges interlignes qui y sont ménagés le destinaient de toute évidence à être un instrument de travail. A quelques endroits, des notes marginales apparaissent, qui semblent témoigner de relectures et de l'intention d'enrichir le récit. Les corrections sont fort peu nombreuses et, comme l'écriture est très soignée et que l'on ne reconnaît pas de traces typiques d'un premier jet —sauf peut-être dans les dernières pages, où les corrections se font un peu plus nombreuses et où l'écriture apparaît plus lâche—, il s'agit sans doute, pour l'essentiel, d'une copie suivie peut-être, mais on n'oserait l'affirmer vraiment, de quelques pages de premier jet.

Tout ceci, sur quoi on reviendra dans un instant, n'est pas le plus important. Ce qu'il faut savoir en outre, et que ne nous apprennent aucun des éditeurs, c'est que le texte du manuscrit est d'un seul tenant, sans le moindre découpage en paragraphes, et que la plupart des pages sont surmontées d'un ou de deux millésimes, qui jalonnent le récit en allant de 1767-1772 à 1787, selon le rythme de la narration, qui est très rapide pour le début, beaucoup plus lent pour la suite, et notamment pour l'année 1787.

Le premier éditeur avait choisi de faire disparaître les dates, se contentant d'indiquer dans le titre: «(1767-1787)», mais avait d'autorité découpé le texte en paragraphes. Alfred Roulin, de son côté, a maintenu le découpage (qui n'est du reste pas mal fait), mais en datant, en tête, les paragraphes qui correspondent à un changement d'année.

Aucun de ces deux systèmes n'est satisfaisant, car ils ne rendent pas fidèlement compte de ce qu'est le texte. On ne m'en voudra cependant pas de ne pas insister sur ce point, qui n'est pas au centre de notre problème. En revanche, ce qui est vraiment intéressant pour l'âge du document et qui aurait dû retenir l'attention des éditeurs, ce sont les distractions de l'écrivain dans la transcription des millésimes. A cinq reprises, en effet, il s'est trompé en inscrivant les dates en tête de page. Trois fois, il se corrige et l'amendement est visible (folios 72 verso, 73 recto, 78 recto); deux fois, en revanche, l'erreur subsiste (69 verso, 70 recto). Or, qu'écrit-il, à chaque fois, lorsqu'il se trompe? Lisiblement, dans tous les cas: 1811 pour 1787.

Ce *lapsus calami* qui se répète sous la même forme est évidemment significatif. Il n'est nullement besoin de recourir à la psychanalyse pour suggérer que l'écrivain se laisse entraîner là à écrire le millésime de l'année en cours au lieu de celui de l'année à laquelle se rapporte son récit. Toute autre explication ne pourrait être que beaucoup plus hypothétique, pour ne pas dire tirée aux cheveux.

On se gardera de solliciter du fait observé des conclusions qu'il n' implique pas nécessairement. En rigueur, tout ce qu'on peut affirmer porte sur la date d'écriture des folios en cause. Mais cela n'est pas rien. En effet, voilà établie d'une manière tout à fait certaine une époque où Constant a travaillé un peu longuement à son texte, les deux indications temporelles du récit (les quarante-quatre ans et la date de 1811) se trouvant parfaitement confirmées. En même temps, l'hypothèse que Roulin formulait pour expliquer la phrase relative à la fin de la vie du père et selon laquelle le manuscrit que nous possédons serait une copie, postérieure à février 1812, d'un texte rédigé en 1811, se trouve réduite à néant: au contraire, nous avons bien sous les yeux un texte que Constant a établi en 1811, ce qui donne au manuscrit une autorité que n'aurait pas eue vraiment une copie postérieure d'un an ou plus au travail de rédaction. En revanche, cela n'exclut pas deux des hypothèses avancées par les spécialistes, à savoir que Constant pouvait se servir, pour ce travail de rédaction même, d'un écrit antérieur (Roulin), et que son travail sur notre manuscrit a pu se prolonger au-delà du 31 décembre 1811 (Kloocke).

La première hypothèse demande cependant à être reformulée, car elle recouvre en réalité deux choses qu'on ne doit pas confondre: les documents antérieurs à la rédaction du récit et le brouillon de ce récit dont notre manuscrit ne serait que la remise au net. L'existence des documents antérieurs n'est étayée par rien de concret, tout au plus par le fait que Constant a été souvent tenté de rédiger le récit de sa vie, comme c'est par exemple le cas en 1806 quand il entreprend ce qui deviendra *Adolphe*. On ne peut donc que la supposer, sans être en mesure d'en dire quoi que ce soit de véritablement utile[7]. Quant au brouillon, premier jet éventuellement amendé de ce que nous lisons, si son existence est vraisemblable, il serait intéressant de savoir de quand il datait. C'est lui, en effet, qui constitue à proprement parler l'acte de naissance de «Ma vie». Ne nous laissons cependant pas entraîner à lui conférer une autorité qu'il n'a pas. De toute manière, le texte du *Cahier rouge* est bien le reflet de ce que Constant pense en 1811, et c'est évidemment cela qui compte pour ce qui nous occupe. De plus, on ne peut faire, quant à ce brouillon, que deux suppositions: ou bien il avait été établi avant 1811, ou bien il a précédé, au cours de la même année, sa remise au net. Dans le premier cas il a dû nécessairement faire l'objet d'une mise à jour et nous ignorons tout de l'étendue de ce travail, au-delà des modifications chronologiques (âge du rédacteur, année 1811, phrase relative à Juste): cette supposition ne débouche pas seulement sur la nuit de nos ignorances, elle est encore, ce qui est pire, malaisée à concilier avec ce que nous savons de Benjamin dans les années qui précèdent. Dans le second cas, en revanche, —de loin le plus vraisemblable— tous les problèmes s'éva-

7. De ces écrits antérieurs on n'a aucune trace, et on ignore *a fortiori* s'ils pouvaient nourrir une partie de notre texte, l'ensemble de celui-ci et même, éventuellement, la suite à venir.

nouissent, y compris, j'y arrive, celui qui est posé par la seconde hypothèse, et nous voyons Constant au travail, rédigeant des brouillons et les remettant rapidement au net, à moins que notre texte soit, à partir d'un certain endroit, tout simplement de premier jet...

La seconde hypothèse, je veux dire celle par laquelle Kurt Kloocke explique —je le rappelle— l'allusion à la mort de Juste, reste, elle, plus que jamais plausible. Les folios «fautifs» se trouvent tous parmi les 78 premiers, alors que le récit va jusqu'au folio 114 recto. Rien n'empêche donc de penser que les folios 79 à 114 ont été écrits pour partie en 1811 et pour partie en 1812. Or le passage qui implique la mort de Juste se trouve au folio 108 recto. En fait, il n'est pas seulement possible que Kurt Klooche ait raison, cela est hautement probable, si on accepte de penser que les termes dont use l'écrivain ne peuvent pas s'appliquer à une personne qui serait toujours en vie. Le manuscrit, en effet, ne porte à cet endroit aucune marque décelable d'addition ou de modification significative[8]. Il serait donc sûr, dès lors, que le folio 108 (et il en va de même, évidemment, de ceux qui suivent) ne peut pas avoir été écrit avant le 19 février 1812. Comme rien ne porte à croire, par ailleurs, qu'il y ait eu une quelconque solution de continuité dans l'établissement de l'ensemble du texte, la conclusion qu'on tirera, provisoire évidemment, comme toutes les certitudes qu'on peut avoir en telles matières, ira dans le sens indiqué par Kurt Kloocke: un récit entrepris en 1811 mais dont l'élaboration se poursuit en 1812, jusqu'au-delà du 19 février. A cette époque, l'écrivain est à Gottingue, en compagnie de sa femme Charlotte, et les arrière-plans du texte sont à mettre en rapport avec l'état d'esprit qui est le sien à ce moment très précis de son existence.

8. Simplement, le nombre «vingt-cinq» (il s'agit de lettres et non, comme le dit Roulin, n. 3 de la p. 164, de chiffres) est le résultat d'un changement de *six* (?) en *cinq*, mais cela ne peut avoir aucun rapport, me paraît-il, avec la question qui nous retient. L'hésitation entre vingt-cinq et vingt-six, si l'on a accepté que la phrase ne pouvait s'écrire que d'un père mort, ne manifeste pas un changement quant à la date de rédaction, mais une meilleure précision quant à la durée de l'époque difficile qui a précédé la mort.

MADAME DU CHÂTELET, VOLTAIRE AND DOM CALMET DISCUSS THE BOOK OF GENESIS

by
ESTHER J. EHRMAN

Critical analyses of the Scriptures abounded between the 1650's and the end of the eighteenth century. In particular, a great deal of Deist Biblical criticism was disseminated, often in manuscript form, copied and circulated in a quasi professional manner in considerable numbers. Madame du Châtelet and Voltaire were fascinated and both participated in this intellectual fashion. Madame du Châtelet wrote one such text herself, the *Examen de la Genèse,* of which two copies are extant in the hand of a professional copier[1]. Voltaire was even more involved; a great deal of research has been done on his Biblical criticism[2]. His writings on the subject span half a century, part of a mass of material regularly attributed to Voltaire and as regularly denied by him. Even where the attribution is now no longer in

1. I.O. WADE, *The Clandestine Organisation and Diffusion of Philosophical Ideas in France between 1715 and 1750,* Princeton University Press, Princeton, 1938 and I.O. Wade, *Voltaire and Madame du Châtelet,* Princeton University Press, Princeton, 1941, p. 128.

2. i. A. AGES, 'Voltaire, Calmet and the Old Testament' in *Studies on Voltaire and the Eighteenth Century,* Geneva, 1966, vol. 41, ii. A. AGES, 'Voltaire's Biblical Criticism' in *Studies on Voltaire* Geneva, 1964. vol. 30, iii. A. AGES, 'Voltaire and the Rabbis' in *Romanische Forschungen,* 1967, vol. 79. Heft 3, iv. R. POMEAU, *La Religion de Voltaire,* Nizet, Paris, 1956, v. B.E. SCHWARZBACH, *Voltaire's Old Testament Criticism,* Droz, Geneva, 1971, vi. D. LÉVY, 'Voltaire et son exégèse du Pentateuque, critique et polémique' in *Studies on Voltaire,* 1975, vol. 130.

There is a very comprehensive bibliography in the work of M.H. COTONI, *L'Exégèse du Nouveau Testament dans la philosophie française du dix-huitème siècle* in *Studies on Voltaire,* Oxford, 1984, vol. 220.

doubt, scholars have found some difficulty in placing and dating ideas and formulations. This is partly due to Voltaire's almost obsessive preoccupation with the subject and the fact that, once he had established an association, found a Biblical illustration for an argument, he would use it again and again in different contexts at different times in his life. Scholars agree that the so-called Cirey period, the time of Voltaire's friendship with Madame du Châtelet in the 1730's and 40's, provided the stimulus for much of his later writings on the subject. Their activities at Cirey included reading and discussing the Deist MSS as well as regular study of the Bible and Biblical commentaries, of the orthodox and the antagonistic variety. Scholars, notably I.O. Wade[3], have been able to point to many similarities in the texts of the two friends as evidence of the interest they shared and the reference both made to the same sources. Perhaps this very concern with the dating of Voltaire's ideas and of his sources, for which the elements common to both writers proved so rewarding, has blurred the fact that two very different personalities were reflected in the comments which each expressed in their common critique of the Scriptures.

Madame du Châtelet was a student of mathematics and of science. Her preoccupation with the work of Leibnitz had led her to the conviction that the study of metaphysics could be furthered by a scientific mind and that it would be possible to find rules and principles as objective and as certain in metaphysics as there were in science. Her quest was for knowledge of a demonstrable kind and she saw the Bible, with its claim to ultimate knowledge, as hopelessly undemonstrable. Contradictions, miracles, endlessly conflicting statements seemed to present obstacles rather than evidence of truths. She was worried whenever the text did not satisfy her scientific criteria. Her inquiry into ethics was similar. According to Wade, 'she follows out the Fontenelle formula of working from scientific investigation to moral conclusions'[4]. Yet this is not her only concern. It is clear from her Leibnitz-inspired *Traité sur l'existence de Dieu*[5] that the God that she described and accepted, eternal, wise, good, free and benevolent emerged from the logic of her theodicy. She then expected religion to confirm these attributes and she was genuinely upset whenever the Biblical text did not conform to the image she had worked out. Occasionally, an allegorical interpretation might save a text in her eyes, but this could create problems, too; she will have none of a Christian allegorical interpretation, for instance,

3. I.O. WADE, *Voltaire and Mme du Châtelet*, pp. 145-149 and pp. 157-165.

4. I.O. WADE, 'The Search for a New Voltaire' in *Transactions of the American Philosophical Society*, Philadelphia, 1958, vol. 58, part 4.

5. MME DU CHÂTELET, *Institutions de physique*, Amsterdam, 1742.

which sees the serpent in the Garden of Eden as Satan. Her *Examen de la Genèse* comments on the unscientific presentation in the Bible and adds a highly critical commentary on the conduct of God and of the Jews. But, with all her sarcasm, Madame du Châtelet's approach reflects a desire to understand.

Voltaire's purpose would seem to be rather different. Much of his life was dedicated to the task of undermining established authority, and there is no authority more difficult to challenge than one which claims that it is divine. He has to show a) that the text cannot be divinely inspired and b) that those who claim that it is are not the kind of people to be believed. To this end, he will use the 'scientific' arguments taken up by Madame du Châtelet and combine these with 'historical' comments which seek to demonstrate that accounts of events related in the Bible have been copied from other texts, some of which are myths; he will also show that the people who claim to have witnessed the events were primitive —'grossier' is the endlessly recurring term— who, by the very evidence they themselves offer, were renegade, cruel tribes, whose word was not to be trusted and who can clearly, on their own testimony, not be accepted as teachers of mankind. It may, therefore, be interesting to look at the comments made by these two *philosophes* and note the two distinct voices. A third voice should, I think, also be heard, that of one of the major sources read and discussed at Cirey, Dom Calmet.

Dom Calmet has been described as France's greatest Catholic Bible scholar of the eighteenth century[6]. We know that his *Commentaire littéral sur tous les livres de l'Ancien et du Nouveau Testament*[7] was studied and chuckled over by Voltaire and Mme du Châtelet[8]. In his *La Bible enfin expliquée*[9], Voltaire frequently mocks Dom Calmet's statements, but this does not prevent him from copying out a large number of references from Dom Calmet's scholarly work. Voltaire could appreciate the learning, while mocking the approach. When later, in 1754, Voltaire spent three weeks at the Abbaye de Senones with Dom Calmet and his Benedictine monks, it was once again to cull references, which the monks helped him to find in their library. Madame du Châtelet's relations with Dom Calmet were also personal; he had written a history of her region, Lorraine, and of her family[10]. Dom Calmet's *Commentaire littéral* was widely read and was the

6. A. Ages, 'Voltaire, Calmet and the Old Testament', p. 121.
7. 23 volumes. Paris, 1707-16.
8. Mme de Graffigny, *Vie privée de Voltaire et de Mme du Châtelet*, Paris, 1820.
9. 1776. Voltaire, *Œuvres complètes*, ed. L. Moland, vol. XXX, Paris, 1880.
10. Dom A. Calmet, *Histoire généalogique de la maison du Châtelet*, Nancy, 1741.

source of considerable controversy[11], partly on account of his anti-Rabbinist and pro-Cabbalist stand in his comments on the Old Testament. Jewish schools of thought had, of course, confronted the textual inconsistencies in the Bible and theologians studied their commentaries, as for instance, the work of the seventeenth century Dutch Rabbi, Manasseh ben Israel, more generally known for his negotiations with Oliver Cromwell for the re-admission of the Jews to England. His Spanish writings were translated into Latin, English, Hebrew and French; his *Conciliador*[12] was seen as 'peut-être pas moins utile aux Chrétiens qu'aux Juifs' by one writer in 1718[13]. The work set out the inconsistencies in the Bible and the comments which the Rabbis had made on these over the centuries. The Cabbalist school, not surprisingly, favoured allegorical interpretations of the text and this is frequently the 'solution' adopted by Dom Calmet. It enabled him to maintain that the divine message can override the, perhaps fallible, work of those transcribing the text. Bible critics were, of course, divided on the question of reading the Biblical text as allegory or as history. If it is history, the task of denigrating it is much simpler; an inconsistency in a historical context undermines credibility. This is a line of attack frequently used by Voltaire, although it should be said that his appreciation of the writing of history, especially in the ancient world, occasionally elicits a grudging approval of a presentation, even while his comparison of a Biblical account with similar ones in other cultures is intended to belittle the Scriptural 'version' as simply one of a number of accounts.

In the next few pages, the account of the Creation and of the Flood in the Book of Genesis are 'discussed' by the three commentators. I have taken their statements on the Bible text and placed them together with the verses to which they refer; such a juxtaposition should allow the three points of view and the three temperaments to emerge from their own words. In the three works, *L'Examen de la Genèse* by Mme du Châtelet, *La Bible enfin expliquée* by Voltaire and the *Commentaire littéral sur tous les livres de l'Ancien et du Nouveau Testament* by Dom Calmet, the three writers do not always comment on the same verses; I have mostly selected the verses to which all three of them react.

1. Ch.I. IN THE BEGINNING GOD CREATED THE HEAVEN AND THE EARTH (v. 1).

Châtelet. The text has a plural, *Dii creaverunt* (Hebrew: *elohim* - plural -

11. A. AGES, 'Voltaire, Calmet and the Old Testament'. Ch. 3
12. R. MANASSEH BEN ISRAEL, *El Conciliador*, Frankfurt, 1632.
13. *Dictionnaire historique du Père Moreri*, Paris, 1718, vol. 4, p. 185.

bara - singular verb) which is most embarrassing. It shows that Moses, or whoever wrote Genesis 'ne connaissait pas l'unité de Dieu'.

Voltaire. No, it is a linguistic form which appears in oriental languages. The Greeks also used the form, which need not denote the plural.

Calmet. The plural *im* is frequently found in Hebrew for a word which is not plural, e.g. *panim,* a face.

2. NOW THE EARTH WAS UNFORMED AND VOID (v. 2).

Calmet. With this statement Moses destroys the Phoenician and Egyptian belief in the eternity of matter and the divinity of the planets. It also indirectly refutes the later argument that a fortuitous assembling of atoms can explain all that we see in nature. We are here being told of 'le passage du non-Etre à l'Etre'. As to the VOID, of the many possible explanations, the most likely appears to be the chaos described by the poets of antiquity.

Voltaire. VOID (Heb. *tohu bohu*) means chaotic. The Phoenicians were the first to speak of a chaos; the Greeks took it from them; the Persians, the Indians, the Egyptians and the Chinese do not mention it; the latter accept the world as it is and do not worry about how it was made; — they do not have the benefit of revelation.

Châtelet. How could there have been a void, earth and waters (THE SPIRIT OF GOD HOVERED OVER THE FACE OF THE WATERS, v. 2.) before God had created heaven and earth, since Christianity holds that everything was created from nothing - *ex nihilo?*

3. AND GOD SAID: 'LET THERE BE LIGHT'. AND THERE WAS LIGHT ... AND GOD DIVIDED THE LIGHT FROM THE DARKNESS (v. 3,4).

Voltaire. The account agrees with that of Zoroaster and the early Persians, who also divided light from darkness. Zoroaster went further, making darkness and light enemies, — which is 'une allégorie sensible et d'une philosophie profonde'.

Calmet. The text says GOD CREATED LIGHT, not God created darkness. By creating light, the separation from that which is opposite to and incompatible with it became 'une opposition de nature'.

Châtelet. The creator of all things here deigns to tell man how he made his great work and tells it as if he knew no physics. Every child knows that darkness cannot be separated from light as if they had ever been mingled, as if darkness were something real and not simply the absence of light.

Voltaire. The account is, indeed 'contraire à toute physique et à toute raison'. But then, the ancient world did not believe that it was the sun which gave light; it thought the sun simply moved the light around.

4. AND IT WAS EVENING AND IT WAS MORNING, ONE DAY (v. 5).

Châtelet. Since the sun and the moon were only created on the fourth day, how can the text speak of 'days' before then?

Calmet. 'Le jour artificiel', the created day, is made of one day and one night. Out of the natural state of day (light) and the natural state of night (darkness) a day and a night were formed.

5. AND GOD SAID: 'LET THE EARTH PUT FORTH GRASS, HERB YIELDING SEED AND FRUIT-TREE BEARING FRUIT AFTER ITS KIND' (v. 11) AND GOD SAID: 'LET THE EARTH BRING FORTH THE LIVING CREATURE AFTER ITS KIND' (v. 24).

Châtelet. Surely the earth cannot bring forth creatures.

Calmet. The Egyptians believed that the elements combined to bring forth creatures. Moses gainsays 'les erreurs des Egyptiens' by stating expressly that the fruitfulness of the earth and of creatures is given to them by God.

6. AND GOD SAID: 'LET US MAKE MAN IN OUR IMAGE'... MALE AND FEMALE CREATED HE THEM (v. 26,27).

Châtelet. Two things are worrying. 1) that Chapter 2 tells us how man and woman were made, although man had been created in the account in Chapter 1, MALE AND FEMALE; 2) the two accounts suggest that Adam was not the first human being, which is what the Preadamites think.

Voltaire. Chapter 2 is simply an extended account, giving details of events related in Chapter 1.

Calmet. Isaac de Pereire, a Calvinist, wrote a much debated book, *Des Préadamites,* in 1652. His thesis is that man was one of the creatures created on the sixth day, whereas Adam was the man created in the Account in Chapter 2. Much earlier, the book *Cozai* referred to Indian monuments as old as one hundred thousand years.

7. Ch. 2 THE LORD GOD FORMED EVERY BEAST OF THE FIELD, AND EVERY FOWL OF THE AIR, AND BROUGHT THEM UNTO THE MAN TO SEE WHAT HE WOULD CALL THEM (v. 19).

Châtelet. One would have to believe that one name was more fitting than another, as if all language were something other than 'une chose de pure convention'.

Voltaire. What a rich language that must have been, to express all the properties of creatures. The word for horse would have to denote a quadruped, with mane and tail, neck and withers, speed and strength. What a pity that so fine a language is totally lost.

Calmet. Naming entails 'une connaissance parfaite de la nature des choses' and dominion is exercised by naming.

8. AND OUT OF THE GROUND THE LORD GOD MADE TO GROW EVERY TREE THAT IS PLEASANT TO THE SIGHT, AND GOOD FOR FOOD, THE TREE OF LIFE ALSO IN THE MIDST OF THE GARDEN, AND THE TREE OF THE KNOWLEDGE OF GOOD AND EVIL (v. 9). AND THE LORD COMMANDED THE MAN, SAYING: 'OF EVERY TREE OF THE GARDEN THOU MAYEST FREELY EAT, BUT OF THE TREE OF THE KNOWLEDGE OF GOOD AND EVIL, THOU SHALT NOT EAT OF IT' (v. 16,17).

Calmet. The Emperor Julian thought that the whole account of the temptation is a fable, perhaps because, in the Greek religion, everything is fable.

Voltaire. I agree with the Emperor Julian that it would have been wise to command man to eat; 'la défense était tyrannique et absurde'. One might as well say that man was given a stomach to prevent him from eating.

Châtelet. Is it one tree of two? Interpreters have wondered about this first commandment and its strange prohibition; 'cela paraît un pur caprice de Dieu'.

9. Ch. 3 NOW THE SERPENT WAS MORE SUBTLE ... AND HE SAID UNTO THE WOMAN: 'YEA, HATH GOD SAID: YE SHALL NOT EAT OF ANY TREE...? (v. 1)

Calmet. Moses was telling a kind of parable, a story which the people knew, one in which the euphemism 'serpent' denoted 'le démon'. Cajetan thinks it is an allegory, showing what went on in the mind of the woman.

Châtelet. Some say it is an allegory. Why not say straight out that it is a dream. To understand the story of the creation we need to have recourse to allegory and to fallen angels, it seems. Otherwise we might think that God had given reason and speech to the serpent so that it could tempt man, having indeed, created the serpent for that purpose.

Voltaire. The conversation between the woman and the serpent is not presented as supernatural, as a miracle or as an allegory; there will be a talking ass later; antiquity had the animals speaking, for instance the fish Oannès.

10. AND THE SERPENT SAID UNTO THE WOMAN: 'YE SHALL NOT SURELY DIE, FOR GOD DOTH KNOW THAT IN THE DAY YE EAT THEREOF, THEN YOUR EYES SHALL BE OPENED, AND YE SHALL BE AS GOD *(ELOHIM)* KNOWING GOOD AND EVIL' (v. 4,5).

Calmet. Knowing good and evil as the devil (serpent) says is indeed to be like God; to know good from evil signifies 'une parfaite connaissance de toutes choses', as it does in the Odyssey and in other profane literature. The Jews have a story that the angel Raziel brought a book of wisdom to Adam, which he alone could read and understand. The angel instructed Adam not to use it, but rather to worship God; and, it says, Adam only ever consulted it to have knowledge of 'les choses les plus cachées'. As for the Hebrew *ELOHIM,* it can mean God, gods, princes, angels, judges; here, it probably means 'angels'.

Voltaire. To say that YOU WILL BE LIKE GODS refers to angels only makes for complications. It is evident that the whole account is 'dans le style d'une histoire véritable et non dans le goût d'une invention allégorique'. That it is meant to be taken as a true account can be seen from the punishment of the serpent, to go on its belly and eat dust — not that it does this — and of the woman, her pains in labour — not that this is always the case. 'On le croyait, et cela suffit'; 'c'est assez que l'auteur sacré se trouve communément véritable'.

Châtelet. To have to explain the fall in terms of fallen angels is most unsatisfactory. 'Cette chute des anges est un conte'. There is nothing about it in Genesis, yet ninety-nine per cent of Christians believe that this story 'sur laquelle est fondée la promesse d'un rédempteur' is, in fact, there, — which just shows how important it is to study the text in this way. And why punish the serpent, anyway? Either it is the instrument of God or of the devil or else it is an animal, so why should God be angry? If the punishment is intended for fallen angels, what do they have to lose? And crawling on their belly can hardly apply to fallen angels...

Calmet. In the Bible, animals are punished as if they had committed a sin 'avec choix et avec liberté'; it is also a punishment for man, to show him that his deeds affect creatures not endowed with reason.

11. AND THE LORD GOD CALLED UNTO THE MAN AND SAID UNTO HIM: 'WHERE ART THOU?' (v. 9).

Châtelet. God asks Adam where he is, as if he did not know, and Adam makes excuses for his crime 'comme s'il avait à répondre à un homme qu'il put tromper'.

Voltaire. One seems to be watching a powerful master with a disobedient servant, again in the style of a true story. Anthropomorphism, 'le Seigneur parle, le Seigneur se promène' was common in antiquity and was, apparently, the only way God could make himself known to man, 'ayant fait l'homme à son image'.

12. AND THE LORD GOD SAID: 'BEHOLD THE MAN IS BECOME AS ONE OF US, TO KNOW GOOD AND EVIL' (v. 22).

Châtelet. Here, God lowers himself to mock Adam.

Voltaire. It is 'une ironie amère'.

13. THEREFORE THE LORD GOD SENT HIM FORTH FROM THE GARDEN OF EDEN, TO TILL THE GROUND FROM WHENCE HE WAS TAKEN (v. 23).

Châtelet. The punishment of Adam and Eve seems to be 'fort au delà de leurs crimes', and the whole human race has to bear the punishment of the original sin; which makes it difficult 'de sauver la conduite de Dieu du reproche de malignité et d'injustice'.

Voltaire. The crime, eating 'du bois de la science du bien et du mal' has earnt the human race the torments of hell — except that the Pentateuch has nothing about damning the human race, no hell, no immortality of the soul, nor other 'dogmes sublimes' only elaborated very much later. Such notions have only come into being 'en interprétant les Ecritures et en les allégorisant'. The only punishment meted out by 'l'auteur sacré' to man was that he would eat his bread by the sweat of his brow.

14. Ch. 6. The Flood. ..AND THE SONS OF GOD SAW THE DAUGHTERS OF MEN THAT THEY WERE FAIR. (v. 2) AND THE LORD SAW THAT THE WICKEDNESS OF MAN WAS GREAT ... AND IT REPENTED THE LORD THAT HE HAD MADE MAN ON THE EARTH (v. 5,6).

Châtelet. The Flood would seem to be due to the fact that sons of God married the daughters of men. Some say the sons of God were demons, others that they were angels. It is all very embarrassing.

Voltaire. The whole ancient world had tales of children born of gods and men and women; St Ambroise and others think that they were angels and that their children were not giants but demons. As to the Flood, we have accounts of a number of Floods, one at the time of Xissutre, the Chaldean, one at the time of Noah, which none but the Jews knew about, those of Ogyges and of Deucalion, famous among Greeks and of Atlanta, mentioned by the Egyptians.

Calmet. Indeed the sons of God may have been the descendants of Seth, of Cain or of angels. Plato tells us of Heroes descended from gods... But this 'erreur' of the pagan world, however ancient, cannot be used to support another misunderstanding. The fact that men were punished proves that men alone were guilty.

Châtelet. Whatever the explanation, God carried out his design to drown mankind 'de la façon la plus barbare', without warning and without giving men a chance to repent their ways. We must be a great deal better than those early men, since, to save us, God sent his only son.

15. Ch. 7 AND THE LORD SAID UNTO NOAH: 'COME THOU AND THY HOUSE INTO THE ARK.. OF EVERY CLEAN BEAST THOU SHALT TAKE UNTO THEE SEVEN AND SEVEN, EACH WITH HIS MATE, AND OF THE BEASTS THAT ARE NOT CLEAN, TWO, EACH WITH HIS MATE'. (v. 1,2).

Châtelet. The distinction between clean and unclean was surely one which was not known until the law of Moses was given, several centuries later.

Calmet. The account here probably refers to 'those later known as clean and unclean'. It is also possible that at that time sacrifices made such distinctions. This would make sense, even if the Book of Genesis were written by Moses after the giving of the law.

Voltaire. Xissutre built an ark and it held a lot more people than did Noah's.

16. ..ON THE SAME DAY WERE ALL THE FOUNTAINS OF THE GREAT DEEP BROKEN UP, AND THE WINDOWS OF HEAVEN WERE OPENED (v. 11).

Voltaire. Some people have doubts about these fountains. The Jews took these 'idées grossières' from the Syrians, the Chaldeans and the Egyptians.

Calmet. Moses wishes to convey that the Flood brought the world back to the state it was in at the moment of creation. The terms used here are the same ones used in the first Chapter, v. 6,7.

17. AND ALL FLESH PERISHED THAT MOVED UPON THE EARTH (v. 21).

Châtelet. Why drown all the creatures in the sky and on the earth because men were wicked? 'Cela ne paraît ni conséquent ni juste'. God did not lack the power to save them, since there can be no greater miracle than a universal flood. One cannot hold that animals are machines without contradicting Scripture; God treats them as if they were 'raisonnables' throughout: He curses the serpent; animals are told in the beginning, as man is, to be fruitful and multiply; after the Flood, when God forbids man to shed blood, he forbids them to eat the blood of animals and, when Noah, his family and all the animals, including the serpent, leave the ark, God makes a covenant with Noah and with the animals; later in the Bible it is stated that a bull which has gored a man is to be stoned; in the last of the ten plagues in Egypt, the first born of men and of beasts die. At all times, man is treated as *primus inter pares* which makes it 'fort injuste' to punish animals for the sins of men.

Calmet. Should we assume that animals are intelligent and 'raisonnables' because they are treated in the same way as human beings, even punished as humans are? 'Non, sans doute'. The Egyptians worshipped animals and the Hebrews, 'peuple grossier', living in the midst of the most superstitious of nations, the most indulgent towards animals, took over some of this belief. It was to counteract it that Moses instituted animal sacrifices, to combat the idea of the animals' immortality and of their divinity.

Voltaire. God does indeed make a pact with the animals, just as he does with man. Tigers, lions, bears and the House of Jacob have not kept the pact.

Châtelet. It is difficult to understand how the Flood could have been possible, physically, in terms of the quantity of water required alone. Scripture gives a specific description, lest one is tempted to explain it by saying that it is a miracle. St. Cyril says that God had kept these waters back, in the firmament, for the Flood. If we follow this Church Father, then God, when he created man, created the waters in which to drown him. 'Et voilà à quoi on est réduit quand on veut expliquer l'Ecriture'. St. Augustine avoids the difficulty by saying that the authority of this book, the Bible, is greater than man's capacity to understand it.

Calmet. On the question of the miracle of the Flood, it should be stated that God 'ne peut ni vouloir ni faire ce qui est contraire à la raison et aux lois éternelles de la nature'.

18. Ch. 8 AND HE SENT FORTH A DOVE FROM HIM, TO SEE IF THE WATERS WERE ABATED (v. 8). AND THE DOVE CAME TO HIM AT EVENTIDE, AND LO IN HER MOUTH AN OLIVE LEAF FRESHLY PLUCKED (v. 11).

Châtelet. This is impossible. After such a long time under water, most of the trees must have died; in the remainder, the sap would have been held back for months.

Voltaire. Bérose, the Chaldean, tells a similar tale of the dove. Some say that the Jews took it from Bérose, although he was writing at the time of Alexander. They say that the books of the Jews were not known to any other nation. A people as small as the Jews, they say, and as ignorant, which never even journeyed as far as the sea, must have imitated and copied from its neighbours; it could hardly be one which others would copy. They say that its books were written much later and that Bérose probably found the story of the Flood in old Chaldean books, which may have been the source for the Jews as well. — But, of course, all this is speculation, not to be believed...

19. Ch. 9 I HAVE SET MY BOW IN THE CLOUD, AND IT SHALL BE FOR A TOKEN OF A COVENANT BETWEEN ME AND THE EARTH (v. 13).

Calmet. There must have been rainbows before the Flood, since they are caused by the refraction of the rays of the sun in raindrops. From the 'signe naturel' that it was, it was made to be 'un signe surnaturel'. Homer and the poets had some knowledge of God's covenant with Noah, seeing Iris as the messenger of the gods, even when it was to warn men of misfortune.

Voltaire. The sacred text does not say: 'The bow which is in the clouds will henceforth be a sign', but 'I SHALL SET MY BOW IN THE CLOUDS', which leads one to suppose that there had not been any rainbows before. This has led to the supposition that, before the universal flood, there had been no rain, since a rainbow is formed by the rays of the sun refracted and reflected in raindrops. Once again it is clear that the Bible was not given to us to teach us physics or geometry.

Châtelet. God tells Noah that he will set his bow in the sky in order to assure him that there will never again be a Flood. It is evident that the rainbow is nothing but the refraction of the sun in a raincloud and that, therefore, Noah and his sons must have seen it on several occasions. Moreover, rainbows do not appear every time it rains, but only when the sun is at a certain height above the horizon. A sign which is intended to reassure man about a universal Flood should surely appear every time it rains; there is no reason to fear a flood more on some occasions than on others, particularly since the rainbow is not there at times of heavy rain. What is more surprising is that God sets the bow into the clouds not only to reassure Noah, but to remind himself never again to drown mankind (Ch. 9, v. 16). The rainbow is one of the 'absurdités' which followed on the Flood. It is also amazing that Noah, his children and most of the animals did not die of the infection which the limestone must have set off in the air. Land which has been flooded would not be habitable for animals of the kind we know for at least a year.

These short extracts from the three commentaries offer a number of interesting pointers. Madame du Châtelet's text is perhaps the most ingenuous: God should have shown the rainbow more frequently; he should not have punished the animals, since they were innocent; these comments characterise her attitude, while her physicist training baulks at the unscientific state of the Biblical universe. The impression that she could have made a rather better job of the events related and of the narration is hard to resist. Voltaire's comments are clearly more sophisticated. He will, on occasion, accept a clerical explanation: he agrees, for instance, as a scholar, that the plural 'gods' is not in itself, evidence of polytheism. What he objects to lies beyond the text, the veracity, the originality and the authenticity of the accounts. In order to attack these, he constantly stresses that other nations have similar accounts, even similar details, even similar linguistic usages, implying that one cannot justify reading specific teachings into this text or look for hidden meanings in these words, since they are in no way unique. Hence his insistence that the narrative is intended to be 'véritable', to be taken at face value only. Once this is accepted, inconsistencies and surprising statements, — for instance forbidding man to partake of the tree of knowledge when one might expect a positive command to partake of it — undermine the traditional respect for the text, a respect already shaken by the historical comments. Dom Calmet alone defends where the other two attack. His theology aside, it is interesting to note that he, too, is something of a *philosophe* as is clear from such statements as that God cannot ever go against the natural order, with its implication that, to offer explanations in terms of miracles is to deny an essential harmony between nature and the divine. He, too, makes references to parallel accounts and sees his classical scholarship as helpful in understanding this text from the ancient world; in his case, however, the relativism, which proved so effective to the anti-clerical *philosophes,* is made to serve the Biblical text, to demonstrate that it has improved or refuted ideas underlying other versions of the events related.

All three sets of comments have a scholarly basis. All three commentators seem to use the Biblical text as a sounding board for their particular image of religion. In spite of their very different aims and attitudes, the criteria all three apply to the Biblical text are the criteria of the Enlightenment, evidence of the pluralism within the Enlightenment on the subject of Biblical criticism.

ICONOCLASM IN THE LANGUAGE OF VERLAINE'S CORRESPONDENCE

by

KEN GEORGE

The 'mépris des convenances' that Antoine Adam detected in Verlaine's facial expression, and the 'mépris des bons principes' he noted in the vocabulary of some of the poems, find a parallel in the language of his letters[1]. If Verlaine's copious correspondence is extremely revealing about the man and the poet, it also reveals a great deal about his relationship with the French language, in ways that are not always perceivable in the poetry. These letters, whose recurrent themes are his writing, his lack of money and his poor health, are characterized by a freedom, indeed a licence, unfettered by considerations of prosody or style. Of course there is the occasional very formal letter (such as his early teenage missive to Hugo), and the first stage of a relationship is normally marked by a relatively high degree of formality. But as a general rule, in communications with long-standing correspondents the tone is colloquial and the vocabulary frequently non-standard, sometimes perversely so.

The evolution of Verlaine's friendship with Cazals is particularly interesting in this respect, in that the language reflects exactly the formal beginnings, followed by an attempt at familiarity on Verlaine's part ('tu' replacing 'vous'), followed in turn by a reversion to an uneasy formality (back to 'vous'). An embarrassing 'malentendu' in early 1889 leads to a hesitant letter in which Verlaine writes first 'venez' then 'viens', and finally

1. My examples come from the following sources: A. VAN BEVER, *Correspondance de Paul Verlaine* (3 vols), Messein, Paris, 1922-29; G. ZAYED, *Lettres inédites de Verlaine à Cazals,* Droz, Genève, 1957; IBID., *Lettres inédites à Charles Morice,* Droz, Genève/Paris, 1964.

to a permanent 'tutoiement' accompanied by the unbuttoned use of such aberrant forms as 'mouchechoird' (= mouchoir), 'finite': 'Je travaille ferme. Proses finites' (8/2/89), the adverb 'affectuosissimement', the snook-cocking 'gagadémiciens' (= académiciens) and the preposterous adjective 'turris-eiffelica-ora-pro-nobisesque': 'Avec la «Science» *turris-eiffelica-ora-pro-nobisesque* [...], comment faire entendre et lire les pourtant si intéressantes réfutations, les si fulgurantes clartés dont dispose la Seule Eglise?' (25/8/89).

The following selection of letters to Cazals (whom Verlaine sometimes refers to as A.F.C.) is intended to represent the linguistic diversity —and incidentally also the main themes— of the correspondence as a whole.

Paris, le 2 Août 88

Mon bon Cazals

J'espère vous voir, dès que vous aurez reçu ceci, le plus tôt possible, à cause du portrait, et du plaisir avec lequel vous savez que je vous verrai tous les jours à partir d'1 à 3.

Croyez, cher ami, à ma vieille affection.

P.V.

Ma dernière production est celle-ci: dernier vers d'un Envoi de la Ballade intitulée *Ballade à propos de tout:*

«Peau de balle et balai de crin.»

T.S.V.P.

A propos de portrait, comme vous seriez gentil de me donner votre photo (en russe si possible, ou autrement). J'ai une belle (?) photo mienne qui sera à vous dès que viendrez. Quant à moi bébé, nous en ferions une affaire avec ce terrrrrible Tellllierre, de même que pour la biographie et le donc portrait de votre tout à vous

P.V.

En attendant, voici le mien de portrait, par MOI.

Le 29 7bre 88

Cher ami, De retour à 4 heures. Pas, naturellement, trouvé France qui est «à la campagne». Je suis persuadé, ai-je besoin de vous le dire? qu'il n'y a rien de votre faute dans le manque si exceptionnel de *punctuality* dont vous voici *doncques* coupable!!!! (et ce que j'en triomphe, ce n'est rien que de le dire).

Mais, au fait!

Vous vous souvenez peut-être qu'invités, vous et moi, chez Raynaud, Lundi 6 heures. Ivry, 115 r de Paris.

Mardi vague rendez-vous, moi, avec Lepelletier: à quelle heure, ne sais! J'attends sa réponse à mon télé.

Seriez gentil de, dès ceci reçu, vous préparer à venir vers des 4 heures, près du *baptistère* (gauche en entrant) de la chapelle de la rue d'Arras. Nous mijoterions le plan de notre journée de Lundi —portrait et nouvelle à parfaire, mêlés— puis voyage pour ce Raynaud.

N'est-ce pas?

Tâchez demain *dimanche* de ne pas trop laisser seul avec son ennemi l'Ennui

Votre bien affectionné
P. Verlaine.

— Ou un mot, n'est-ce pas?
Post scriptum *d'après* la lettre (pardon).
Je crains que *mijoter* ne soit un verbe neutre. Par conséquent *mijoter un plan* me paraît un soléciseum, prononcerait l'Anglais. Mais, n'est-ce pas, enfin,

Point n'en ai cure et peu m'en chault

Encore une fois, la main (et à demain?)

P. Verlaine.

Mercredi, 20 fév. 89

Commissions pour A.F.C.:

Acheter le *Paris* du 15 Février —réclamer la 2e édition de *Nos Poètes.* Copier dans *Lutèce: Café de lettres* et *pro justitia,* et dans *Mémoires d'un Veuf: Formes* (pour servir d'épigraphe aux *Manques de formes,* que je refais de mémoire) et caetera.

Les «Vers verts» avancent dare dare.

La Ballade aussi. Trouvé 6 nouvelles rimes en *vance.* Quel est le sens de *chevance* si ça existe toutefois. Voir ça dans le gros dictionnaire du *France preume,* près de la grotte.

Le *Novice* aussi. —

Rien encore reçu de B..., ni lettre, ni télégramme. Nulle autre lettre un peu importante. 1 volume de vers d'un ami de Jullien. Lettre de celui-ci où il me parle de tout excepté de Jeanne. — J'attends toujours. Oiseau sur la branche, bec dans l'eau, cul entre deux selles, et toutes idoines métaphores.

Si demain ne m'as pas vu r Jacques à midi au plus tard, viens donc boire le coco traditionnel en ce Broussais de merde.

Ou écris à Ton fidèle
P.V.

Mardi, 5 Mai [1889]

Mon cher ami,

Décidément nous ne devons nous voir que le moins possible. Nos caractères, sinon nos cœurs, sont incompatibles et tout nous l'a prouvé dès mon entrée à Broussais.

Néanmoins nous avons des intérêts littéraires communs. Mon âge et mon nom me commandent d'en avoir plutôt soin. Je promets d'y présider aussi soigneusement que de droit.

Donc nulle crainte de ce côté et dès que mon ami Cazals aura besoin de moi dans la limite nécessaire, il n'a qu'à s'adresser à

Son

P. Verlaine.

P.S. Comme il est de mise de ne rien reprendre de ce qu'on a donné, prière de la part de P.V. à A.F.C. de rendre les croquis récemment confiés une fois utilisés.

Dimanche [8 septembre 1889]

Cher ami, Nulle lettre du *Figaro.* Que c'est emmerdant! Vois ce que faut faire. Demain j'écrirai. Peut-être ferais-tu bien de passer et d'envoyer à moi, selon le projet primitif. J'écrirai dans ce sens.

Suis à la fin de ma «cure», d'ailleurs peu réussie, mais je la continuerai à Broussais et à Vincennes, bravement, — tandis que mes affaires de librairie se feront. *La Plume* qui me parvient contient un Vanier suave: te l'envoie avec bo distique et bo renvoi miens en exergue.

Reçu *Ch. Husson.* Pas de lettre tienne.

Irai cette après-midi temple protestant où espère relancer ce Lods-là. (S'il pouvait me payer l'apéritif après le sermon, quel bath homme ce serait!)

As-tu reçu l'*Avenir d'Aix?* Conserve l'exemplaire le plus corrigé.

Envoyé à Mme J. à qui écrit hier.

Tout seul à la pension. Mange avec ma propriétaire et son fils, un jeune homme très bien.

Vu Blémont hier qui m'a un peu fadé, sans quoi?

— Enfin, j'écris au *Figaro.* — Et j'écrirai bientôt à Broussais.

Ça dépendra de ce que le D[r] me dira demain. Peut-être suis sur mon retour.

Es-tu allé chez les Agrech? As-tu vu mon garibaldien et sa femme, très aimables?

Ton

P.V.

Décidément j'écris à Bonnetain, le priant, si on ne m'a pas envoyé la somme aujourd'hui pour demain (c'est aujourd'hui Dimanche) que tu iras *lundi* ou *mardi* au plus tard chercher de ma part l'argent —

Du coup, «littératures» à demain. Et SIVRY?

J'écris lettre sérieuse à Lepelletier. — L'as-tu vu?

— Je lui parle amicalement mais ferme. Vas-y donc plutôt Lundi, je suis très embêté.

Narre donc moi ta discussion syntaxyque avec B.

As an illustration —apparently trivial but in fact significant— of the absence of stereotype, here is a sample of valedictory expressions taken from letters to Léon Vanier, Edmond Lepelletier and Cazals: 'A vous', 'Bien à vous', 'Tout à vous', 'A vous de cœur', 'A vous cordialement', 'Bien cordialement', 'Mille cordialités', 'Votre bien cordial', 'Votre tout dévoué',

'A bientôt donc', 'Je vous serre les mains' (Vanier); 'Ton ami', 'Ton vieux dévoué', 'Ton vieux fidèle', 'Ton pauv'vieux', 'Bien à toi', 'Bien fraternellement', 'Mille amitiés', 'Mille poignées de main', 'Serre pince' (Lepelletier); 'Toute mon amitié', 'Ton affectionné', 'Ton ex «ennemi»', 'Ton interminable', 'Ton inébranlablement fidèle vieux frère', 'Bien tien', 'Mille fois à toi', 'A toi de tout cœur', 'Tuissimus', 'Tibi' (Cazals). Not for Verlaine the mechanically repeated conventional formula.

Let us look now at other examples of atypical usage in the correspondence. Starting with orthography (and leaving aside the question of misspellings such as 'çà' for 'ça'), we find many instances of a conscious departure from the norm. One of his crippling preoccupations, money, gives rise to correspondingly distorted forms: 'L'Argent! l'Ârgent, l'Ôrgent!' (21/10/87), 'à des fins d'*Hargent*' (21/2/92), 'Mais l'*arrrgent* avant tout, vous savez' (19/11/75). 'N'est-ce pas', abbreviated to 'pas', may acquire a circumflex: 'découpez celle-ci et envoyez-la moi dans votre très très prochaine lettre, n'est-ce pas, — pâs?' (30/9/83). Fanciful spellings include 'phortune', 'phaculté', 'phameux', 'aphaires' and 'inphâme', 'bo' ('mon bo Chapo', 28/8/89), 'boco' ('Je travaille boco', 4/9/89), 'voillage' ('Je «voillage» vertigineusement', ?/?/72), 'scillientifique' ('un système matérialiste «scillientifique»', 31/8/89). Certain others may also be influenced by regional accent: 'mes tindinces theïatrales' (29/8/87), 'les nuïnces du khoeur humain' (7/8/69), 'la «prudince»' (19/1/77). Repeated consonants (cf. 'arrrgent' above) are not unusual: 'Veux-tu jeudi matin m'attendre «cheux vous» *à onze et demie?* Sonnerai aux deux portes terrrriblement' (?/?/83), 'tous ses droits de citoyen frrrançais' (?/8/67).

Non-standard spelling is sometimes combined with other types of distortion, as in this letter to Cazals dated 21 September 1888: 'Attendu, après avis préalable et mon *nom* donné, au café d'à gauche au coin du passage Choiseul en arrivant par le bou*rrr*evard. Rin, Rin, Rin, jusqu'à mide et demi' ('rin' for 'rien', 'mide' for 'midi' are examples of phonetic reduction; 'bourrrevard' for 'boulevard' illustrates the age-old hesitation between 'l' and 'r' in popular and regional French, cf. North-Eastern 'porichinelle' for 'polichinelle', etc.). 'Amourses' for 'amours' ('Et les amourses?', 8/2/90) and 'versses' for 'vers' ('Quant à des versses... hélas! ous, je crois bien que j'en ferai toujours', 29/4/75) are further instances of non-standard pronunciation, cf. popular and regional 'alorss' for 'alors'. Other examples of sporadic distortion are 'perchechoir' (= 'perchoir', cf. 'mouchechoird' already quoted): 'je réparerais cet oubli de grande plume, sans cette chose, de ne pas savoir son *présent perchechoir*' (1/5/75), 'volumphe' (= volume), 'la Madelomphe' (= Madeleine), 'les Ardomphes' (= Ardennes), and the grotesque 'Le cinkre Maigre mil huit cingre quatre vingt ongre' (5/5/91).

Moving on to morphology, there is plenty of evidence in Verlaine's correspondence of a playful, even wilful attitude towards traditional word-form. 'Jeux de mots' such as 'nos gagadémiciens' (cf. 'Candidat à l'Agagadémie', 12/8/93) are frequent, and include 'illicompte' ('Seras payé *illicompte',* 27/11/75), 'infantilages' (= infantile + enfantillage), 'Stuttegarce' for 'Stuttgart', 'chedœufs' for 'chefs-d'œuvre', 'malapatte' for 'maladroit', 'vice versailles' ('la Littérature et l'amour immense [...] qu'il faut bien qu'on lui porte, console après avoir désolé (et vice versailles!)', 30/10/83) and the outrageous 'prépuscules' ('je vous attends demain [...] à partir de 4½ jusqu'à des prépuscules très longs. (Pardon!)', 2/9/84).

Making free use of derivation, Verlaine is happy to extend the process to proper nouns. On Mauté he creates 'mautétisme' (a kind of 'embellemerderie'), on Mérat 'mératien' and 'mératesque', on Vanier 'vaniéresque'. He even incorporates names of characters from literature: 'J'ai reçu hier ta bonne et un peu bien *juliensorelienne* lettre' (7/9/65), 'la tenue un peu bien doncesardebasanesque que m'impose la très, ô très sainte Dèche!' (20/5/89; on Don César de Bazan, in Hugo's *Ruy Blas*), 'Table d'hôte pas Astier-réhuesque' (23/8/89; on Astier-Réhu, in Daudet's *L'Immortel*). He is equally liberal in the creation of adverbs: 'jeunement', 'charmamment', 'reconnaissamment', 'canaillement', 'argentément', 'santément' ('Je suis plus dans la mélasse que jamais, argentément et santément', 5/10/86).

The following extract, from a letter written to Charles Morice on 21 October 1887, is typical of Verlaine's propensity to neologize: 'Brouillé avec le «Décadisme». Au fond je ne suis pas content de Mallarmé ni de Ghil [...]. Petites vieilles demoiselleries, perfidailleries, insinuationettes, etc... J'espère — car assez de vachaille comme ça, moi! — leur faire sentir, en face alors, ce mien bongarçonnisme excédé.' Earlier that year he had told François Coppée that 'Nos symbolents et autres décadistes semblent assoupis, sauf quelques exceptions' (15/12/87). Writing from England, he was to invent a whole series of derivatives on the root 'pion': 'J'attends encore le résultat de quelques propositions, entr'autres celle d'un directeur de «collège» [...], il se peut faire que votre ami se déguise [...] en pion pionnant de pionnerie' (25/6/73), 'Lectures immenses, promenades avec élèves (pas en *rangs,* tu sauras, —rien du pionnisme, ici,—) à travers de magnifiques meadows pleins de moutons' (9/4/75), 'Ma vie est follement calme et j'en suis content! Nul ennui aussi bien, et je crois t'avoir dit que rien de pionnard' (29/4/75), 'Nulle surveillance «pionnesque»' (14/11/77). The suffix '-issime' is well worked: 'A demain longuissime lettre' (2/9/89), 'Ecris à ou bien vite viens voir ton inquietissime P. Verlaine' (21/10/89), 'Ton amicalementissime vieux P.V.' (12/9/89), 'Tibissime, P. Verlaine', (?/10/82), cf. 'Amigo miissimo' (10/9/89).

Here is a further sample of his lexical inventiveness:

dissertatoire: 'En dépit de fourmillement de sujets, guère d'ardeur dissertatoire aujourd'hui.' (28/8/89)

plaçatoire, rangeatoire: 'Ai projets «plaçatoires»! et «rangeatoires».' (19/7/87)

habitudineux: 'Te faut, te dis-je, une saison d'ici après une saison à Broussais pour t'inciter aux habitudineuses relevées!' (24/8/89)

bâtondechaisesque: 'Ma bâtondechaisesque garce de vie de merde'. (29/8/87)

épatarouflance: 'Quand verriez Coppée, présentez-lui bien mes compliments et empruntez-lui pour recopier le *Faune,* et le *Tombeau de Th. Gautier* où il y a des épatarouflances du même auteur qui pourront m'être utiles dans mon étude.' (4/10/83)

lunerie: 'Farce détestable ou «service» cru rendu, je me perds en conjectures, à propos d'une telle... lunerie.' (?/8/87)

sériette: 'Je vais essayer de célébrer dignement la mémoire de l'auteur de tant de chefs-d'oeuvre dans un sonnet qui sera le dernier de ma sériette *Dédicaces.*' (24/8/89)

psychologiférer: 'Je ne me suis jamais senti disposé à psychologiférer.' (10/11/72)

pseudonymer: 'Pour complaire à Baju, que notre ami Paterne [...] ne se fait-il pseudonymer «Burnichon»? Paterne Burnichon marquerait bien sur un volume de prose.' (29/8/89)

golgother: 'Seulement au lieu de «souffrir» sur les hauteurs de Ménilmontant, je «golgothe» dans la plaine de Montrouge.' (9/11/86)

enwaggonner (s' —): 'Coïncidence, c'est à pareille date que l'an dernier, je m'enwaggonnais pour la Hollande.' (1/11/93)

travailloter: 'On travaillote toujours. Mais la *Revue Indépendante* ne paie pas ses dettes.' (11/10/87)

voyageotter: 'Vivotter, dans quelque province, ou, si je peux, voyageotter à petites journées par tout ce pays-ci.' (29/4/74)

charabiater: 'Mais non, je ne suis pas injuste pour Moréas. Il se fait si ridicule et «charabiate» tant et abrutit de pauvres garçons si tellement!' (24/12/91)

piédauculifier: 'Il est vrai que si Racot «piédauculifié» par Lemerre... La jolie société, bon Dieu!' (12/8/71)

coudepiedauculifier: 'Faudrait s'entendre par dessus la tête de ces gens-là, — puisqu'on ne peut pas s'en débarrasser et qu'au fond ils nous peuvent être utiles, mais à quel détriment de quelle tranquillité qu'on aurait si on était assez fort pour les coupdepiedauculifier «une fois», comme dit le Belge.' (27/1/91)

The *Trésor de la Langue Française* recognizes in its dictionary the historical interest of such forms, quoting 'charabiater', 'habitudineux' and 'lunerie' (though for 'golgoter' it has only a reference to the Goncourt *Journal,* 1889). The Institut National de la Langue Française (INaLF), in the series *Datations et documents lexicographiques,* also lists 'décadiste', 'pionnesque' and 'pionnerie'. However the examples quoted above predate INaLF's current documentation, which underlines the importance of private correspondence in the codification of a nation's lexical stock.

The informality of much of the correspondence is represented linguistically too in the form of abbreviation, another device by which standard morphology can be avoided. In addition to the familiar 'consomme' (= consommation) and 'occase' (= occasion), already well-established by the second half of the century, many of these abbreviations are of considerable interest since, like the neologisms, they are here attested for the first time in the history of the French language (e.g. 'redingue' in a letter of 1873: 'des hommes à redingues et en moustaches blanches'). Other examples are 'situate': 'Je m'épuise actuellement en démarches pour améliorer ma *situate*' (27/11/75), 'manusse': 'A très bientôt une autre lettre et le «manusse»' (16/5/73), 'invite': 'Invite pour printemps. Sérieuse, vous savez bien' (15/10/83), 'télé': 'J'attends sa réponse à mon télé' (29/9/88). Among forms ending in '-o' one finds 'camaro': 'Amitiés chez vous et aux camaros' (16/11/83), 'journalo': 'Il y a plus, un milliard de fois plus de confraternité à attendre d'un de ses pairs que du meilleur des journalos!' (7/4/88), 'symbolo': 'Classiques, romantiques, décadents, symbolos, assonnants ou comment dirai-je? obscurs exprès [...] font tous mon compte. Allez, poètes que nous sommes, aimons-nous les uns les autres' (?/8/87). *Sagesse* becomes *Sago:* 'Ci-dessous fragment de «Sago»' (23/5/87). He refers to Rimbaud as 'Rimbe': 'J'attends anxieusement la «rosée au suc» (dirait Rimbe)' (6/9/89) and to the Café François 1er as 'France preume' (20/2/89). There is even the occasional attempt to reproduce non-lexicalized reduction: 'Je ne lui souffle pas mot d'épreuves, turellement' (29/10/88), 'le poète passera plus tard, turellement' (1/9/89).

Verlaine further shuns conventional French in many of his letters by resorting to the alternative code represented by popular and slang usage. This takes the form of vulgarisms such as 'plus pire': 'Ces propos-là se tiennent généralement dans Regent Street, Soho, Leic. Sq. [...]. Il paraît que dans la Cité, c'est plus pire. J'irai y voir' (?/10/72), 'pour de rire': 'N'allez pas vous fâcher, au moins, Mossieu! tu sais bien que c'est pour «de rire»' (14/1/89), 'urger': 'Quand vous verrez votre frère et que vous y penserez [...] serez-vous assez gentil pour lui demander les numéros où il y a de la prose de moi [...]? Car ça «m'urgo» en vue d'un bouquin de Mélanges que je brasse pour de vagues printemps' (27/12/91), and idioms such as 'ni foutre ni mouille': 'Nulle nouvelle d'ailleurs de Vanier. Ni foutre ni mouille!' (26/6/89). There are numerous examples of popular grammar, for instance 'ouvrage' used as a feminine noun (cf. colloquial 'de la belle ouvrage'): 'J'aurai fini *«toute» l'ouvrage* de *Mes Prisons* lundi matin' (13/1/93), 'y' for 'lui': 'Quand tu iras chez Lemerre, «demandes-y» donc pour moi [...] un exemplaire du bouquin de Vermersch, l'*Infamie humaine*' (25/2/94). Verb forms include 'a mouru': '*L'Ordre* journal rrrépublicain rrradical, a mouru et s'est fusionné dans *L'Avenir,* un pâle organe thiérard' (3/9/75), 'faisez': '«Faisez» moi voir, scrongnieugnieu!' (?/12/91), 'disez': 'Quêque vous n'en disez?' (22/2/88) and the subjunctive 'soye': 'Faudrait que çà *soye* torché en un mois' (31/8/89). False liaison is indicated, tongue in cheek, in several letters: 'A demain, toi-z-et moi, — pas?' (1/9/89), 'Je suis-t-arrivé à bon port' (30/9/83), 'Nous apprenons l'anglais peu, mais avons assez de nos *quatrezieux* pour définitivement trouver cette ville-ci absurde' (10/11/72).

Uneducated pronunciation is represented by 'les ouveriers' (30/10/83), 'féverier' (7/10/83), '2 enqueriers' (4/9/89), cf. 'pourreriez-vous' (20/6/91); 'artisse' ('le milieu artisse', 15/4/73), 'tourisse' (25/8/89), 'publicisse' (14/11/77), cf. 'le protestantisse' (29/4/75). Metathesis, not infrequent in Popular French (cf. 'le fixe' for 'le fisc') is illustrated in the forms 'asquident' ('en cas d'asquident', 2/9/84) and 'sesque' (= le [beau] sexe: 'ma parfaite amour pour le «sesque»', 23/5/73). Vocalic elision in 'cette', again a popular Parisian feature, is exemplified in 'Ma mère [...] demeure toujours dans c't' impasse Fantastique' (27/11/75).

In his edition of the letters to Cazals, Georges Zayed states that 'Verlaine emploie rarement l'argot'. A close examination of the correspondence shows that this is not the case. Although the line between 'argot' and colloquial vocabulary is difficult to trace, especially at a century's distance, the following might I think fairly be described as 'argotique' in the second half of the 19th century:

> *braise, galette* money (cf. *galetteux:* 'tâche d'être galetteux', 8/8/91), *thune* coin, *rupin* rich, *dèche, mouise, mistoufle* poverty, *piocher, bûcher, turbiner* work hard, *crapser* die, *fader* dole out, *chiner* cadge, *calter, se faire la paire* run off, *flânocher* hang about, *serrer la cuiller* shake hands, *binette* face, *veine* good fortune, *nippes, frusques* clothes, *phalzar* trousers, *un bon vieux zig* decent fellow, *conneau* fool, *raide, bath* excellent (also written 'batte': 'je vous apporterai un Rimbaud «batte aux pommes»', 9/2/87), *vache* spiteful, *loufoque* crazy, *dare dare* at the double, *c'est kif-kif* six of one, half a dozen of the other.

There are also many examples of popular suffixation, including 'aminche' (ami), 'camarluche' (camarade), 'clodoche' (clochard), 'congemard' (congé), 'déménagemard' (déménagement).

The use of regionalisms is yet another departure from the norm. As well as Parisianisms ('Mais comptez sur moi «pour sûr» comme dit le Parisien', ?/4/84) there are echoes of North-Eastern French in, for example, 'Aime-moi encore plus et écris-moi *bontément,* comme dit l'Ardennais' (21/8/89), 'J'ai eu beau chercher et rachercher (ceci est artésien) partout' (14/1/89), 'Le médecin —un nouveau— me trouve facies bézarre (comme on dirait à Coulommes)' (18/8/86), 'Tâcherai tirer «yauque» (quelqu'chose) de ce Dujardin qui [...] sait très bien jouer du juge de paix vis-à-vis de ses débiteurs' (7/11/87; 'yauque', Latin *aliquid,* was once widespread in the region).

Verlaine even incorporates the odd English form into his letters, incidentally providing evidence of his less than perfect acquaintance with the language: 'Dès qu'il sut mes *intentcheunes* quittatoires, mon brave «employer» me promit hautes payes, et «plenty of confortabilities»: ce qui me décide à rester «till Christmas»' (27/11/75), *'mijoter un plan* me paraît un soléciseum, prononcerait l'Anglais' (29/9/88), 'Nouvelle et vers vont d'un train terrribeul' (25/10/88). Indeed, there are some early examples of 'franglais' which would have scandalized the Académie members of the day: 'Je demeure encore r de Vaugirard, 4, h de Lisbonne où quelquefois un ou plutôt 2 amis pourraient me venir enterviewer (pour mal parler)' (5/6/89), 'A bientôt lettre très longue moi aussi, vous explanerai projets et solliciterai avis' (26/10/87), 'la gentlemanlikery, voire le donquichottisme [...] qui décorent la plupart de mes pas et démarches passés' (29/8/87).

The Académie would have been shocked too by his repeated use of the archaism 'ès' followed by the singular form of the noun: 'Ne sais quand reviendrai ès vie normale' (30/9/87), 'S. travaille ès lingerie' (20/5/89), 'Aussi songer dès à présent à logis mien ès autre quartier' (28/8/89), 'Je compte sur toi pour m'attendre ès gare, à la sortie du train' (10/9/89). Even when he does use a plural form it is not always conventional: 'Tâche placer *abbé Anne* [...] ou autres proses ès journals payants' (13/9/89). Verlaine readily resorts to an archaic, or pseudo-archaic, vocabulary: 'Je travaille moult' (1/8/95), 'Je compte sur vous pour votre bonne visite sans faulte' (1/3/86), 'Apportez [...] des vers (volumes) de Silvestre, ou biographie d'icelui' (id.), 'Dédicaces va paraître. Vous savez que c'est par souscriptions. Il y aura des volumes à 20 et à 10. Propagandez emmy vos cognoissances et féaux pour le plus possible d'adhésions, je vous prie' (?/11/89).

His syntax is idiosyncratic, frequently breaking with tradition, witness these brief extracts: 'Je te commence ceci ce jourd'hui soir, attendu que «j'ai été sorti» toute la journée pour me désennuyer de pas de lettre ce matin. D'abord messe et vêpres, puis promenade énorme ès parc, rues et avenues. Dès quelques sous j'irai au lac du Bourget' (1/9/89), 'Nous démé-et-emménageons, ce qui exige de l'argent' (7/7/92), 'amis, connaissances, cousins-sines, oncles et tantes' (17/7/69), 'tout en souffrant jusqu'à en-évidemment-bientôt mourir' (?/9/72). He mocks the extreme formality of certain constructions by using them ironically in an informal context or in juxtaposition with a colloquialism: 'Je serais heureux que vous voulussiez bien m'avertir d'un jour *sûr* où je pourrai vous trouver' followed by 'Cordiale poignée de mains' (10/2/77), 'Quand j'aurai une sortie, je tâcherai d'aller vous voir, afin que vous m'auscultassiez et m'édifiassiez sur l'état de mon «pauv' coeur»' (27/5/87). The use of the past historic tense, especially in conjunction with 'tutoiement', is equally burlesque: 'Cher ami, Reçus-tu ma lettre dictée à L'Anglois ou es-tu malade au point d'ainsi disparaître, corps et bien?' (28/3/90).

Typically, constricted syntax is associated with financial stringency: 'Il s'agirait de faire une seconde publicité à *Sagesse* et d'insinuer adroitement qu'*Amour* ne lui sera donné que si moi content de cette resucée de *Sagesse,* — et sans moi débourser un sou bien entendu' (4/10/83), '*Trop* gêné pour le moment. Si vous moyen de tâcher moyen d'envoyer quelque renfort à Papa, vous serais reconnaissant, en même temps que honteux de vous persécuter ainsi' (20/9/84). What in a formal letter, such as that addressed to Heinemann in June 1894, is described as 'de très pressants besoins pécuniaires' becomes condensed informally to 'Moi presque plus le sou' (21/10/89). Requests for money are transmitted in telegraphic form: 'Dès un peu d'argent, envoie!' (23/8/89), 'Tâche quelques sous sinon boco' (29/8/89), 'Fais des argents, pas? Besoin, oh!' (19/8/89). 'Petit nègre' constructions such as this are at the opposite extreme from the elegant, carefully worked syntax of some of the *Sagesse* poems.

Thus, Verlaine avoids the use of standard, approved French in a number of ways. He disguises conventional orthography by adding an accent ('pâs', 'l'ârgent'), repeating a consonant ('journal rrrépublicain rrradical', 'perchechoir'), changing a vowel ('silince!') or an ending ('volumphe', 'Bruxoir', 'rue larochefouquel'). He indulges in word-play ('chedœufs', 'vice versailles') and in neologism ('splendidissime', 'pionner/-erie/-isme/-ard/-esque', 'projets plaçatoires et rangeatoires', 's'enwaggonner pour la Hollande', 'ta juliensorelienne lettre'). Traditional forms are frequently abbreviated ('commisse', 'explicate', 'mon procès en séparate', 'France preume'). He resorts to popular usage ('ça m'urge', 'demandes-y', 'faisez', 'le chemin ousqu'il y a l'Asile Evangélixe', 'le milieu artisse', 'essecuse la brièveté', 'l'hasard des affaires') and to slang ('aminche', 'bath', 'turbin', 'galetteux', 'la mouise', 'fader', 'calter'). Occasionally too he will use a regionalism ('rachercher', 'cheux nous', 'copaing') or a pseudo-Anglicism ('confortabilities', 'gentlemanlikery'). Turning to the past for material Verlaine revives 'ès' (not always with a plural noun), 'jusques à', 'doncques', 'faulte', 'monnoyes' ('Timbres... et toutes petites monnoyes'). Finally, he distorts standard syntax by refusing to respect conventional patterns ('jusqu'à en-évidemment-bientôt mourir', 'Et comment allez-donc-vous depuis les temps?', 'Narre donc moi ta discussion') or by omitting a verb ('Moi presque plus le sou'), parodying extreme formality by his use of the past historic tense in conjunction with inversion ('Allâtes-vous à Ivry?', 'Retournâtes-vous chez Mallarmé?', 'Vîtes-vous Blanchet?', 'Lûtes-vous l'article?', 'Reçus-tu ma lettre?').

The rigours imposed upon him by day-to-day existence —literary creation, poverty, ill-health, unsuccessful human relationships, above all the failure to come to terms with himself— all find expression in the language of his correspondence. Material privation caused him acute embarrassment which in turn produced stilted, tortuous language in the form of broken syntax and disguised orthography. However, his desperation and impatience also found relief in extravagant outbursts against the established order, through the means of 'jeux de mots' and neologisms. If he could not manipulate life at least he could manipulate language, and from time to time seek refuge in the relative comfort of popular, regional and archaic usage which represented no threat to him. If Verlaine had any power it was his power over words. But word-power can subvert as easily as it can salute. He does pay his respects, amply, in much of the poetry, though of course there is a great deal that is unconventional here too (to give just one example, the placing of an adverb before the verb: 'toujours poudroie', 'doucement tinte', 'tristement luisaient', etc.) but it is essentially in the correspondence, the only evidence we have of Verlaine's non-public use of language, that we see the subversive element at its most unbridled.

It would no doubt be simplistic, given the variety of tone and register in these letters, to distinguish between Verlaine's literary *œuvre* and his correspondence in terms of the 'raffiné'/'vulgaire' opposition so often made with reference to his life and work. Or to suggest that he is 'vraiment sincère' in the former, 'vilement sincère' in the latter. He himself talks, in a letter to Cazals, of his 'caractère horrible mais, au fond, exquis'. It is true that there is much that is 'exquis' in the poems and much that is 'horrible' in the letters. True also that, to quote Saint-Pol-Roux's judgement of the youthful Verlaine: 'une constante hésitation entre la chapelle et le cabaret', there is precious little of the 'chapelle' in his correspondence.

But surely Jules Renard's description of Verlaine's epistolary style is fundamentally misguided: 'Son style: une désagrégation, une chute de feuilles d'un arbre qui se pourrit'. First of all the letters were written with no thought of publication in mind, but more significantly Renard failed to see that, far from leaves falling there were new leaves growing. Verlaine's linguistic inventiveness engendered growth which was indeed of a different strain from the main stock from which it derived, yet whose variegated, sometimes bitter foliage was sufficiently vigorous to enable the tree to survive independently of the forest which produced it.

LA FIN DE *SALAMMBÔ*

by

ANNE GREEN

> La rage de vouloir conclure est une des manies les plus funestes et les plus stériles qui appartiennent à l'humanité. Chaque religion et chaque philosophie a prétendu avoir Dieu à elle, toiser l'infini et connaître la recette du bonheur. Quel orgueil et quel néant![1]

Flaubert gardera pendant toute sa vie cette méfiance à l'égard du procédé téléologique et de l'idéologie qu'il implique. Son horreur des «gens légers, bornés, des esprits présomptueux et enthousiastes [qui] veulent en toute chose une conclusion»[2] apparaît dans les dénouements de ses romans, dénouements ambigus qui refusent de tout expliquer. Mais le cas de *Salammbô* reste quelque peu exceptionnel: un examen de la fin du roman carthaginois nous offre un aperçu particulièrement pertinent des attitudes et des croyances de son auteur.

Selon le témoignage de sa *Correspondance,* Flaubert n'envisagea aucun problème pour ce qui est de la fin de *Salammbô.* A plusieurs reprises il écarte la question du dernier chapitre. «Je ne compte pas le dernier, qui aura dix pages tout au plus et ne fera qu'un tableau», écrit-il;[3] et en effet, lorsqu'il parle de son «dernier chapitre», c'est toujours à l'avant-dernier qu'il fait allusion. Si le chapitre final «ne compte pas» pour lui, ce n'est pas

1. *Correspondance,* édition du Club de l'Honnête homme, Paris, 1975, III, 179 (Mlle. Leroyer de Chantepie, 23.10.1863.)

2. *Corr.* II, 581 (Mlle. Leroyer de Chantepie, 18.5.1857).

3. *Corr.* III, 82 (J. Duplan, 25.9.1861).

seulement qu'il considère ce dernier «tableau» comme bien préparé, facile à écrire, peu problématique. Car dans un certain sens, l'histoire de *Salammbô,* tout comme celle de l'*Éducation sentimentale*[4], se termine effectivement à l'avant-dernier chapitre qui peint la fin de la guerre, la fin des barbares et la prise de Mâtho. Certes, les termes employés par Flaubert pour annoncer aux Goncourt qu'il est «à la moitié, à peu près, de [ce] dernier chapitre» (c.-à-d. ch. XIV), insistent sur son caractère final:

> Vingt mille de mes bonshommes viennent de crever de faim et de s'entremanger; le reste finira sous la patte des éléphants et dans la gueule des lions...[5]

Ce sens d'un achèvement ressort très nettement de la dernière section du quatorzième chapitre par une accumulation de sèmes de la clôture: après la prise de Mâtho, «une porte se referma, et des ténèbres l'enveloppèrent. Le lendemain, à la même heure, le dernier des hommes restés dans le défilé de la Hache expirait»[6]. Fermeture d'une porte, disparition de la lumière, dernier moment d'une vie. On voit bien pourquoi Flaubert l'aurait désigné son «dernier chapitre». Et pourtant, la vraie fin, la fin du roman, se fait attendre.

Tout comme la fin de la guerre qui est annoncée dès le septième chapitre[7], la fin du texte est nettement prévisible, bien qu'elle mette beaucoup de temps à devenir effective — effet qui sera souligné dans le dernier chapitre par de nombreuses allusions à l'attente. Salammbô, on le sait, meurt à la dernière ligne. Pourtant sa disparition se prépare à plusieurs reprises dans ce chapitre, et de plusieurs façons. Le texte commence à l'effacer dès sa première apparition, assise dans une attitude hiératique sur une espèce de trône taillé dans une carapace de tortue — effacement qui est encore plus remarquable dans les brouillons du roman[8]. Par la profusion de

4. Sur la fin de l'*Education sentimentale* voir PETER WHYTE, «Téléologie et ironie. Techniques de la clôture chez Flaubert», dans *Le Point final,* Association des Publications de Clermont II, 1984, p. 90.

5. Corr. III, 94 (Edmond et Jules de Goncourt, 2.1.1862).

6. *Salammbô,* edition du Club de l'Honnête homme, Paris, 1971, p. 226.

7. Les locutions, «la fin de la guerre», «la guerre était finie» et «la guerre terminée» apparaissent sept fois dans le roman, aux chapitres VII, IX, XI, XII et XIV.

8. P. 270, mais surtout BN n.a.fr. 23.662, fol. 54 (*/mot ajouté/; <mot rayé>*):

«On ne pouvait <pas bien>/il n'était pas facile de/ distinguer <comment elle était vêtue> /nettement son costume/. Les couleurs des <étoffes> /choses/ qui la couvraient <se reflétant> /se miroitant/ les unes sur les autres et se pénétrant. [<les larges broderies> l'étoffe disparaissait sous les broderies d'or, l'or sous les pierreries /diamants/ & les pierreries /diamants/ se confondaient avec les perles]. Des chevilles <à la ceinture> /aux hanches/ elle se trouvait prise dans un réseau de mailles étroites, figurant les écailles d'un poisson & qui luisait

détails descriptifs, par l'insistance sur les qualités visuelles de miroitement, se produit une sorte de dématérialisation: Salammbô disparaît derrière un amoncellement de tissus, d'ornements, tandis que sa parure même semble se désagréger, se défaire et se dissoudre en effets d'optique. «On ne pouvait pas bien distinguer comment elle était vêtue». Les contours disparaissent et les catégories se confondent: «Les couleurs des choses qui la couvraient se miroitant les unes sur les autres et se pénétrant [...] l'étoffe disparaissait sous les broderies d'or, l'or sous les pierreries [...] et les pierreries [...] se confondaient avec les perles». «Prise dans un réseau de mailles étroites» (tout comme Mâtho qui vient d'être pris dans un filet), «les genoux serrés — les coudes au corps» — Salammbô a été immobilisée. Son corps disparaît, des pendeloques couvrent les pointes de ses seins, des plumes de paon lui couvrent la tête, ses lèvres et les ongles de ses pieds se cachent sous leur peinture, et l'étoffe de son costume semble «se tenir tout debout», comme si Salammbô elle-même n'est plus là.

Si les brouillons accentuent ces présages textuels de la fin de Salammbô, ils font preuve également d'un effort de totalisation qui finit par se focaliser sur l'héroïne. Des mots comme «tout», «chaque», «entier» reviennent avec une fréquence remarquable, soulignant une finalité ainsi qu'une totalité. «Tout était fini» (fol. 36) «Puis tout disparut» (fol. 44), «tous les Barbares [sont] anéantis», «on aurait voulu un genre de mort où la ville entière participât, et que toutes les mains, toutes les armes, toutes les choses carthaginoises, et jusqu'aux dalles des rues et aux flots du golfe pussent le déchirer, l'écraser, l'anéantir» (269) — pour ne citer que quelques exemples. Évocation, donc, de l'anéantissement de tous les Barbares, de la fin de la guerre, ainsi qu'une totalisation de Carthage (son peuple, sa ville, sa province, sa religion) focalisée sur Salammbô:

comme de la nacre. <Puis> une large ceinture, bleue comme le <ciel> /firmament/ serrait sa taille mince <& ronde> <et montait> /montant/ jusqu'aux aisselles et laissait <à découvert> /apercevoir/ voir <deux> seins par deux échancrures <faites dans l'étoffe> en forme de croissant. <trois> deux longues pendeloques <de couleur> <de pierreries> <d'amulette> descendaient dessus & en couvraient /cachaient/ les <bouts> /pointes/. -- Des plumes de paon semées d'escarboucles lui couvraient la tête. (*Quelques mots illisibles*) ...manteau blanc comme la neige attaché par une seule agrafe <sous son manteau> /<menton>/ <se relevait sur les épaules — et> retombait derrière elle <par dessus le dossier du siège> — en accumulant des plis <par le bas> — & comme l'étoffe était raide les palmes d'or qui le bordaient semblaient <d'elles mêmes> se tenir tout debout.
Les genoux serrés — les coudes au corps — avec des cercles de diamants en haut des bras et les ongles des pieds peints en rose [<& les lévres en bleu>] elle se tenait ainsi <immobile> /toute droite/ dans une attitude <solennelle> hiératique. Les hauts éventails en *plumes* d'autruche emblème de bonheur céleste étaient tenus derrière faisant une coupole».

> Ayant ainsi le peuple à ses pieds, le firmament sur sa tête, et autour d'elle l'immensité de la mer, le golfe, les montagnes, et les perspectives des provinces, Salammbô resplendissante se confondait avec Tanit et semblait le génie même de Carthage, son âme corporifiée. (270-71)

De même que Salammbô représente Carthage, Mâtho évoque pour les Carthaginois «tous les Barbares, toute l'armée». Mais, le texte nous le dit dès le deuxième paragraphe du dernier chapitre, sa mort est déjà un fait, parce que «tous les Barbares [ont été] anéantis». Autrement dit, Mâtho en tant que Barbare est anéanti textuellement selon le syllogisme suivant: Mâtho est Barbare —tous les Barbares sont anéantis— donc Mâtho est anéanti.

De son côté, Salammbô, qui est Carthage, subit elle-même une disparition dans l'écriture puisqu'il est dit que:

> toutes les choses extérieures [c.-à-d. Carthage] s'effaçant, elle n'avait aperçu que Mâtho. Un silence s'était fait dans son âme, — un de ces abîmes où le monde entier disparaît sous la pression d'une pensée unique, d'un souvenir, d'un regard (273)

— mais c'est un regard sur un néant, puisque Mâtho est anéanti. Si chacun des deux personnages principaux est tué par et dans l'écriture avant leur mort anecdotique, le roman, qui est écriture, se condamne à l'arrêt.

Le processus d'élimination est en marche dès la dernière section de l'avant-dernier chapitre. Mâtho est pris et lié, la porte se referme, les ténèbres l'enveloppent, le dernier des hommes restés dans le défilé de la Hache expire, et les chacals arrivent pour manger les restes. Ce mouvement de rétrécissement (maintenant il ne reste qu'un seul Barbare; du côté des Carthaginois il n'y a que l'homme solitaire envoyé par les Anciens pour savoir ce qui reste des Barbares) continue au dernier chapitre. Mâtho (le chapitre) ainsi que Mâtho (le personnage) doit suivre un chemin sans issue. Il n'y a pas moyen d'en dévier. Dans la première phrase nous apprenons qu'«on avait bouché les trous des ruines», et tout le long du chapitre nous trouvons des références à un espace clos, enfermé, encerclé, comme «l'espace que les tables enfermaient, [où] le python [...] décrivait en se mordant la queue un grand cercle noir». Lorsque Mâtho sort de l'Acropole, «de l'endroit où il se trouvait, plusieurs rues partaient devant lui. Dans chacune d'elles, un triple rang de chaînes en bronze, fixées au nombril des Dieux-Pataeques, s'étendait d'un bout à l'autre, parallèlement». (272) Pour le texte ainsi que pour l'homme, il n'y a donc qu'un seul chemin à suivre, chemin qui va en rétrécissant (on crie «qu'on lui avait laissé le chemin trop large»), et tout effort d'évasion est bloqué («les chaînes le retenaient» et «toutes les ouvertures dans les murailles étaient bouchées par des têtes»). (309) De son côté, Salammbô aussi est encerclée, prise dans le «réseau de mailles étroites», les bras «chargés d'anneaux trop lourds»; une zone serre sa taille, elle a «des cercles de diamants au haut des bras», et elle se rappelle Mâtho «lui entourant la taille de ses bras, balbutiant des paroles [...]». (273) Paroles qu'elle a soif d'entendre, mais «à ce moment là» Mâtho meurt. Toute possibilité de parole est maintenant disparue. Salammbô, qui elle-même «allait crier», s'évanouit. Disparition de la parole des personnages qui fonde le silence ultime —et inévitable— de l'écriture.

La fin de *Salammbô,* on le voit, est une fin véritablement saturée. C'est la fin de Mâtho (le personnage) et la fin de Mâtho (le chapitre), la fin de Salammbô (le personnage)[9] et la fin de *Salammbô* (le roman). Et, grâce à cet effet de totalisation, la fin de Mâtho et de Salammbô implique aussi la fin de la guerre, la fin des Barbares, et, en filigrane, la fin de Carthage[10].

Augmentation, donc, de tout ce qui connote la fin — processus qui se révèle même dans le choix du vocabulaire dans ce dernier chapitre. Car si l'on calcule la fréquence moyenne par page du vocabulaire de la clôture[11] pour chaque chapitre du roman, le résultat est frappant. Tandis que dans les chapitres I à XIV la fréquence moyenne des termes connotant la fin, la disparition, etc., varie entre 2 et 3,5, le dernier chapitre fait preuve d'une moyenne de six mots de clôture par page[12]. Confirmation, s'il en est besoin, que ce tableau final déborde de finalité.

Mais cette fin, si manifestement finale, l'est moins qu'elle ne le paraît. Fin ironique qui met en question la possibilité de jamais *conclure,* sa dernière phrase lance un défi au lecteur. Formulée comme un résumé et une explication, cet «ainsi mourut la fille d'Hamilcar» n'explique rien du tout — ni comment Salammbô meurt, ni pourquoi. «Pour avoir touché au manteau de Tanit» est visiblement insuffisant comme raison. Tout le long du livre Flaubert a proposé des explications et des mobiles qui se sont révélés changeants et douteux, et qui se trouvent ici réduits à un *quod erat demonstrandum* qui ne démontre rien. Une comparaison avec les brouillons révèle un processus de banalisation et de démystification à l'intérieur de

9. Notons que ce nom a été omis de la dernière phrase. (Cf. fol. 189: «Ainsi mourut Sallambô [sic], la fille d'Hamilcar, pour avoir touché au voile de Tanit»).

10. Rappelons que *Carthage* fut le titre primitif de *Salammbô,* et que Flaubert continua à employer le nom; même au début de 1862 il écrit à Jules Sandeau qu'il est «acharné à la fin de *Carthage*».

11. S'abaisser, aboutir, achever, s'affaisser, agoniser, anéantir, s'arrêter, ne plus s'avancer, ne pas bouger, cesser, ne pas continuer, dernier, diminuer, disparaître, s'effacer, s'évanouir, expirer, finir, immobiliser, mourir, périr, rompre, silence, terminer, tomber, vider...

12. J'ai utilisé l'édition Garnier-Flammarion (ed. J. SUFFEL, Paris, 1964) pour faire le calcul.

cette phrase: au lieu d'avoir «touché au peplos» ou «au voile» de Tanit, c'est tout simplement au *manteau* que Salammbô touche.

Dans son article «Clausules», Philippe Hamon soutient que chaque genre littéraire «développe ses propres clausules, qui lui servent d'indicatif, de leitmotif signalétique», et il en donne quelques exemples, entre autres «Ils vécurent heureux et eurent beaucoup d'enfants» (le conte); la morale (la fable); le *happy ending* (le feuilleton), etc. «La clausule, poursuit-il, est donc un élément fondamental de la *lisibilité du texte* puisqu'elle l'intègre à un corpus de textes déjà-lus, qu'il ne s'agit pas tant [...] de la *comprendre,* que de la *reconnaître;* elle joue donc un rôle «phatique» appréciable, le rôle d'une véritable citation, d'un opérateur d'intertextualité, d'un appel à la compétence textuelle du lecteur, point d'insertion dans le texte du *savoir* de la communauté culturelle [...][13]». Mais dans *Salammbô* nous avons affaire plutôt à une mise en question de ces normes et donc de ce savoir commun. Au lieu de l'heureux dénouement promis par l'annonce du mariage de la belle princesse avec le roi des Numides, le lecteur découvre que la mariée tombe raide morte. Une histoire d'amour classique dans le genre de *Roméo et Juliette* semble nous être proposée au début du roman lorsque le beau guerrier tombe amoureux de la jeune fille noble mais se trouve séparé d'elle par une dissension entre leurs maisons, et menacé par un rival jaloux qui est favorisé par le père de l'aimée. Mais l'histoire se termine dans une parodie de la fin traditionnelle où le héros et l'héroïne s'unissent enfin dans la mort; les épisodes sanglants qui s'écoulent entre-temps, ainsi que l'horreur physique de la mort de Mâtho, ont effacé tout vestige de romanesque. Et si nous succombons à la tentation de lire le livre comme une épopée après avoir découvert qu'il traite un sujet où le destin d'une nation est en question, où les dieux interviennent dans les affaires des hommes, où d'immenses scènes de bataille panoramiques cèdent à des gros plans d'un détail minutieux, et où de longues listes de nationalités donnent lieu à des énumérations détaillées de types de costumes, de nourriture, de boissons, ou à des généalogies ou des comparaisons prolongées — nous serons également déroutés par la fin. Car il n'y a pas de vrai héros, pas de modèle de probité et de sacrifice, pas de solution glorieuse.

La clôture de *Salammbô* est donc une fin trompeuse. Malgré les apparences, l'histoire ne peut pas s'arrêter net avec la mort de Salammbô et de Mâtho, et la dernière phrase, loin d'être un énoncé-résumé récapitulant le contenu global du texte, insiste sur son insuffisance et renvoie le lecteur au début pour reconsidérer ce qu'il a lu.

Un tel retour en arrière est proposé plusieurs fois dans le dernier

13. Ph. Hamon, «Clausules», *Poétique* VI, no. 24 (1975), p. 501.

chapitre. Le festin rappelle à certains Carthaginois le banquet des Mercenaires, et Flaubert note dans un des brouillons que «par une étrange coïncidence il se trouvait que c'était l'anniversaire trois ans après, du festin des Mercenaires»[4]. Tous les collèges de prêtres défilent successivement, «avec les mêmes insignes et dans le même ordre qu'ils avaient observé/huit mois auparavant/lors du sacrifice»[5]. En entendant le hurlement du peuple, Mâtho se souvient «d'avoir, autrefois, éprouvé quelque chose de pareil. C'était la même foule sur les terrasses, les mêmes regards, la même colère». (272) Et la vue de Mâtho agonisant renvoit Salammbô au jour où le chef des Barbares lui avait entouré la taille de ses bras, sous la tente.

En présentant ce dernier chapitre sous de multiples optiques, Flaubert soulève maintes questions idéologiques sur la relation entre le passé et le présent, entre l'Histoire et la fiction, et sur la façon dont nous reconstruisons et nous nous racontons notre expérience. Les événements de l'Histoire se perçoivent comme flous et lacunaires, et ils s'oublient vite. La «joie titanique» et «l'espoir sans bornes» qui convulsent Carthage après la mort de Mâtho semblent indiquer un refus de la part des Carthaginois de regarder en arrière. Le lendemain du massacre du défilé de la Hache, écrit Flaubert dans ses notes, «on avait partout effacé les <traces>/marques/de la guerre». Un tel effacement implique un optimisme bête et mal fondé, une volonté de conclure à tout prix, une incapacité de jamais vraiment comprendre. Le mouvement de rétrécissement que nous voyons dans le dernier chapitre correspond à la façon dont le passé se laisse déformer et simplifier — processus qui risque d'aboutir à des clichés explicatifs du genre: «Ainsi mourut la fille d'Hamilcar pour avoir touché au manteau de Tanit»[16].

Donc, lorsque nous lisons que «partout on sentait l'ordre rétabli, une existence nouvelle qui recommençait, un vaste bonheur épandu» (268), nous sommes en droit de nous méfier. Tout lecteur sait qu'il ne reste de Carthage que des ruines. Croire que le conflit était vraiment fini, que la continuité de l'Histoire se laisse couper et que les événements du passé puissent être réduits à des formules anodines, c'est tomber dans une illusion, c'est céder à la bêtise de «vouloir conclure»[17].

14. BN N.a.fr. 23.662, fol. 36.

15. BN N.a.fr. 23.662, fol. 44.

16. Plusieurs critiques ont écrit sur le tabou de cette phrase finale. Voir par exemple PETER STARR, «*Salammbô:* the politics of an ending», *French Forum,* vol. 10, no. 1 (Jan. 1985), pp. 51-52; VERONICA FORREST-THOMSON, «The Ritual of Reading *Salammbô*». *Modern Language Review,* no. 67 (1972), p. 792; NAOMI SCHOR, «Salammbô Bound» dans *Breaking the Chain. Woman, Theory and French Realist Fiction,* Columbia University Press, 1985, pp. 124-125.

17. Cf. *Corr.* II,581 (Mlle Leroyer de Chantepie, 18.5.1857): «Aucun grand génie n'a conclu et aucun grand livre ne conclut, parce que l'humanité elle-même est toujours en marche et qu'elle ne conclut pas [...]. La vie est un éternel problème, et l'histoire aussi, et tout».

Ce qui devait être la moralité du livre, selon la note en marge du folio 208, était «l'impassibilité de la nature[...] pas une protestation pour la liberté et la justice». Autrement dit, l'ordre qui est rétabli n'est point l'ordre des Carthaginois, mais l'ordre implacable de la Nature, ordre cyclique de l'éternel retour. Dans ce jeu de contrepoint entre conclusion et continuité, c'est donc la continuité qui prend finalement le dessus, pour subvertir toutes les allusions faites au cours du dernier chapitre à une fin définitive.

UN TEXTE INCONNU DE BENJAMIN CONSTANT
DE LA SOUVERAINETÉ

par

ÉPHRAÏM HARPAZ

La question de souveraineté a préoccupé Benjamin Constant de bonne heure. Il a consacré à cette question primordiale de longs développements dans ses traités politiques, manuscrits et imprimés, ainsi que des éclaircissements rapides, à l'emporte-plume, dans plusieurs de ses articles de presse ou même dans ses discours à la Chambre. On conçoit que le poids des événements de l'époque ait bouleversé les consciences des contemporains et fortement marqué leur pensée. Pour la génération de Volney et Joseph de Maistre, Benjamin Constant, Mme de Staël, Chateaubriand ou Bonald, Daunou et Guizot, la Révolution et ses avatars, l'Empire botté de César comme ses pâles et combien fragiles substitutions bourboniennes, ont nourri un vécu extrêmement riche et aiguisé des regards des plus percutants. C'est sur cet arrière-plan politique mouvant que plane la problématique du droit divin et populaire, des droits individuels et collectifs. Renvoyées dos à dos, la souveraineté d'essence mystique et la mystique d'ordre profane ramènent le débat vers une modernité aux prises avec l'antiquité.

Dans une telle confrontation, Rousseau et Mably tiennent une place de choix comme points de répère, souvent mis à contribution. En rejetant le mythe d'une antiquité de convention, béatifiée à souhait, mais fondée en réalité sur des conquêtes et l'esclavage, il est aisé à Benjamin Constant de montrer une cité où chaque citoyen participe au pouvoir de tous, mais où tous ont un droit de regard sur un chacun. Dégagée du halo prestigieux et trompeur de l'antiquité, la modernité présente une souveraineté bien réduite, limitée aux attributs nécessaires de la machine politique, répartie entre les mille ressorts des pouvoirs législatif, exécutif et judiciaire à tous leurs niveaux. Le citoyen moderne ne participe au pouvoir que par procuration ou représentation, concours essentiel à l'ordre moral de la société, réservant le plus clair de son énergie à ses activités et ses jouissances personnelles, mais susceptible, lorsque la liberté le met en affrontement avec lui-même, de trouver des réponses aux enjeux de l'être par le sens du devoir et l'élan du dépassement.

Jacques Coste lance le Prospectus du *Temps,* ce vénérable ancêtre du *Monde,* le 15 octobre 1829. Il tient à compter Benjamin Constant parmi les collaborateurs de sa feuille. Il réussit à l'y décider dès le mois de décembre, malgré les tâches écrasantes du chef libéral et sa santé bien délabrée. On a lieu de s'étonner devant l'activité débordante de Benjamin Constant comme député, polémiste, publiciste, auteur. Est-ce prémonition de la crise imminente qui l'amène au *Temps* où il pense avoir ses coudées franches et préparer à sa guise l'électorat censitaire à la confrontation inéluctable avec le régime de Charles X? Pressentiment de sa mort prochaine et désir de sauvegarder l'édifice institutionnel qu'il a édifié presque sa vie durant? Sens du devoir à accomplir jusqu'au bout? Toujours est-il que le lecteur trouvera ici un texte où Benjamin Constant apporte des clartés sur un problème essentiel de l'ordre politique sinon de l'ordre humain tout court, dans un style et une «manière» bien caractéristiques de la démarche de son discours. Ainsi, une grave crise politique provoque une réplique de circonstance qui esquisse en même temps une réflexion à long terme.

LE TEMPS
12 février 1830

QUESTIONS POLITIQUES[1]

Au moment où ceux mêmes qui ont remis en doute toutes les doctrines sur lesquelles reposent la liberté des nations et la stabilité des trônes, accusent les journaux constitutionnels de ne professer aucun principe fixe, il nous a semblé utile d'examiner quelques questions qui se rattachent à nos plus chers intérêts. Nos lecteurs jugeront mieux alors la ligne que nous croyons devoir suivre, et la théorie dont l'application mettrait, selon nous, un terme aux querelles qui divisent la France et aux appréhensions qui l'agitent.

1. Série d'articles dont l'attribution est confirmée par la notice nécrologique que Coste consacra, le 10 décembre 1830, à la mémoire de son ami, décédé le 8. Ces textes et d'autres vont paraître chez Champion.

DE LA SOUVERAINETÉ[2]

Monsieur, vous me sollicitez de répondre à diverses questions sur l'avenir qui se prépare pour nous. Auparavant, répondez-moi vous-même. S'agit-il d'un avenir de quelques années? Je crois prévoir sans incertitude ce qui arrivera. Parlez-vous du moment présent et de la crise qui s'annonce? La folie se joue du calcul. Qui peut dire si les habitants de Charenton s'échappant de leur loge, se jetteront à droite ou à gauche? On est bien sûr qu'on les ramènera dans un temps donné à l'habitation qui leur convient. Mais que feront-ils avant d'y rentrer? Nulle prévoyance humaine ne le devine.

J'examinerai donc vos questions sous l'autre point de vue, d'après les germes que j'aperçois et l'atmosphère qui les féconde. Mais, prenez-y garde, en procédant ainsi, je me bornerai souvent à ce qu'on nomme des théories.

Je ne saurais qu'y faire. Le mépris des théories m'a toujours paru de la mauvaise foi ou de la sottise.

La théorie, qu'est-ce, sinon la pratique réduite en règle, et qu'est la pratique, sinon la théorie appliquée?[3]

La pratique des hommes les plus positifs a, sans qu'ils le sachent, sa théorie.

Que sont les catégories[4] de M. de Labourdonnaye? l'application d'une théorie professée par les triumvirs de Rome ancienne, par les Borgia de Rome moderne, et développée par Machiavel, si toutefois le prince de Machiavel n'est pas de l'ironie.

M. de Bourmont a mis en pratique la théorie de tous les transfuges[5], depuis les bannis athéniens jusqu'à nos jours, livrant le pays à l'étranger pour en redevenir maîtres.

Qui le croirait? M. de Polignac a sa théorie; c'est celle de la con-

2. Pour cette question capitale, il faudrait se référer à ce que Benjamin Constant avait écrit là-dessus, dans ses *Principes de politique* manuscrits éd. Et. Hofmann, Genève, 1980, 2 vol., vol. I, en prêtant attention aux notes et additions; aux textes de l'*Esprit de conquête* et *De la liberté des anciens comparée à celle des Modernes* (cf. notre éd., Paris, 1986); aux *Principes de politique* publiés en juin 1815; à la note très importante surajoutée en 1818 à ses *Réflexions sur les constitutions* (*note A,* in *Cours de politique constitutionnelle,* vol. I); enfin, aux différents articles qui traitent de la question dans ses *Recueils d'articles* publiés par nous chez Droz, en 1972, 78, 81.

3. Affirmation qui revient souvent sous la plume de Benjamin Constant.

4. En novembre 1815, déjà connu comme royaliste extrémiste —malgré ou à cause de son soutien passé au pouvoir de Napoléon—, La Bourdonnaye proposa d'étendre les listes de proscription établies par Fouché en y ajoutant des catégories restrictives de la loi d'amnistie, condamnant à la mort et à l'expropriation de biens les détenteurs importants d'emplois civils et militaires durant les Cent Jours.

5. En passant à l'ennemi, la veille de la bataille de Waterloo.

centration des propriétés et des privilèges, devenue pour l'Angleterre un fléau[6], dont l'ami de Wellington[7] veut faire la base de la prospérité de la France.

Les mauvaises choses ont donc leurs théories comme les bonnes; j'établirai les miennes. Que ceux qui ne veulent que du positif, c'est-à-dire des effets sans cause, en prennent leur parti. S'ils ne le prennent pas, ils en seront quittes pour ne pas me lire.

Et d'abord, pour juger ce qu'on veut nous donner, cherchons ce qui convient. Quel est le principe, quel est le but de toute organisation sociale tolérable aujourd'hui. Ne craignez pas que je me perde dans les nuages; je redescendrai vite de la métaphysique à l'application.

Deux systèmes se sont de tout temps partagé le monde: la souveraineté du peuple que je nie, le droit divin que j'abhorre.

Commençons par celui-ci; c'est le plus simple, ou, pour mieux dire, le plus grossier.

Le droit divin n'est autre chose que la soumission au pouvoir quelconque, dans la pensée que tout pouvoir vient de Dieu, et que partout où il y a puissance humaine, il y a volonté divine. C'est le gouvernement de fait, avec tout ce qu'il a de vicieux, dépouillé de tout ce qu'il a de raisonnable, et entouré d'un nuage qui le rend plus terrible et plus absurde.

Le droit divin détruit à la fois la légitimité et la liberté: la légitimité, car chassés du trône, les rois perdent la sanction divine; la liberté, car toutes les tyrannies ont le cachet de la volonté du ciel.

La souveraineté du peuple, c'est autre chose. La loi doit exprimer le vœu, satisfaire les besoins de la société. Soumettre ces besoins, ce vœu, à la fantaisie d'un petit nombre ou d'un seul, c'est encore recourir en définitive à la force; car si ce que veut ce petit nombre est voulu par le grand, c'est la volonté générale. Dans le cas contraire, comment contraindre un peuple à ce qu'il ne veut pas, sinon par la force? Or, la force appartient à qui s'en empare; elle peut être un droit chez les loups, non chez les hommes.

Mais cette suprématie du vœu général sur les volontés individuelles n'est pas ce qu'on a entendu jusqu'à présent par souveraineté du peuple. Voyez Rousseau;[8] il vous parle de l'abnégation totale de chaque partie au profit du tout. Avec ce système, comme la tyrannie parle au nom de

6. Sur l'attitude méfiante et souvent critique des libéraux à l'endroit de l'Angleterre, cf. notre *Ecole libérale,* Droz, 1968, ch. VII.

7. La presse libérale profita de cette «amitié» connue pour révoquer en doute le bien-fondé national du choix de Polignac comme ministre.

8. Cf. ce que Benjamin Constant dit de la souveraineté illimitée, de Rousseau et Mably, dans les textes de la *Conquête* et *la liberté des anciens* ainsi que dans sa *Correspondance* avec Goyet de la Sarthe, Droz, 1973 ou ses *Recueils d'articles* (voir ci-dessus la note 2).

tous aussi bien qu'au nom d'un seul, autant vaut Constantinople que le comité de salut public.

La volonté de tous n'est pas plus légitime que celle d'un seul, simplement parce qu'elle est ou qu'elle se dit la volonté de tous. Il n'y a point de souveraineté illimitée, point d'abnégation totale. Il y a souveraineté bornée, abnégation partielle, et la souveraineté devient usurpation quand elle excède sa compétence.

Les flatteurs des rois ont dit aux rois qu'ils étaient la loi vivante: quelle loi vivante que Louis XI, François Ier, et même Louis XIV faisant décapiter Fargues[9] malgré l'amnistie, et envoyant les protestants sur la roue!

Les flatteurs du peuple ont dit au peuple qu'il était la loi vivante: quelle loi vivante que les assassins de Jean de Witt[10] ou du 2 septembre[11], ou de Nîmes et d'Avignon[12] en un sens inverse!

Pendant long-temps on a marché à la liberté comme à un assaut. On a cru que pour l'établir il fallait empêcher ses ennemis d'être libres. Un républicain disait après fructidor[13]: «La liberté est sauvée; les contre-révolutionnaires n'oseront plus dire un mot».

C'est que les républicains se regardaient comme les héritiers du pouvoir brisé. Ils croyaient avoir conquis la souveraineté, et voulaient l'exercer illimitée. Rousseau devenait le précepteur de la tyrannie comme Bossuet[14].

Rayons de notre vocabulaire le mot de souveraineté proprement dite. Il y a dans la société des besoins à satisfaire, des facultés à exercer, des libertés à garantir. La souveraineté illimitée n'existe nulle part.

«Les pouvoirs illimités, dit un homme dont la vie a démenti ses principes (Sieyès), sont un monstre en politique. Les idées exagérées de

9. Exemple que Benjamin Constant avait cité, en octobre 1829, dans la seconde partie de ses *Réflexions sur la tragédie,* où, citant les *Mémoires* de Saint-Simon, il rapporte la perfidie de Louis XIV, aidé par le président Lamoignon, qui fit arrêter et décapiter Fargues, impliqué dans les troubles de la Fronde, malgré l'amnistie, et exproprier ses biens au profit de Lamoignon. Cf. notre *Benjamin Constant publiciste,* Paris-Genève, 1987.

10. Jean de Witt et Corneille de Witt, son frère, furent assassinés en 1672, à la Haye, par le parti orangiste lors de l'invasion de la Hollande par les troupes de Louis XIV.

11. 1792, massacre à Paris des prisonniers.

12. Massacre de protestants en 1815 lors de la Terreur blanche.

13. Dans la nuit du 17 au 18 fructidor (3-4 septembre 1797), Barras, Reubell et La Revellière, avec l'aide d'Augereau, lieutenant de Bonaparte, «épurèrent» les Conseils, firent déporter à la Guyane 65 royalistes et supprimer des journaux royalistes.

14. Pour Rousseau, la souveraineté illimitée relève du peuple qui l'abdique sans l'abdiquer entre les mains du pouvoir, et pour Bossuet, de Dieu. Il est évident que Benjamin Constant pense que ces deux divinités ne sont guère différentes de fait, bien que la première soit fondée sur un sentiment très intime de la liberté: le rapprochement est frappant lorsqu'on les considère dans leurs projections et applications absolutistes ou totalitaires.

souveraineté pour le peuple sont venues des superstitions antiques. On s'est fait un devoir de doter le peuple de tout l'héritage des pouvoirs absolus que ces superstitions avaient consacrés»[15].

Non, il n'y a de volonté souveraine ni dans le forum, ni dans le palais. La volonté de tout un peuple ne peut rendre juste ce qui est injuste, légitime ce qui est usurpé; les représentants d'une nation n'ont pas le droit de faire ce qu'elle n'a pas le droit de faire elle-même. Si un prince ordonnait de faire feu sur des citoyens qui ne seraient coupables d'aucun délit, il faudrait désobéir à ce prince. Quand la Convention ordonnait de fusiller des prisonniers, il fallait désobéir à la Convention. Gloire à ceux qui ont désobéi!

Répondons toutefois à une objection: est-il possible de limiter la souveraineté, de borner le pouvoir autrement que par le pouvoir? Oui, la chose est possible; entourez d'évidence les limites nécessaires, cette évidence sera leur garantie. Je quitte la théorie, j'en appelle aux faits[16].

Autrefois, comme de nos jours, il y a eu des tyrans, il y a eu des démagogues. Don Miguel[17] règne, Robespierre a régné. Pourquoi don Miguel, comme les tyrans des villes grecques, n'envoie-t-il pas d'un signe ses victimes à la mort? Pourquoi, dans l'abominable jugement de Louis XVI, a-t-on recouru à la parodie infâme d'une procédure? C'est qu'une vérité étrangère aux anciens, même dans les progrès de leur civilisation, triomphe maintenant. Nul n'a sur un autre le droit de vie et de mort. L'opinion a proclamé cette vérité: le despotisme et la démagogie s'arrêtent devant elle.

Le droit divin est absurde; la souveraineté illimitée est atroce. Il y a des actes que ne peuvent commettre légitimement ni les rois ni les peuples; il y a pour le pouvoir une compétence qu'il ne peut excéder légitimement. Quand il empiète sur les droits qui sont en dehors de cette compétence, il usurpe, qu'il soit dans une main ou dans toutes, c'est-à-dire dans celle des représentants de tous.

Quelle est maintenant cette compétence? Dans notre état de lumière, de propriété, d'individualité toujours plus énergique, d'industrie rivalisant avec la propriété, quels sont les besoins, les facultés, les droits que la société doit à la fin garantir et respecter? Quels sont ceux qu'elle peut légitimement restreindre? Peut-elle, par exemple, proscrire par des lois les sentiments qu'on dit naturels, comme s'exprimait M. de Peyronnet?[18]

15. C'est en pleine séance de la Convention que Sieyès l'avait proclamé. Cf. BENJAMIN CONSTANT, «Souvenirs historiques» in *Revue de Paris,* 1ère lettre ou notre *Benjamin Constant publiciste,* p. 175.

16. Cf. la note *A* surajoutée aux *Réflexions sur les constitutions.*

17. La tyrannie de don Miguel au Portugal donne souvent lieu à des développements dans les articles de Benjamin Constant. Cf. les *Recueils, 1825-1829* et *1829-1830,* à paraître. (Voir ci-dessus la note 2).

18. En défendant son projet de loi sur la presse, en 1826-1827.

Peut-elle prononcer des exils sans jugement, comme l'a voulu la Chambre de 1815? Peut-elle, se proclamant en péril, allégation facile et commode quand on parle seul, ôter la parole à tout un peuple, comme le triumvirat Villèle?[19]

Je résoudrai ces questions dans une autre lettre.

[Benjamin Constant]

19. Villèle, Corbière et Peyronnet (dans son rôle de rapporteur, puis comme ministre): la loi sur la «tendance» (l'esprit général des journaux), le rétablissement de la censure en août 1824 et juin 1827, en vertu de la loi du 17 mars 1822. Cf. P. BASTID, *Les institutions politiques de la monarchie parlementaire française, 1814-1848,* Paris, 1954, pp. 378-379.

HISTORY, NARRATIVE POSITION, AND THE SUBJECT IN BALZAC: THE EXAMPLE OF *LA PAIX DU MÉNAGE*

by
OWEN HEATHCOTE

Unlike *nouvelles* such as *Sarrasine* and *Le Chef-d'œuvre inconnu, La Paix du ménage* has received relatively little attention from Balzac critics. Apart from writers such as Max Andréoli and Michael Riffaterre, whose main conclusions about the work will be referred to below[1], few have thought that the story warranted extended treatment. However, as Anne-Marie Meininger remarks in her introduction to the work in the second Pléiade edition of the *Comédie humaine:* 'Jugée «frivole», «insignifiante», «habile, seulement habile», cette petite œuvre donne cependant matière à réflexion'[2]. Although Anne-Marie Meininger herself elsewhere refers to *La Paix du ménage* as 'cette histoire badine'[3], and, in her introduction, sees it primarily in terms of 'Balzac l'homme et l'œuvre'[4], she also draws attention to it as Balzac's first somewhat stumbling attempt at welding history and anecdote in a first 'scène de la vie privée'. This early effort by Balzac to

1. See the Chapter 'Production du récit(1): *La Paix du ménage* de Balzac' in MICHAEL RIFFATERRE, *La Production du texte,* Paris, Seuil, 1979, pp. 153-162, and MAX ANDREOLI, 'Quelques perspectives de lecture sur une nouvelle de Balzac: *La Paix du ménage', L'Année balzacienne,* Nouvelle série 2 (1981), 65-119. Andréoli's article begins with a useful survey of earlier reactions to the work, including that of Riffaterre's semiotic approach, in preparation for his own 'systemic' interpretation.

2. Pléiade edition, Volume II (1976), 87-93 (p.87). Page references to the text of *La Paix du ménage* (*ibid.,* pp. 95-130) will be given after the relevant quotation.

3. In her notes to the above edition, *ibid.,* p. 1265.

4. See for example p. 89: 'Balzac avait pris son bien tout près de lui, chez Mme d'Abrantès'. For an assessment of this approach, see ANDREOLI, pp. 84-88.

combine private domestic intrigue and the 'vue de l'Empire' provided by 'l'historien des moeurs' gives *La Paix du ménage* sufficient interest to deserve further critical analysis.

The narrative instances a specific if fleeting historical moment: 'la fin du mois de novembre 1809, moment où le fugitif empire de Napoléon atteignit à l'apogée de sa splendeur' (95)[5]. Napoleon's success turns Paris into such a centre of celebration and into such a focus of European acclaim that many Balls are held in his honour, including the one which provides the setting for *La Paix du ménage,* given by the Senator Malin de Gondreville. The Ball is the stage on which two domestic dramas are to be played: one, that of Napoleon himself, will be in the wings, since he fails to attend the Ball because, it later transpires, of a quarrel with Josephine which culminates in their divorce; the other, which can, as a result, assume centre-stage as a kind of ironic reversal of Napoleon and Josephine, concerns another virtually estranged couple: the Soulanges. The husband, Soulanges, is coming to the end of an affair with a wealthy coquette, Mme de Vaudremont; the wife, Mme de Soulanges, still in love with her husband but unknown in and to the Gondreville society, is persuaded by her great-aunt, Mme de Lansac, ageing *ci-devant* and 'l'une des plus perspicaces et malicieuses duchesses que le dix-huitième siècle avait léguées au dix-neuvième' (113), to attend the Gondreville Ball. Although Mme de Lansac despises the occasion and the company, she hopes it will provide her niece with the opportunity to recover her husband from Mme de Vaudremont, and her diamond ring, which had travelled from her to her husband to Mme de Vaudremont to the latter's latest admirer, Martial de La Roche-Hugon. After a series of manœuvres and misunderstandings not unworthy of Marivaux or Musset, Mme de Soulanges retrieves both her diamond from Martial — who ill-advisedly transfers his interest from Mme de Vaudremont to this new anonymous beauty — and also her erring husband, who surrenders his place with Mme de Vaudremont not to the civilian and would-be diplomat Martial, but to the military Montcornet. However, Mme de Vaudremont and Montcornet never marry since Mme de Vaudremont dies in a fire at a later Ball to celebrate the marriage of Napoleon to Marie Louise of Austria.

It follows, therefore, that the episode of the Ball, however brief, is crucial for two couples and, perhaps particularly, for two women: a powerful, 'public' woman, the Empress Josephine, leaves a stage she never even occupies in *La Paix du ménage* and another, unknown, 'private' woman

5. Since the work is dated July 1829, Balzac could of course make this judgement without hesitation.

makes her first public entrance and, however modestly and tentatively, achieves her ambition of recovering her diamond and her husband — hence wealth and position. If Josephine is about to abdicate, Mme de Soulanges is on the verge of a restoration. The diachrony of a rebirth and the unfolding pageant of history are contained in the synchrony of a moment of reconciliation and the synoptic overview of story.

It can be seen from this brief survey of *La Paix du ménage* that there are a number of related but distinguishable features which merit critical attention. There is, perhaps most obviously, the progression from a dazzling but superficial past and present through a series of delicately interwoven *péripéties* to a more secure, more fully restored future. In order to see how this progress is achieved or promised it will be necessary to look at the narrative's linear development. It will be necessary to see whether, for example, author, authorial voice, or characters, or perhaps an evolving mixture of these elements, lead from a corrupted past and present to a regenerated future, and how and where the reader of the work is positioned in relation to this evolution[6]. This linear or horizontal progression is, however, accompanied by another progression — towards greater depth, truth, and reality. The superficiality of the past and present gives way to an already existing but hitherto concealed authenticity, both on the domestic and on the national level. This presupposition of superficiality and depth needs to be examined both at the domestic/private level (the Soulanges *ménage*) and in the more explicitly public/political sphere (Napoleon and the future Restoration of the monarchy). Notions of superficiality and depth also involve those of inside and outside, centre and circumference — already invoked above in relation to Paris and Napoleon — and also raise the question of an assumed reader: where is the reader? is the reader presumed or enabled to be inside or outside the narrative? In relation to both horizontal/temporal and vertical/depth axes, is the reader assumed or enabled to take up a *position*, to be, in Althusser's terms, interpellated or constructed as a subject alongside, or in addition to, the characters in the story?[7] This in turn leads to questions of gender: male author writing about

6. Other examinations of the reader — implied, ideal or intended — in Balzac include JEAN ROUSSET, 'L'Inscription du lecteur chez Balzac', in *Le Statut de la littérature*, edited by MARC FUMAROLI, Geneva, Droz, 1982, pp. 241-256, and, disappointingly, MARY S. MCCARTHY, *Balzac and his Reader,* Columbia and London, Missouri U.P., 1982.

7. On Althusser's interpellation of the subject, see for example ANTHONY EASTHOPE, *British Post-structuralism,* London, Routledge, 1988, p. 20, and CHRIS WEEDON, *Feminist Practice and Poststructuralist Theory,* Oxford, Blackwell, 1987, pp. 30-31. It should, however, also be pointed out that the very temptation to posit such a reader, however depersonalized in the expression 'reading position', may still be dependent on the conventions of fiction-making: see JONATHAN CULLER, *Framing the Sign,* Oxford, Blackwell, 1988, p. 216.

(a) female protagonist(s), assuming or predicating a 'neuter' reader? It can be seen that *La Paix du ménage* gives rise to a variety of questions, only some of which can be examined here: the relations between fiction and history, fiction and the real, and between fiction, writing and gender. The narrative's linear development, perhaps the most accessible of all of the aspects raised so far, will provide a convenient point of departure.

As might be expected from Balzac and the so-called 'expressive realist' text[8], *La Paix du ménage* begins with a third-person narration conducted by an authoritative, 'omniscient' narrator: 'L'aventure retracée par cette Scène se passa vers la fin du mois de novembre 1809, moment où le fugitif empire de Napoléon atteignit à l'apogée de sa splendeur. [...]. Les rois et les princes vinrent alors, comme des astres, accomplir leurs évolutions autour de Napoléon [...].' (95). Balzac's reader shares a temporal and spatial perspective which is precisely focused yet sweeping in compass, looking at Napoleon in time and space, both from the centre outwards and from the circumference inwards. His Empire is thus seen both as a culmination in time and as a mere incident, almost an accident, in terms of eternity[9]. Both time and space can be traversed in any direction: even this story, with which the reader is presumably unfamiliar, has in a sense already been told ('retracée'), (always) already a spatial and temporal nodal point ('Scène') in the inexorable but eminently fathomable march of history. Hence Balzac can incorporate events as yet unknown or unappreciated to guests at the Ball — the reasons for Napoleon's absence on that evening (97) — and can anticipate what will be considered important by 'l'historien futur des mœurs impériales' (96). Balzac's vision, shared by his reader, incorporates not only time — past, present, and future — and space — inside (the Ball) and outside (Europe) — but also 'fiction' (the 'aventure') and 'reality' (Napoleon). The reference to the capitalized 'Scène', however familiar to readers of the *Comédie humaine*, becomes the reader's perspective on the 'lumineuse ténébreuse affaire' which is about to unfold[10]. The word 'Scène' combines

8. For a discussion of 'expressive realism', see CATHERINE BELSEY, *Critical Practice*, London, Methuen, 1980, pp. 7-14. Many of Balzac's narratives are of course framed or written in the first-person, either in whole (*Le Lys dans la vallée* and the dialogue of *Mémoires de deux jeunes mariées*) or in part *(Autre étude de femme, Albert Savarus, Un drame au bord de la mer...)*.

9. This is one of the main themes in GEORGES POULET's as yet unsurpassed 'Balzac' Chapter in *Etudes sur le temps humain* II: *La Distance intérieure*, Paris, Plon, 1952, pp. 122-193. See also Chapter 6 of DONALD RICE and PETER SCHOFER, *Rhetorical Poetics*, Madison, Wisconsin U.P., 1983, pp. 117-143 (p. 119): 'The reader is thus given a double metonymic task: to look not only into the story's past but also into its future.' (Of *La Duchesse de Langeais)*.

10. The link between *La Paix du ménage* and *Une ténébreuse affaire* is, in a sense, already made by the presence in both of Malin de Gondreville. MAX ANDREOLI does, moreover, see *La*

the unique and the typical, the private and the public, the imaginary and the real. The 'Scène' is both paradigmatic and syntagmatic — the model which illustrates the series, and the series which can be encapsulated in the model[11]. Like the 'hiéroglyphe' actually mentioned in the text (96), the 'Scène' is a kind of literal metonymy, both in and of the world yet also standing for the world, in a perpetually disconcerting and, to some infuriating, example of Balzacian *trompe-l'œil.*

Hardly, however, has this Olympian vantage-point been established, than the reader is capsized, and forced to eavesdrop on a conversation between characters who have neither been introduced nor identified, discussing a woman at the Ball who remains similarly and persistently anonymous. This position of discomfort is compounded by the puzzlement of the interlocutors, themselves conjecturing — as it turns out, incorrectly — about the identity and motives of the woman they are observing. The unreliability of the narrative perspective as informed by the dialogue is even perceived by one of its participants (Martial), who chides the other (Montcornet) for his inconsistent assessments of the unidentified woman: '«Vous ne serez pas non plus très fort en diplomatie si dans vos évalutions vous passez en un moment de la princesse allemande à la demoiselle de compagnie.»' (101). This confirms Martial's earlier estimate that they are 'deux niais' (100) and anticipates later references to Martial's fatuity (102), his 'légèreté' (109). Gondreville, whose Ball it is, is also ignorant of the woman's identity, and makes that ignorance seem general: '«La comtesse de Gondreville est la seule femme capable d'inviter des gens que personne ne connaît»' (101). A society of poor readers seems to have replaced the expert reader who opened the story, and Balzac's reader may now be seen as both within and without the narrative: outside the earlier framework of authorial omniscience but within the ignorance shared by the current speakers. As Fredric Jameson has remarked of Balzac: 'the reader or spectator does not occupy the empty slot of mature universal representation (something on the order of the shifter in language), but rather precisely the place of one of the other characters in the daydream'[12]. The reader can, therefore, conjecture and even fantasize about the anonymous woman alongside the other 'cha-

Paix du ménage as a vehicle for '[un] mythe cosmogonique, combat mythique de l'ombre et de la lumière'. Op. cit., p. 116.

11. See GEOFFREY BENNINGTON's reference to the Kantian view that 'the synthesis of the series is also an element of the series' in *Lyotard: Writing the event,* Manchester, Manchester U.P., 1988, p. 126.

12. FREDRIC JAMESON, *The Political Unconscious: Narrative as a Socially Symbolic Act,* London, Methuen, 1981, p. 174. Jameson is referring particularly here to *La Rabouilleuse.*

racters', and join them in their wish-fulfilment for (a return to) completion and plenitude.

This shift of perspective from plenitude to absence — for which the paradigm is the central importance but current absence of Napoleon[13] — means that ignorance is perceived as a lack and experienced as a loss. Incompleteness, of which the current example is the woman's anonymity, is felt as a need which can be met and as a right which can be restored. The conjectures of Martial and Montcornet are seen as the fumbling attempts of both diplomat and soldier 'experts' to give a person, in this case a woman, her most obvious due: her name. If they cannot even do that, then in what other ways are these twin pillars of Empire deficient? The 'case' for a restoration in a number of senses is already being made — except that for 'case' read the reader's sense of 'need', of 'right', of 'natural' (or perhaps unnatural) 'lack' in what, after Jameson, may be called a 'wish-fulfilling text'[14].

This wish is, in the next narrative phase, at least partially fulfilled in that Balzac resorts to a familiar flashback technique to describe Martial's background and character into which the above-mentioned conversation can retrospectively be inserted[15]. There follow, however, further dialogues and conversations in which the reader's position again becomes problematic: forced to follow the ebb and flow of further conjectures about the identity of the woman repeatedly linked to the candelabra under which she is standing[16], the reader looks in vain for a position in the narrative which will

13. It is tempting to relate this absence to the 'paternal absence' noted by Jameson in *La Rabouilleuse* (*ibid.*, p. 176) and in *La Cousine Bette*: '*La Cousine Bette* and allegorical realism', *PMLA* 86 (1971), 241-254 (p. 250).

14. JAMESON, *The Political Unconscious*, p. 181. An alternative way of viewing this scenario/'Scène' of *La Paix du ménage* would be to argue that 'it is not [...] lack which creates desire, but a certain desire which produces a set-up dominated by lack.' (Bennington, *op. cit.*, p. 27). The theatricality, the re(-)presentation, the absence (of Napoleon, of the Name) and the nostalgia of *La Paix du ménage)* could then derive from an object of desire in the sense of *Wunsch* (see Bennington, *Ibid.*, p. 26).

15. It should be added that the actual moment of this conversation — the longest in the whole narrative — is strangely difficult to locate in the precise sequence of events, since the Martial flashback, Mme de Vaudremont's arrival, and various other exchanges and manœuvres occur before Balzac situates it (107). Even in so short a time-scheme (about an hour) and in so visible and so public a setting, the temporal and spatial anchorage on which reader-position depends can be surprisingly mobile or uncertain. So much for the simplicity and superficiality of this short story.

16. The candelabra is for Riffaterre the key to an understanding of *La Paix du ménage*, since its metonymical relation to Mme de Soulanges betrays a metaphor and a moral: '*le papillon et la (flamme de la) chandelle* — image de l'attraction fatale de l'amour depuis Pétrarque', whence 'la duperie universelle de l'amour': RIFFATERRE, *op. cit.*, pp. 160, 161.

give a key to the mystery. At a very early stage, it was the anonymous woman herself, together with Mme de Vaudremont, who successfully 'read' the conversation, however abortive, between Martial and Montcornet: 'Cet espionnage de la pensée' (104) was seen to be the attribute not of Napoleon's generals and ambassadors, but of the very woman whose identity is problematic, and of the rival for her husband's affections, the coquette Mme de Vaudremont. Although Mme de Vaudremont does indeed become, momentarily, both the centre of attention, and the eye through which she and reader can view the Ball, her perspective on events is only briefly and spasmodically useful. It is interesting, however, that Mme de Vaudremont's perception is valuable even though she is largely discredited as a coquette and a 'parvenue', since the next and most useful reader-in-the-text can be said to be even more ambivalently presented.

For Mme de Vaudremont's position as reader is quickly and effectively surrendered to that of Mme de Lansac the *ci-devant duchesse* whose interpretative skills are beyond any doubt: 'La vieille dame semblait reconnaître les mouvements imperceptibles qui décèlent les affections de l'âme.' (113). The reader can breathe easily again at last: the desire for information and control can be provided by one who, like the reader, can remember the past and try to ensure that the past is restored into the future. As an ageing *ci-devant,* Mme de Lansac, too, has the distance to appreciate 'le fugitif empire de Napoléon' and is mature, disillusioned, and determined enough to act as a living bridge between past, present, and future. Like Balzac's 'centenaires', the ageing Sarrasine, and Henriette's 'fantôme' for Félix de Vandenesse, she is a kind of skeletal/spectral reminder of the past who also has almost magical powers over the future.

It can be seen that this is a far from flattering portrait of Mme de Lansac. If the textual position occupied by this 'dangereuse sibylle' (117), by this 'vieux singe' (112), does, nonetheless, correspond to what was earlier referred to as the reader's wish-fulfilment, it is for a variety of reasons which it may be interesting to examine. It is, as already suggested, partly because the power Mme de Lansac has, and can impart, is the power to understand and to restore the past in the future: hermeneutic move and political move go hand in hand, in that to understand (past, present and future) is to reconstitute past, present and future and, therefore, to restore the past in the future[17].

Why, however, should such power be invested in such an unpromising

17. Or, to recall Louise de Chaulieu in *Mémoires de deux jeunes mariées:* 'On vit aux trois temps du verbe': *La Comédie humaine,* Pléiade, I, p. 274; quoted by POULET, *op. cit.*, p. 160.

vehicle? For Balzac does not spare Mme de Lansac — for her cupidity and her craft — in the same way, as Jameson points out, as he does not spare the Chevalier de Valois in *La Vieille Fille*[18]. He does not spare Mme de Lansac partly no doubt because it is her very lack of promise which, by contrast, makes the promise of her protégée, the so far luckless Mme de Soulanges, even more unlimited. It is Mme de Lansac's availability for patronage as the sub-feminine, almost sub-human, mythical protective beast ('«Me prenez-vous pour un dragon», demanda la vieille dame' (115)) which guarantees for the reader the integrity, the virtue, and the *desirability* of her young, silent, and vulnerable niece. If the reader's desire for (the identity and restoration of) the anonymous young beauty is going to be maintained, it is through the intermediary of a woman who is a good reader but no beauty — who has one feature but not the other. If the understanding of Mme de Lansac, *ci-devant duchesse,* can be assumed to be present in, and transferable to, the niece, then that niece can, while remaining silent and passive, be read as a suitable vehicle for a new, restored past-in-the-future. In this desired and assumed transfer — seeing the niece, almost literally, through the eyes of the aunt — Balzac has achieved a not inconsiderable feat against the *invraisemblable:* the anonymous woman is both passive and potent, innocent yet knowing, youthful yet traditional, virgin and sibyl. She has acquired a coefficient of value commensurate with the accrued value of the itinerant diamond and, like the jewel, retained all her purity and 'éclat' despite, or even because of, the accumulated desires of its successive owners.

The passivity and innocence of the anonymous beauty, Mme de Soulanges, is made even clearer when Mme de Lansac explains to Mme de Vaudremont that it was she who prevailed on her niece to leave 'la chambre de douleur où la vue de son enfant ne lui apportait que de bien faibles consolations' (120), and attend the Ball. This innocence is confirmed when the niece fails to understand her aunt's signals to respond to Martial, in order to detach him from Mme de Vaudremont and retrieve her diamond: '[elle] n'avait rien compris au regard par lequel sa tante venait de l'inviter à plaire au baron.' (123-124). Mme de Vaudremont is, however, more perceptive: 'Mme de Vaudremont surprit le regard de la tante et de la nièce, une lueur soudaine illumina son âme, elle craignit d'être la dupe de cette vieille dame si savante et si rusée en intrigue.' (123).

18. '[The] Chevalier is obviously grotesque and Balzac's attitude towards him obviously heavily ironic — unfortunately, the opposite is also true and in another sense the Chevalier is the hero of the work, the figure in whom Balzac's own values and wish-fulfilments are the most deeply invested': FREDRIC JAMESON, 'The Ideology of Form: Partial Systems in *La Vieille Fille*', *Sub-stance,* no. 15 (1976), 29-49 (p. 40).

These exchanges, or non-exchanges, are of considerable significance in an appreciation of the changes in the position and nature of the reader-in-the-text in *La Paix du ménage*. First of all, they confirm Mme de Lansac's strategic position between past-present-future: her insight into the relatively distant past — the eighteenth century — can be made effective by her control over the immediate past — her niece's behaviour. Power involves control over detail and the grand design, in metonymic relation to each other. Moreover, since Mme de Lansac combines both insight into events and power over people, her interpretative and predictive power can be transferred to her less powerful and less insightful niece who does not possess such faculties. The 'voyant(e)' can invest his or her faculties in the blind, and even a person as passive and as insightless as Mme de Soulanges appears to be, can thereby assume the status of a reader-position. Indeed, it can be argued that the very anonymity and emptiness of Mme de Soulanges — at least when 'unwittingly' manœuvred by a Mme de Lansac — can make her an ideal vehicle or vessel for the reader's desire for plenitude and a restored past. Mme de Soulanges is seconded by a plenitude which she does not yet possess, and to which she and the reader can aspire — for both her and the reader to enjoy.

What makes it even easier for Mme de Soulanges to be associated with a reading-position is that she is invariably described as part of an association — either candelabra or husband. Thus when Mme de Lansac first discloses Mme de Soulanges's identity, it is as one half of a couple who are 'séparés l'un de l'autre au milieu de cette fête comme les deux moitiés d'un arbre frappé par la foudre' (120). Mme de Soulanges's importance is positional, structural, and it will be the task of the text and the reader to ensure not only that she achieves her appropriate final position in the structure, but that the final structure provided by the text corresponds to her need for such a position. Thus, although one can agree with Jameson that there is a 'character system' in the decentred *Comédie humaine*, with a 'rotation of character centers which deprives each of them in turn of any privileged status'[19], it may not be true to say, at this stage and from this perspective, that 'the events of the narrative remain the same but yet somehow are

19. Jameson, *The Political Unconscious*, p. 161. This absence of a single narrative point of view is related no doubt to the fact that the so-called monadic bourgeois subject was not yet fully constituted: Jameson, p. 170 and Geoff Bennington, 'Not Yet', *Diacritics*, 12:3 (1982), 23-32 (p. 26). Or that it was already in the process of disintegration: Jameson, '*La Cousine Bette* and allegorical realism', p. 252 and my own '*Sarrasine* and Balzac Criticism', *Paragraph*, 1 (1983), 18-28. See also D.A. Miller, 'Balzac's Illusions Lost and Found', *Yale French Studies*, no. 67 (1984), 164-181 (pp. 179-180, note 12).

emptied of their finality'[20]. The shifts in perspective from global/authorial, through dialogue, through identifications with first Mme de Vaudremont and then Mme de Lansac, can be said to lead towards and culminate in Mme de Soulanges — for both the strategic reasons mentioned above and for other reasons which can now be examined.

It has already been pointed out that Mme de Soulanges's positional availability depends in part on her ready juxtaposition with an object (the candelabra) and then with her husband. In addition, there is a continuing sense of her incompleteness, generated by the loss of the diamond. This sense of incompleteness without the Other may not, for Balzac, have any connection with 'femaleness' or 'femininity' — male pairings in the *Comédie humaine* are not uncommon (Pons and Schmucke; Vautrin and Lucien/Eugène), nor are male groupings: the Treize. Nor are female-to-female pairings: Bette and Valérie. However, it would probably be naïve to suggest that the wish-fulfilment fantasies generated in and through the reader-positions indicated in the text, are devoid of a sexual dimension. It is no doubt useful, for example, that the position of vacancy 'occupied' by Mme de Soulanges, the gap at the 'centre' of the Balzacian text, should also be a woman who can more readily be seen as politically (and sexually?) uncommitted than the professional soldiers and diplomats who seem to make up the male presence at the Ball. Her vacancy is even more total than that of the other women, Mme de Vaudremont and Mme de Lansac, who, as has been seen, have more military and diplomatic strategies than the supposed professionals. Any sexual dimension this non-commitment may have, may however merely serve the political message: the vacancy of Mme de Soulanges is desirable in that it points to a flaw in the (male) Napoleonic structure; it leaves an opening for a return to an older order. Once again the 'Otherness' in relation to Napoleon, this ability to be both regressive and progressive in relation to the present, may, though usefully represented as female, be only positionally so. The latest and perhaps final reader-position in *La Paix du ménage* may be gendered rather than sexual. Regrettable perhaps, but, since constructed as a position, deconstructible.

However, it must also be pointed out that, although it is Mme de Soulanges who, presumably, initiated the intrigue because it was she who wanted reconciliation with her husband, she can, as a woman, be more easily constructed into a position of *being desired* rather than as desiring. From the moment Mme de Lansac wanted her niece to attend the Ball, Mme de Soulanges becomes the focus of everyone else's attention and of the desires of many of the men, especially of Martial, who neglects his

20. JAMESON, *The Political Unconscious*, p. 164.

dancing-partner and mistress, Mme de Vaudremont, to watch 'la petite dame bleue' and finally makes a fool of himself by making sexual advances to her. It is because Mme de Soulanges is sexually desirable and desired that she slots neatly into the position of an order the reader will wish to see restored. It is her evident nubility which makes her the acceptable face (in the sense of *both* position and essence, of *both* gender and sex) of the ancient Mme de Lansac and of the eighteenth-century aristocracy[21], while it is her virginal purity and fidelity which makes her a more desirable alternative to he promiscuous Mme de Vaudremont. A woman-as-a-sexual-object is, therefore, as important as a woman-as-a-gendered-reading-position in and for *La Paix du ménage*. Indeed, it is the overlapping of the two which makes the narrative so *vraisemblable* in terms of wish-fulfilment, and so interesting to analyse for its sexuality, its politics and its sexual politics. The superimposition of sexuality and politics and the underpinning of both (*both* in terms of position and essence) by reading, makes an analysis of politics, sexuality, and reading in/of Balzac a complex and complicitous affair. The three strands are, moreover, united in *La Paix du ménage* itself, with its three interwoven features: political/military, private/domestic, and title of a story. And, to compact the three dimensions even more tightly: the reason Napoleon does not attend the Ball is, as has been noted, because of domestic difficulties with the Empress Josephine, which will be the subject of more story/history: 'La nouvelle de cette aventure, alors tenue fort secrète, mais que l'histoire recueillait, ne parvint pas aux oreilles des courtisans [...]' (97). The fact that this story not only will be, but has already been, told, seals the politico-sexual unit into history: if history is of importance to Balzac it is perhaps because it offers and repeats an always already mœbius loop of politics, sexuality, and narrative.

It is, therefore, unfortunate that critics such as Poulet — however brilliant in other respects — have tended to detach sexuality and desire in Balzac. Even Jameson seems to favour the more 'neutral' wish-fulfilment fantasies referred to above, and thereby risks equating his own 'neutral' analysis with a presumably male heterosexual 'position'. It is important, therefore, not to allow considerations of subject-position, or, particularly, reader-position, to occult considerations of either gender-position or the biological sex of the characters in a narrative such as *La Paix du ménage*, if

21. If character in Balzac can be seen as *both* position and essence, with the two modes combining with, yet negating, each other, this may be seen to parallel a confusion detected in Saussure between *signification* and *designation* (see BENNINGTON, *op. cit.*, p. 60). This combination/negation of position and essence may also point to a way out of the dilemma noted above (note 19).

the aim is a political hermeneutics of literature[22].

Important as it is, the move which culminated in Mme de Soulanges's assumption of the reader-position in *La Paix du ménage* is not, however, the end of the story. For although Mme de Soulanges assumes, as is her due, centre-stage at the Ball, and, while dancing with Martial, 'un murmure flatteur annonça qu'elle était le sujet de la conversation de chaque partner avec sa danseuse' (125), her focal position is short-lived ('Les regards se fixèrent un moment sur Mme de Soulanges' (125)) and insecure and undeveloped: 'la jeune femme, honteuse d'un triomphe auquel elle semblait se refuser, baissa modestement les yeux' (125). Although this lowering of the eyes intensifies Martial's interest in her, it also betrays the uncertainty of her actual or potential reader-position. As noted above, Mme de Soulanges is looked at rather than looking, desired rather than desiring. Although she later recovers her diamond through an almost literal sleight of hand (127) when she is almost alone with Martial, that move, too, is not fully assumed: Mme de Soulanges retains the diamond but discards 'les cheveux profanés' of her husband, hidden under the jewel. The past is, therefore, not fully restored and 'la paix du ménage' is achieved only at considerable sacrifice: 'Elle pleura en se rappelant les vives souffrances auxquelles elle était depuis si longtemps en proie, et frémit plus d'une fois en pensant que le devoir des femmes qui veulent obtenir la paix en ménage les obligeait à ensevelir au fond du cœur, et sans se plaindre, des angoisses aussi cruelles que les siennes.' (128-129). Her new-found position of strength, while presumably restoring her husband to her, is essentially a covering-up, the covering-over-the-cracks operation of 'what every woman knows', the stoicism of Balzac's 'aux cœurs blessés l'ombre et le silence', a position of retreat and even of renunciation. Mme de Soulanges's somewhat half-hearted or at least disabused attempt to recover her husband is, therefore, no simple matter, given the essentially vain and self-seeking society in which she is forced to operate. The reader can assume that any attempt to restore the old values of the *ancien régime* will be equally hard to achieve. The past is the past, however skilfully the reader was manœuvred into thinking that the past was contained within the present, and that it was simply a question of reading, of perception, to see it, and therefore to bring it to the surface once again

22. For an interesting exploration of what such a 'political hermeneutics' might look at and look for, see STEVEN BEST and DOUGLAS KELLNER, '(Re)watching television: Notes towards a Political Criticism', *Diacritics*, 17:2 (1987), 97-113. The problems and parameters involved in working out an emancipatory political criticism are also set out by JONATHAN CULLER, *op. cit.*, especially Chapter 3: 'The Call to History', 57-68 and Chapter 4: 'Political Criticism: Confronting Religion', 69-82.

The past is still the past, however much the reader was manoeuvred into wanting and willing its restoration. In a kind of anti-Promethean gesture, Mme de Soulanges discards her husband's hair, 'jadis offert comme le gage d'un amour'; and the love of tradition, truth, and purity — and, perhaps more importantly, the power to resurrect them — shrink like the 'peau de chagrin'. Or, as Jameson would argue, the Real which is disclosed by desire, by the wish-fulfilling text, finally resists the work's fantasy and reasserts History 'on which desire must come to grief'[23].

It can be argued, therefore, that the many and various narrative, mythical, and sexual clichés upon which the narrative is constructed — from 'all that glitters is not gold' to 'what every woman knows' — are themselves also exposed as (mere) wish-fulfilment fantasy[24], as ways of seeking to interpret, represent, or operate on the Real, but not the Real itself. The very over-determination motivating Mme de Soulanges's success — Soulanges's own fatigue and remorse over his affair with Mme de Vaudremont, Mme de Vaudremont's finer feelings, Martial's stupidity, Mme de Lansac's supposed almost diabolic power, — while propelling an accepting reader to a seemingly inevitable and desired conclusion, is itself exposed as a construction which is in need of review[25]. This review is made all the more necessary by the actual conclusion to the story: a reference to another, later Ball, where the marriage of Mme de Vaudremont and Montcornet is prevented by the former's death in a celebrated, devastating fire. This is a typical final Balzacian gesture and needs to be examined in some detail.

The first and perhaps most obvious message here is that Napoleon survives, at least to another Ball and to another marriage. His 'paix du ménage', whose disruptions with Josephine prevented him from attending

23. *The Political Unconscious,* p. 183. For penetrating assessments of Jameson's work, acknowledging its importance for literary interpretation while exposing the problems of his definition and location of, for example, History, see *Diacritics,* 12:3 (1982). For the linking of History and the Real, see his 'Imaginary and Symbolic in Lacan: Marxism, Psychoanalytic Criticism, and the Problem of the Subject' in *Literature and Psychoanalysis,* edited by SHOSHANA FELMAN, Baltimore and London, Johns Hopkins, 1982, pp. 338-395 (pp. 384-390). A brief critical appraisal of History and the Real in Jameson can also be found in JOHN FROW, *Marxism and Literary History,* Oxford, Blackwell, 1986, pp. 37-39.

24. As noted above, both Riffaterre and Andréoli see *La Paix du ménage* as the narrativization of maxims and patterns, whether archetypal (Andréoli and the 'tout est double' motif) or stereotypical (Riffaterre and 'la duperie des passions').

25. This overdetermination, or excessive accumulation of *detail,* is seen by NAOMI SCHOR as a form of totalization *and* detotalization, of sublimation *and* desublimation in Balzac: 'Details and Realism: The *Curé de Tours*' in *Reading in Detail: Aesthetics and the Feminine,* New York and London, Methuen, 1987, pp. 141-147 and 168-169.

the Gondreville Ball, are resolved in a different way from the Soulanges's reconciliation: Napoleon moves on and marries someone else. Thus the Soulanges's solution is *not* generalized, however inevitable it seemed. Nor indeed does the subplot of the Vaudremont-Montcornet alliance receive a successful resolution. Neither Mme de Lansac nor Mme de Soulanges — nor Napoleon — seem to have the power to spread stability beyond the confines of their own 'reader-position'. Time eventually resists, bringing change — or death[26].

If time still brings a kind of restoration, in the sense of another 'fête', another Ball, another Napoleonic celebration with at least some of the same characters, then that 'reprise' has neither the restorative powers of a renewal (certainly not for Mme de Vaudremont) nor even the consolidating force of sameness. The next Ball is simply another in a possibly unending series, and is neither an improvement on, nor a debasement of, the earlier Ball. It is simply a move on. Similar but different, different but similar. The significance of the Balls in relation to each other is not one of value but of position, differing only in 'éclat'. If, then, *La Paix du ménage* has a coherence, it is in the homology of form and content: the superficiality and emptiness of the Ball is replicated at the level (?) of the Real: even the Real, as 'content' or 'force', is *empty*[27].

Although, then, Balzac is frequently seen as one of the main exponents of the 'expressive realist' school, with an assumption of the existence of objective reality, describable through transparent language in 'common sense' terms, such a view of Balzac seems, to say the least, simplistic. There are at least three ways of viewing the problem as it now emerges. One, that of Richard Terdiman, argues that Balzac's texts 'practiced the sign and the process by which it became problematized within our conceptual discourse'[28].

26. If the Balzacian narrative allows or posits anything 'outside' itself, it may, therefore, not be 'Reality' or 'History', but 'Time' — or rather uncapitalized 'time', since it is not essence but (mere) sequence. See also BENNINGTON, *Lyotard,* p. 129.

27. Another way of looking at this might be to see Balzac's text as exhibiting a tension between symbol and allegory. If, as Paul de Man has claimed, 'allegory designates primarily a distance in relation to its own origin', the 'reduction' of the Gondreville Ball to being one of a series undoes its potential adherence to 'an organic world postulated in a symbolic mode of analogical correspondence or in a mimetic mode of representation in which fiction and reality could coincide.' (Quoted by JONATHAN CULLER, *op. cit.,* pp. 120, 121). Thus, on both the horizontal axis (history is infinitely extensible and repeatable, therefore, also non-historical) and vertical axis (inside and outside are questions of position and perspective and, therefore, also non-positional), Balzac's text both relies on, and exposes, its own rhetoric, its own (un-)readability.

28. RICHARD TERDIMAN, 'Structures of Initiation: On Semiotic Education and its Contradictions in Balzac', *Yale French Studies,* no. 63 (1982), 198-226 (p. 206).

However all-instructive the Balzacian pedagogy, and however all-seeing and all-instructive the de Lansac reader-position, the sign is ultimately 'revealed' as a mystified and mystifying agent and the interpretative move is finally thwarted[29]. Thus 'any movement beyond those which the *roman d'éducation* denounced a century and a half ago will require an alternate pedagogic text which could project the paradigms of our initiation to and of the future: a narrative of our learning which would at last assign this ghostly present its historical reality'[30].

A somewhat different viewpoint is envisaged by Françoise Gaillard who, finding in Balzac's *Avant-propos* to the *Comédie humaine* a conjuction of 'conservation' and 'mutation', sees history as traversible in either or indeed any direction: 'un mouvement non orienté qui s'inscrit dans un continuum non marqué historiquement'[31]. Balzac, like Mme de Lansac, — and a Georges Poulet — places himself above or beyond history, at least in the 'theory' of the *Avant-propos*, in an attempt to combine 'transformation' and 'conservation' in and through 'l'unité de composition'.

Ronnie Butler takes a more recognizable view of Balzac's approach to reality and history: 'in the last resort, the *status quo*, Balzac insists, must be defended at all costs'[32]. Hence, for Butler, Terdiman's semiotic impasse, Jameson's 'Reality', and Gaillard's 'réversibilité des effets'[33] would, like Engels's claim that Balzac the author disavows the political and social allegiances of Balzac the person, simply be ploys for avoiding the inevitable

29. Like the 'normal reading mind' defeated by the 'labyrinthine conspiracies of autonomous but deadly interlocking and competing information agencies' detected by JAMESON in postmodern texts: 'Postmodernism, or The Cultural Logic of Late Capitalism', *New Left Review*, no. 146 (1984), 53-92 (p. 80). Given the parallels which can be drawn between a 'postmodern' film like *Wall Street* and the Rubempré novels, there must be a postmodern side to Balzac's reader-in-the-labyrinth.

30. TERDIMAN, *op. cit.*, p. 226. In an analysis of narrative and other contracts in Balzac, with particular reference to the Rubempré cycle, CHRISTOPHER PRENDERGAST argues that Balzac finally maintains his political and authorial distance from the narrator, however much and often the narrator gets 'caught up in the continual raising and lowering of the semantic exchange-rate': *The Order of Mimesis*, Cambridge, Cambridge U.P., 1986, p. 108. After a probing examination of illusion and disillusion, of desire and positionality in the Vautrin cycle, D.A. MILLER, however, concludes: 'Like everything else in Balzac, meaning too must adjust to the demands of its functional station': 'Balzac's Illusions Lost and Found', pp. 180-181.

31. FRANÇOISE GAILLARD, 'La Science: modèle ou vérité? Réflexions sur l'*Avant propos* à *la Comédie humaine*' in *Balzac: l'invention du roman*, edited by CLAUDE DUCHET and JACQUES NEEFS, Paris, Belfond, 1982, pp. 57-83 (p. 76).

32. RONNIE BUTLER, *Balzac and the French Revolution*, London, Croom Helm, 1983, p. 254.

33. GAILLARD, *op. cit.*, p. 76.

Tory Balzac: 'Finally, in a political sense, everything in the *Comédie humaine* indicates that the ideal kind of society which Balzac approved of was one based on an authoritarian monarchy, a systematic hierarchy and aristocratic privilege, of which the *ancien régime* provided a model'[34].

However, *La Paix du ménage* shows that whereas the *ancien régime* embodied in Mme de Lansac may be the 'ideal' society, and may be wish-fulfilled by the Balzacian text and its most persuadable readers, these wishes can be said to go counter to reason. As Mme de Soulanges exclaims to herself: '«Hélas! [...] comment peuvent faire les femmes qui n'aiment pas? Où est la source de leur indulgence? Je ne saurais croire, comme le dit ma tante, que la raison suffise pour les soutenir dans de tels dévouements.»' (129)[35]. It would seem, then, that 'l'âge de raison' which Mme de Soulanges has now attained has, as it were, 'des raisons que la raison ne connaît plus'. Thus it is that Balzac's Miranda in fact questions her old aunt's principles and priorities, questions the validity of the brave old new world that Balzac's text seems to be wishing to restore. A glimpse, perhaps, that Balzac's 'petite dame bleue', in some of the few words she is allowed to frame, may perhaps question the void or the closure of the whole text, and posit a questioning and hence rather different future[36].

It would be tempting to end on this more positive note, with the promise of a possible fissure in the text, voiced, even more promisingly for Balzac, by an early 'new' woman distancing herself from an otherwise masterly work. There is, however, a little more that should be said, even if it modifies this particular perspective.

The future which Mme de Soulanges's words seem to suggest does indeed appear to be different from the past. It will be a future which avoids *both* the Empire/divorce *and* the *ancien régime*/enforced fidelity. It will also, given Mme de Vaudremont's death, avoid the uncertainties of pro-

34. BUTLER, *op. cit.*, p. 262.

35. Mme de Soulanges can, therefore, be said to have that 'lucid romanticism' discerned by Naomi Schor in Eugénie Grandet. If Mme de Soulanges, like Eugénie, can be seen as either a heroine of the Imaginary or as victim of the Symbolic, both women at least survive — for Mme de Soulanges, too, 'the Imaginary persists unbound below the baseline of the Symbolic': '*Eugénie Grandet:* Mirrors and Melancholia' in *Breaking the Chain. Women, Theory, and French Realist Fiction,* New York, Columbia U.P., 1985, pp. 90-107 and 174-177 (pp. 106, 107).

36. The reference to the possible glimpse of a different future is an optimistic interpretation. Alternatively, Mme de Soulanges's disillusion may simply be illustrative of the widespread cynicism in Balzac, confirming that there will never be any escape from the social order (See D.A. MILLER, *op. cit.*, pp. 175-176). Or again Mme de Soulanges's 'message' and the apocalyptic conclusion to the story — may simply be symptomatic of the ethical character of allegory (see above, note 27 and CULLER, *op. cit.*, p. 124).

miscuity/postponed marriage. An avoidance of these three alternatives may be heralded in the appropriately fourfold exchange between Mme de Soulanges and Soulanges, each signalling, receiving and re-signalling each other's messages:

> Heureuse de voir son mari souriant, et de le trouver à cette heure dans une chambre où, depuis quelque temps, il était venu moins fréquemment, la comtesse le regarda si tendrement qu'elle rougit et baissa les yeux. Cette clémence enivra d'autant plus Soulanges que cette scène succédait aux tourments qu'il avait ressentis pendant le bal; il saisit la main de sa femme et la baisa par reconnaissance: ne se rencontre-t-il pas souvent de la reconnaissance dans l'amour? (129).

This fourth solution is crucial to a resolution of *La Paix du ménage*, if only because it may give some retrospective methodological if not epistemological justification for terms such as 'reader-position' and 'wish-fulfilment' used in this essay. For it is in the above passage in *La Paix du ménage* that it becomes difficult to identify Mme de Soulanges solely or even predominantly in terms of reader-position since, even more clearly than when she was juxtaposed with candelabra or ring, she is emphatically a woman both desired and desiring. The more she relinquishes her anonymity, the less she can remain as reading position. Less obviously and more importantly, the emergence of Mme de Soulanges from (mere) reading position and the accrual to herself of the wish-fulfilment of/in the text, can be accompanied by a similar process in the (actual) reader: Mme de Soulanges's transfiguration permits and provokes a similar *restoration* in and of the *reader* who, with a similarly refreshed indentity, can assume the hitherto dispersed wish-fulfilment in/of the text, — but with the emphasis now on the fulfilment rather than the wish. The reader thus released can replicate the above communicative exchange between Soulanges and Mme de Soulanges, can acknowledge and be acknowledged, endorse and be endorsed, can acquire and confirm 'reconnaissance' and identity. In an interesting re-writing (or re-reading) of the Pygmalion story, the text creates not only Mme de Soulanges/Galatea but also her Pygmalion-admirer. *La Paix du ménage* restores not only Mme de Soulanges but also her viewer/reader. The reader-in-the-text becomes the reader-of-the-text and the reader, like Mme de Soulanges, can emerge feeling a more enlightened, more complete, more fulfilled person. In a word, *restored.*

At the same time, this re(-)placement of a position by a character, and of a reading by a reader, is in danger of creating an unfortunate *symmetry* between writer and reader, where all the newly created reader can do is replicate and repeat what the author has already written, admire what the author has already admired, in an unceasing exchange of mutual self-recognition, flattery, and congratulation. Such circular exchanges are already prefigured in the narrative circles which gather confidingly and confidently at the opening of such other narratives as *Autre étude de femme* and *Honorine:* writer and reader become mere replicas of each other — where 'the apparent sender becomes an addressee of the referent become sender, while the addressee will become a new sender/addressee in turn'[37]. Such symmetry between writer and newly created reader means that Balzac's (little) narrative, *La Paix du ménage*, is in danger of becoming part of one of those grand, 'master' narratives where the reader is freed merely in order to accord 'reconnaissance', in the sense of both recognition and gratitude, to the narrator. Mme de Soulanges's small gesture of defiance and words of reservation have been forgotten and author, society, and *Comédie humaine* reassert their traditional authority and power.

However, if the reader of *La Paix du ménage* concludes with this writer-reader symmetry, it will only be at the price of *mis*reading *La Paix du ménage* in two important respects. The reader will have to ignore, firstly, the fact that the full (bourgeois) subject(s) in *La Paix du ménage* are shown to be created in and through the story — both in the case of Mme de Soulanges and in the case of the newly emergent reader; and secondly, the fact that these subjects are made possible only through wish-fulfilment, sexual fantasizing, and self-deception about the nature of society and its possibilities for change in and through time. The story has shown that a return to the past in the form of the *ancien régime* is ultimately desirable but impossible. The story has also shown that although the past cannot be restored, nor can it be denied: the break from the past is achieved neither by Napoleon (who goes to more Balls), nor Mme de Vaudremont (who dies), nor even Mme de Soulanges — who throws away the hair but not the diamond. Neither past nor future hold the promise either Balzac or reader wanted from them. Furthermore, whatever autonomy and authenticity the subject achieves from *La Paix du ménage* can, as has been shown, only be

37. BENNINGTON, *Lyotard*, p. 119. For an analysis of the emplotment of recognition/'reconnaissance' in *Le Colonel Chabert* and *Adieu*, see TERENCE CAVE, *Recognitions*, Oxford, Clarendon Press, 1988, pp. 397-409. Cave's general conclusions on the subject of recognition are remarkably appropriate for *La Paix du ménage:* 'Recognition is *par excellence* the vehicle of nostalgia. It invests in securities, moral, legal, social, political; it parades before us the ghosts of all we ever wanted and always failed quite to grasp and hold. Yet it also, by a flicker of its complex androgynous structure, affords a vision of dispersal, fragmentation, endless particularity.' (p. 497). Cave also notes that, however suspect the antithesis between male and female in this context, it is the women who often 'undo recognition, or perform it in another way; they *know* in another way' (p. 494). We are perhaps then, at least in a sense, back to J.M. Barrie and 'What every woman knows'.

gained through a mixture of wish-fulfilment, sexual fantasizing, and (self?)-deception. The autonomy and authenticity of the subject can only be achieved by forgiving and forgetting the very hard-won basis on which that autonomy and authenticity depended — as the example of Mme de Soulanges has shown: she forgives Soulanges and in doing so forgets both her past, present, and future. Once again she will lose her 'name'[38]. In the same way, in order to survive, the reader will have to forgive and forget *La Paix du ménage* — for re-reading it will be a constant reminder not only that reading creates wish-fulfilment but that wish-fulfilment creates reading — and finally reader. And yet forgetting *La Paix du ménage* means that reading — and reader — will still be forgotten.

38. As in many Balzac novels, names and naming are rarely innocent. It is worthwhile noting that Mme de Soulanges is never known by her first or Christian name in the text, only by that of her husband. It is also interesting that among the various barter-exchanges proposed in the narrative, each involving a woman and a commodity (money or horse), one involves Mme de Soulanges's name: Martial proposes to Mme de Lansac that, in exchange for the name, the 'nom propre', of 'la petite dame bleue', he can help Mme de Lansac *reappropriate* the Navarreins *property* — a property to which Mme de Lansac was not *entitled* since it belonged to the other branch of the family (116). This mismatch between Mme de Lansac and the property may echo a mismatch between Mme de Soulanges and her name, between the 'nom' and the 'propre', pointing to a disjunction within (?) the subject, a disjunction which it is the narrative's task to close and disclose.

MAISTRE AND BAUDELAIRE RE-EXAMINED

by

BERNARD HOWELLS

> Il n'y a d'intéressant sur la terre que les religions. Qu'est-ce que la Religion universelle? (Chateaubriand, de Maistre, les Alexandrins, Capé). Il y a une Religion Universelle, faite pour les Alchimistes de la Pensée, une Religion qui se dégage de l'homme, considéré comme mémento divin.
>
> *Mon cœur mis à nu.*

The beginning of a revival of interest in Joseph de Maistre makes this a good moment to re-examine his relation to the man with whom his name is, for students of French literature at least, immediately associated — Charles Baudelaire[1]. The association has resulted in a good deal of distortion in both directions, fostered by the semiobscurity into which Maistre's writings lapsed and by the ease with which commentators of Baudelaire perpetuate inaccurate *idées reçues* about them. Maistre has suffered considerably more

1. References to the following editions are given in the text, with the abbreviations indicated: BAUDELAIRE, *Œuvres complètes* (OC), ed. Pichois, 2 vols., Paris, Gallimard (Bibliothèque de la Pléiade), 1975-76. *Correspondance* (CP), ed. Pichois (avec la collaboration de Jean Ziegler), 2 vols., Paris, Gallimard (Bibliothèque de la Pléiade), 1973. MAISTRE, *Les Soirées de Saint-Pétersbourg (S),* Paris, La Colombe, 1960 (the most readily available modern edition). *Considérations sur la France* (C) [suivi de] *Essai sur le principe générateur des constitutions politiques* (P), Lyon, Louis Lesne, 1843. *Eclaircissement sur les sacrifices* (E), in *Les Soirées de Saint-Pétersbourg, ou entretiens sur le gouvernement temporel de la providence: suivis d'un traité sur les sacrifices,* 2 vols., Paris, Librairie Grecque, Latine et Française, 1821, vol. 1, pp. 371-474. *Lettres et opuscules inédits* (L), 2 vols., Paris, Emile Vaton, 1873 (6me édition). The revival of interest in Maistre is largely the work of the Centre d'Etudes Franco-Italien (Chambéry) which inaugurated the yearly *Revue des études maistriennes* in 1975, taken over by the Association des amis de Joseph et Xavier de Maistre in 1985. There are two full-scale studies of Baudelaire and Maistre, neither recent: MOTHER MARY ALPHONSUS, *The Influence of Joseph de Maistre on Baudelaire,* dissertation presented to the Faculty of Bryn Mawr College, Pennsylvania, 1943. DANIEL VOUGA, *Baudelaire et Joseph de Maistre*, Paris, Corti, 1957. (Vouga's study is unaware of the American thesis and is the only book on the topic widely known.)

in the process than Baudelaire. At the same time the nature of the latter's interest in the religious theories of his predecessor needs to be redefined. The emergence, with surprising belatedness, of Baudelaire as a death-of-God writer in whom metaphysical tragedy is veiled by the persistence of religious references, now gives sharper focus to this question. Readers familiar with Vouga's *Baudelaire et Joseph de Maistre*, published more than 30 years ago, will recognise in what follows a certain degree of overlap, particularly with Vouga's suggestive final pages on prostitution, substitutive figures etc., where only differences of emphasis separate us. On the other hand fundamental differences in perspective and assessment will also be apparent. The general view usually links Maistre and Baudelaire in terms of three things: 1) the doctrine of the Fall or original sin, 2) the providential view of history, 3) the doctrine of Reversibility. I propose to re-examine each of these in turn.

There is little justification for the opinion which persists in holding Maistre responsible, even indirectly, for Baudelaire's increasing pessimism after 1852. There are, as Vouga admitted (110), fundamental temperamental incompatibilities separating the two writers, but there are even more important philosophical differences. The basis of Maistre's religious philosophy is a vigorous platonism that has little in common with Baudelaire's Romantic, intuitive neo-platonism. The core of this platonism is the orthodox belief in an innate "conscience universelle" (P 25), a properly "universal" reason or "common" sense (S 121), independent of experience (S 139), capable of synthesising sensible particulars (S 191) and of distinguishing, *a priori*, truth from error (S 31, 32): "Il n'y a point d'idée qui ne soit innée, ou étrangère aux sens par l'universalité dont elle tient sa forme, et par l'acte intellectuel qui la *pense*" (S 190). As a prior condition of all operations of the mind, universal reason has jurisdiction over individual reason and over all specialised forms of knowledge, including science (S 265). The direct participation of consciousness in a spontaneous and transcendent First Cause (the only *cause* properly termed such (S 143)) is the ground on which Maistre asserts moral freedom and the efficacy of prayer. It is also the ground on which he rejects as illusory the notion of an *immutable* finality in nature, with all its consequences: the autonomy of science, historical determinism and the doctrine of progress, which has its origin in eighteenth-century sensualism and implies, as Baudelaire also believed it to, the identity of material and moral reality. Maistre has his own idea of "perfectibility" (S 157) which is, like Baudelaire's, independent of material improvement whilst retaining a historical dimension that Baudelaire's lacks. "Perfectibility" means the capacity to learn and therefore to transcend the immediate, with the corollary that we do not learn "from scratch"; we learn because we already possess the principles of knowledge:

"L'homme ne peut rien apprendre que parce qu'il sait" (S 190). Individuation, consequently, is explained in terms of "notions originelles communes" (S 239) variously combined.

It may come as a surprise to readers familiar with Baudelaire but not with Maistre to realise that we are dealing, in Maistre's case, with an optimistic version of "l'homme considéré comme mémento divin", as the following typical rebuttal of Pascal's negative theology (and, prospectively, of the kind of Romantic infinitism which draws on the arguments of "Disproportion de l'homme") makes plain: "Ne craignons jamais de nous élever trop et d'affaiblir les idées que nous devons avoir de l'immensité divine. Pour mettre l'infini entre deux termes, il n'est pas nécessaire d'en abaisser un; il suffit d'élever l'autre sans limites. Images de Dieu sur la terre, tout ce que nous avons de bon lui ressemble" (S 114). Certain similarities in apologetic procedure should not obscure Maistre's profound disagreement with Jansenism and particularly with Jansenist psychology which makes the God-ward movements of the soul depend on the impulse of desire, not on understanding and will: "De la part de ces docteurs rebelles, tout me déplaît, et même ce qu'ils ont écrit de bon" (S 165). Maistre's is in fact a classical religious humanism: "Hors de cette supposition (innate 'conscience universelle'), il devient impossible de concevoir *l'homme*, c'est-à-dire, *l'unité* ou *l'espèce humaine;* ni, par conséquent, aucun ordre relatif à une classe donnée d'êtres intelligents" (S 190). More important for the views developed here, the ideal conceptual unity (Man) founded on "universal conscience" implies the possibility of a recuperation of all error and evil: "L'homme, malgré sa fatale dégradation, porte toujours des marques évidentes de son origine divine, de manière que toute croyance universelle est toujours plus ou moins vraie, c'est-à-dire que l'homme peut bien avoir couvert et, pour ainsi dire, *encroûté* la vérité par les erreurs dont il l'a surchargée; mais ces erreurs sont locales, et la vérité universelle se montrera toujours" (S 120). Maistre's apologetic method in the *Soirées* is based on a hermeneutics of error: "éclairer les erreurs" (S 101) in such a way as to reveal the constant truth they distort or seek to deny: "L'erreur, en tournant le dos à sa rivale, ne cesse néanmoins d'en répéter tous les actes et toutes les doctrines qu'elle altère suivant ses forces, c'est-à-dire de manière que le type ne peut jamais être méconnu, ni l'image prise pour lui" (S 243). The same principle applies to the study of philosophical error (see the refutation of Locke (S 174-205), much appreciated by Baudelaire[2]), and to the study of religious diversity. Maistre's disagreement with certain (Protestant) historians of religion is twofold: they disregard the kernel of arche-

2. Eugène and Jacques Crépet, *Charles Baudelaire*, Paris, Vanier-Messein, 1906 (p. 285).

typal truth contained in all religious forms or else seek to explain striking recurrent similarities between religions or myths merely in terms of historical transmission: "Trompés par une religion négative et par un culte décharné, ils ont méconnu les formes éternelles d'une religion positive qui se retrouveront partout. Les voyageurs modernes ont trouvé en Amérique les vestales, le feu nouveau, la circoncision, le baptême, la confession, et enfin la *présence réelle* sous les *espèces* du *pain* et du *vin*. Il faut bien se garder de conclure toujours de la conformité à la déviation subordonnée: pour que le raisonnement soit légitime, il faut avoir exclu précédemment la dérivation commune" (S 243)[3]. It would be superfluous to list out all the formulae which repeat the same idea and all the illustrations used to show that "le paganisme étincelle de vérités, mais toutes altérées et déplacées (E 408). In the vast catalogue of religious atrocities and errors "il n'en est pas une que nous ne puissions *délivrer du mal* [...] pour montrer ensuite le résidu vrai, qui est divin" (E 409, see also 446). The analogy of divine and human is summed up in the image of the similar triangles: "L'intelligence divine et l'intelligence humaine [...] ne peuvent différer que comme des figures semblables qui sont toujours telles, quelles que soient leurs différences de dimension" (E 469, 470). Within the same perspective, "l'erreur ne peut être que la vérité corrompue [...] quelque chose de *différemment semblable*" (E 449).

Maistre's view of error and evil is thoroughly scholastic: evil is not essential but accidental ("une dégradation accidentelle" (S 56)). It is literally unreal. There can be, metaphysically speaking, no "immortelle antithèse philosophique", to use Baudelaire's phrase (OC 2, 676). Evil is not opposed to good as a co-equal antagonistic principle nor like the inverted, scowling image of the face of God in the Great Seal of Solomon[4]. Evil is opposed to good as absence to presence and has therefore no "original" or ontological foundation: "L'erreur n'est rien" (E 408); "Rien ne commence par le mal" (S 240). Maistre's positive theology leads him to reassert the ontological argument: "L'homme ne peut concevoir que ce qui est" (S 256); "Toute notion est vraie" (S 86); consequently the "affirmation" of atheism is a contradiction in terms. Innate ideas or "notions" are ineradicable though they may be "covered over" by false "affirmations" or "raisonnements" and "transmitted" in degraded form (S 86). The ontological security which

3. Baudelaire's views on the common derivation of myths, in *Richard Wagner* (OC 2, 800), are no doubt indebted to Maistre, as Mother Mary Alphonsus points out (*op. cit.*, 19).

4. The Great Symbol of Solomon as reproduced in ELIPHAS LEVI'S *Histoire de la magie*, 1859 (see the translation of this work by A.E. WAITE: *The History of Magic*, London, Rider and Co., 1969, p. 43).

underpins concepts and ideas for Maistre may be usefully contrasted with the aphorisms traditionally published at the beginning of *Fusées:* "Quand même Dieu n'existerait pas, la Religion serait encore Sainte et *Divine.* Dieu est le seul être qui, pour régner, n'ait même pas besoin d'exister" (OC I, 649). These and other remarks in the *Journaux intimes* suggest Baudelaire places interpretation of reality totally under the sign of error or misunderstanding ("le Malentendu universel" (704)) and they imply a view of meaning less as correspondence with the real than as the necessary construction of an imaginary or fictional order.

The foregoing demonstrates amply the mistakenness of any view which asserts the basic similarity of Maistre's and Baudelaire's theology of evil[5]. The doctrine of original sin has an entirely different status and function in the two writers and reflects two incompatible "anthropologies". "Le péché originel, qui explique tout, et sans lequel on n'explique rien [...]" (S 53), writes Maistre, in a phrase sometimes summarily applied to Baudelaire[6]. But the doctrine of "original sin" is "explanatory" for Maistre in the proper apologetic sense that it unlocks the enigmatic, parasitic dependence of error on truth; it always points back to a state of truth which alone constitutes the "original" nature of man and which Maistre envisages as a Golden Age occupying the historical period up to the Flood and characterised by a full possession of transcendental knowledge. Baudelaire's own idea of original sin betrays an inconsistency originating in the continuing tension between his "nostalgic primitivism" and a growing "antihumanistic pessimism", intense after 1855[7]. There are a number or references in the later writings to the "signs" which still indicate, remotely, "la noblesse primitive de l'âme humaine" (OC 2, 716) and to art as "une espèce de mnémotechnie de la grandeur et de la passion native de l'homme universel" (OC 2, 745). Such remarks usually appear in the context of Baudelaire's response to painting (Delacroix) or to music (Wagner), when he feels restored to a confident belief in himself and in human origins. Outside this context (and occasionally within it) we find other statements of a radical pessimism which equate original nature (man and the cosmos) with evil: "Il faut toujours en revenir à De Sade, c'est-à-dire à l'Homme Naturel, pour

5. MARCEL RUFF's, for example, when he claims: "[Baudelaire] paraît d'accord avec lui [Maistre] sur tous les points essentiels", in *L'Esprit du mal et l'esthétique baudelairienne,* Paris, Armand Colin, 1955 (p. 276; see also pp. 99-100).

6. See VOUGA, *op. cit.,* p. 115 and MARGARET GILMAN, *Baudelaire the Critic,* New York, Octagon Books, 1971, pp. 64, 80 (reprint of the author's study first published in 1943).

7. See F.W. LEAKEY, *Baudelaire and Nature,* Manchester University Press, 1967, Chap. V ("The Repudiation of Nature").

expliquer le mal" (OC 1, 595); "Le crime, dont l'animal humain a puisé le goût dans le ventre de sa mère, est originellement naturel" (OC 2, 715). Maistre, on the other hand, is consistent in his view that "Nul être intelligent ne peut aimer le mal naturellement ou en vertu de son essence; il faudrait pour cela que Dieu l'eût créé mauvais, ce qui est impossible" (S 56). If Maistre talks of an original "dégradation" (*passim*), or "maladie" (*"L'homme entier n'est qu'une maladie"* (S 56)), it is always in order to stress the *accidental* as well as the horrific consequences of a "crime" or "prévarication" (S 54) which is "original" only in the sense of inaugurating a state of violence to nature. Baudelaire's claim that human perversity is "primordial" (OC 2, 323) and that Satan is at the source of human motivation can be counterbalanced by other statements, notably the reference to the "deux postulations simultanées, l'une vers Dieu, l'autre vers Satan" (OC 1, 582), but it is a characteristic tendency of his imagination to push the principle of evil as far back as possible into the origins of existence. The Fall is defined not as an "accident" or despoliation ocurring in historical time but as a vitiation of the original Divine Unity, synonymous with the act of creation: "La théologie. Qu'est-ce que la chute? Si c'est l'unité devenue dualité, c'est Dieu qui a chuté" (OC 1, 688). Original sin, then, is itself elevated to the status of a principle which universal experience illustrates, and the result is the elaboration of a literally *perverse* theology, incompatible with a properly religious view because it elevates Satan ("Satan Trismégiste") to quasi-omnipotence over the world-order. Belief in original sin is, for Maistre, an *element* of "universal religion" but it cannot, by definition, be the *basis* of universal religion. Vouga's argument slips between these two functions when he writes: "Pour lui (Baudelaire) la religion universelle, c'est comme pour Maistre, la croyance à la dégradation de l'homme, article de foi et base même du néoplatonisme alexandrin" (166).

Vouga errs on the right side when he claims that "toutes les allusions de Baudelaire à l'anthropologie se réfèrent aux *Soirées de Saint-Pétersbourg*" (163). However, the basis is quite different in the two writers. Maistre's anthropology simply will not fit the "repudiation of nature" characteristic of Baudelaire's attitude after 1855. Starting from a common hostility to Rousseau, Baudelaire attempts to annex Maistre to the argument of "Eloge du maquillage", but the result has been shown to involve a good deal of confusion and inconsistency[8]. It is beyond the scope of this study to unravel

8. *Ibid.*: see especially pp. 150-160 ("Human Nature and Original Sin: The Inveterate Primitivist"). The assertion that the argument of "Éloge du maquillage" is Maistrean is made by CRÉPET and BLIN: "On sait que Baudelaire poussant à leur dernière limite les théories des Pères de l'Eglise, des Jansénistes et de Maistre, n'emploie le mot *naturel* que dans l'acception

the complexities of a tripartite misappropriation and misunderstanding (Rousseau, Maistre, Baudelaire). The incompatibility between Maistre's and Baudelaire's "anthropology" emerges out of the confusion where one might expect: at the critical points where value-judgements are made — with respect to the "state of nature" and to "civilisation". Maistre's anthropology distinguishes four states of man:

1) An *Original* (or "primitive" or "natural") state which is civilised, not savage: "Les hommes ont commencé par la science, une science [...] supérieure à la nôtre" (S 60); "L'état de civilisation et de science dans un certain sens, est l'état naturel et primitif de l'homme" (S 64).
2) *Savage:* "[...] descendant d'un homme détaché du grand arbre de la civilisation par une prévarication quelconque, mais d'un genre qui ne peut plus être répété [...] je doute qu'il se forme de nouveaux sauvages" (S 54). For Maistre, the savage, incurably violent and unable to learn (he sees the superiority of civilisation but is incapable of emulation (S 213) is the only example of absolute degradation and is excluded from the (comm)unity of Man, but in the manner of the *anathema* which confirms the rule. "C'est le dernier degré d'abrutissement que Rousseau et ses pareils appellent *l'état de nature*" (S 65).
3) *Barbarian:* "... une espéce de moyenne proportionnelle entre l'homme civilisé et le sauvage proprement dit" (S 67). The barbarian is "perfectible" and "n'a plus besoin que du temps et des circonstances pour se développer" (S 67).
4) *Modern civilised.* Maistre's belief in a Golden Age does not mean he views history as an accelerating process of degradation. For example, he thinks of science as originating in the Christian vocation of the West; its separation from religion is a *philosophical* mistake, a schism (temporary, like all schisms) that will be repaired in a future age of synthesis (S 301, 324).

From whatever angle we approach Maistre's thinking (epistemology, anthropology, history), error is local and the good alone is properly universal.

The case for attributing to Baudelaire a providential view of history derivative of Maistre rests on a number of allusions to "providence" and "providentialité" in the works and correspondence. There is little that is

la plus péjorative" (*Journaux intimes*, Paris, Corti, 1949, p. 225); by VOUGA: "Ce pessimisme anti-humaniste est très exactement dans la ligne de Joseph de Maistre" (*op. cit.*, p. 140) and by GILMAN (*op. cit.*, pp. 162-163) who speaks of "the diatribes of De Maistre against nature". In all these cases Baudelaire is colouring the critics' perception of Maistre. SARTRE, who is not inclined to be charitable about Maistre, is right to express doubts about attributing Baudelaire's anti-nature stance to the influence of the *Soirées de Saint-Pétersbourg (Baudelaire,* Collection "Idées", Paris, Gallimard, 1963, pp. 126-129).

specifically or distinctively Maistrean about these. For the most part, Baudelaire's references to Providence are a rhetorical gesture, frequent when he is paraphrasing De Quincey or Poe. They have more force when they appear in the context of his belief in art and artists as the revelation of transcendental values (e.g. OC 2, 575, 586, 743, 788, 809) but this belief is quite un-Maistrean and belongs to a later, Romantic world-view[9]. When applied to politics (e.g. Napoleon III), the sense of Baudelaire's references to a "point de vue providentiel" and to "providentialité" (OC 1, 679, CP 1, 189) is far from clear but appears closer to Machiavellian realism[10]. At any rate there is no similarity, either in scope or intention, with Maistre's extensive analysis of the providential role played by Napoleon I in the religious and political regeneration of Europe, that is, specifically, in the Restoration (L I, 151, 170). The most Maistrean references to providential economy in Baudelaire are limited to the punishment of individuals (OC 2, 323, 960) and to the idea of vicarious suffering, though in the latter case the irony (what Maistre calls the "affectation" (C 138)) of Providence appears to Baudelaire to have a disturbingly perverse, not to say diabolical aspect: "Y a-t-il donc une Providence diabolique qui prépare le malheur dès le berceau?" (OC 2, 250, see also 323). There is, anyway, nothing exclusively Maistrean about "Providence" even if the idea commands, in Maistre, a powerful literal belief rarely matched elsewhere. Most of the competing philosophies of history in the mid-nineteenth century are "providentialist" in some sense of the word, ranging from the utopian belief that history guarantees the ultimate triumph of Justice and Good to the view which sees civilisation in terms of the alternating ascendancy of antagonistic principles in a process of cyclic repetition (the Wheel of Fortune). In his later writings Baudelaire appears to waver between the latter model (OC 2, 758) and a more radically "decadent" view (history as continuous decline) taken to a nihilistic extreme in *Fusées:* "Le monde va finir. La seule raison pour laquelle il pourrait durer, c'est qu'il existe. Que cette raison est faible, comparée à toutes celles qui annoncent le contraire, particulièrement à celle-ci: qu'est-ce que le monde a désormais à faire sous le ciel?" (OC 1, 665). The world is running out of purpose; history has no *télos*. Such a view is

9. I am bound to disagree here with Mother Mary Alphonsus (*op. cit.,* pp. 32, 44) and with others. There is not much evidence in Maistre of a Romantic reverence for artists and little mention of painting and music. The "providential artist" belongs to a laïcised Romantic "Providence" (Emerson's and Vigny's, for example, — the latter being thoroughly opposed to Maistreanism).

10. See my article "Baudelaire et Giuseppe Ferrari: histoire et dandysme" in *Etudes baudelairiennes* XII, Neuchâtel, A la Baconnière, 1987, especially pp. 119-123.

quite incompatible with Maistre's religious or eschatological interpretation of history as part of a process of cosmic Restoration.

Maistre's reflexions on Providence, like Baudelaire's and like Machiavelli's, arise out of the need to understand momentous, apparently incomprehensible, revolutionary times (C 1-5). If contemporary events teach us anything, Maistre argues in *Considérations sur la France*, it is that historical processes are outside the control of individual men and even of collectivities. Because we have moral freedom and because we act individually, we are led into the illusion that we act autonomously (P 12). In reality we are implicated in an infinitely complex web of circumstances that escapes our grasp. The "leaders of the people", for example, have become leaders by forces they do not govern or understand (C 139). In respect of history, then, men are not so much agents as instruments in a global process which Maistre terms "providential". But providential process, or, to use the carefully worded subtitle of the *Soirées.* "le gouvernement temporel de la Providence", is not a form of necessity[11]. It is "la force des choses", but this implies neither determinism nor a fixed finality in nature, since nothing in nature is properly a cause (see above). Man cannot create only modify, in very limited fashion, the conditions of his life: "Non seulement la création n'appartient point à l'homme, mais la réformation même ne lui appartient que d'une manière secondaire et avec une foule de restrictions terribles" (P 62). We can act effectively only in harmony with the First Cause behind the world-order. If, deluded by abstraction, we think we can act alone, the result is catastrophe. The error of the Revolution is both political and metaphysical and lies in the illusion which thinks reality can be made to conform to theory: "L' homme s'est cru un être indépendant, et il a professé un véritable athéisme pratique" (P 64).

Maistre's views on the French Revolution as divine punishment are often presented in a truncated fashion which emphasises their mystical aspect and ignores the fact that Maistre also thought of *Considérations sur la France* as a practical, committed intervention in favour of the Restoration. The Revolution is much less a punishment for the sins of the Ancien Régime (though this is not denied) than a self-defeating and self-punishing error — the *Héautontimorouménos* or "bourreau de soi-même" multiplied a thousand-fold. Louis XVI, in the mystical scenario, is the sacrificial victim (E 457) and the regicide is a national crime with a thousand accomplices (C 13). The holocaust of the Terror was the self-inflicted punishment meted

11. Maistre's defence of Providence is as much directed against theological notions of "eternal necessity" as it is against the "philosophes". In the *Soirèes,* Voltaire's *Poème sur le désastre de Lisbonne* is given the better of the argument as against Herder (p. 126).

out to these accomplices, too numerous to be punished by juridical means ("Qu'auraient donc fait les magistrats français de trois ou quatre cents *Damiens?*" (C 17)). But the purpose of this "mystical" preamble is to argue that the "grande épuration" (C 17) is already accomplished; the French people have nothing to fear from the Restoration which will not be a "contre-révolution" but "le contraire de la révolution" (C 186), that is, a natural and painless return to order under the sign of an amnesty extended to all but the ringleaders (C 167). Maistre advances rational political arguments to show that an aristocratic counter-revolution is neither desirable nor even possible, given the fact that the aristocracy, in its old form at least, is now a harmless spent force. This is the context of the brief remarks on the physical degeneracy of the aristocracy which Maistre quotes from Bernardin de Saint-Pierre (C 175). Baudelaire wrongly attributes these remarks to Maistre himself (OC 2, 68) and they are sometimes advanced as grounds for claiming both writers share a "decadent" view of history.

For Maistre, then, the Revolution is essentially the punishment of its own crimes and of the separation of philosophical reason from the "real". Maistre's "punitive" view of events is of a piece with his view of evil as parasitic upon being. Error, similarly, is transitory in time and serves the essentially creative movement of history. "Rien ne commence par le mal" (S 240); nothing, consequently, can end in evil: "Le mal, arrivé à un certain point, s'égorge lui-même, et cela doit être; car le mal, qui n'est qu'une négation, a pour mesures de dimensions et de durée celles de l'être auquel il s'est attaché et qu'il dévore. Il existe comme le chancre qui ne peut achever qu'en s'achevant. Mais alors une nouvelle réalité se précipite nécessairement à la place de celle qui vient de disparaître; *car la nature a horreur du vide*" (P 59). History must be read within "les consolantes perspectives de l'espérance" (L 1, 50). The Revolution and its consequences (the exile of the clergy, the Napoleonic epic) prepare the way for French hegemony in Europe, the implantation of French Catholicism abroad, the regeneration of the Church and ultimately the "grand œuvre" which is the reunification of Christendom (L 2, 397, C 26). Maistre frequently draws the parallel between the Revolution and the Reformation, seen as the catastrophic prelude to the Tridentine renewal. Neither Reformation nor Revolution is a properly creative part of the movement they serve. For Maistre, there is no "Eternal Nay" counterbalancing the "Eternal Aye" in the drama of history. This limits the sense of those references to the conflict of good and evil which have given rise to a falsifying comparison with Baudelaire: "Non seulement la création n'appartient point à l'homme, mais il ne paraît pas que notre puissance, *non assistée*, s'étende jusqu' à changer en mieux les institutions établies. S'il y a quelque chose d'évident pour l'homme, c'est l'existence de deux forces opposées qui se combattent sans relâche dans l'univers. Il n'y a rien de bon que le mal ne souille et n'altère; il n'y a rien de mal que le bien ne comprime et n'attaque, en poussant sans cesse tout ce qui existe vers un état plus parfait [...] on pourrait dire, vers la *restitution en entier*: expression que la philosophie peut fort bien emprunter à la jurisprudence" (P 53). In history, as in nature, a "main réparatrice" (S 262) is visibly at work repairing the ravages of disorder. Maistre writes, with a metaphysical confidence worthy of Claudel (the context, in the first instance, is the European colonial expansion): "Nous ne sommes *broyés* que pour être *mêlés* (S 89); "Tout annonce [...] *je ne sais quelle grande unité vers laquelle nous marchons à grands pas"* (S 327).

For temperamental and historical reasons, this kind of millenarist enthusiasm, which had been rife among the *"émigrés"*, had no purchase on Baudelaire's imagination, which tends to conceive of unity as an irretrievably lost origin and of the end of history as catastrophe. If Baudelaire privileged Maistre as his "maître à raisonner" (OC 1, 669) among his revered literary "dandies" (CP 2, 128), it is not for the latter's religious confidence in history. Baudelaire found in Maistre something else: a critique of abstract political philosophy, coupled with a perception of history as universal violence, which has analogies with the "grand bon sens" of that other champion Baudelaire intended to pit against the false prophets of progress — Machiavelli (OC 2, 299)[12]. Maistre is part of the great critique of rationalist abstraction which runs throughout the 19th century and which, losing its original religious character, culminates in Nietzsche. Modern rationalism, Maistre maintains, misunderstands the limits of reason and the nature of reality: "La philosophie moderne est tout à la fois trop matérielle et trop présomptueuse pour apercevoir les véritables ressorts du monde politique" (C 95). Real political truths are *not* self-evident and usually involve a paradoxical inversion of rationalist "common sense". So, in *Essai sur le principe générateur des constitutions politiques,* Maistre advances a "métapolitique" (vii), an experimental historical philosophy which seeks to demonstrate, amongst other things, that written constitutions are the weakest of all and that this weakness is in direct ratio to the number and complexity of written statutes. Baudelaire takes over Maistre's distinction between "real" and "unreal" constitutions: "Toujours la grande question de la

12. Baudelaire in 1859 mentions plans for a "philosophical dialogue" between Machiavelli and Condorcet (see CP 1, 616, 624 and the notice published on the cover of *Théophile Gautier).* On Baudelaire's interest in Machiavelli see my "Baudelaire et Ferrari", pp. 101-103 (note 10 above). Maistre, indignant against Machiavelli in the *Soirées* (p. 118) quotes him with approval, not surprisingly, in *Essai sur le principe générateur des constitutions politiques* (pp. ix, x).

Constitution (lettre morte) et des mœurs (constitution vivante)" (OC 2, 916, see also 712). It is the basis of his attack on the "abrutissement constitutionnel" exemplified by the "Rights of Man", universal suffrage, and the Bourgeois Monarchy (OC 2, 916).

Maistre's thesis is that no people can "give itself" liberty, that only a relative liberty is real anyway (C 119) and that the "rights of the people" are, historically, the concessions of sovereigns. No "real" constitution can be created *a priori* because real constitutions are the work of an infinite number of particular circumstances. For example, the "rights" of sovereigns and of the aristocracy have no author; any operative form of social order originates in a hierarchic, unwritten "toujours déjà" which is in essence religious: "Les législateurs [...] n'ont jamais fait que rassembler des éléments préexistants, et toujours ils ont agi au nom de la Divinité (P ix). All stable social structures are religious and "superstitious" (C 67) in the sense that, for Maistre, superstition is the outer defence ("un ouvrage avancé" (S 307)) of an inner religious core which must remain inviolable and unexaminable. The duration of a régime is therefore proportional to the degree of religious influence in its real political constitution (P 44). Monarchies are long-lived, republics necessarily short-lived (C 49-51). The Revolutionary constitution was a mere "thème" (C 89) and contemporary illusions about the power of the Revolutionary and Imperial régimes arose from the success of *external* military campaigns (Robespierre and Napoleon Ist (C 100-101)). Internally, the Revolutionary régime was bound to be "factice" and "violent" (C 95), that is, a precarious and temporary balance of anarchisms, a matter of force not an order of rank.

The source of political meaning, for Maistre, is, like the source of all meaning, ineffable. There is a long and intriguing digression in the *Principe générateur* on the secondary nature of writing, and on the "décisions" (both in the sense of the formulation of dogma and the schism of the churches) forced on Christianity by the Protestant privileging of "L'Ecriture" above "La Parole". This digression is superfluous but germane to the political argument and it may help us see that what Baudelaire found in Maistre, alongside the critique of egalitarianism and abstraction, was something calculated to appeal to a poet: a symbolic view of social and political meaning, which preserves at its centre a Mystery that is the source of all meaning and order and into which it would be unwise to peer too closely, for fear of seeing meaning and order evaporate. As Baudelaire suggests, darkly, *à propos* of Molière's exposure of religious hypocrisy in *Tartuffe:* "Il ne faut jamais livrer certaines questions graves à la canaille" (OC 1, 701). Put simply: Maistre (like that other literary dandy, Ferrari) confirmed a perception towards which Baudelaire's own intellectual, emotional and political experience was leading him — the fundamental unreality of political and moral idealism when set against the real conditions of history.

Because of his equation of Providence and history, Maistre is led, inevitably, in the *Principe générateur,* to assert simultaneously that, unlike the passing Napoleonic phenomenon, the legitimacy of "real" monarchies is both God-created *and* ancestral or relative, that is, a matter of *"usurpation légitime* consacrée par le temps" (P xiii, 37-39; see also L 1, 344). Legitimacy, then, depends on an original violence accepted and converted into a "divine principle" of providential order. Elsewhere Maistre justifies providential design on the grounds that the "delays of divine justice" (to use the title of his free translation of Plutarch[13]) are both inevitable and necessary. Providential justice functions in terms of "ensembles", not of individuals: "Commencez d'abord par ne jamais considérer l'individu: la loi générale, la loi visible et visiblement juste est *que la plus grande masse de bonheur, même temporel, appartient, non pas à l'homme vertueux, mais à la vertu.* S'il en était autrement, il n'y aurait plus ni vice ni vertu, ni mérite, ni démérite, et par conséquent plus d'ordre moral" (S 37). The argument is, in turn, made to serve the overall contention that there is nothing "scandalous" about the suffering of the innocent individual, because suffering is universally implicit in the human condition *per se ("l'innocent lorsqu'il souffre, ne souffre jamais qu'en sa qualité d'homme"* (S 55)). But the implications of the passage quoted constitute a luminous paradox: moral order in terms of the whole is only possible at the expense of the claims to justice of the individual. The overall "sense" of history is a function of difference and deferral, in short, of violence. In this perspective the only real ultimate disorder to be feared would be entropy.

In *"The Violent Mystique"* Joyce O. Lowrie, quoting A.O. Lovejoy, shows how Maistre's kind of providentialism represents a temporalisation of the "Great Chain of Being", whose origins go back into neo-platonist and emanationist cosmogonies and which provides a justification for inequality, struggle and conflict in the world in terms of the overall principles of Plenitude, Gradation and Continuity governing the cosmos[14]. Plotinus argued that "those who would eliminate the worse from the universe would eliminate Providence itself [...]. There rages amongst animals and amongst men a perpetual war, without respite and without truce. This is 'necessary' for the good of the Whole, since the good of the Whole consists chiefly in

13. *Sur les délais de la Justice Divine dans la punition des coupables,* Lyon, Louis Lesne, 1844.

14. JOYCE O. LOWRIE, *The Violent Mystique: Thematics of Retribution and Expiation in Balzac, Barbey D'Aurevilly, Bloy and Huysmans,* Geneva, Droz, 1974, pp. 8-10. In this section of her book Lowrie draws heavily, with acknowledgements, on ARTHUR O. LOVEJOY, *The Great Chain of Being,* New York, Harper and Bros., 1960.

the 'variety of its parts'"[15]. Leibnitz, who influenced Maistre, speaks similarly of "an established destiny of mutual dependence" between created beings[16]. These remarks suggest the perspective in which we should read the following texts by Maistre and Baudelaire:

> Observez de plus que cette loi déjà si terrible de la guerre n'est cependant qu'un chapitre de la loi générale qui pèse sur l'univers. Dans le vaste domaine de la nature vivante, il règne une violence manifeste, une espèce de rage prescrite qui arme tous les êtres *in mutua funera:* dès que vous sortez du règne insensible vous trouvez le décret de mort violente écrit sur les frontières même de la vie [...] Une force, à la fois cachée et palpable, se montre continuellement occupée à mettre à découvert le principe de la vie par des moyens violents. Dans chaque grande division de l'espèce animale, elle a choisi un certain nombre d'animaux qu'elle a chargés de dévorer les autres: ainsi il y a des insectes de proie, des reptiles de proie, des oiseaux de proie, et des quadrupèdes de proie. Il n'y a pas un instant de la durée où l'être vivant ne soit dévoré par un autre. Au-dessus de ces nombreuses races d'animaux est placé l'homme, dont la main destructive n'epargne rien de ce qui vit; il tue pour se nourrir, il tue pour se vêtir, il tue pour se parer, il tue pour attaquer, il tue pour se défendre, il tue pour s'instruire, il tue pour s'amuser, il tue pour tuer: roi superbe et terrible, il a besoin de tout, et rien ne lui résiste [...]. Le philosophe peut même découvrir comment le carnage permanent est prévu et ordonné dans le grand tout. Mais cette loi s'arrêtera-t-elle à l'homme? non sans doute. Cependant quel être exterminera celui qui les exterminera tous? Lui. C'est l'homme qui est chargé d'égorger l'homme. (S 220-221).

> *Je m'attendais* à votre hypothèse finale à propos de la philosophie de l'histoire. — Je connais votre esprit comme s'il était mon fils. Je crois que c'est en vous un vieux reste des philosophies de 1848. D'abord, ne saisissez-vous pas, par l'imagination, que quelles que soient les transformations des races humaines, quelque rapide que soit la destruction, la nécessité de l'antagonisme doit subsister, et que les rapports, avec des couleurs ou des formes différentes, restent les mêmes? C'est, si vous consentez à accepter cette formule, l'harmonie éternelle par la lutte éternelle. Ensuite, je crois (à cause de l'unité absolue dans la cause créatrice) qu'il faudrait consulter sur votre hypothèse un philosophe naturaliste, comme mon cousin par exemple; vous figurez-vous qu'une race quelconque d'animaux puisse absorber les autres races? Et même

15. cit. Lowrie, *ibid.*, pp. 8-9.
16. cit. Lowrie, *ibid.*, p. 23.

> dans votre idée d'absorption de tous les peuples par un seul, ne voyez-vous pas que l'homme, animal suprême, devrait même absorber tous les animaux? — Enfin, s'il est vrai que beaucoup de races (d'animaux) ont disparu, il est vrai aussi que d'autres sont nées, destinées à manger leurs voisines ou à être mangées par elles; — et il est vrai aussi que si des races d'hommes (en Amérique par exemple) ont disparu, d'autres races d'hommes sont nées, destinées à continuer la lutte et l'antagonisme, suivant une loi éternelle de nombres et de forces proportionnels. Vous connaissez le mot de saint Augustin adopté maintenant par les docteurs de la création spontanée des animalcules: *Dieu crée à chaque seconde de la durée.* Il en faut conclure que la lutte continue à chaque seconde de la durée. (letter to Malassis, 1860 (CP 2, 86-87)).

The principle of all life, even of civilised life, Maistre suggests, depends paradoxically upon what most threatens life, on "la grande loi de la destruction violente des êtres vivants" (S 222). To borrow a marxist usage: violence is the "truth" of Maistre's theology, of his providentialism and especially of the doctrine of mystical Reversibility, and Baudelaire's imagination was more gripped by this underlying truth, which he was temperamentally predisposed to accept, than by the superfetation of more recognisably religious dogmas[17]. If the terms "evil" or "original sin" cover any common ground between the two writers, it is in the sense of the perpetuity of violence as the very principle of existence.

In *Considérations sur la France* Maistre concludes his initial survey of revolutionary history thus: "L'horrible effusion du sang humain, occasionnée par cette grande commotion, est un moyen terrible; cependant c'est un moyen autant qu'une punition, et il peut donner lieu à des réflexions intéressantes" (32). The "reflexions intéressantes" appear in the next chapter: "De la destruction violente de l'espèce humaine", where Maistre argues that natural history, human history, and the most archetypal and universal of religious truths, belief in the efficacy of blood-sacrifice, combine to prove that "il n'y a que violence dans l'univers; mais nous sommes gâtés par la philosophie moderne, qui nous dit que *tout est bien,* tandis que le mal a tout souillé, et que, dans un sens très-vrai, *tout est mal,* puisque rien n'est à sa place" (C 36). "Ne donnons pas dans les rêves de Condorcet, de ce philosophe si cher à la révolution, qui employa sa vie à prèparer le malheur de la génération présente, léguant bénignement la perfection à nos neveux (C 44).

17. See GEORGES BLIN, *Le Sadisme de Baudelaire,* Paris, Corti, 1948. Blin's brief account of Baudelaire's interaction with Maistre, in terms of sensibility (sado-masochist) and imagination (pp. 63-72), is amongst the most perceptive on the topic.

Judging from the letter to Malassis, Baudelaire's objection to the political and historical philosophies of 1848 is part of a wider philosophical objection: egalitarian humanism sees order as the absorption of antagonisms into an undifferentiated unity; but the evidence of organic nature suggests that life is a differential system in which overall order ("harmonie éternelle") is maintained paradoxically by the perpetuity of conflict ("lutte éternelle"). It would not be difficult to show that Baudelaire's insistence on "original sin" and the conflict of good and evil is, like his belief in social hierarchy, part of a general emphasis on difference as the source of "vital energy". The opposite of this differential energy is the state of universal ruin towards which Baudelaire imagines history to be moving, in *Fusées* XV:

> Le monde va finir. La seule raison pour laquelle il pourrait durer, c'est qu'il existe. Que cette raison est faible, comparée à toutes celles qui annoncent le contraire, particulièrement à celle-ci: qu'est-ce que le monde a désormais à faire sous le ciel? — Car, en supposant qu'il continuât à exister matériellement, serait-ce une existence digne de ce nom et du dictionnaire historique? Je ne dis pas que le monde sera réduit aux expédients et au désordre bouffon des républiques du Sud-Amérique, — que peut-être même nous retournerons à l'état sauvage, et que nous irons, à travers les ruines herbues de notre civilisation, chercher notre pâture, un fusil à la main. Non; — car ce sort et ces aventures supposeraient encore une certaine énergie vitale, écho des premiers âges. Nouvel exemple et nouvelles victimes des inexorables lois morales, nous périrons par où nous avons cru vivre. La mécanique nous aura tellement américanisés, le progrès aura si bien atrophié en nous toute la partie spirituelle, que rien parmi les rêveries sanguinaires, sacrilèges, ou anti-naturelles des utopistes ne pourra être comparé à ses résultats positifs. Je demande à tout homme qui pense de me montrer ce qui subsiste de la vie. De la religion, je crois inutile d'en parler et d'en chercher les restes, puisque se donner encore la peine de nier Dieu est le seul scandale en pareilles matières. La propriété avait disparu virtuellement avec la suppression du droit d'aînesse; mais le temps viendra où l'humanité, comme un ogre vengeur, arrachera leur dernier morceau à ceux qui croiront avoir hérité légitimement des révolutions. Encore, là ne serait pas le mal suprême.
>
> L'imagination humaine peut concevoir, sans trop de peine, des républiques ou autres états communautaires, dignes de quelque gloire, s'ils sont dirigés par des hommes sacrés, par de certains aristocrates. Mais ce n'est pas particulièrement par des institutions politiques que se manifestera la ruine universelle, ou le progrès universel; car peu m'importe le nom. Ce sera par l'avilissement des cœurs. Ai-je besoin de dire que le peu qui restera de politique se débattra péniblement dans les étreintes de l'animalité générale, et que les gouvernants seront forcés,

> pour se maintenir et pour créer un fantôme d'ordre, de recourir à des moyens qui feraient frissonner notre humanité actuelle, pourtant si endurcie? (OC 1, 665-6).

Only a hierarchic system is capable of regulating violence in such a way as to create a real order out of chaos. In the name of a false order ("un fantôme d'ordre") utopian idealism exacerbates the natural violence its ideology denies. Baudelaire reflects elsewhere on the irony of which the collective "folie" of 1848 was the most recent example: "Toute révolution a pour corollaire le massacre des innocents" (OC 1, 710). Belief in progress is caught up in that self-defeating and self-punishing process which Baudelaire images as the scorpion stinging itself to death in "le cercle de feu de la logique divine" (OC 2, 581). Utopianism denies the reality of the present and places perfection in an unrealised and unrealisable future, in an abstract salvation to which it shows itself remarkably ready to sacrifice life.

In the *Journaux intimes* one of the most intriguing webs of meaning is woven out of Baudelaire's reflexions on violence, its ineradicable nature, its disguises, its relation to social cohesion and, in the end, to civilisation itself. However they may appear, all human relations are, for Baudelaire, based on the "bourreau/victime" model. What appears as "agreement" is an illusion arising out of a universal misunderstanding of fundamental human alienation: "Le monde ne marche que par le Malentendu. C'est par le Malentendu universel que tout le monde s'accorde. Car si, par malheur, on se comprenait, on ne pourrait jamais s'accorder" (OC 1, 704). We should note the important rider attached to Baudelaire's theorem: like God ("le seul être qui, pour régner, n'ait même pas besoin d'exister"), general misunderstanding about the reality of mutual violence is a condition of the "fiction" called social order. Other entries in *Fusées* and *Mon cœur mis à nu* evoke something closely related to this: unanimity as an imaginary state associated with certain forms of irrational "ivresse". The paradox of which Baudelaire tries to persuade Malassis, that violence and order are both opposed and interdependent, constitutes, I suspect, one of the semi-esoteric "convictions dans un sens élevé" which contemporary ideology is incapable of understanding (OC 1, 680).

The doctrine of Reversibility or vicarious suffering is mentioned surprisingly few times in Maistre but it touches directly or indirectly upon all aspects of his writing. It belongs to that side of his thought which shades into hermeticism: "Tout part de la Chaldée, et c'est de là que le feu sacré s'est répandu dans tout l'univers" (L 1, 163). Within this perspective "universal religion" is conceived in terms of an original revelation, an original "science supérieure" (a *"prisca theologia"*), intuitive not discursive, lived and not merely apprehended, which was corrupted by the Fall and transmitted in more or less distorted form through initiation. Maistre's reference to hermetic tradition problematises his relation to Christianity and to Catholic orthodoxy. Maistre himself offers different perspectives on this problematic relation in the XIe Entretien of the *Soirées*, and it has been diversely assessed by his commentators[18]. But if the status of the Christian (or, more properly, Christic) revelation is not clear in Maistre, its function *is*. The nucleus of primitive theological truth was the mystical doctrine of the One and the Many and in particular the mystical substitution of the One for the Many (S 287-296). The degradation of this truth gave rise to some of the perverted practices of paganism (human blood-sacrifice, sacred prostitution etc.). The Christian revelation restored the doctrine to its pure form (S 272-274). It "rectified and sanctioned" the doctrine of the sacrificial victim (S 317) and "put reality in the place of type" (S 274). The doctrine of Reversibility is the "point lumineux" (S 274) linking primitive paganism with Christian truth and is therefore the core of "universal religion". Baudelaire refers elliptically to Maistrean theory in *Mon cœur mis à nu* IV:

> Analyse des contre-religions, exemple: la prostitution sacrée. Qu'est-ce que la prostitution sacrée? Excitation nerveuse. Mysticité du paganisme. Le mysticisme, trait d'union entre le paganisme et le christianisme. Le paganisme et le christianisme se prouvent réciproquement (OC 1, 678).

Reversibility, for Maistre, is "le grand mystère de l'univers" (S 314), part of the mysterious tendency towards unity, visible for example in the way men seem automatically to constitute spiritual unities (towns, families, dynasties, races), thought of as an "être moral et unique" (S 288). Greek tragedy, Biblical history, the history of monarchies in particular, illustrate the mystical continuity implicit in the doctrine of Reversibility: "Ce n'est jamais CE ROI, c'est LE ROI qui est innocent ou coupable" (S 291). Centuries may elapse between merit and its reward or crime and its punishment. The collective implications of crime and punishment explain the "delays of justice" in another sense too: the ritual procedures of justice in the West, as opposed to the summary executions of the East, are a sign of the mystical and religious dimension attached to the executioner and his victim: "L'échafaud est un autel" (S 290), Maistre writes, and the executioner is "l'horreur et le lien de l'association humaine" (S 41).

18. VOUGA, *op. cit.*, p. 181: "Maistre dissimulait sa désobéissance en prêtant à la tradition une origine divine" LOWRIE states (*op. cit.*, p. 19): "De Maistre moved in and out of Freemasonry throughout his life". For a fuller account see EMILE DERMENGHEM, *Joseph de Maistre mystique,* 2e ed., Paris, Boivin et Cie., 1946 and ROBERT TRIOMPHE, *Joseph de Maistre,* Geneva, Droz, 1968. Unlike Dermenghem, Triomphe sees Maistre's Freemasonry as politically motivated.

Eclaircissement sur les sacrifices is Maistre's fullest account of the *raison d'être* of the religious irrational where sacrifice is concerned. Belief in the efficacy of blood-sacrifice is the basis of all religious cults and rests upon the equation of "blood" with "soul" (*anima*) or the life-principle itself (Maistre refers to this as belief in "la vitalité du sang" (E 393)). The Fall affected *anima*, which is to be distinguished from "spirit" or intelligence, and was thought of by the ancients as intermediary between spirit and body. This "middle soul", Maistre argues, explains moral conflict satisfactorily whilst preserving unity of identity (E 378-388). Maistre is, as always, careful to avoid the Manichean trap into which Baudelaire's thinking tends to slip automatically. What is fallen is not the body but, in scriptural terms, the Flesh: "L'homme étant donc coupable par son *principe sensible*, par *sa chair*, par *sa vie*, l'anathème tombait sur le sang; car le sang était le principe de la vie, ou plutôt le sang était la vie" (E 390). The indentity of blood with life explains first the substitutive sacrifice of animals (*"anti-psychon", "vicariam animam"* (E 395)), then the sacrifice of the most "human" animals and, finally, the horrors of human sacrifice itself. The category of sacred human victims as constituted in the first instance by individuals naturally set apart (criminals, enemy hostages, foreigners ("*hostes*" (E 407)), that is, by "victimes humaines déjà dévouées par la loi civile politique" (E 403). In Maistre's account of vicarious sacrifice the victim can be, and no doubt usually was, guilty: "Les anciens croyaient que tout crime capital commis dans l'état *liait* la nation, et que le coupable était *sacré* ou voué aux dieux, jusqu'à ce que, par l'effusion de son sang, il eut *dé-lié* et lui-même et la nation" (E 404). The innocent or voluntary victim is, of course, deemed especially propitiatory (E 456), but the characteristic of the religious or "mystical" view is that, to use René Girard's terms, the principle of sacrifice always has priority over the principle of culpability[19]. Baudelaire clearly has a very firm grasp of Maistrean principles when he writes: "La peine de Mort est le résultat d'une idée mystique, totalement incomprise

19. See RENÉ GIRARD, *La Violence et le sacré,* Paris, Grasset. 1972, Chapter I ("Le sacrifice"), pp. 13-62. Girard has evidently paid a good deal of attention to Maistre but I cannot find in the *Eclaircissement* any support for his statements: "Joseph de Maistre, c'est un fait, voit toujours dans la victime rituelle une créature "innocente", qui paye pour quelque "coupable" (p. 17); and "Joseph de Maistre, par exemple, après avoir défini le principe de la substitution, affirme brutalement et sans donner d'explications que ce principe ne s'applique pas au sacrifice humain" (p. 25). In the first case, Girard seems to misrepresent Maistre somewhat in order to give sharper focus to his own thesis that substitutive sacrifice in "primitive" societies was a way of defusing an endemic, non-attributable potential for internecine violence: "L'hypothèse que nous proposons de suivre supprime cette différence morale" (i.e. between innocent and guilty victims) (p. 17).

aujourd'hui. La peine de Mort n'a pas pour but de *sauver* la société, matériellement du moins. Elle a pour but de *sauver* (spirituellement) la société et le coupable" (OC 1, 683). As part of the same train of thought he adds, no doubt with the horrific example of Damiens in mind, that the question of torture is to be distinguished from the question of the death-penalty: the former is the product of an infamous perversion and/or of a "niaiserie barbare" which remains fixated on the material body. The latter is, properly speaking, a "mystical" idea; its fundamental aim is not the removal of a threat or the prevention of crime but the enacting of a ritual which asserts the reality of a collective soul and a collective responsibility. Capital punishment purges the group through the ritual slaughter of the individual victim and by the same token elevates the victim to a sacrificial, redemptive status. Maistre writes, in a passage of singular power: "Toute grandeur, toute puissance, toute subordination repose sur l'exécuteur: il est l'horreur et le lien de l'association humaine. Otez de ce monde cet agent incompréhensible; dans l'instant même l'ordre fait place au chaos, les trônes s'abîment et la société disparaît" (S 41). For Baudelaire and for Maistre, religion as a principle of social order and religion as an affirmation of mystical interdependence are not separate issues. Proper human order cannot be maintained simply by the imposition of discipline (though both are partisans of the whip), only by the activating of a "mystical" participation, not a rational assent but a consent of the imagination. Baudelaire writes, in opposition to the administration of anaesthetics to the condemned: "Pour que le sacrifice soit parfait, il faut qu'il y ait assentiment et joie de la part de la victime" (OC 1, 683). Everything Baudelaire understands by the "spiritual" or the "mystical" seems to crystallise around the question of the death-penalty, whose abolition remained throughout the 19th Century one of the most symbolic issues facing democratic humanitarianism in its attempt to wrest the autonomy of the individual from the power belonging to a mythico-sacred social hierarchy[20].

The *Eclaircissement* proceeds to an extraordinary climax: human sacrifice (the distorted image) only ceased in those cultures which practised it with the advent of Christianity (the rectified archetype); and the converse is true: "*Partout où le vrai Dieu ne sera pas connu et servi, en vertu d'une révélation expresse, l'homme immolera toujours l'homme, et souvent le*

20. The right to suicide should be (*a fortiori*) another platform of the "Rights of Man", Baudelaire notes (OC 2, 307). I have not the space, here, to disentangle Baudelaire's conception of a justifiable suicide (a form of semi-religious protest against the false demands of a materialistic society) from the irony and wilful paradoxes directed at the failure of nineteenth-century humanitarianism to follow up the logical consequences of its own position.

dévorera" (E 428). In a passage which clearly drew the attention of Baudelaire, Maistre suggests obliquely that the atrocities of the French Revolution could be seen as a reversion to the most horrific rites of paganism (E 427-428). Maistre's thought moves incessantly to and fro between the archetype revealed or purified and the archetype occulted or degraded. In semi-esoteric language, which suggests he is aware of pushing orthodoxy to its limits, he affirms that there is an analogy (not simply a metaphorical link but a real link between levels of sense) between primitive blood-sacrifice, the sacrifice of Christ, the blood of the martyrs and the sacred species of sacramental communion. "La *Communion par le sang*" is "la plus belle des analogies" (E 470-471): eating the body and blood of victims represents an extension of belief in the efficacy of sacrifice ("le complément du sacrifice, et celui de l'unité religieuse" (E 471)). The early Christians, Maistre records, would not eat flesh *"de peur de communier"* (E 471). The anathema fell on the flesh and the blood; restoration will also be by the Flesh and the Blood.

The "analogy" between devouring and communion is an elliptical statement of something we have already observed emerging elsewhere in Maistre's writing: the paradoxical interdependence of violence and "mystical" salvation. It is significant that in the economy of the *Soirées*, unfinished but highly organised as they are, the doctrine of Reversibility is only fully expounded in the Xe Entretien, at the moment of transition from the theme of crime and punishment, developed at length in the previous sections, to the theme of a final return to unity, briefly and lyrically celebrated in the last Entretien, that is, in between the "division inexplicable" of the human world and the "tendance vers une certaine unité tout aussi inexplicable" (S 291). The same underlying rhetoric dictates that, in *Considérations sur la France,* the doctrine make its appearance at the end of the chapter "De la destruction violente de l'espèce humaine" (C 45-46). Mystical Reversibility appears then, in Maistre, as the "inversion bénigne" of another more sinister kind of interdependence, the interdependence of all living creatures in terms of mutual violence and devouring, in terms of the "rage prescrite qui arme tous les êtres *in mutua funera*" (S 220).

Whatever its naïvetés and mystical eccentricities, Maistre's theory of religion is nourished by a vast reading in what was virtually the beginnings of archaeology, anthropology and comparative religion and this puts him in a somewhat different category from other "Illuminists" whom Baudelaire may have read[21]. Maistre's attention, long before Frazer, to recurrent arche-

21. The most recent book on the subject: ANNE-MARIE AMIOT, *Baudelaire et l'illuminisme*, Paris, Nizet, 1982, gives very inadequate treatment to Maistre and repeats many of the unsubstantiated *idées reçues* on the subject: "L'influence de Maistre se limite à la réflexion sur

typal patterns, to sacrifice and various forms of setting-apart (ostracism, proscription and the designating of certain sacred functions (priest, soldier executioner, victim)) held a particular fascination for Baudelaire. Baudelaire was driven towards the notion of mystical Reversibility because of his awareness of *real* alienation, that is, by his own "sentiment de destinée éternellement solitaire" (OC I, 680), by the interpersonal "gouffre infranchissable, qui fait l'incommunicabilité" (696) and by his perception of a fundamental violence in his own nature *(L'Héautontimoroumenos)* and in all human relations, sexual, economic and political. He became intrigued by the paradoxical application of Maistre's religious thinking to modern forms of the collective irrational.

Baudelaire's interest in Maistre developed quickly in the wake of the 1848-51 fiasco[22] but it would be over-simple to view it merely in terms of a moral and political reaction, a conversion, or reconversion, to law and order; that was not enough to keep a mind as complex and curious as Baudelaire's intrigued by Maistre for very long. Looking back at the events of 1848 and his own response to them, Baudelaire saw a series of question-marks: "Mon ivresse en 1848. De quelle nature était cette ivresse? Goût de la vengeance. Plaisir *naturel* de la démolition. Ivresse littéraire; souvenir des lectures. Le 15 mai. — Toujours le goût de la destruction. Goût légitime si tout ce qui est naturel est légitime" (OC 1, 679). The "ivresse" of 1848 needs to be set in the context of other references to "ivresse" in the *Journaux intimes*. There then emerges from these fragmented, lacunary notes a coherent internal "code" which reveals a distinctive, paradoxical turn of mind in Baudelaire's preoccupation with modernity. "Ivresse d'Humanité. Grand tableau à faire: Dans le sens de la charité. Dans le sens du libertinage. Dans le sens littéraire, ou du comédien" (683). "Un chapitre sur l'indestructible, éternelle, universelle et ingénieuse férocité humaine. De l'amour du sang. De l'ivresse du sang. De l'ivresse des foules. De l'ivresse du supplicié (Damiens)" (693). 1848 was no doubt Baudelaire's first dramatic experience of the "ivresse religieuse des grandes villes. — Panthéisme. Moi, c'est tous; Tous, c'est moi. Tourbillon." (651). "Ivresse" is "une expression mystérieuse de la jouissance de la multiplication du nombre" (649) and a form of "prostitution" in which individuality is submerged in the general and in which distinctions between egoism and altruism, active and passive are dissolved in the imaginary interchange of roles and identities. "Je

la chute et le péché, (qui entraîne chez Baudelaire une rupture avec le christianisme déiste), à la croyance aux pouvoirs de la prière et de l'énergie spirituelle, ainsi qu'aux pouvoirs magiques de la parole, et à l'assimilation du poète et du prophète" (pp. 30-31).

22. See MOTHER MARY ALPHONSUS, *op. cit.*, pp. 7-13, 41-55.

comprends qu'on déserte une cause pour savoir ce qu'on éprouvera à en servir une autre. Il serait doux d'être alternativement victime et bourreau" (676), and *Pauvre Belgique* adds " — pour sentir la Révolution des deux manières!" (OC 2, 961). The translation of reversals of political power into corresponding (perverse) sexual terms is no mere metaphor in Baudelaire. The imaginary exchange of roles, he writes, is "une des grandes vérités de l'amour libertin" (OC 2, 444), and elsewhere: "La Révolution a été faite par des voluptueux [...]. Les livres libertins commentent donc et expliquent la Révolution" (OC 2, 68). Baudelaire retrospectively dismissed the political idealism of 1848 as deluded and reinterpreted events as a heady personal and collective psychodrama, in which altruism ("charité") "libertinage" and play-acting combined in one of those orgies of the vicarious imagination which, he proposes in "Les Foules", may be seen in various lights: as a "mystical orgy", as "holy prostitution", as a debased form of "universelle communion" (OC 1, 291). Baudelaire's references to "le goût de la destruction [...] amour naturel du crime" (OC 1, 679) suggest that in the "ivresse littéraire, souvenir des lectures" which helped "explain" his conduct in 1848, pride of place should go to Sade (perhaps particularly to the Sade of *La Philosophie dans le boudoir).* As Blin and Klossowski point out, the path leads directly from Baudelaire's instinctive response to imaginary violence in Sade to its sublimation in Maistrean theology[23]. Revolutionary idealism is reinterpreted first in terms of criminal licence, then in terms of expiatory theology: "Je dis *Vive la Révolution!* comme je dirais: *"Vive la Destruction! Vive l'Expiation! Vive le Châtiment! Vive la Mort!"* (OC 2, 961).

There is clearly a hierarchy in terms of moral acceptability amongst the forms of "ivresse" listed by Baudelaire. At the lower end are the barely sublimated forms of violence (the behaviour or crowds at public executions for example). At other times the vicarious imagination may take the form of political idealism, altruism or religion. Literature may encourage "la faculté comédienne (OC 1, 555) to good or to bad effect. But all forms of "ivresse" are a matter of "mysticité", of the "excitation nerveuse" characteristic of religious rite, which is essentially a system of imaginary substitutions and exchanges: "Le sacrifice et le vœu sont les formules suprêmes et les symboles de l'échange" (OC 1, 658). The reference to the "ivresse religieuse des grandes villes" as a form of "pantheism" is typical of the way Baudelaire's imagination was able to exploit Maistre for his own paradoxical purposes: the "ivresse" of the crowd is the modern, urban equivalent of nature-mysticism (see also OC 2, 607), and it is a residually religious

23. See Blin, *op. cit.*, p. 65.

phenomenon. Maistre's remarks about Spinoza's pantheism being a "corruption" of the archetypal religious truth of the One and the Many (S 292) and about the Revolution as a regression to the orgiastic "contre-religions" of primitive paganism may have provided the initial inspiration here. Baudelaire clearly has Maistre in mind when he asserts that the Revolution reaffirmed in degraded fashion the permanence of religious attitudes it sought to deny: "La révolution et le culte de la Raison prouvent l'idée du sacrifice. La superstition est le réservoir de toutes les vérités" (OC 1, 678); "la Révolution, par le sacrifice, confirme la superstition" (680). But Baudelaire took the idea a good deal further in his own distinctive direction. He saw the paradoxical application of Maistre's views on "universal religion" and the degradation of archetypes to a society that thought of itself as modern, enlightened and laicised. In this sense the influence of the reactionary Maistre is more directly relevant to the aesthetic of modernity than is sometimes allowed[24]. The "bizarre", grotesque "merveilleux de la vie moderne" comes from the perception of "eternal" archetype through degraded contemporary type. Baudelaire's reinterpretation of the life of the modern city in terms of "primitive" religion is not without an ironical smirk. At the same time he is serious, if not about the properly religious quality of modernity, at least about its continued embodiment of religious patterns. His view of history as repetition implies such a permanence and includes such a degradation (see OC 2, 758-9). The growth of rationalism and science marks the decline of religion in terms of intellectual and social assent; this decline threatens the quality of civilised life, but religious patterns of feeling and behaviour persist in laicised form and this, Baudelaire thinks, is true of society at large as he knows it to be true of himself in particular[25]. But the kind of insights which, in Maistre, are part of a genuinely mystical conviction, Baudelaire translates, typically, into terms of the imagination. Baudelaire's fundamental premiss, no longer "mystical" except by a characteristic appropriation and dilution of religious vocabulary, is formulated in the *Salon de 1859* as the view that it is imagination which

24. For example, by GILMAN, *op. cit.*, p. 66, who writes: "As far as aesthetic and critical ideas are directly concerned, De Maistre had little to give Baudelaire" — though she is, of course, talking here of *direct*, theoretical indebtedness.

25. "The people" often appears in Baudelaire as the repository of these residually religious or superstitious attitudes, which are quite distinct from the invented, abstract cults of intellectual liberalism (the "divinity of reason" or the "priesthood" of the poet/citizen (OC 1, 665)). The reinstatement of the "popular" is part of Baudelaire's recuperation of the commonplace (e.g. "Profondeur immense de pensée dans les locutions vulgaires, trous creusés par des générations de fourmis" (OC 1, 650)). It is mostly as a political entity, or as the object of humanitarian sentimentalism, that "the people" is reviled.

"creates and governs" (OC 2, 621) the world, in collective as well as individual terms.

The nerve-centres of "mystical" (i.e. imaginary) participation and exchange in our modern laicised society are, as always, persons set apart in some way and enjoying a quasi-mythical status in relation to the collectivity whose needs and passions they symbolically represent. They are, to use Baudelaire's term, "parias" and their "grandeur" (OC 1, 703) is to be construed in terms other than the utilitarian. There seems to be, in the *Journaux intimes*, a systematic division of social types into "professions" or utilitarian functions ("hideux", "vils", "jamais divins" (679, 684, 704) however high they may appear in the social hierarchy) and, by opposition, a limited number of "divine" functions. The latter includes, specifically, the priest, the soldier, the poet, "l'homme qui chante, l'homme qui bénit, l'homme qui sacrifie et se sacrifie" (684, 693). There was clearly some overlap in Baudelaire's mind, between the "divine" functions and the various types of "ivresse". They appear on the same "feuillet" in *Mon cœur mis à nu* XXVI where the "divine" role of the soldier "qui sacrifie et se sacrifie" clearly has a connection with "l'ivresse du sang". "L'ivresse du sang", associated in turn with "l'ivresse des foules" and with "l'ivresse du supplicié (Damiens)", suggests that Baudelaire also ranks the "bourreau" and his "victime" amongst the quasi-religious figures of the modern mythology. *Mon cœur mis à nu* XI brings charity and libertinism into the picture, whilst "ivresse dans le sens littéraire, ou du comédien" invites us to view the actor, and perhaps the writer in general, as the embodiment of the vicarious imagination: "Un chapitre sur ce qui constitue, dans l'âme humaine, la vocation du comédien, la gloire du comédien, l'état de comédien, et sa situation dans le monde" (703). Some of these roles correspond to personal fantasies from childhood onward (702, 703). All are, in one sense or another, parasitic or marginal figures whose significance is misuderstood, not least by the persons filling the role. To take only one example; the priest is "divin" in his appeal to the imagination and Baudelaire's occasional anticlerical outbursts simply highlight the paradox: "Le prêtre est immense parce qu'il fait croire à une foule de choses étonnantes [...]. Les prêtres sont les serviteurs et les sectaires de l'imagination" (650). Baudelaire's observations, which express both a poetic reverence for religion and an intellectual disengagement, appear to prolong the train of thought of *Fusées* I: "Quand même Dieu n'existerait pas, la Religion serait encore Sainte et *Divine.* Dieu est le seul être qui, pour régner, n'ait même pas besoin d'exister" (649). Remarks like these destabilise at a fundamental level what may appear elsewhere as a more orthodox religious conviction and suggest that imagination has absorbed the prestige of religion and not vice versa. Religion, as "la plus haute *fiction* de l'esprit humain" (OC 2, 628), enshrines and satisfies what is most valuable in the human soul; its "real" content matters less than its correspondence with the need of the human imagination for both order and adventure.

I have excluded the dandy from Baudelaire's list of "divine" functions because the dandy is, in all senses and not least in terms of status, a case apart and a test case when it comes to assessing the nature and limits of Baudelaire's sympathy with religion. Vouga (213-4) includes the dandy as the supreme example in the category of sacred figures, on the grounds that the dandy is on two occasions associated explicitly with the theory of sacrifice, as in *le Peintre de la vie moderne:* "Etrange spiritualisme! Pour ceux qui en sont à la fois les prêtres et les victimes [...] etc." (OC 2, 711). But if it is a mistake to read Maistre through Baudelaire, it is equally unwise to read Baudelaire through Maistre without allowing for very radical differences in perspective. Baudelaire's paradoxes on the dandy use Maistrean references but take us way out of the Maistrean orbit. The dandy is "priest and victim" in the cult of *self* or "auto-idolâtrie" as Baudelaire terms it (OC 1, 658). Baudelaire's dandyism is part of a myth of spiritual self-sufficiency expressed elsewhere in the *Journaux intimes* as the ambition to be a "hero and a saint *for oneself*" (691, 695). The quality of soul which in ages of faith would have made a (stoic) hero or a (christian) saint, expresses itself in the modern age in the solipsistic "spirituality" which attempts to preserve distincition of soul in a world no longer guaranteed by God or by History. The dandy, "[qui] doit vivre et dormir devant un miroir" (OC 1, 678), is not the locus of imaginary indentification or substitution like the soldier, the actor etc. He does not in any sense represent the passions of the multitude.

The myth of the dandy defines Baudelaire's modernity. It is a function of Romantic irony which rejects any kind of totalising belief — in God, Nature, History or consciousness — and seeks to perpetuate tragedy. In making Baudelaire a more religious writer than the evidence will allow, Vouga comes up against the startling entry in *Mon cœur mis à nu* about "the Fall of God" and seeks to disclaim it: "le passage n'exprime pas la pensée ni le sentiment de Baudelaire, qui n'a jamais ce ton rationaliste, ce ton presque voltairien, pour parler de Dieu" (173). But "Dieu est le seul être qui, pour régner, n'ait même pas besoin d'exister" has an even more pronounced Voltairean resonance — and an equally un-Voltairean corollary ("la Religion serait encore Sainte et *Divine*"). The "Fall of God" comes somewhere between religious nostalgia and Nietzschean emancipation and serves to mark the essential limit of any "rapprochement" with Maistre.

POLITICAL PIETY AND COMMERCIAL SUCCESS: POLITICAL GAZETTES IN FRANCE AND ENGLAND IN THE LATE SEVENTEENTH CENTURY

by
SHIRLEY JONES

Henri de Boulainvillier's *État de la France*[1], first published in London in 1727, after his death, is responsible for rescuing from oblivion what was once a flourishing genre of writing. The French *État Présent* first came into existence — significantly — during the *Frondes.* It was, from its inception, associated with the defence of the monarchy, and it is one of the ironies of its history — though as we shall see, not the only or even the most important one — that such a genre, formulated in part to bolster up the monarchy, should generally be remembered because of the work of such an arch enemy of royal prerogative as Boulainvilliers.

The format of the *État Présent* remained basically the same throughout the hundred or so years of its existence. First, a brief 'historical' introduction, followed by an analysis of the machinery of state. The introduction to the first edition I have been able to trace, that of 1649, begins as follows:

> Que l'Estat de France ait esté de tout temps Monarchique, est une chose trop notoire pour en douter. Car encore qu'on dise que le Roy Louis XI ait mis les Rois hors des pages, c'est à dire qui'l ait osté au Parlement le grand pouvoir et l'authorité qu'il avoit usurpé sur l'Estat, et qu'il semble que les Loix fondamentales de l'Estat, les ordonnances des Rois précedens brident en quelque façon la puissance absolue du Roy, joint qu'outre cela il a accoutumé de se servir en toutes deliberations de plusieurs Ministres ou Conseillers, et mesme quelquefois d'assembler les Estats du Royaume, si est que ce n'est que pour assister le Roy de leur

1. HENRI de BOULAINVILLIERS: *État de la France....* London, 1727.

> conseil, en sorte que de puissance absolue il ne laisse pas de faire ce que bon luy semble, n'alleguant pour raison de sa volonté que son bon plaisir: en ces termes, *car tel est notre bon plaisir,* etc.[2]).

In spite of the turgid lawyer's language, the sentiments expressed are clear: royal authority is absolute, consultation with ministers or with representatives of the people (in the seventeenth-century sense of the term) is an adjunct to, not an intrinsic part of, the machinery of government. So much for the over-proud subject, of whatever degree. Equally important, and certainly significant in the eyes of seventeeth-century Frenchmen reading this, is the reference to Louis XI, since to evoke him was to bring the discussion within the confines of the great constitutional debate which raged in France for over a hundred years, the so-called 'feudiste' debate.

Only two aspects of this particular quarrel need concern us here: first, the historical terms in which the arguments and counter-arguments of the debate were expressed and second, the political implications of these extravagant historical theses or hypotheses. The exponents of royal absolutism maintained that the French monarchy predated the conquest of Gaul, while the champions of aristocratic privilege claimed that the monarchy had been established only after the Frankish invasion and had evolved from the selection of a leader from among the Frankish warrior noblemen. Louis XI was the *bête noire* of the champions of the Frankish, *nobiliaire* thesis since he was credited with having tipped the balance of power between king and noble in favour of the former, thus usurping some of the latter's privileges, (hence the meaning of the statement just quoted, where the writer clearly refutes the notion that there has been any usurpation of a power which has remained for all time absolute and unqualified.) He goes on specifically to refer to the Paris parlement and to spell out its limited rights and functions:

> Il est bien vray que le Parlement de Paris a de tout temps esté en possession de verifier tous les Edits, mais il ne leur est pas permis de s'y opposer, [...]. Il luy est bien permis de faire des remontrances au Roy, après lesquelles il est contraint d'obéïr. De sorte que le Roy se trouvant accompagné d'une authorite souveraine, il ne se peut nier que l'Estat de France ne soit purement Monarchique (p. 4).

The particular historical or political character of this form of writing is

2. *L'Estat de la France, Comme elle estoit gouvernée en l'An MLDCXLVIII ou sont contenues diverses Remarques et particularitez de l'Histoire de notre temps,* (attributed to Pinsson de la Marinière) Paris, 1649, p. 3. For a brief history and assessment of the genre as a whole, see LOUIS ANDRÉ: *Les Sources de l'histoire de la France,* vol VII, Paris 1934.

quite clearly discernible from the outset and it is precisely from this point of view that it is of interest to us. The *État Présent* in France was, from its inception, an expression of a set of political beliefs. The precise significance of these beliefs for us is that, in his analysis of the structure of government, the writer is prompted by his political beliefs to look back into France's historical past, or rather, what he believes to be her historical past.

This 'historical' argument is filled out and the writer's own allegiance in the royalist versus *nobiliaire* dispute even more unequivocally spelled out in Antoine Marchais's edition of the *État* which first appeared in 1652, when the Romanist thesis is explicitly introduced into the argument:

> L'estat monarchique est celuy dans lequel le commandement absolu est possedé par un seul. Celuy de la France a toujours esté tel, et avant que les Romains eussent conquis les Gaules et apres que par le démembrement de leur Empire, ces belles Provinces furent subjuguées des François qui les ayant soumises à leur puissance, autant ou plus par la douceur de leur gouvernement, que par la force de leurs armes, leur donnèrent dès lors le nom de France, dont elles jouissent encore aujourd'hui, Je dis que le pouvoir absolu que nous voyons entre les mains du Roy, y a de tout temps esté, contre l'opinion de ceux qui assurent que le Roy Louis XI, qui a mis les Roys hors de pages, pour avoir osté au Parlement l'authorité qu'il avoit usurpée de l'Estat[3].

Marchais proceeds to fill out the definition of the Parlement's role in the process of government, scornfully rejecting the idea that the existence of the parlements within the machinery of government in any way limits the royal power.

> Il est vray que le Parlement de Paris est en une longue possession de verifier tous les Edits du Roy, et quelques uns veulent de là inferer qu'il y ait en l'Estat de France quelque meslange de l'Aristocratique, ils auroient autant de raison de dire qu'il y auroit du Democratique en l'établissement des mairies, Eschevinages, et autres charges qui se distribuent à ceux du Tiers Estat: Mais nous respondons premierement qu'il n'est pas permis au Parlement de s'opposer aux Edits et Ordonnances du Roy. (p. 2).

3. *Description de l'État present de la France... avec plusieurs recherches curieuses et très utiles pour l'intelligence de l'histoire de France. Et particulierement celle de notre temps* Par ANTOINE MARCHAIS. Professeur des Mathematiques et des Langues, Blois, 1652. For an assessment of Marchais's contribution to the genre, see *Bulletin du Bibliophile et du Bibliographe*, Paris, 1891 p. 287.

During the decade 1652-1661 — a crucial period in France's internal history — the royalist thesis of the historical justification for absolute monarchy, which provides both the inspiration and the framework for the *État Présent,* is amplified and pointed up, first by du Verdier in 1656 and then by Chapelain, whose first incursion into this particular field of pro-Establishment writing was published in 1661. Du Verdier, an historian of some repute, puts the case for the historical justification of absolute monarchy in trenchant terms:

> L'estat Monarchique est celuy dont les peuples ne reconnoissent qu'un seul Prince qui les commande avec un pouvoir absolu: les François ont un Roy qui parle souverainement, et dont l'authorité n'est point limitée: Je ne m'esloigneray donc pas de la vérité, quand je diray que la France est un estat véritablement Monarchique. Nos Gaules anciennes estoient gouvernées par des Roys avant que la puissance Romaine y fut reconnuë: Elles reprirent cet estat sous le regne de Meroüé, et quand les Romains en furent chassez, la dignité Royale y fut restablie avec un pouvoir absolu.
>
> . . . .
>
> Quelques uns ont cru que les Roys de ce siècle estoient redevables de cette authorité Souveraine à la vigueur de Louis XI qui ravala beaucoup celle du Parlement, pour conserver les prerogatives de la Couronne. Mais quelque fondement qu'ils puissent donner à leur opinion, je la trouve un peu ridicule: Et la raison qui me fait parler de la sorte est, que le Parlement a toujours reconnu par des actes tres authentiques, qu'il n'avoit aucune puissance que celle qui luy avoit esté donnée par nos Roys[4].

Although du Verdier's style marks an improvement on his predecessors, fusty scriveners or clerics for the most part, there is no marked improvement in the intellectual quality of his argument. Facts, or at least the adversaries' claims are brushed aside and replaced by affirmations of faith founded on such nebulous concepts, from the historical point of view, as 'toujours'.

Chapelain, as befits the man of letters, contrives the greatest flourish in the opening sentence of his 1661 *État Présent* before plummeting into outright plagiary of du Verdier:

> Entre toutes les Monarchies du Monde, il n'y en a point de plus noble, de plus auguste, ny de plus absolue que celle de la France, dont les Rois

4. *Le Vray Estat de la France. Comme elle est gouvernée à présent Avec plusieaur recherches curieuses et tres utiles pour l'Intelligence de l'Histoire,* par le Sieur DU VERDIER Historiographe de France, Paris, 1654, p. 1. Du Verdier subsequently published a history of England: *Abrégé de l'Histoire d'Angleterre...* Paris, 1661.

> ne relevent que de Dieu, et de l'Epée. La Noblesse et Grandeur est telle, qu'il n'y a Nation sous le Ciel qui l'égale en ce degré de gloire et de Majesté[5].

Subject to minor modifications or 'improvements', the 'historical' introduction to the *État Présent* remained constant for over two decades, until by a gradual process of evolution, the genre of the political gazette expanded into a comprehensive account of court offices, officers and functions. When, by the third decade of Louis XIV's personal rule, the 'historical' introduction had atrophied in favour of contemporary biographical and other detail, the genre loses its interest for us.

Of course, the fact that the 'historical' trapping was discarded when the monarchy, that is to say the absolute monarchy of Louis XIV, was no longer under threat, is in itself significant. As we shall see, the historical framework of these early examples of the French political gazette is of interest on several counts. In the first place it demonstrates that, in the political debate of which the *État Présent* formed a part, the present could only be justified in terms of the past, which is, of course, to assign a new and crucial role to the study of history.

The second part of the *État présent*, the systematic account of the machinery of government is, in the last analysis, the practical illustration of the theory of government set out in the first part. And given that we are dealing with an absolute monarchy whose character is unchanging, the factors remain constant: the king's prerogatives, once listed, are not subject to change. To describe the royal prerogatives is to describe the principle and mechanism of this form of government. As the years wore on, the description of the various offices and institutions of the state became more detailed (reaching its apogee with Frère Ange's admirable edition of 1722) but the format remains essentially the same[6].

The royal prerogatives first enumerated in the 1649 edition, remained the cornerstone of the French political gazette in every subsequent edition:

The king alone appoints the judiciary.
He alone is the final arbiter in all cases.
He alone grants pardons, remissions and absolutions.
He alone has the right to mint coinage in both silver and gold.
He alone appoints bishops, abbots and other ecclesiastical offices.

5. *L'Estat nouveau de la France dans sa perfection...* (dedic. signed F.C.), Paris, 1661, p. 1.

6. *L'État de la France...* (dedic. signed Frère Ange), Paris. Frère Ange was the first to give a concise history of the French political gazette.

He alone creates alliances with foreign princes and states.
He alone has the right to take reprisal.
He alone has the right to declare war and make peace.
He alone may levy taxation.
He alone can grant safe conduct.
He alone may found colleges, universities and other such royal institutions.

The practical implications of an absolute monarchy having been thus set out, the machinery relating to its functioning, the laws relating to the succession and to government during the king's minority (a topical matter in 1649), precede biographical details on the various members and branches of the royal family. Then comes a list of dukes and peers together with their historical offices under the crown; other traditional holders of royal office and their families; modern officers of the crown (such as admiral, colonel of infantry, Master of the Royal Hunt, etc.); other elevated members of the peerage; the king's household: its religious and secular officers; the queen's household; the king's bodyguard. Next follows an account of the machinery of political government: the state coucils, their functions and membership; the royal finances: the taxes levied by the king (*taillon, subsistance, aides, gabelles*) and their administration; the *chambre des comptes;* the orders of chivalry; the governors of provinces and frontier towns; the armed forces. Finally we have the legal government of France: the three Estates: Clergy, Nobility, Third Estate (that is to say, those members who hold legal or special office under the crown, with special reference to the Paris parlement). The later, more detailed editions of the *État Présent* refer to other institutions which form part of the great machinery of State, such as the Académie Française and give information about Court offices and officers, the stipends which such offices attract, together with useful biographical notes on those who played a role in the great spectacle of Louis XIV's France. What did not and could not change was the essential character of these works, which remained fixed from the outset by the very nature of the form of government they describe and analyse. The image they present is that of an enclosed and inward-looking society, a vision of the state as a kind of vortex with the king at its centre. All power, all legality flowed from the principle of monarchy and from the person of the monarch.

The particular role and significance of the *État Présent* in the great historical debate which was a feature of the intellectual life in France during the seventeenth and eighteenth centuries is that it represents a response to specific political circumstances involving the monarchy: the minority of Louis XIV and the *Frondes.* These were the initial factors which brought the genre into being and shaped its form from the outset. More broadly speaking, it illustrates three factors which are important when comparing

France and England during this period. First, from the historiographical point of view (and the *État Présent,* the political gazette as it was conceived in France, was a piece of historical as well as political writing), it breaks new ground on two counts: in its use of history or pseudo-history for political ends and insofar as it represents a first faltering step towards writing contemporary history. With the *État Présent,* history ceases to be an antiquarian pursuit and takes a decisive step towards the political arena. The second point, a corollary of the first, is that the *État Présent* demonstrates the growing interest in political questions, a factor which was to be a significant feature of the intellectual life of the following century in France. Finally, this interest in politics and in society is itself part of the great movement of intellectual curiosity which gathered momentum in France, as in England, as the seventeeth century wore on.

This last element: the development of the political gazette in the wider context of French culture during the latter part of the seventeeth century, would be of minor significance were it not for a direct consequence of its existence in the shape of the appearance across the Channel of an English publication clearly inspired by the French model. In 1669, in the heady days following the Restoration, Edward Chamberlayne, a minor historian with a legal training, published the first edition of his *Present State of England.* To us today it may seem a rather dull and routine work of High Church Tory piety, but, like its French counterpart, it was immensely successful, being republished annually until the author's death in 1703, and reaching in all thirty-six editions by 1755[7].

Just as the format of the *État Présent* was influenced by current French historiographical writing, Chamberlayne's account of England owes much, from the point of view both of form and content, to the English school of historians deriving from William Camden, whose *Britannia* was first published in 1586[8]. Following in Camden's footsteps, Chamberlayne cast his net wide in his account of England, to take in questions of climate, national characteristics, language, religion, before passing on to his political analysis properly speaking. Altogether it is a very different conception of history and must of necessity produce a totally different kind of historical writing.

What is of interest to us here is that a French edition of Chamberlayne's work appeared in 1669, hot on the heels of the English original. The

7. Edward Chamberlayne: *Angliae Notitia, or the Present State of England: together with divers reflections upon the antient state thereof,* London, 1669.

8. Camden's work was first published in Latin in 1586 and translated in 1610 under the title, *Britain, or a Chorographicall Description of the most flourishing kingdomes, England, Scotland and Ireland.*

translator's introduction emphasizes Chamberlayne's superiority over his French counterparts as a contemporary historian:

> Ceux qui ont écrit de la Cour de France, sous ce titre n'en représentent que l'extérieur et la superficie. Edward Chamberlayn, au contraire, decouvre l'intérieur de l'Angleterre et expose à la veue du lecteur tout ce qu'il peut publier de sa patrie sans crime[9].

(The final phrase, that modern history is a potentially dangerous study, is worth noting in passing).

Chamberlayne's study is divided into two main sections. In the first he deals wih various categories of background information, while in the second he provides a detailed account of the machinery of government. Since it is the effect which such information would be likely to have on French readers that interests us particularly, I propose, in almost all cases, to quote from the French translation rather than from the English original. Chamberlayne's information is not particularly new or striking to anyone familiar with French accounts of England, which flourished as a minor industry from Samuel Sorbière's account[10] through to the first decade of the eighteenth century, let alone to those who have read Voltaire's *Lettres sur les Anglais.* Chamberlayne's importance lies in part in the context of the political gazette, where the contrast with the French *État Présent* is striking and partly because, unlike much literature on England written by French emigrés and published outside France, Neuville's translation of Chamberlayne's work was published officially in France itself. That Chamberlayne intended the information contained in his book for foreigners as well as for his fellow countrymen is explicitly stated in his preface:

> *Here* are interspersed some observations, which though already known to many *Englishmen,* yet may be unknown to most *strangers* and *Foreigners,* for the information of whom this *Book* is secondarily intended; and for that end is lately translated into the *French tongue* and printed at *Amsterdam* and at *Paris.*

Chamberlayne's opening chapters deal first with the land of England itself, its surface area and climate, its resources; he then deals with weights and measures before passing on to the architecture of England. Next come the inhabitants of the British Isles, their religion, manner of dress, punishments inflicted by the law, the size of the population, the spoken language,

9. *L'Estat present de l'Angleterre, Avec plusieurs reflexions sur son ancien estat; Traduit de l'Anglois d'Edward Chamberlayne de la Sociètè Royale,* 3e edition, Amsterdam, 1671.

10. SAMUEL SORBIÈRE: *Relation d'un Voyage en Angleterre....* Paris, 1664.

English physical appearance and eating habits, English sports and pastimes, English family names and Christian names, and finally the English system of counting. This list of contents, apart from indicating the author's haphazard method of presentation, also shows the broad sweep of the information he proposes to convey. Although here Chamberlayne was merely following a tradition of English historiography, the information he was conveying to French readers would prove a startling contrast to the style and content of their own political gazettes. Take for instance this passage relating to the political climate in England:

> Il n'y avait point de peuple en aucun Royaume du monde, qui fut plus libre et exemt de toutes sortes de taxes et de tailles, que les Anglois l'estoient quelques années devant les derniers troubles, comme aujourd'huy il n'y en a point qui soit plus deschargé de mauvaises humeurs. Il n'y en a point qui soit plus Religieusement devot, plus volontiers obeissant aux loix, plus veritablement fidelle au Roy, qui reçoive mieux et plus agreablement ses voisins, qui soit plus ambitieusement civil aux estrangers, et plus liberalement charitable aux necessiteux. (p. 47).

This statement, harmless enough in itself, contains two elements which are important. First, the reference to the Englishman's religious piety and to his obedience to his king. Applied to a political and religious system totally different from the French one, these are important contentions in view of the fact that advocates of absolutism claimed that the king must be totally master of his subjects' will in political as in religious matters. To emphasize English civic and religious virtues was both to refute the absolutist argument — that the king of right commanded his subjects' hearts and minds — and to redefine the concepts of loyalty and fidelity. French readers were thus confronted with an alternative system of values. Words, applied to concepts alien to French experience, acquire a different meaning as the new image of the Englishman, as well as new definitions of philosophical concepts, emerge. As we know, Voltaire was quick to seize on the political implications of the portrait of the English as a freedom-loving nation whose taxation system reflected its social system, which in its turn was the political manifestation of the national conscience or consciousness. In the context of the political gazette the contrast between Chamberlayne and his French counterparts is striking when one considers that one of the chief characteristics of the French model is the insistence on the virtues of the monolithic state. If in France virtue is to be found in unity and fixity, in all its aspects the English system offers contrary models, for instance in matters of religion:

> Il y a deux choses, où sans doute l'Eglise d'Angleterre a de grands avantages pardessus les autres. La premiere, qu'elle a une des marques

> particulieres de la veritable Eglise, qui manque à plusieurs autres Eglise *(sic)* de l'Europe; sçavoir la charité, qu'elle a pour les autres Eglises; car elle n'affecte pas de promettre le Ciel à ceux seulement qui en font profession, et ne condamne point tous les autres à l'enfer. (p. 41).

Writing on England in the late 1720s, Voltaire has a clear polemic aim throughout his work. Chamberlayne, however, is merely recording facts when he describes the English legal system or the taxation system which does not grant exemption to the nobility:

> Elle n'a pas encore ce grand privilege, dont la Noblesse de France jouït, par lequel les domaines et les terres, qu'ils tiennent par leurs mains, sont exemts de toutes tailles et contributions [...] en Angleterre, le premier Seigneur du Royaume n'y a pas plus de privilege que le dernier laboureur. (p. 303).

The contrast, the intrinsically shocking quality of any account of the English political system compared with that of France, is most striking in respect of the institution of the monarchy. Any definition of the role of the monarch, any description of his functions within the state must be a challenge, an affront if not a refutation of the absolutist thesis. Chamberlayne's account persists in seeing the English system as being possessed of intrinsic virtues. The English original reads as follows:

> England is such a *Monarchy,* as that, by the necessary Concurrents of the Lords and Commons in the making and repealing all Statutes or Acts of Parliament it hath the main advantages of an Aristocracy and of a Democracy, and yet *free* from the disadvantages of either.
>
> It is such a Monarchy, as by a most admirable temperament affords very much to the *Industry Liberty* and *Happiness* of the Subjects, and reserves enough for the Majesty and *Prerogatives* of any King that will own his People as Subjects, not as Slaves. (p. 103).

Now let us look at the French version, in which certain subtle changes are discernible:

> l'Angleterre est une Monarchie, qui par la concurrence necessairement subordonnée des Seigneurs et Communes, qui ont le pouvoir de faire et d'abroger les resolutions ou actes dans le Parlement, a plusieurs avantages, qui luy sont communs avec l'Aristocratie et la Democratie, et cependant elle n'en a pas les desavantages, ny les maux auxquels cellescy sont sujettes.
>
> C'est une Monarchie, qui par un admirable temperament, accorde beaucoup à l'industrie, à la liberté et au bon heur des sujets, et neamoins en reserve encore assez pour la Majesté et la prerogative d'un Roy, qui veut gouverner son peuple comme sujets, et non comme esclaves. (p. 84)

The modern reader at least may find it ironic that the High Church Tory Chamberlayne had the power to shock the majority of French readers who happened on his text. What for them was treason and sedition was for him justice and equity. Thus he can write in measured tones of the constitutional checks on royal power:

> Il y a deux choses, qu'ordinairement le Roy d'Angleterre ne fait pas sans le consentement de ses sujets; sçavoir de faire de nouvelles loix, et d'imposer de nouveaux droits; parce qu'il y a quelque chose d'odieux en l'un et l'autre; en ce qu'il semble que l'un diminue la liberté des sujets, et l'autre viole leur propriété. (p. 124).

Chamberlayne's vision of England is of a society governed by the principles of justice relating to all its members. We are unfortunately unable to share in, or even to guess at the reactions of French readers reading for the first time Chamberlayne's enumeration of the privileges enjoyed not by the favoured few but by every subject of the English monarch:

> Premierement point de Freemen, ou homme libre ne peut estre emprisonné, si l'on n'allegue la cause pourquoy la Loy permet de l'emprisonner.
> 2. S'il est en prison, on ne luy peut pas refuser un acte de mainlevée de sa personne. C'est à dire de sortir sous sa caution juratoire.
> 3. Si on n'allegue point de cause de son emprisonnement, il doit estre mis en liberté absolument.
> 4. En temps de paix l'on ne peut pas loger de gens de guerre chez luy, sans son consentement, mesmes en payant.
> 5. Il possede son bien dans une si pleine et absoluë proprieté, qu'on ne le peut pas obliger à payer des taxes ou impositions, [...] qu'il n'y ait consenti dans les formes, par des deputés des Communes dans le Parlement.
> 6. Point d'Anglois ne peut estre pressé, ny contraint de marcher hors de sa Comté, s'il n'y est obligé par son fief, ou par les terres qu'il tient, pour servir de soldat à la guerre, si ce vient en cas qu'un ennemy estranger soit entré dans le Royaume ou d'un souslevement dans le pays, et ne peut pas estre envoyé hors de l'Angleterre contre sa volonté.
> 7. L'on ne peut pas accuser un homme libre ailleurs que pardevant ses pairs, ny condamner que selon les loix du pays, ou par un acte du Parlement.
> 8. Un homme libre ne peut pas estre condamné à l'amende pour crime, sinon à proportion du crime qu'il a commis.
> Finalement si l'on considere, qu'il n'est sujet à des loix qu'il n'ait faites, et qu'il ne paye point de droits ny de taxes qu'il ne s'impose de luy mesme [...] il faudra advouer que ses libertés et proprietés sont tres-grandes, et que sa condition en ce monde est heureuse et benite, et cela

est si loin au delà de celle de toutes les autres nations voisines, [...] (p. 339).

I have quoted this section at length because not one of the eight articles listed by Chamberlayne was enjoyed by all Louis XIV's subjects — indeed the very notion of absolute monarchy would preclude the existence of most of these privileges. The most the French reader could do was to be shocked or envious as his own beliefs or inclinations dictated.

It is not possible to assess the influence that Chamberlayne's work, available in translation, actually had on French readers. In the last resort, it is the fate of minor works to form part of the general cultural stream rather than to stand out as discernible influences which have brought about change. All one can point to clearly is its availability and the stark contrast it presented with the French model of the *État Présent.* Nor can one define with any certainty Chamberlayne's motives in composing his work. Patriotic fervour as a loyal subject of His Majesty King Charles II? Perhaps. Whatever the initial motive, the attraction of lucrative gain must have played a role in Chamberlayne's dogged persistence in bringing out subsequent editions over a period of several decades. And such material considerations would also help to explain his strident tones in attacking other authors of political gazettes, like Guy Miège or James Beeverell, who had the temerity to publish their (Whig) accounts of the *Present State of England*[11]. For Chamberlayne, *The Present State of England* represented commercial success as well as political piety.

I certainly would not wish to make inflated claims for the significance or value of Chamberlayne's work. Its importance was for the most part confined to the age which brought it into being and which in its turn it served. It was a useful source of information. As historiography it is of very minor importance. Chamberlayne was basically a hack writer who found a vein of historical writing which he exploited successfully. However, his work illustrates both the dangers and the value of information. Placing him once again in the wider context of the stream of intellectual curiosity and debate which is a primary feature of the late seventeenth century of both France and England, we see his work as a counterpart if not an involuntary counterblast to the *État Présent* in France. And here another of the ironies which characterise the history of this particular form of politico-historical writing becomes apparent. The champions of royal absolutism who composed the first French political gazettes could hardly have foreseen that an indirect consequence of their political piety would be the appearance, translated from the English original, of a work championing a model of government which directly challenged the values of absolutism. (Although as pious clerics some of them would have seen this consequence as yet another example of the trouble that Man's thirst for knowledge had been getting him into ever since the Garden of Eden.).

It is certainly ironical that one work of political piety, the *État Présent*, should have spawned another, *The Present State of England,* which in its turn could be used to confound its French model. The fact that Chamberlayne chose to emulate the French model again illustrates the existence of parallel intellectual currents on both sides of the Channel. In England, as in France, concern with matters of state was becoming of increasing interest to the cultured public. This in its turn created a new role for history and for the historian. As I have already suggested, history was ceasing to be an antiquarian pursuit. The Frenchmen, like the Englishmen of the latter part of the seventeeth century, were turning to the past (in the case of the French, to an ever-receding past) in order to justify their attitude to the present. Historical debate was essentially a political or ideological debate, with each side seizing ammunition in whatever historical myth or reality came to hand. The early exponents of the French political gazette exploited the myth (or reality?) of Gaulish government in pre-Roman times. Their opponents were able subsequently to turn to such works as Chamberlayne's to point out the efficacy of a political system which refuted the values of a monolithic Church and State.

THE STATUS OF ART IN JOUBERT'S *CARNETS* (1754-1824)

by

DAVID KINLOCH

1er août (insomni nocte)

Je voudrois que les pensées se succédassent dans un livre comme les astres dans le ciel, avec ordre, avec harmonie, mais à l'aise et à intervalles, sans se toucher, sans se confondre; et non pas pourtant sans se suivre, sans s'accorder, sans s'assortir. Oui, je voudrois qu'elles roulassent sans s'accrocher et se tenir, en sorte que chacune d'elles pût subsister indépendante. Point de cohésion trop stricte; mais aussi point d'incohérences: la plus légère est monstrueuse. (I, 263)

Perles défilées[1].

Star-gazing on a sleepless summer night in August 1800, Joubert read his fortune into the celestial pattern and, in what seems like a flash of inspiration, noted this fragment in his journal. These remarks, particularly if they are encountered in nineteenth- or early twentieth-century editions of his work, may strike the reader as constituting a perfect definition of the type of writing at which Joubert excelled, a sudden vision of his fortune as an aphorist, the author of a book of skilfully paced 'aperçus'. It is a commonplace of fortune-telling, however, that although the tea-leaves or the stars may be relied upon to tell the truth, they rarely tell it from the angle we expect and require a degree of effort from the initiate if their dark

1. All references in parentheses are to volume and page numbers of Joubert's work as edited by ANDRE BEAUNIER: *Les Carnets de Joseph Joubert,* 2 vols., Paris, Gallimard, 1938. Beaunier chose to observe Joubert's idiosyncratic orthography and I have followed his example.

sayings are to be clarified. Joubert's nocturnal musings become problematic from the moment he mentions the word 'livre' for this aspiring aphorist never published a book of aphorisms, or anything else for that matter, and, as will appear in the course of this paper, he came increasingly to recognise the futility of such a project.

The principal reason why we interpret this passage, initially at least, as Joubert's definition of the art of the 'moraliste' and fail to see in it something far more complex and exciting is that our vision of him is still clouded by the defective nineteenth century selections from manuscripts made by Chateaubriand in 1838 and Paul de Raynal in 1842[2]. Raynal chose to use the words 'pensées', 'essais' and 'maximes' in the title of his edition and this immediately placed Joubert within the great tradition of French 'moralistes' such as Montaigne, La Rochefoucauld and La Bruyère. Influential critics like Sainte-Beuve and Matthew Arnold did much, in their distinctive ways, to reinforce this image and later nineteenth-century and some twentieth-century criticism has been unable to free Joubert from this critical burden[3].

In 1938 however, André Beaunier's widow published the result of her husband's examination of Joubert's manuscripts. These two volumes, entitled *Les Carnets de Joseph Joubert*, contain over one thousand closely printed pages and have the merit of reproducing as faithfully as possible, in all its bewildering disorder, what Joubert actually wrote. Beaunier died before completing his work and the lack of critical apparatus for this edition makes it extremely difficult to use. Despite this however, the publication of Joubert's 'carnets' as distinct from his 'pensées' showed that the image of him as an aphorist who failed to produce a book of aphorisms contains a false paradox and essays have appeared over the past three decades that have gone some way towards a more accurate description of his activity as a writer. Maurice Blanchot, for example, hints at Joubert's strikingly modern concern for 'les blancs du texte', an interest in the diagrammatic potential of the page which may be perceived in a more careful reading of the fragment quoted at the start of this paper. Joubert, Blanchot suggests, was not interested in becoming an author in the conventional sense of the word, preferring instead to make himself '[le] maître du point d'où lui

2. CHATEAUBRIAND's 1838 edition was entitled *Recueil des pensées* de M. Joubert. RAYNAL's 1842 edition, in two volumes, was entitled *Pensées, essais et maximes de Joseph Joubert, suivis de lettres à ses amis et précédés d'une notice sur sa vie, son caractère et ses travaux.*

3. SAINTE-BEUVE's two essays on Joubert were published in *Critiques et portraits littéraires*, Paris, 1839 and *Causeries du Lundi*, Paris, 1857. ARNOLD's article 'Joubert; or a French Coleridge' appeared in the *National Review*, January, 1864.

semblaient sortir tous les livres et qui, une fois trouvé, le dispenserait d'en écrire'[4].

In the following pages, by investigating some of the intellectual sources that lie behind particular 'carnet' entries, I shall suggest some of the reasons why Joubert may have felt obliged to write as he did and to eschew, finally, the temptations of publication. Any such study necessarily involves an examination of the extraordinary and often confusing amalgam of texts on which he drew as he tried to work out a personal aesthetic. In the light of this it is as well to bear in mind two intellectual constants from which Joubert seldom wavered. These help to explain the nature of his difficulties. Firstly, Joubert was what might be termed an enlightened Platonist. His knowledge of Plato's dialogues was profound and although he preferred to regard texts like the *Thaetetus* and the *Timaeus* as poetic fables he remained faithful to the spiritual truths these dialogues attempted to articulate[5]. Joubert retained a deeply Platonic suspicion of art, of its pretention to reveal something of the spiritual reality that lies behind the physical manifestations of the cosmos. On one level, the chief concern of the *Carnets* appears to be the need to determine the ontological status of art and it is quite ironic, in such a context, that Joubert should have come to be known primarily as the self-confident author of polished maxims with their habitual claims upon ultimate truth. On the other hand, as one reads through the *Carnets* it is difficult to ignore Joubert's enthusiasm for most aspects of human creativity, and his entire life seems to have consisted in an attempt to accommodate a personal need to indulge in artistic and philosophic creation to his underlying Platonism. The result of this struggle is that Joubert can sound maddeningly self-contradictory. One moment his voice is that of a neo-classicist who appears not to have read much beyond Boileau's *Art poétique,* the next we can detect the accents of Vigny, Gautier and Mallarmé.

Joubert had the good fortune to discover something far more stimulating than the way to write a simple book of maxims when he gazed at the August stars and it is the complexity of this vision and its consequences for art that I should now like to examine more closely.

4. MAURICE BLANCHOT, 'Joubert ét l'espace', in *Le Livre à venir,* Paris, 1959, p. 64. See also the essays by GEORGE POULET in *La Distance intérieure,* Paris, 1952, A.J. STEELE, 'La Sagesse de Joubert', in *Studies in Romance Philology and French Literature presented to John Orr,* Manchester, 1953 and DAVID KINLOCH, 'The Art of the Missing Postscript: Some Unpublished Manuscripts of Joseph Joubert', *Nottingham French Studies,* 24, 1985.

5. On this attitude to Plato see my forthcoming article in *French Studies Bulletin,* 'Platonism and the *Carnets* of Joseph Joubert'.

A particularly useful introduction to the dichotomy outlined above is provided by the Swiss writer Amiel who recorded in his private journal an entry that is remarkable both for its perspicacity and for the way it can mislead the unwary reader: '...Je lis depuis six à sept heures, sans discontinuer, les «Pensées de Joubert»' [...]. C'est un entomologiste, un lapidaire, un joaillier, un monnayeur de sentences, d'adages, d'aperçus, d'aphorismes, de conseils, de problèmes, et son recueil [...] est une collection d'insectes, de papillons, de brillants, de médailles et de pierres gravées[6]'.

Writing in 1851, Amiel undoubtedly had in mind the contemporary fascination with sculpted, chiselled language, but his application to Joubert of words like 'joaillier', 'lapidaire', more commonly associated with Gautier or with Sainte-Beuve in his description of the sonnet, fits well with the image presented by the Raynal edition of Joubert as a sophisticated 'moraliste'. Amiel's use of the term 'entomologiste', however, and his reference to Joubert's 'carnets' as 'une collection d'insectes, de papillons' lead us directly to some of the major sources of Joubertian imagery to be found in notebooks dating from the 1780's and 1790's and opens the way to a rather different interpretation of his identity as a writer, one that is subversive of the familiar portrait of a 'monnayeur de sentences'.

The first two hundred pages of the *Carnets* are alive with the energetic, fragile activity of insects as diverse as the 'chenille', the 'araignée', the 'limaçon', 'papillon' and 'abeille'[7]. Many emerge from volumes three and four of the *Œuvres d'histoire naturelle et de philosophie* by the Swiss thinker, Charles Bonnet. This was published in Neuchâtel in 1779 and Joubert appears to have been captivated in particular by the *Considérations sur les corps organisés* and the *Contemplation de la nature.* There the 'abeille qui ne se nourrit que du suc le plus délicat des fleurs', and whose government 'tient plus du monarchique que du républicain', can be found next to its more democratic neighbours, 'des chenilles qui vivent en société et se construisent des nids qu'on pourroit nommer en pendeloques dans lesquels elles passent l'Hiver'. Other chapters include one on 'Le Fourmilion et en particulier sur sa structure' and it was there Joubert found his 'Fourmilière. Ville à cent portes. Hecatonpylos' (I, 125)[8].

The relationship of much of the information provided by Bonnet to the general tenor of many of Joubert's remarks between 1796 and 1800 will be

6. Amiel, *Journal intime,* edited by B. GAGNEBIN and P.M. MONNIER, L'Age d'homme, Paris, 1976, I, 890-891.

7. *Carnets*, I, 146, 157.

8. CHARLES BONNET, *Œuvres d'histoire naturelle et de philosophie,* 7 vols., Neuchâtel, Fauche, 1779, III, 69; IV, part ii, p. 258, p. 237.

obvious to readers browsing among the early pages of the Beaunier edition of the *Carnets.* Just as Pascal had been stimulated, while meditating on the vexed relationship between microcosm and macrocosm, by the scientific investigations of Hobbes, Fontana and Pierre Borel, so Joubert, a century later, became fascinated by Bonnet's microscopic discoveries and his analysis of 'les infiniment petits abîmés les uns dans les autres[9]'. Around the same period, Joubert's friend, the poet Chênedollé, was moved by André Chénier's attempt in his poem 'L'Invention' to fuse the contemporary discoveries of Buffon and Bailly with a Neoplatonic chain of Being, and Chênedollé's own long poem, *Le Génie de l'homme,* embarked on a similar description:

> Tout se tient, tout s'unit; un lien mystérieux
> Joint le ver et l'Homme et la Terre et les Cieux,
> L'Eternel dans ses mains tient cette chaine immense
> Que termine l'insecte et que l'homme commence[10].

Brian Juden has written of this poet's desire 'de concilier Platon et Pythagore, Pascal et Buffon'[11]. Joubert was provided with some of the theories and imagery necessary to a similar eclecticism by Charles Bonnet and the German scientist, Albrecht von Haller. These thinkers, he discovered, were obsessed with the mechanism of conception and birth and they provided him with a series of biological models which helped him to formulate a recipe for an ideal poetry and contributed substantially to his understanding of the ontological status of art in general.

Apart from his interest in Bonnet's insects Joubert became more and more enthralled by the descriptions of human and animal nerve systems. On the same day that he reflected poetically on Bonnet's 'Fourmilion', he noted '[que] si l'âme habite le cerveau (pour parler comme ces modernes) elle est absolument logée comme l'araignée, je veux dire au centre d'une toîle où mille fils (appelés nerfs) vont aboutir' and this is a fairly obvious conflation of Bonnet's remark that 'la découverte de l'origine des nerfs a donné lieu de placer l'Ame dans le cerveau' and his reference to these nerves as 'une espèce de réseau semblable aux toiles d'Araignée'[12]. Bonnet's spider is still at the centre of Joubert's thoughts in 1797 as the world is compared to:

> la toile d'araignée. Dieu l'a tirée de son sein et sa volonté l'a filée, l'a

9. *Ibid.*, III, 2.

10. Chênedollé, *Le Génie de l'homme,* Paris, Nicolle, 1807, p. 74.

11. Brian Juden, *Traditions orphiques et tendances mystiques dans le romantisme français, (1800-1855),* Paris, 1971, p. 253.

12. Bonnet, *op.cit.*, III, 276, 112.

> déroulée et l'a tendue. Ce que nous nommons le néant est sa plénitude invisible, sa puissance est un pelotton, mais un pelotton substantiel, contenant tout, inépuisable, qui se dévide à chaque instant en demeurant toujours le même, c'est-à-dire toujours entier. (I, 146).

Here, Joubert seizes upon Bonnet's analogy between human nerve system and spider's web, with the soul at its still centre, and extends it to provide a poetic account of the creation of the macrocosm. In the following fragment he adopts another image used by the Swiss thinker to focus upon the indestructible spiritual core of the human microcosm. This time it is the image of 'le noyau de l'amande' that provides Joubert with the relevant metaphors[13]:

> Notre chair n'est que notre pulpe. Nos os, nos membranes, nos nerfs ne sont que comme une charpente du noyau où nous sommes renfermés comme en un étui. C'est par exfoliations que cette enveloppe corporelle se dissipe, mais l'amande qu'elle contient, l'être invisible qu'elle enserre reste entier, est indestructible. (I, 143).

This passage introduces us to a number of 'pensées' in which the workings of the human mind are explained in terms of the energetic activity of bodily juices: 'Quand nous réfléchissons, il se fait matériellement dans nos organes des plis, des déplis, des replis qui vont jusques au froncement si la réflexion est profonde' (I, 141). These reflections take place in the context of 'sucs', 'eaux chaudes', 'vapeurs', 'légèretés' I, 173), all constituting a necessary 'fluide subtil' characterised principally by 'des excrétions et des sécrétions' (I, 191). 'Quand on exprime ce qu'on pense', Joubert wrote, "il se fait une espèce de sécrétion agréable et quand on pense ce qu'il faut une nutrition s'opère' (I, 111)[14].

It is possible, of course, to relate these metaphors to Joubert's reading of Plato's *Timaeus* but this does not constitute a sufficiently accurate analysis of what is happening, particularly in the lengthier thoughts quoted above. The real source — or rather one of the real sources — is Bonnet, but the reason they also sound as if they might come from a study of the *Timaeus* is because Joubert is using Bonnet's biological investigations, much as Plato used Timaeus Locrus, to provide analogical models on which to base metaphysical and epistemological discussion. Joubert is evidently fas-

13. *Ibid.*, 123

14. Compare CABANIS, *Histoire physiologique des sensations* in *Mémoires de l'Institut*, vol. I, pp. 147-148: 'Le cerveau digère en quelque sorte les impressions [...] il fait organiquement la sécrétion de la pensée'.

cinated by Bonnet's descriptions of the ever-changing nature of the physical world and seems to have been quite familiar with contemporary materialist enthusiasm for 'les fibres du corps', but he sees these descriptions primarily as an ideal opportunity to draw attention to the status of the material universe as mere 'enveloppe corporelle' which encloses an indestructible spiritual reality, an 'être invisible', 'le noyau de l'amande'[15]. As Joubert wrote in November, 1799: 'Tout ce qu'on voit, tout ce qu'on touche n'est que la peau, le cuir, l'écorce, enfin la dernière surface d'une autre matière impalpable, invisible, intérieure' (I, 217). It is hardly surprising, therefore, to find Joubert turning again to Bonnet when he attempts to work out the nature and status of art in relation to this spiritual reality.

As he read through Bonnet's early works he would not fail to have been struck by the remarkable degree of influence given to seminal liquid not just in the creation but in the development of organic life and Joubert seems to have recognised in the stimulating activity of this 'liqueur transparente, presque sans couleur' an analogy for the creation of a type of ideal poetry whose rhythms and diaphanous textures rearticulate the divine creation of the cosmos[16]. In February 1802 Joubert wrote: 'La transparence, le diaphane, le peu de pâte, le magique; l'imitation du divin qui a fait toutes choses avec si peu et, pour ainsi dire, avec rien; voilà un des caractères essentiels de la poésie' (I, 319). When he came to add detail to this definition in January 1805, the constituent elements of his ideal poetry participate, to some extent, in the states of transition and metamorphosis which Bonnet excelled at describing. On the twentieth of the month he wrote:

> Poësie. Ce qui la fait. Claires pensées, paroles d'air et lumineuses. Or, perles, fleurs et diamans. Ce qui est terreux — peu de matières — un esprit pur qui nomme tout. Rien ne presse le poète. Il ne s'agit pas là des nécessités de la vie. Son art est fait pour nos plaisirs et non pour nos besoins. [...] comme une suite de mots lumineux et diversement colorés. — ampoules d'encre et bulles de savon. (II, 477).

The following day, returning at even greater length to this subject, he concluded: 'Le poète a un souffle qui enfle les mots, les rend légers et leur

15. Joubert was aware of Bonnet's interest in palingenesis and did not confuse his enthusiasm for the workings of the human body with the materialism of a Diderot as it is displayed in *Le Rêve de d'Alembert,* but Joubert did not care for the way Bonnet liked to show off his erudition and wrote: 'Œuvres de Bonnet: la matière y vaut mieux que l'ouvrage' (I,126).

16. BONNET, *op.cit.*, III, 124.

donne de la couleur: une teinture, une liqueur, comme ce nectar de l'abeille qui change en miel la poussière des fleurs. Faire voltiger les mots' (II, 478). Here poetry is born from the vivifying breath of the inspired poet who injects into the clear, luminous words at his disposal, a persuasive honey. He inseminates language so that words begin to flutter like butterflies. The analogy is not unjustified for, as the Hellenist Villoison reminds us in an article devoted to Greek inscriptions on marble, the butterfly is traditionally a symbol for the soul[17]. Joubert's poetry will be, therefore, instinct with soul, a fluid necklace of words, each bead like a curious pearl whose milky substance enshrines the perfect alliance between transparency and opacity.

This entry is, indeed, a remarkable example of Joubert's ability to awaken multiple associations within the reader's mind, linking past, present and future poetic theory together in one pregnant whole. For here, apart from the hovering presence of Bonnet, we can find echoes of the *Ion*'s comparison of poets to bees gathering honey, of Renaissance poetic fury in the notion of an inspired 'souffle', of La Fontaine's Platonic description of himself in the 'Epître à Mme de la Sablière' as 'Papillon du Parnasse et semblable aux abeilles', a clear anticipation of Vigny's vision of poetry as 'perle de la pensée', as well as of Gautier's appreciation of 'des mots diamants, saphir, rubis, émeraude, d'autres qui luisent comme du phosphore quand on les frotte'[18].

Poetry, for, Joubert, has the metamorphosing, preserving powers of the bee but, crucially, it must also remind us of 'bulles de savon', the fragility of human life which he found so persuasively described in Bonnet, the 'ténuité réelle' of earthly matter that exists merely as a shadow cast by the divine 'esprit pur qui nomme tout'[19]. Typically he does not provide us with an overt acknowledgement of the aesthetic dimension to his interest in Bonnet. Nor does he comment on the connection he may have made between Bonnet and Florentine aesthetic theory of the Renaissance until 1811, when he notes cryptically in his journal: '«"les âmes des brutes» dit Marcile Ficin, «exercent les arts». En effet, l'araignée ourdit, l'hirondelle maçonne, le ver à soie file' (II, 694).

Amiel, however, as his appreciation of Joubert implies, was aware of

17. J.-B.G. D'ANSSE DE VILLOISON, *Remarques sur quelques inscriptions grecques de marbres antiques et de pierres gravées, principalement sur celles qui sont en forme de dialogue,* s.d. BN: 8° Zz3965. Joubert met Villoison in September 1801. See *Carnets,* I, 299, note 1.

18. *Ion,* 534b. VIGNY, 'La Maison du berger', *Les Destinées,* edited by V.L. SAULNIER, Geneva, 1967, p. 47. Gautier, *Souvenirs romantiques*, edited by A. Boschot, Paris, 1929, p. 316.

19. *Carnets,* I, 235: 'Quand je dis «La matière est une apparence», je ne prétends pas contester sa réalité, mais au contraire donner une idée vraie de sa ténuité réelle'.

these parallels and his choice of words, which effectively propose a definition of some of the types of language and style to be found in the 'carnets' may well be rooted in this understanding. For it is likely that Amiel was sensitive to the influence of his compatriot Bonnet upon Joubert and his words surreptitiously suggest an analogy between entomology and Platonically inspired aesthetics by means of a hidden pun which lies at the heart of the term 'entomologiste'. What Amiel implies is that there exists a clear connection between the habits of the 'entomologiste' and the 'joaillier', the 'monnayeur de sentences', a progression from Joubert's fascination with *articulated*, as opposed to vertebrate, living creatures and his classification of them in *articulated* thoughts or specimens of style, on to his own personal creation, in his 'carnets', of various examples of stylistic excellence, in harmony with the analogical link hidden in the notion of 'articulation'. Joubert moves from *the study of* to *the creation of*, from the 'entomologiste' pouring over his 'collection d'insectes' to the 'lapidaire', the 'monnayeur' with an interest in genres and the production of art objects such as 'brillants' or 'pierres gravées'.

The vital pun on 'articulé' hidden in Amiel's description of Joubert's work had been made quite explicitly by Sainte-Beuve in the 1845 edition of the *Pensées de Joseph Delorme:* 'Nos vers modernes', he writes, 'sont un peu coupés et *articulés* à la manière des insectes, mais comme eux, ils ont des ailes', and both Sainte-Beuve and Amiel had access to this analogy in a version of an 1805 'pensée' by Joubert himself who had written that 'les vers où il y a tant de sections ressemblent aux insectes qui ont mille pieds ou des jambes dont les articualtions sont multipliées' (II, 490)[20]. Despite this however, such speculation is a graphic illustration of the pitfalls and ironies that await those critics who rely exclusively on nineteenth-century editions of Joubert's work and focuses our attention once more upon the dichotomy we described at the beginning of this study. For Joubert's pun on 'articulé', as both Amiel and Sainte-Beuve should have noticed, was of a disapproving nature. He goes on to criticise the pace of the 'vers moderne' in comparison with the dignity of the Homeric line which moves, perhaps, with something of the suggestive tread of stars in an August sky[21]. As the Beaunier edition

20. *Joseph Delorme*, 'pensée' viii, in *Poésies complètes de Sainte-Beuve,* Paris, 1845. Noted by GÉRALD ANTOINE in his edition of the *Vie, Poésies et Pensées de Joseph Delorme,* Paris, 1956, p. 143. This remark is not to be found in the original edition published in Paris in 1829, which contributes to the impression that it originates in a perusal of Joubert's manuscripts to which Sainte-Beuve did not have access until the late 1830's.

21. In the version of this 'pensée' to which Sainte-Beuve and Amiel had access, Joubert ends his remarks thus: 'Il faut que le vers sérieux avance à grands pas, et non en piétinant. Il doit donner à la rapidité, quand il veut la peindre, la marche des dieux d'Homère: «Il fait un pas et il arrive»', *Pensées de Joubert,* 10th edition, Paris, 1901, p. 269.

reveals, Joubert remained unpersuaded by an art of 'sentences' which presume to reflect and communicate an ultimate truth, and was more interested by a *process* of research, in asking questions rather than answering them conclusively. As the passages on ideal poetry as distinct from the 'vers moderne' show, he was more concerned with a language that is transparent rather than opaque, one that does not pretend to the self-sufficient wisdom of the aphorist but allows an element of the divine to show through it.

Amiel's statement is invaluable precisely because he fails to seize the full significance of the language he uses to describe Joubert and the nature of the dichotomy it identifies. For it is not the mundane, classificatory skills of the entomologist that attracts Joubert but the actual creative activity of Bonnet's living organisms. It is this activity itself, as distinct from the objects it creates, that seems to have been of most concern to him. Again and again it is the creative process, revealed in a continual stress upon verbs of making, of movement, that comes to the fore. Insects are, as Ficino had implied, involved in the creation of art, and as Joubert himself remarked: 'nous composons nos ouvrages comme l'araignée ourdit sa toile' (1, 400). Indeed the connecting link between Joubert's 'collection d'insectes' and the 'brillants' into which they might metamorphose is nowhere better illustrated than in his comment of 1808: 'Ce que nous appelons le papillotage vient précisément de ce qu'il y a dans un objet des points brillants qui ne se touchent pas et sont épars' (II, 655), but here again it is movement, and the kind of space necessary to movement, that preoccupies him most.

Joubert's butterflies emerge from the cocoon of Bonnet's *Observations* and the inspired atmosphere of Plato's *Ion* to flutter musically about the white pages of the *Carnets,* pausing momentarily here and there, leaving a brief trace of their passage. White page becomes night sky and their secretions glow brilliantly like stars, faint reflections of that heavenly sphere to which the poet must ultimately aspire[22]. And it is here that we must locate the tension that cuts across the *Carnets* in their attempt to come to grips with the ontological status of art. On the one hand we have Joubert's genuine interest in Bonnet's depiction of the ceaseless activity and beauty of the physical world; on the other we register his belief that this world is but a faint reflection of a divine reality, an 'être invisible'. Joubert's recipe for ideal poetry tries to combine aspects of both the diaphanous shadow and the 'esprit pur'; he writes that it is from the spider's silk 'qu'on fait à l'aide

22. See Joubert's letter to Fontanes of 23rd November, 1794 where he speaks of the 'sphère un peu céleste', the 'étoile' he is creating for himself. *Correspondance de Louis de Fontanes et de Joseph Joubert,* edited by R. TESSONNEAU, Paris, Plon, 1943, p. 60. Compare *Carnets,* I,134.

du métier des étoffes dont le tissu a de la résistance', but, as the following pages will demonstrate more fully, it is not the final 'étoffe', not the fully articulated poem or finished 'objet d'art' but the raw tissue from which it is made and the process of making itself that hold most charm for him[23].

Joubert again found stimulation for his reflections on the nature of human creation in Bonnet's writings on the immortality of the soul. These writings emerge logically from his study of 'développement', an investigation of 'les différens ordres d'infiniment petits abîmés les uns dans les autres', a process Bonnet also refers to as 'emboîtement'. This is a process originating in 'la pré-existence des germes'. Unlike Buffon, who adhered to a limited and rather idiosyncratic form of epigenesis, Bonnet believed that 'rien ne peut se développer qui n'ait été préformé'[24]. This conclusion is based largely upon Leibniz's monadology and on the experiments of Albrecht von Haller which included a highly influential study of the chicken in the egg, one that Bonnet considered vital to a correct understanding of all forms of genesis, both animal and human. As Bonnet wrote:

> Je suis donc ramené plus fortement que jamais au grand principe dont je suis parti, en commençant cet ouvrage; c'est qui'l n'est point dans la Nature de véritable *génération*, le commencement d'un développement qui nous rend visible ce que nous ne pouvions auparavant apperçevoir. Les reins nous paroissent engendrés au moment qu'ils tombent sous nos sens; ils séparoient pourtant l'urine lorsque nous ne doutions pas le moins du monde de leur existence[25].

This passage explains quite clearly a fragment Joubert noted in his journal on 9 December 1798:

> Mon ancien mot 'une feuille qui tombe remuë le monde'. Et les mouvemens qui se font en nous quoi qu'ils soient grands, quoi qu'ils soient forts, ne nous remuent pas toujours nous-mêmes. De même qu'il y a dans l'économie animale des vaisseaux qui sont absorbans de même il pourroit y avoir dans la nature des moyens inconnus de dégorgement, des réservoirs, des réceptacles d'absorption, de cohibition [*sic*], d'anéantissement. (I, 184).

Joubert does not comment immediately on Bonnet's point about 'génération' but seems more concerned here simply to gather further evidence for his

23. *Carnets,* I, 300.
24. BONNET, *op.cit.,* III, 2.
25. *Ibid.,* 135.

belief, noted while reading the abbé Nollet, that 'vie et mouvement sont deux idées associées, inséparables' (I, 237).

The reference to 'imperceptible' movements within the human body looks back to Leibniz but the more immediate source appears to be Bonnet's observation of the discreet motions of his kidneys. Further evidence of this link is provided by the fact that this passage comes directly after the passage cited below, and both contribute to the understanding of an extremely important diagram drawn by Joubert in the *Carnets* at this point:

> Au delà des corps, au delà des mondes, au delà du tout — au delà et autour des corps, au delà et autour des mondes, au delà et autour du tout, il y a la lumière et l'esprit. Sans l'esprit, je dis l'esprit élémentaire, tout seroit plein et rien ne seroit pénétrable; il n'y auroit ni mouvement, ni circulation, ni vie. (I, 183/4).

Joubert illustrated this 'pensée' by drawing in his 'carnet' a sun, next to which he placed the earth. Around these globes he wrote the word 'air' several times which he enclosed in turn within circles made out of the words 'les mondes'. Another circle, lower down, is formed by 'la lumière' which is repeated several times. After this he wrote 'l'esprit'. Finally he noted: 'Le mot de Platon que tout est génération. (Peut-être faut-il dire germination). Avoir d'Haller le traité du poulet'. In the light of a reading of Bonnet we can begin to see, perhaps, how Swiss thinker and ancient Greek complemented each other in their influence on Joubert. Plato's 'mot' can be found in both the *Timaeus* and the *Cratylus* but the word 'germination' derives from Haller's 'traité du poulet' and Bonnet's own subsequent concentration on the properties and potential of 'germes'.

Instead of seeing Joubert's diagram, then, purely as a Joubertian version of Platonic or Neoplatonic metaphysics, which is how it has been regarded until now, it seems possible to see it also as a metaphysical application of, or commentary on, Haller's and Bonnet's theories of 'emboîtement'. Joubert's 'pensée' and diagram reflect Bonnet's Chinese box mentality and relate to the latter's desire to reduce everything to a preexistent 'germe', an essential 'esprit élémentaire', without which there would be 'ni mouvement, ni circulation, ni vie'. 'Tout est sans cesse germant ou germinant' (I, 411), Joubert wrote and, as Bonnet had shown him, he understood that 'tout corps épais n'est qu'un carton divisible par exfoliation en une infinité de couches plus minces encore que l'on ne peut l'imaginer' (I, 236). Ultimately, however, he did not believe that matter was itself infinitely divisible: 'Toute portion, toute partie de matière, quelque petite qu'on veuille la supposer, doit être matière, c'est à dire susceptible de longueur, largeur et profondeur. Par conséquent si la matière étoit divisible à l'infini comme on le prétend, elle pourroit cesser d'être matière en demeurant matière, ce qui est absurde'. (I, 229) Much more in keeping with Joubert's fidelity to a spiritual higher reality of which all else is but an infinitely complex shadow were Bonnet's 'germes', Leibniz's 'monades' and Democritus' 'atomes, particules de matière qu'on déclaroit insécables, indivisibles [...] pour arrêter l'imagination. Tant il faut à l'homme une cause première, un point fixe d'où il puisse s'élancer par la pensée, une vérité convenue [...] antérieure à toute opération de son esprit affin que son esprit puisse opérer' (I, 150).

The importance of Bonnet's theories for an understanding of Joubert's diagram is undeniable. Nevertheless, it is possible to discover yet other sources and the consequences for art of his interest in this mesh of metaphysics and pseudo-science are not fully revealed until it is related to other passages in the *Carnets* such as, for example, the following entry:

> Tout est double et composé d'âme et de corps. L'univers est le corps de Dieu (mais ici le corps est dans l'âme). L'esprit a pour corps la matière. Il y a le corps du corps. Le rare a le dense pour corps et le dur est le corps du dense. Toujours et à l'infini l'épais et le mince se tiennent par le dedans et le dehors. (I, 179).

At this point matters become even more complex and the analogy that may be drawn between such passages and texts of the eighteenth century has to be slightly modified. For this passage has more to do with a pseudo-Milesian view of the universe and creation than it has with either Bonnet or Plato[26]. Here we have to take into account the inspiration provided by fake ancient Greek philosophical texts. Their identity is revealed in a typically elliptic reference which comes a little earlier in the *Carnets:* 'Ils regardoient les ténèbres comme une toîle prête à recevoir les couleurs que lui donneroit la lumière, le silence comme un grand vide prêt à être rempli de sons, l'eau comme une pâte fluide prête à s'imbiber des saveurs (Vid. Ocellus pag. 40)' (I, 152).

The Milesian philosopher, Ocellus Lucanus, who lived during the fifth century B.C., is best known, ironically, for a work he did not actually write which first appeared under a Latin title, *De universi nature*, some time during the third or second century B.C. This treatise is a clumsy attempt to fuse Aristotelian physics with stoic pantheism and was translated into French by the abbé Batteux in 1768, along with short works by Timaeus Locrus and a pseudo-Aristotle on the same subject. This book, which began

26. PATRICIA WARD relates this passage to a 'Platonic ontology of a *hyperuranium* of forms', in her book *Joseph Joubert and the Critical Tradition: Platonism and Romanticism*, Geneva, Droz, 1980, p. 45.

life as a series of lectures to the *Académie des Inscriptions,* is still to be found in Joubert's library at Villeneuve-sur-Yonne with the words 'acheté à Sens, juillet 1797' written on the flyleaf. If we turn to page forty we find the following passage which provides comprehensive proof of the influence of 'Ocellus' on the entry quoted above while indicating that behind the interest in Bonnet and the issue of genesis as it is discussed in the *Carnets* lies an appreciation of Aristotle's understanding of the dynamics of germinal being and the creative power that operates between potentiality and actuality:

> Dans la partie du Monde où la Génération et la Nature ont l'empire, il y a nécessairement trois choses. La première est l'être qui est le sujet des qualités sensibles et qui se trouve dans tout ce qui va à la génération. C'est une pâte qui reçoit toutes sortes de formes, qui se prête à tout, qui est aux autres produits ce que l'eau est aux saveurs, le silence au son, les ténèbres à la lumière, la matière à l'art. L'eau, qui par elle-même est sans goût et sans qualité prend le doux ou l'amer, le fade ou le piquant: l'air non frappé est prêt à rendre le son, la parole, le chant: les ténèbres sans couleur et sans forme, sont disposées à prendre le rouge, le jaune, le blanc; et dans les arts, ce qui est blanc peut être employé à la sculpture ou à la céroplastique indifféremment. D'où il faut conclure que tout est en puissance dans ce sujet avant qu'il y a eu génération, et qu'il a reçu ce qu'on appelle une nature. Il faut donc supposer d'abord ce sujet, pour que la génération ait lieu[27].

Now it can be seen that although Bonnet's theories contributed a stimulating contemporary background to Joubert's musings, it is in fact a pseudo-Milesian concept of Unity that lies behind his description of 'le Tout' and diagram of the Universe. Even more importantly, however, this passage presented Joubert with yet another version of the idea that the genesis and movement of physical objects had to be related to some formless spiritual principle. In Plato this formless principle is space; in Aristotle it is a material substratum and it appears to be this substratum that Batteux translates as 'l'être qui est le sujet des qualités sensibles et qui se trouve dans tout ce qui va à la génération'. Joubert's 'esprit élémentaire' is almost certainly a version of Platonic space. In March 1799 he wrote: 'La terre est un point dans l'espace, et l'espace est point dans l'esprit. J'entends ici par esprit l'esprit élément, le cinquième élément du monde, l'espace de tout, lien de toutes choses, car toutes choses y sont, y vivent, s'y meuvent, y meurent, y naissent. L'esprit... dernière ceinture du monde' (I, 200). There are re-

27. OCELLUS LUCANUS, *De la nature de l'univers,* translated with a commentary by the ABBÉ BATTEUX, Paris, 1768, pp. 39-41.

ferences by Joubert to what might be interpreted as versions of an Aristotelian substratum but he is far more comfortable when evoking the space necessary for soul to breathe and move freely: 'Il faut bien que l'âme respire', he wrote, 'ce vague est son air, son espace. C'est là qu'elle se meut à l'aise. Un seul trait (haustus) de cet élément suffit pour rafraichir en elle le principe de son bien-être qui est l'effet de ses tempérances' (I, 135)[28]. Given Joubert's preferences he could not have been entirely happy with 'Ocellus's account of creation and this is perceptible in the way he focuses upon 'le vide' and 'la lumière' and their potential for transformation.

Be that as it may, however, Joubert could not have failed to notice the single most significant feature of this passage. This consists in an Aristotelian attempt to identify the formless principle by reference to analogies between nature and craft. 'Ocellus' is forced from one analogy to another in his attempt to define the indeterminate and unknowable substratum and in his commentary on this passage Batteux draws attention to the importance of this procedure by recalling the distinctions made by Timaeus Locrus between 'L'Idée', 'La Matière' and 'Les Etres engendrés'. Timaeus declares that the second of these cannot be known directly 'mais seulement par analogie' and Batteux, the champion of mimesis, is quite incapable of letting this pass. Immediately he notes this use of the word 'analogie' and writes: 'L'analogie est la comparaison de deux rapports ou raisons; ainsi on connaît la matière par analogie quand on dit, la matière est quelque chose qui est aux formes primitives comme le marbre est à la statue, comme l'huile est aux parfums, comme le son est au chant'[29]. The only way we can identify or make contact with 'l'être' or 'l'esprit élémentaire' is by analogy, by likening it to the relationship that exists between the lump of raw marble and the art form into which the artist will change it. As Joubert wrote in February 1803; 'L'Ordre ou assortiment avec Dieu a l'analogie ou le rapport pour fondement' (I, 367). Indeed, he himself, as we have seen, had used Bonnet's texts in analogical fashion to talk about the relationship between the physical world and spiritual reality but Joubert does not seem to have related this specific practice to the question implicit in the passage from 'Ocellus' which asks what the precise ontological status of art may be which

28. For a discussion of the 'formless principle' in relation to Platonic space and the Aristotelian substratum see FRIEDRICH SOLMSEN, *Aristotle's System of the Physical World*, Cornell, 1960, p. 123.

29. *Mémoires de l'Académie des Inscriptions*, Paris, 1768, volume 32, p. 13. I refer here to the version of these texts presented by Batteux to the Académie *before* their publication in book form. Joubert seems to have been familiar with both versions since he quotes at one point in the *Carnets* from a passage by Plutarch to be found in a section entitled 'Sentiment de Platon dans son Timée' not included in the volume purchased in Sens.

attempts to identify an essentially unknowable spiritual principle. As Friedrich Solmsen has pointed out: 'For Plato and anyone sharing his convictions, to determine the nature of the formless must be a hard and unfair task. To identify the unknowable seems a self-contradictory proposition'[30].

The paradox at the heart of Joubert's aesthetic is again coming into view and it is clarified by relating his own use of Bonnet to what he has to say explicitly about the process of analogy. We have already seen in Joubert's remarks on ideal poetry just how discreet the 'imitation du divin' must be and it is significant that his statement of February 1803 makes no claims for the success of analogy in an 'assortiment avec Dieu'. Elsewhere, indeed, he speaks of this trope in highly conventional terms which remind us strongly of the accepted rules of classical rhetoric as defined by Dumarsais and Rollin. After reading the following passage we may be forgiven for doubting the ability of analogy to convey anything much of the 'formless' and unknowable:

> Mais les comparaisons les plus défectueuses sont celles où les objets extérieurs sont comparés à l'homme, et les corps à l'âme, au lieu de comparer les âmes au corps et l'homme aux choses du dehors. Par exemple, quand on compare une mer émüe à un cœur agité, la blancheur à l'innocence, le fracas de tonerre aux tempêtes de l'âme. L'homme se porte, se possède, il a un perpétuel sentiment de soi. Tout cela ne lui apprend rien et le resserre et le contracte au lieu de l'étendre [...]. Notre illustre Chateaubriand commet quelquefois cette faute. Dans les comparaisons il faut passer du proche au loin, de l'intérieur à l'extérieur, de l'un à l'autre, et du connu à l'inconnu [...]. Il faut en effet que toute comparaison et même toute figure, pour être noble et agréable étende les vues de l'esprit, et non pas qu'elle les resserre [...]. De l'abstrait au concret; et du non vu au vu. (II, 719).

The passage from abstract to concrete, indeed the entire analogical process as it is discussed above, occurs only when the artist's imagination is brought into play and Joubert's description of that faculty, although described quite positively in an unpublished fragment as a force 'qui met en mouvement [...] formes, couleurs, tout ce qui peut être pensée', is nevertheless in keeping with his analysis of the function and nature of comparison and with traditional classical hostility to the power of imagination. This time his remark 'j'appelle imagination la faculté de rendre sensible tout ce qui est intellectuel, d'incorporer ce qui est esprit, et en un mot de mettre au jour sans le dénaturer ce qui de soi-même est invisible' (II, 493), is couched

30. SOLMSEN, *op.cit.*, p. 122.

in language reminiscent of Marmontel or of La Harpe writing in *Le Lycée*[31].

This statement is typical of most of Joubert's remarks concerning the imagination in so far as it carefully outlines both the scope and the intrinsic limitations of a faculty '[qui] revêt d'images' (I, 282). His aside, 'sans le dénaturer', is important since it implies that the imagination is capable of doing just that. Instead of making it easier for us to see 'ce qui est de soi-même invisible' the figures of the imagination may sometimes obscure and themselves become the focus of attention:

> Quand l'image masque l'objet, lorsque l'on fait de l'ombre un corps, quand le mot débauche l'esprit en le charmant, quand l'expression plaît tellement qu'on ne tend plus à passer outre pour pénétrer jusques au sens, quand la figure absorbe en soi notre attention toute entière, on est arrêté en chemin. La route est prise pour le gîte. Un mauvais guide nous conduit. (I,213)

As La Harpe wrote: 'Les trois vices dominants de ce siècle' are 'l'enflure, les ornements recherchés et la fausse chaleur'[32]. When an imagination, like that of his friend Chateaubriand, is used simply to create a seductive style it is, in fact, being false to its own intrinsic limits and betraying its basis in illusion. For the figures of the imagination are, as Joubert makes clear in an entry immediately preceding his remark about the image, of the same nature as the apparent opacity of the physical world. They are mere illusions, approximations, representations of the 'noyau de l'amande' or 'être invisible' camouflaged by the unpredictable but fascinating 'exfoliations' described in the works of Charles Bonnet. 'L'illusion', Joubert writes, 'est dans le monde ce que la métaphore est dans nos discours. Nous ne voyons, nous ne sentons, nous ne croyons qu'à l'aide de quelque apparence qui montre une réalité. "Il leur parloit en paraboles", et c'est ainsi que Dieu agit. Ne le disions-nous pas que c'étoit là le grand poète?' (I,213).

It is in the light of such a train of thought that the full implications of Joubert's recipe for an ideal poetry become clear. It is poetry that reflects an imagination which is true to itself only when it acts modestly as a 'magasin d'images', productive of illusions, of appearances, 'qui montre une réalité': 'l'imitation du divin qui a fait toutes choses avec si peu et pour ainsi dire avec rien' (I,319).

Quite opposed to this is the 'style qui étreint et ne prend rien. Qui trop

31. For DUMARSAIS on analogy and metaphor see *Œuvres,* 7 vols., Paris, 1797, IV, 140 and III, 120, 129. LA HARPE, *Cours de littérature*, 3 vols., Paris, 1847. See the chapter on 'L'Harmonie du discours' in volume I.

32. LA HARPE, *op.cit.*, I, 37.

étreint mal embrasse, dit un proverbe et: qui trop serre et ne tient rien' (I,371). This is, indeed, a 'pensée' which returns us to the whole issue of articulation and reminds us of what Joubert has to say about the need for '[des] pensées [qui] s'entresuivent et se lient, comme les sons dans la musique, par leur seul rapport —harmonie— et non comme des perles enfilées' (I,320)[33]. Or as the contemporary poet, Michel Deguy, puts it in a version of the tenet to be found in countless manuals of rhetoric: 'Il s'agit de rapprochement. Non pas de fusion identificatoire; mais de rapprochement: il n'y aura de rapprochement que par le *comme*'[34]. It is clear that Joubert considered attempts at an identification between image and the spiritual reality it was supposed to make visible to be somewhat naïve. Even the analogies or 'rapprochements' invented by the imagination could be interpreted as attempts to usurp the proper function of 'esprit', the faculty of intellect, which alone, Joubert believed, was capable of intuitive contact with God and which should remain in control of the effusions of the imagination. It is significant, for example, that the 'natural metaphor' is the one '[qui] indique une vive intelligence en action, en mouvement, en jeu'. 'Elle avait l'air d'une idée' (I,233), he wrote. This may be compared with other remarks about the image, his belief 'que c'est une idée qui règle l'image' and that although he always has 'une image à rendre', 'ce n'est jamais ma phrase que je polis mais mon idée" (II,644).

Ultimately, the 'imagination opératrice' is seen as a mediating faculty, 'quelque chose de moyen entre les sens et la pure intelligence' (I,454). We recall Joubert's references to the need for 'atomes insécables ... *pour arrêter l'imagination*' and in the following quotation it is not surprising to find that when employed in the task of 'imagining God', it can only go so far:

> Dans cette opération [...] le premier moyen est la figure humaine: le dernier terme est la lumière. Et dans la lumière la splendeur. Je ne crois pas que l'imagination puisse aller plus loin. Mais ici l'esprit continue [...]. L'étendue [...] enfin l'infinité. Il faut recommencer. Cercle ravissant à décrire et qui recommence toujours. On le quitte, on s'y plonge, on en sort, on le reprend. N'en décrions aucun degré; n'exigeons pas que tout le monde l'achève; notre devoir, notre bonheur sont d'y tenir et non de le tracer'. (I,442)

The final sentences of this remark are extremely important for an under-

33. As the fragment quoted at the beginning of this paper makes clear, Joubert prefers 'perles défilées'.

34. MICHEL DEGUY, *La Poésie n'est pas seule. Court traité de poétique*, Paris, Seuil, 1987, p. 103.

standing of Joubert's suspicion of any finished art object that aspires to reflect, however faintly, the world of the spirit. Through constant intellectual effort we may attain to the presence of God but the art produced by the imagination will only ever provide us with a barely adequate 'esquisse' or tracing of the 'être invisible' and here Joubert voices his doubt as to whether any such project should be undertaken. If it is embarked upon then we must 'mouler légèrement. L'air se moule légèrement. Ce qui retient si fortement la forme ne doit pas être assés spirituel' (II,481). It is ultimately a journey we could spare ourselves 'si rien ne peut parvenir à l'âme et la toucher que par son idée; si tout ce qui est corps ne peut entrer dans notre mémoire même que par son idée ou par son ombre, — quel chemin épargné à l'art si [...]!' (II,775).

Joubert once described himself as 'plus Platon que Platon lui-même' and his suspicion of art would appear to confirm his diagnosis, yet the exclamation with which he ends this particular entry, his playful sequence of 'ifs', perhaps indicate that Joubert was aware that this is only part of the story, the official version, which is undercut to some extent by his own unacknowledged enthusiasm for the creative process itself as distinct from the actual creation of finished specimens of style. 'Le monde est monde par la forme: par le fonds il n'est qu'un grain de matière' (I,152) he wrote. Yet, in the *Carnets,* Joubert loves evoking this 'grain de matière', this 'pellicule', 'écorce', 'goutte d'eau soufflée', this 'glu', just as much if not more than the 'esprit élémentaire' which lies behind it, or the art object, the 'brillants' into which it will be transformed[35]. What Joubert loves in the 'chenille' is the latent butterfly. For him, as for Aristotle, the 'point' is not simply a bit of mediocre friable matter but something pregnant of line: 'A celui qui tire la ligne du point. La ligne est dans le point comme la brassée du fil est dans un pelotton' (I,163). It is the action contained in the verb 'tirer' that attracts him most, as well as the potential for action stored within the 'pelotton'. Just as Fabre d'Olivet called for the regeneration of poetry by seeking for its 'essence' in the inspired works of Sophocles and Euripides and rejected the efforts of later centuries to formalise and tame it, so Joubert believed that the line which forms an element in a realised work of art is far less beautiful than the line which the imagination and intellect are only just beginning to conceive, a line entirely faithful to its own illusory nature[36].

35. *Carnets*, I, 181, 217, 147, 171. These images may be traced back to Bonnet, *op.cit.*, III, 76, 110.

36. FABRE D'OLIVET, *Discours sur l'essence et la forme de la poésie chez les principaux peuples de la terre, précédant Les Vers dorés de Pythagore expliqués et traduits pour la première fois en vers eumolpiques,* Paris, 1813. Joubert's 'pelotton' is probably based upon Bonnet's observations of the characteristic activity of a spermatozoon: *op.cit.*, III, 113, 57.

Far more promising, and indeed realistic, in Joubert's opinion, than the polished illusion of the finished art object, an illusion moreover which immodestly pretends to present us with an accurate image of spiritual reality, is the illusory material of the physical world that goes into the creative process. During that process the potential for development seems endless and, in so far as this process constantly draws attention to the illusory material with which it works, more honest. In this Joubert looks forward to the Romantics' emphasis on the mental processes involved in aesthetic apprehension as distinct from an obsession with the art object itself. For Joubert, the finished work of art, its 'imitation du divin', can never be an entirely satisfactory statement about the relationship of form to matter, God to man, no matter how beautiful it may appear to be. It is for this reason that he refused constantly his friend's demands for a book of chiselled maxims of the type evoked by Amiel and left us instead with a 'collection d'insectes', of 'points brillants' which spin threads of speculation into the shape of intriguing stars whose origins are not always apparent: 'C'est avec ce qu'il y a au monde de plus menu, de plus mince, de moins spacieux, dans ce que fait la main de l'homme, c'est avec le point, avec la ligne, avec des lettres que s'opère dans le monde ce qu'il y a de plus grand, de plus fort, de plus durable, de plus irrésistible' (I,185). Art is certainly the final goal envisioned here but it is the process leading to it, the accretion of one phrase upon another that seems to give Joubert most pleasure. It is an experience of creativity that may be linked to his readiness to flout his own Platonic suspicion of the analogical process in general and plunder Bonnet's texts for metaphors with which to talk about the relationship between the physical world and spiritual reality. It is this experience and use of language in the *Carnets* that constitutes one of the chief sources of his interest as a writer.

Joseph Joubert is, therefore, a far more complex and interesting figure than the usual descriptions of him as French 'moraliste' suggest. As early as 1948, Léon Emery showed how, at the beginning of the nineteenth century, the discoveries of biologists contributed to the modification of many traditional ideas and, as these pages have attempted to demonstrate, Joubert was among the first to profit from them. As Emery writes: 'On en vient à se demander si la pensée, l'imagination, la passion, ne sont pas en rapport avec ces forces fluidiques, ou même si elles ne sont pas des forces qui cherchent les structures les plus favorables à leur manifestation'[37]. Joubert's

37. LÉON EMERY, *L'Age romantique*, Lyon, 1948, p. 110.

interest in the 'fluides' and 'émanations' of Bonnet, 'Ocellus' and Timaeus Locrus is undoubtedly expressive of this idea. Recently, in his study of *L'Idée d'énergie au tournant des lumières,* Michel Delon stated that Joubert's classical sympathies led him to define himself in opposition to this 'idée-force' of the period, to describe himself as 'un hydromélanophobe' ready to adjure every kind of energy except that necessary 'pour monter dans mon étoile'[38]. Yet it is wrong to ignore the characteristic Joubertian tone of self-deprecating irony which characterises such expressions and, as we have tried to show by concentrating on his subtle re-interpretation of ancient and modern philosophy exposed in the daily work of the *Carnets,* the climb upwards to that 'étoile' necessitated both energy and imaginative 'élan'. If that 'étoile' was located for Joubert in the effortless continuum of Platonic space, nevertheless, the hectic bustle of the *Carnets* graphically illustrates an energetic attempt to move towards it. Joubert knew from the outset that this attempt was bound to fail but that did not stop him from trying. Indeed, if attention is paid not simply to the aesthetic and moral philosophy which the *Carnets* express but to their 'instabilité formelle' then Joubert must be located as a continuing echo of that moment of crisis earlier in the century when 'le mouvement comme pur transport spatial était concurrencé par une nouvelle définition du mouvement comme tendance, effort, énergie'[39].

If we return now to the fragment with which we began this paper, it is possible to argue that it articulates an attempt by Joubert to achieve a compromise or reconciliation between these two philosophies of existence. It suggests a way of wedding space to movement in language which, when translated into rhetorical terminology, perhaps denotes the desire for a fusion of *energeias* with *enargeias*[40]. Joubert's 'pensées' are to be modelled upon the movement of stars whose patterns clearly display the Pythagorean harmonies of the cosmos. From the earth they appear to be beautiful but static points of light. The idealist knows, however, that a spiritual energy shines from these stars and is the home to which the human soul must tend. Joubert's 'pensées' are therefore imbued with 'une énergie de l'âme qui est symptôme d'infini', to which writers as different as Quatremère de Quincy and Mme de Staël subscribed, but they are to be clearly expressed; 'l'antique enérgie' is not to be neglected[41].

38. MICHEL DELON, *L'Idée d'énergie au tournant des lumières,* Littératures modernes, Paris, PUF, 1988, p. 149.

39. *Ibid.,* p. 161. See YVON BELAVAL, 'La Crise de la géométrisation de l'univers dans la philosophie des lumières', *Revue internationale de philosophie,* 1952.

40. DELON, *op.cit.,* p. 37.

41. *Ibid.,* p. 118.

That, at least, was the ideal and it is interesting that this fragment is one of a number of 'pensées' which Joubert singled out for special treatment in his 'carnets'. Here, the evidence of the original manuscripts is of great significance. We have referred to the energetic bustle of the 'carnets', yet there are pages where only one or two 'pensées' are to be found, written with great care and placed on the page so that the surrounding margins are as significant a part of the 'meaning' of the 'pensée' as the actual words themselves. Here we find Joubert 'composing' the single page in a way he did not compose a book of maxims. He composes the fragment we have been discussing with regard to its diagrammatic potential, its ability to picture forth a spiritual landscape: not only do we read about thoughts which move according to the pattern of stars in the night sky but we see black ink marks moving evenly across the white spaces of the page, providing us, almost, with a negative image, in the photographic sense, of the relationship between microcosm and macrocosm.

Such evidence obviously calls to mind the work of Mallarmé, yet what should be noted first is the contrast such individual pages make with the rest of the 'carnets' and what they can tell us about the tension at the heart of Joubert's own activity as a writer. For the presence of these carefully composed pages next to others which are so cluttered that they are virtually indecipherable illustrates once more the various dichotomies we have been examining. On the one hand we have pages which attempt to convey something of the Platonic space in which Joubert believed all things and beings existed. They are pages which pay homage by means of a brief, modest, 'esquisse' to the spiritual energy that animates the universe. They do not aspire, however, to the independent status of art. They do not constitute a book of maxims concealed within the unending pages of the *Carnets* but are jostled by the disorganised results of a mind whose feverish activity is as symptomatic of its author's nature as his own frequently avowed desire for 'repos'.

ACKNOWLEDGEMENT

I am grateful to M and Mme Paul du Chayla for allowing me to consult Joubert's manuscripts and to Professor Brian Juden and Professor Valerie Minogue for discussing this paper with me while it was being written.

GIDE AND THE SEVEN 'LAST WORDS' FROM THE CROSS

by

MARGARET MEIN

> Mais ceci me gêne encore davantage: Des sept paroles du Christ en croix, trois nous sont rapportées par Luc:
>
> 1. *Mon Père, pardonnez-leur, car ils ne savent ce qu'ils font.*
> 2. *Aujourd'hui même tu seras avec moi dans le Paradis* (parole dite à celui que l'on appelle «le bon larron»).
> 3. *Mon Père, je remets mon esprit entre tes mains.*
>
> Trois nous sont transmises par Jean:
>
> 1. *Femme, voici ton fils* (à la Vierge Marie) et *Voici ta mère* (à celui des disciples «que Jésus aimait»).
> 2. *J'ai soif.*
> 3. *Tout est accompli.*
>
> Pour ces six paroles solennelles et chargées de signification inépuisable, aucune «concordance». La septième est la seule qui nous soit transmise à la fois par deux évangélistes' lesquels ne nous rapportent que celle-là, [...] Je dis «la septième»; mais simplement parce que je la cite la dernière.
>
> Gide: *Deux Interviews Imaginaires suivies de feuillets,* Charlot, 1946, pp. 43-45[1].

It is a measure of the importance which Gide attached to the exegesis of the Scriptures that he had the *Appendice:* 'Dieu, Fils de l'Homme' (*Attendu que...,* Charlot, 1943)[2], re-published separately, in extended form, in *Deux Interviews Imaginaires suivies de Feuillets,* Charlot, 1946. The first

1. Reference is made throughout to the *Eyre and Spottiswoode Study Bible,* Revised Standard Version 1985, prepared and edited by HAROLD LINDSELL, Ph.D, D.D.; also to *The Holy Bible,* Oxford University Press, s.d. I have used the first edition of GIDE: *Attendu que...,* Charlot, 1943 and *Deux Interviews Imaginaires suivies de Feuillets,* Charlot, 1946; the Pléiade edition of the *Journal 1889-1939,* Librairie Gallimard 1960, for reference to *Numquid et tu...? (1916-1919),* 1922. Reference is made also to MAURIAC: *La Vie de Jésus,* vol. VII, *Œuvres Complètes* in fifteen volumes, Bibliothèque Grasset chez Arthème Fayard, Paris, 1935 (réédition) and 1958 *(O.C.G.); Le Dernier Bloc-Notes (1968-70),* Flammarion, 1971. The italics are everywhere my own unless otherwise stated.

2. *Attendu que...,* pp. 221-238.

part of the latter booklet[3] is an exact reproduction of the early version[4]. The second part, however, consisting of further *Feuillets*[5], forms an addition to the original. As Gide reminds us at the beginning of the first of the *Feuillets,* dated February 1942[6], he intended to elaborate upon the religious issues which he had done little more than broach in the *Chronique à l'usage du 'Figaro', 24 février 1942*[7]. As part of the handwritten *dédicace* (Paris, October 1945) in the copy of *Attendu que...* which he gave to the late Enid McLeod's friend, Miss Ethel Whitehorn, affectionately known as 'Whity', he included the following endearingly worded informal postscript:

'Please —do read the last pages— 221 *ad finem [sic]*—'.

In the section indicated, Gide is concerned with the religious issues, mentioned above, notably as raised by Westphal's presentation of the sayings of Christ, —particularly the seven 'last words' from the Cross, — in 'un tout petit livre de propagande protestante: *Pour la Foi; pour l'Unité; pour l'Action' (Interviews Imaginaires,* p. 42). To the entire work: *Attendu que...* Gide evidently attached great importance, judging by the description he gives of it, however ambiguously, in the *dédicace:* 'le meilleur de ma pensée', probably relishing the irony of conscious word-play on the expression: 'le meilleur de mes pensées' and 'mes meilleures pensées', an ambiguity reflected in the arrangement of the lines:

à ma chère Whity
de tout cœur et avec
le meilleur de ma pensée
son ami

ATTENDU QUE...

André Gide

In relation to the seven 'last words', a composite reading of the four Gospels would seem to be more than ever desirable since, in all but one

3. *Deux Interviews Imaginaires,* pp. 11-38; *Feuillets,* pp. 41-47.
4. *Attendu que...,* pp. 221-238.
5. *Deux Interviews Imaginaires,* pp. 49-55.
6. *Attendu que...,* p. 235; *Interviews Imaginaires,* p. 41.
7. *Attendu que...,* pp. 221-233; *Deux Interviews Imaginaires,* pp. 11-21 and 25-38.

instance, no Evangelists concur or, as Gide remarks: 'aucune "concordance"', — a state of affairs which lends extra significance to the element of self-disclosure inevitably present in each of these accounts of Christ's last moments. From time immemorial, a person's last recorded words have been thought to hold a special message, or perhaps the virtually universal belief in the importance of *ultima verba* dates from the day when those of Christ expressed the unique sacrifice consummated once and for all on Calvary: 'a full, perfect, and sufficient sacrifice, oblation, and satisfaction for the sins of the whole world [...]' ('The Prayer of consecration', *The Book of Common Prayer).*

The chronological order of the seven 'last sayings of Christ on Calvary' is as follows, according to Dr. H. Lindsell, Editor of the *Eyre and Spottiswoode Study Bible:*

1) the word of forgiveness: *Father, forgive them* (*Luke,* 23. 34);

2) the word of salvation: *Today you will be with me in Paradise* (*Luke,* 23.43);

3) the word of affection: *Woman, behold, your son!* and *Behold, your mother!* (*Jn.* 19.26,27);

4) the word of despair: *My God, my God, why hast thou forsaken me?* (*Mt.* 27.46; *Mk.* 15.34);

5) the word of physical torment: *I thirst* (*Jn.* 19.28);

6) the word of triumph: *It is finished* (*Jn.* 19.30);

7) the word of committal: *Father, into thy hands I commit my spirit* (*Luke,* 23.46)· (*Study Bible, Luke* 23.34, p. 1578)

The author of *Pour la Foi; pour l'Unité; pour l'Action,* however, believes that the 'word of physical torment': *I thirst;* should precede the 'word of despair': *My God, my God, why hast thou forsaken me?,* which would then be followed immediately by the 'word of triumph': *It is finished;* the seventh would remain the 'word of committal': *Father, into thy hands I commit my spirit.* Predictably Gide objects to Westphal's supposition that the 'word of despair' had a place other than last of all, where, in the view of the former, it would imply the negation of Christ's claim to be 'le Fils de Dieu':

> 'Et, naturellement, Westphal se garde de donner ce cri de désespoir pour la dernière parole du Christ. Il importe de rassurer le croyant; et pour ce, de la joindre à *J'ai soif.* Elle prend ainsi la signification d'une passagère et quasi humaine défaillance, où le Christ souffre et doute en tant qu'homme, que Verbe «qui s'est fait chair»'[8].
>
> *Feuillets, Deux Interviews Imaginaires,* p. 46.

8. Cf., Mauriac's generalisation of an experience, - in the case of Christ, surely *unique* in intensity; see *La Vie de Jésus* (1936) *O.C.G.* VII, Ch. xxvi, p. 149, quoted p. 272 of this essay.

Any discussion of the Evangelists' respective versions of the 'last words' raises the question of the extent to which the 'synoptics' are inter-related, as well as the possibility of links between the latter and the *Gospel of St. John.* Whatever sources were available at the time, we are free to speculate how far the 'synoptics' reviewed their accounts in relation to the Fourth Gospel before making their respective final selection, with or without a view, on their part, to stimulating subsequent generations of readers to compound their synthesis from complementary elements in order to form a composite version of the seven 'last words'; the subjectivity of each Evangelist's 'quality of vision' is reflected in what he rejects as well as in what he includes.

The three 'last sayings' reported by Luke, are complete in themselves: forgiveness of sins; the ensuing attainment of salvation through Redemption —virtually a form of 'justification by faith'— and the commending of one's spirit to God, could be seen to constitute a microcosm of Christian belief. The episode of 'the penitent thief' is peculiar to Luke. It is reputed to have been a desire to stress the importance of remission of sins as a sacrament of the Church already founded by Christ, that induced Luke to make this episode of 'le bon larron' as integral to the narrative of the Crucifixion as he had already made its prototype: 'An outcast woman is forgiven her sins' to the *Prologue to the Passion,* equally in its capacity as a form of 'justification by faith'.

The three 'last words', reported by St. John, are also in character and similarly represent a perfect progression: first, 'affection between mother and son' —(here, typically by extension and even adoption);— Christ's

It is ironical that, despite Gide's intense preoccupation with his own inner duality, he ultimately fails to do justice to the theme with which Mauriac resolutely grapples, notably in *La Vie de Jésus:* '[...] cette contradiction des deux natures, [...] l'impossibilité de cette cohabitation dans un être vivant de ce prêcheur nazaréen et du fils de Dieu [...]'. *Le Dernier Bloc-Notes (1968-70)* (1971), mars 1970, pp. 289-290; (see epigraph of second section). The irony is intensified by the fact that, in *Numquid et tu...?* (1922), Gide had seemed to find little if any difficulty in conceiving of a 'cohabitation' of the human and the Divine in Christ, culminating in the victory of the Divinity:

'Que le Christ se soit écrié: *Maintenant mon âme est troublée,* c'est là ce qui fait sa grandeur. C'est le point de débat entre l'homme et le Dieu.

Et lorsqu'il continue: *Père: délivrez-moi de cette heure,* c'est encore l'humain qui parle. S'il achève: *Mais c'est pour cela que je suis venu jusqu'à cette heure,* c'est que le Dieu l'emporte.

Les paroles qui précèdent éclairent celle-ci: *Si le grain de blé ne meurt...* et encore: *Celui qui aime sa vie la perdra.* Ici le Christ renonce à l'homme; ici vraiment il devient Dieu'.

(*Numquid et tu...?* p. 590)
(Gide's italics)

giving of John to Mary, his mother, is an action thought by many to symbolise at a remove God's gift of His only Son to the world; — second, physical deprivation; third, ultimate spiritual triumph over adversity of the severest kind imaginable, and 'fulfilment' of the Scriptures. Significantly A.D. 29, 'year of development', is styled as characterised by 'great deeds amid great opposition' ('Harmony of the Life of Christ' 'Reader's Dictionary and Concordance', *The Holy Bible,* O.U.P. p. 47).

Dr. Lindsell remarks: 'Note that Matthew and Mark record only one saying [...]' (*Study Bible, Luke* 23.34, p. 1578). It would seem to be the most sombre cry of dereliction ever uttered. As numerous scholars have been quick to point out, however, it is a quotation, —(in all probability conscious, on the part of Christ, himself)— from Psalm 22: the opening line, the tone and mood of which is reversed in the second half. One cannot help wondering whether Gide was aware of this progression when he speculated about the possible motivation of Matthew and Mark in recording as the *only* word of Christ on Calvary such a cry of apparently unmitigated despair, and the reasons prompting Luke and John to exclude it totally:

> Il importe de remarquer que [cette parole] nous est transmise par les deux, des quatre évangélistes, de beaucoup les plus simples, les moins soucieux de doctrine et d'interprétation mystique. Ils ne rapportent qu'elle, que cette parole, et la donnent tous deux comme la dernière du Christ: et cette parole est terrible; c'est le cri tragique de toute âme qui mit sa confiance en un Dieu qui n'existe pas. Ou, sans aller si loin, car elle ne nie nullement l'existence de Dieu, du moins elle dissocie de Dieu le Christ, les oppose (comme je fais irrésistiblement):
> *Mon Dieu! Mon Dieu! pourquoi m'avez-vous abandonné?*
> *(Feuillets, Deux Interviews Imaginaires,* pp. 44-45). (Gide's italics).

Consciously or unconsciously, (probably the former), Gide has attempted to reverse the exclamation wrung only from the centurion (in *Mark alone* of the Evangelists) by the harrowing sight of Christ's suffering on Calvary:

> And when the centurion, who stood facing him, saw that he thus breathed his last, he said, *'Truly this man was the Son of God!'*
> (*Mark,* 15.39; Cf., *Matthew* 27.54; *Luke,* 23, 47-48)

In the *Gospel according to St. John,* 'the disciple whom Jesus loved' takes the place of the centurion to testify to the 'truth' of what he has seen, and the profoundly mystic quality of belief which the suffering and death of Christ on Calvary has inspired in this witness of the 'fulfilment of the Scriptures': the richness of the symbolism: 'blood and water' coming forth from Christ's side, coupled with the almost visionary: '«They shall look on him whom they have pierced»' would alone be sufficient to tell us that the 'witness', John, has here taken the place of the centurion of the Synoptics:

> 34. But one of the soldiers pierced his side with a spear, and at once *there came out blood and water.* 35. He who saw it has borne witness —his testimony is true, and he knows that he tells the truth— that you also may believe. 36. For these things took place that the scripture might be fulfilled, "Not a bone of him shall be broken". 37. And again another scripture says, *"They shall look on him whom they have pierced".*
>
> (*Jn.* 19. 34-37)

In the original version of *Deux Interviews Imaginaires suivies de feuillets* (1946), Gide had given the all-embracing title: 'Dieu, Fils de l'Homme' to this *Appendice* of a work which he chose to call *Attendu que...* (1943), consisting of a series of *Interviews Imaginaires* (I-XVIII), including the original text of *Feuillets.* It is interesting to note that he refrained from using the title: 'Dieu, Fils de l'Homme' to designate the *livret,* probably on account of possible implications, no less dangerous, in his view, than those of recording, in two of the Gospels, the cry of dereliction from the Cross: 'Luc et Jean ne rapportent même pas une parole qui leur paraît, ce qu'elle est, très dangereuse' (*Deux Interviews Imaginaires,* p. 47). Gide may have wished to avoid using as a general title words which, for him, would imply the virtual 'absence of God', and, in consequence, a human nature as exclusive of the Divinity as he thought he saw reflected in 'the cry of despair'. However, this omission of what he may have regarded as a potentially controversial title, did not prevent him from here again attempting to prove his point, by claiming that Christ was mistaken in asserting 'I and my Father are one'. Gide may thus seem to render himself guilty of attempting to invert the centurion's affirmation of faith precisely as the latter was recorded by Mark: '«Truly, this man was the Son of God!»' (15. 39; see above).

One cannot help wondering how far Gide was conscious of reversing Peter's position, by affirming Christ's humanity ('Dieu, Fils de l'Homme') which the Apostle had, in a sense, denied in response to the question: *Numquid et tu?* ("Were you not with the Nazarean?") and, conversely, by denying Christ's Divinity ('Dieu, Fils de Dieu') which Peter had once and for all triumphantly affirmed: '«You are the Christ, the Son of the living God»' (*Matt.* 16. 16; *Mark* 8. 29)[9]. However that may be, the inversion of

9. In the prefatory note to *Numquid et tu...?* (1922), however, Gide had openly proclaimed Christ's divinity, thus making common cause with Peter in the latter's definitive stand:

'Seigneur, ce n'est pas parce que l'on m'a dit que vous étiez le Fils de Dieu que j'écoute votre parole; mais votre parole est belle au-dessus de toute parole humaine, et c'est à cela que je reconnais que vous êtes le Fils de Dieu". *Op.cit., Journal 1889-1939,* p. 588.

the Centurion's affirmation of faith reverberates through the conclusion of the *Deuxième Interview Imaginaire,* where Gide attempts to insist on a division *within* the Deity, between God incarnate in Christ, 'Le Dieu-Vertu', on the one hand, and 'le Zeus des forces naturelles', 'le côté Zeus', on the other. Gide conceives of God as existing in the same relation to Christ as Zeus to Prométhée, inclusive of what he, Gide, deems to be the detachment of the Deity, in both cases, from 'l'Homme-Dieu', the latter 'dual being' not 'forsaken' in the Christian context, at least in Gide's view: '[...] parce qu'il n'y a jamais eu d'entente' (*Deuxième Interview:* (*Moi*) p. 37). Through the medium of *Moi,* —significantly in dialogue with *Lui,* and thereby representing his perhaps never fully resolved state of inner division, — Gide claims that there is an analogy between what he alleges to be attitudes of indifference on the part of the Christian and the Classical deity respectively, who both, in his opinion, turn a deaf ear to the 'still, sad music of humanity': 'soit en attachant Prométhée sur le Caucase, soit en clouant le Christ en croix' (*ibid., Moi,* p. 37). Gide's 'état de dialogue' — (ominously it is *Lui* who represents the Christian viewpoint, *Moi* the Pagan and the Classical) — brings him dangerously close to potential, if not at times, effective Manicheism. His values are so completely overturned that he regards *God* as the subjective creation of *man,* therefore in a very special sense *'Fils* de l'Homme', rather than the latter as created in the 'image' and 'likeness' of God, by and for God:

> *Moi:* [...] Je trouve beaucoup plus d'apaisement à considérer Dieu comme une invention, une création de l'homme, que l'homme compose peu à peu, tend à former de plus en plus, à force d'intelligence et de vertu. *C'est à Lui que la Création parvient, aboutit, et non point de Lui qu'elle émane.*
> (*Interviews Imaginaires* p. 28)

The main thrust of Gide's argument is, like that of Sartre, a reproach to the Deity for what both men see as the latter's failure to extend his 'moralité' to include full control of natural forces already, by a strange paradox, so finely balanced[10], although neither could discount 'la malignité des hommes' as responsible for the Crucifixion (*ibid.,* p. 37). One detects in both Gide and Sartre a strong echo of Nietzsche's nihilism: 'God is dead'.

10. 'The distribution of gas in the universe from the big bang onwards had to be delicately balanced if it was to produce galaxies, with perturbations neither so big that the galaxies imploded into themselves, nor so small that galaxies would not form at all. Without this fine balance, there would have been no galaxies, no stars, no planets, no life'. HUGH MONTEFIORE, *The Probability of God,* SCM Press Ltd., 1985, p. 169.

In my opinion, Matthew and Mark were far from 'naïfs' in recording the word of despair, although unjust, perhaps, in reporting that alone, but still in conformity with a general tendency, more pronounced in the latter Evangelist, to focus attention on the dark side, even sometimes, as probably here, to the exclusion of all positive elements. For Gide, the cry of dereliction seems to preclude all possibility of belief in the divinity of 'Dieu, Fils de l'Homme', and the contention that Christ, by his very belief in his own divinity, 'se trompait et nous trompait', may be regarded as one of the most potentially 'dangerous' parts of the argument as Gide presents it:

> MOI: Cette dernière parole du Christ (la seule des sept paroles du Crucifié qui nous soit rapportée par deux évangélistes, les naïfs apôtres Mathieu et Marc, et qui ne rapportent que cette parole-là) me retiendrait de confondre le Christ avec Dieu, si déjà ne m'avertissait tout le reste. Comment ne pas y voir, dans cette tragique parole, non point un lâchage, une trahison de Dieu, mais ceci: que le Christ, en croyant et en faisant croire qu'il avait partie liée avec Dieu, *se trompait et nous trompait;* que Celui qu'il appelait «Mon Père» ne l'avait jamais reconnu pour Fils, *que le Dieu qu'il représentait, que lui-même, était seulement, ainsi qu'il dit parfois, «Fils de l'Homme»*[11] *C'est ce Dieu-là seulement que je peux et veux adorer.*
>
> (*Ibid.*, pp. 37-38)

If, in Gide's opinion, Matthew and Mark were guilty of 'naïveté' by reason of the inclusion of the 'last word of despair' in their accounts of the Passion, Luke and John receive corresponding praise for exceeding their brief as 'simples chroniqueurs et rapporteurs' by the very exclusion of 'une parole qui leur paraît, ce qu'elle est, très dangereuse' (*ibid.*, p. 47)

> Jésus ne savait-il pas qu'il ressusciterait? S'il l'avait su, il n'y aurait pas eu de Passion, il me semble. Il a fallu

11. 'Dieu, «Fils de l'Homme», the title given by Gide to the *Appendice* of *Attendu que...*, i.e. 'the last pages -221 *ad finem*-', which he had urged Whity to read. Gide here seeks by irony to divest the term 'Son of Man' of its connotation of 'title of the Messiah' (*Daniel* 7. 13, *Study Bible*, p. 1308), in effect to deny the Incarnation, while still using the very words in which it is habitually expressed, and by Christ himself: 'le Christ [...] en tant qu'homme, que Verbe «qui s'est fait chair»' (*Feuillets, Deux Interviews Imaginaires*, p. 46). As already mentioned, Gide parodies the 'title' by suggesting that it implies 'fils' in the sense of a subjective creation on the part of man (*Interviews Imaginaires*, p. 28). At the other extreme, Gide was capable of using the term 'Fils de Dieu' in its originally intended, fully positive sense, as in *Numquid et tu...?* (see above, note 9) — so great was his ambivalence.

> qu'au moins à ce moment-là il ait perdu conscience de sa divinité... Ce que nous interdit de croire le texte de saint Jean: «Avant la fête de Pâques, Jésus, sachant que son heure était venue de passer de ce monde à son père [...]» (*Jean* 13. 1)
>
> Tout ce qu'on peut penser et écrire à ce sujet ne repose sur aucune certitude ni même sur aucune probabilité. Je me souviens qu'à l'époque où j'ai osé écrire une *Vie de Jésus, je me suis heurté,* durant la plus grande partie de mon travail, *à cette contradiction des deux natures, à l'impossibilité de cette cohabitation,* dans un être vivant, *de ce prêcheur nazaréen et du fils de Dieu;* mais je me souviens aussi que tout est rentré dans l'ordre après l'instant inimaginable de la Résurrection[12].
>
> F. Mauriac: *Le Dernier Bloc-Notes (1968-70)* Flammarion 1971, mars 1970 pp. 289-90.

'A momentary loss of his sense of divinity' on the part of 'l'Homme-Dieu', would probably have been Mauriac's reply to Gide, if they had engaged in dialogue about the cry of dereliction. If Gide had read *La Vie de Jésus,* published seven years before *Attendu que...* (1943), ten before

12. Mauriac may well have had in mind Paul's reiterated belief that 'in Christ, God was reconciling the world to himself' (2 *Cor.* 5. 19); '[...] that [Christ] might create in himself one new man in place of the two, so making peace, and might reconcile us both to God in one body through the Cross, thereby bringing the hostility to an end' (*Eph.* 2. 15-16. Cf. *Col.* 1. 20; *Rom.* 5. 10). For Paul, the Resurrection, by definition, clinches the matter: 'For if while we were enemies, we were reconciled to God by the death of his Son, much more, now that we are reconciled, shall we be saved by his life' (*Rom.* 5. 10). Perhaps the Resurrection alone might have made it possible for Gide, in turn, to conceive more easily and consistently of a fusion of the human and the Divine in Christ. On the question of the resurrection of the soul after death, he refuses to be drawn, although he ponders this mystery in the extended conclusion of *Deux Interviews Imaginaires,* where he seems to weigh in the balance Proust's conjecture: 'Et peut-être la résurrection de l'âme après la mort est-elle concevable comme un phénomène de mémoire' (*À la Recherche* II, 88, Édition de la Pléiade, 1961). Without the assumption of *previous* 'incarnations', by definition dependent on memory for recall, Gide finds it impossible to believe in the immortality of the soul. It is significant that the mysterious words addressed by the Risen Christ to Mary Magdalene: *Noli me tangere* — inspire Gide to resist any attempts by Westphal or others to restrict their range, so intent is he on losing nothing of 'leur retentissement infini' (*Interviews Imaginaires,* p. 43). It was with a key-sentence in which he thought he saw Proust's genius encapsulated that Gide had concluded his essay on *Les Plaisirs et les Jours,* his use of italics perhaps reflecting the intensity of a shared hope of immortality: '«Et de nos noces avec la mort qui sait si pourra naître notre *consciente immortalité?*»' GIDE, 'En relisant «Les Plaisirs et les Jours»' (1927), Proust: *Lettres à André Gide avec trois lettres et deux textes d'André Gide,* Ides et Calendes, 1949, p. 122; *Les Plaisirs et les Jours,* Gallimard, 1924, p. 187.

Deux Interviews Imaginaires suivies de Feuillets (1946), he would have found the expression of a viewpoint diametrically opposed to his own on major issues such as *La Foi;* more particularly with regard to the words from the Cross, Mauriac's masterly exegesis of the cry of despair, by close reference to Psalm 22, demonstrates fulfilment of the Scriptures 'à la lettre', as he interprets and accepts as a direct consequence of 'cette contradiction des deux natures' Christ's experience of 'cette horreur: l'abandon du Père', adding proof of its apparently pre-ordained nature by quoting *versets* 6, 7, 8 and 16, 18: 'Tout cela s'accomplit: la tunique sans couture est tirée au sort'. In short, he makes a point totally disregarded by Gide: 'Le Christ mourant se conforme à ce qui est prédit de lui'; perhaps on the basis of his own experience of *les intermittences du cœur,* the ebb of creative power: 'grand abandonnement du côté de Dieu', he believes that there had been precedents, in Christ's life, for the sense of spiritual desolation; and he traces the main onset back to the 'night of the soul' at Gethsemane. In sharp contrast to Gide, he believes, no doubt in common with Matthew and Mark, that few if any of us, are spared a sense of estrangement from God at some stage of life or other. What is remarkable is that, for a moment, the human seemed to supersede the Divine in Christ's nature, probably as a result of that indispensable condition of redemption, namely 'the complete identification with [human] sin [...] from which Christ shrank with a holy abhorrence' (*Study Bible, Matthew* 26. 39, pp. 1484-1485). Paradoxically Mauriac would generalise such an experience, in the case of Christ surely of *unique* intensity, that is, once given the dichotomy of 'l'Homme-Dieu':

> 'Ce premier verset du Psaume 22, qu'il a dû le crier de fois, au long de ces trois années accablantes! (comme nous disons nous-mêmes, comme nous soupirons aux heures de fatigue ou de souffrance: «Mon Dieu!»)'
>
> *La Vie de Jésus* (1936) *O.C.G.* VII, Ch. xxvi p. 149.

Mauriac regards the oscillation between God and man, in the Son of God, as an inevitable consequence of Christ's duality and, in this respect, acknowledges that he is at variance with the Fourth Evangelist. (See Epigraph of this section). The cry of dereliction must have marked the supreme moment of the 'Passion', given its implication of uncertainty about the Resurrection and, by definition, also about the outcome of the struggle between Good and Evil. Such implications may well have prompted Matthew and Mark to record the word of despair as the first and last uttered by Christ on Calvary; at the same time, the progression from dark to light in the Psalm, from which it is a quotation of the first verse, leaves the matter wide open to interpretation. Subtlety rather than naïveté; a love of realism and, above all, a desire to be witnesses to the truth as they saw it, may have prompted Matthew and Mark to include the 'saying' in their Gospels, while leaving us to speculate why they chose to omit the other 'last words'. One wonders whether they envisaged the possibility of readers comparing all the versions! If Luke and John anticipated a composite reading of all four Gospels on the part of posterity, they would presumably be able to salve their conscience about the chief omission, acting in this matter not so much from fear of the dangerous potential contained in 'the word of despair', likely to lend itself to misinterpretation, as prompted by the desire to record only those 'words' in harmony with their own conception of Christ. All ultimately depends on the extent to which the Evangelists subscribe to a belief in the ascendancy of God in the dichotomy of Christ, a tension resolved for Mauriac and all concerned, by the Resurrection. (See epigraph). Whether, *without* uncertainty about the latter, there could ever have been the 'Passion' as such, is debatable. However, in my opinion, doubts about the outcome of the conflict between Good and Evil, and, in close relation to theodicy, the continuing spectacle of human suffering, whether it be the result of natural or man-made disasters, or of 'man's inhumanity to man', constitute in themselves a continuation of the 'Passion' but are offset, for Christians, by Christ's sacrifice of himself on Calvary and by the faith and salvation born of his act of redemption.

RIVAROL, LA RÉVOLUTION FRANÇAISE ET LES «PHILOSOPHES»

par
ROLAND MORTIER

Dès le moment où la Révolution française prit une tournure qui pouvait léser gravement les intérêts des ordres privilégiés — noblesse et haut clergé — et devint donc socialement subversive, l'enthousiasme assez général du début fit place à d'âpres polémiques. Les tenants de l'Ancien Régime, plutôt que de se livrer à un examen de conscience et de faire la part de leur responsabilité historique, préférèrent y voir un mal absolu, l'émergence de forces diaboliques que l'abbé Barruel, dans ses célèbres *Mémoires pour servir à l'histoire du Jacobinisme* (5 vol., 1797-1803), devait identifier avec «les philosophes», associés aux despotes éclairés (Frédéric II) et aux francs-maçons. Voltaire, d'Alembert, Helvétius et leurs affidiés auraient délibérément préparé la chute de l'ordre ancien et l'élimination de l'Eglise catholique. Cette lecture «satanique» des événements avait l'avantage d'être simple, univoque et de rassurer les bonnes consciences: aussi fut-elle largement entendue, ressassée indéfiniment, et son écho n'est pas entièrement étouffé de nos jours. Joseph de Maistre (1753-1821), en faisant de la Révolution le châtiment des erreurs de la France, en suggérait du moins une interprétation théologique et métaphysique qui ne manquait pas de grandeur et qui se refusait aux facilités de la thèse du complot philosophico-maçonnique. Mais la hauteur de la vision s'opposait, chez lui, à une enquête très précise et à une pesée objective des responsabilités. C'est ce que tentera de faire, avant les deux exégètes chrétiens, le plus grand journaliste de l'époque, Louis-Antoine Rivarol, rédacteur du *Journal politique national* (1789-1790), des *Actes des Apôtres* (1789-1792), auteur du *Petit Dictionnaire des grands hommes de la Révolution par un citoyen actif, ci-devant Rien* (1790), défenseur intelligent de l'Ancien Régime, qui devait finir par émigrer en

1791 à Bruxelles, puis à Londres, à Hambourg et à Berlin, où il s'éteignit le 11 avril 1801.

Pamphlétaire redoutable, connu pour ses mots d'esprit fulgurants, pour son humeur combative, pour ses sarcasmes destructeurs, Rivarol est aussi un homme doué d'une intelligence pénétrante, incapable de suivre les mots d'ordre et les modes intellectuelles, rétif aux explications apaisantes et simplistes. Confronté au phénomène révolutionnaire, il est un des premiers (avant Burke) à en percevoir les fondements idéologiques et à en mesurer l'impact. Il le combat tout en essayant de le comprendre et de l'expliquer. Cet antirévolutionnaire est un des observateurs les plus aigus d'un vaste bouleversement où ses amis et alliés ne voyaient le plus souvent qu'une péripétie inexplicable, à moins qu'elle ne relevât de la volonté délibérée de quelques penseurs diaboliques (Musset encore évoquera le «hideux sourire» de Voltaire). Le grand mérite de Rivarol, en tant qu'interprète de la révolution, est de ne se satisfaire ni de l'argument eschatologique, ni de la thèse du complot et de son manichéisme un peu court. C'est du côté des privilégiés eux-mêmes qu'il va chercher la plupart des causes de la chute de l'Ancien Régime et les grands «philosophes» seront pour lui, au premier chef, les dénonciateurs des maux qui avaient miné les structures de l'Etat et la crédibilité de ses dirigeants.

En cette année du bicentenaire, il est opportun de rendre justice à l'intelligence d'un analyste confronté de plein choc à l'événement et capable, au-delà de ses options personnelles, de ses sympathies et de ses haines, d'une authentique volonté d'objectivité[1]. Lui-même en a ressenti la difficulté. Il écrit, dans le *Journal politique national:* «Dans le feu d'une révolution, quand les haines sont en présence, et le Souverain divisé, il est difficile d'écrire l'histoire» (p. 129). Pour lui, «la Cour, l'Assemblée nationale et la ville de Paris sont également coupables dans la Révolution actuelle» (p. 130): la Cour, pour avoir envoyé les soldats au-devant des pacifiques députés du peuple; le Ministère, pour n'avoir ni prévu, ni compris ce qui sortirait d'Etats généraux accordés si difficilement après tant de sujets de mécontentement; l'Assemblée nationale, pour avoir armé Paris, mettant ainsi en danger la vie du roi, celle de ses sujets et la liberté publique; la capitale, pour avoir humilié le roi, toléré l'anarchie et le crime, et ouvert la boîte de Pandore de la violence et du sang.

Renouant avec les hantises de Voltaire, dont l'*Essai sur les Moeurs* soulignait la cruauté des masses déchaînées, retombant comme d'instinct

1. Nos citations sont tirées du choix consacré à Rivarol par Rémy de Gourmont (sous l'anonymat) aux éditions du Mercure de France, en 1906, dans la «Collection des plus belles pages».

dans la pire barbarie[2], Rivarol dénonce ceux qui ont favorisé, ou toléré, ce déferlement de cruauté sanguinaire:

> Malheur à ceux qui remuent le fond d'une nation! *Il n'est point de siècle de lumière pour la populace;* elle n'est ni française, ni anglaise, ni espagnole. La populace est toujours et en tout pays la même: toujours cannibale, toujours anthropophage (p. 132).

Il tient les «constitutionnels» pour des naïfs qui jouent avec le feu. Il est dangereux de mettre à nu les fondements du pouvoir, «cette métaphysique que les anciens législateurs ont toujours eu la sagesse de cacher».

La déclaration des droits de l'homme l'inquiète, car l'humanité n'y est pas préparée:

> Craignez que les hommes, auxquels vous n'avez parlé que de leurs *droits,* et jamais de leurs *devoirs* [...] ne veuillent passer de l'*égalité civile* que donnent les lois, *à l'égalité absolue des propriétés;* de la haine des rangs à celle des pouvoirs, et que de leurs mains, rougies du sang des nobles, ils ne veuillent aussi massacrer leurs magistrats. Il faut au peuple des vérités usuelles, et non des abstractions; et *lorsqu'ils sortent d'un long esclavage,* on doit leur présenter la liberté *avec précaution et peu à peu,* comme on ménage la nourriture à ces équipages affamés qu'on rencontre souvent en pleine mer, dans les voyages de long cours (p. 133).

Les vérités spéculatives sont au-dessus des capacités de la majorité, et ceux qui n'ont pas su les découvrir par eux-mêmes en abuseront, sans pour autant les comprendre. Dès lors,

> loin de dire aux peuples que la nature a fait tous les hommes égaux, dites-leur au contraire qu'elle les a faits très inégaux; que l'un naît fort, et l'autre faible [...] et que le chef-d'œuvre d'une société bien ordonnée est de *rendre égaux par les lois ceux que la nature a faits si inégaux par les moyens.*

Il n'en veut pour preuve que ce qu'on appellera plus tard «la grande Peur», où les paysans ont marché par troupes vers les abbayes, vers les châteaux, «vers tous les lieux où reposent les archives de la noblesse et les titres des anciennes possessions»: «le feu, le sang, la ruine et la mort ont marqué partout les traces de *ces tigres démuselés»* contre lesquels il a fallu faire

2. Voltaire était particulièrement frappé par l'épisode où le peuple parisien, qu'il appelle «la canaille», déterrait le cadavre de Concini, lui arrachait le cœur, qu'il grillait et dévorait. Il parle dans une lettre de «ces Arlequins anthropophages». Ce mal était universel, comme le prouve le sort du malheureux Oldenbarnevelt en Hollande.

appel à une armée qu'on avait accoutumée imprudemment à la désobéissance.

Conservateur lucide, hostile au pouvoir populaire générateur d'anarchie et de violence, Rivarol est pourtant loin de laver l'Ancien Régime de tout reproche. Il le considère, au contraire, comme le principal responsable de tous les maux présents. Ce régime n'a pas su se rénover à temps:

> lorsqu'on veut empêcher les horreurs d'une révolution, il faut la vouloir et *la faire soi-même:* elle était trop nécessaire en France pour ne pas être *inévitable* (p. 134) [...]. La populace de Paris et celle même de toutes les villes du royaume ont encore bien des crimes à faire avant d'égaler les sottises de la cour. *Tout le règne actuel peut se réduire à quinze ans de faiblesse et à un jour de force mal employée.*

Rivarol fait le compte de ces faiblesses et de ces erreurs:

— la liberté de la presse, qui a miné l'autorité des prêtres et celle du roi
— le mécontentement de la noblesse, qui a déserté la cour pour aller faire de l'opposition dans ses provinces
— la discipline à la prussienne, qui a désespéré les soldats et substitué le bâton à l'honneur
— la petite guerre entre le gouvernement (Loménie de Brienne) et les Parlements, «qui ont mieux aimé périr avec la royauté que de ne pas se venger d'elle»
— la médiocrité intellectuelle du cabinet de Versailles, dont l'action s'est bornée à «un concert de bêtises»
— la surpopulation du pays, avec le chômage qui en résulte et qu'on n'a pas su canaliser vers l'émigration et vers les colonies
— un favoritisme scandaleux, qui a découragé une partie de la noblesse et du clergé, tout en réveillant la vieille haine du pauvre contre le riche. Lorsque les privilèges sont coupables, la grande propriété devient odieuse, «et voilà pourquoi, d'un bout du royaume à l'autre, ceux qui n'ont rien se sont armés contre ceux qui possèdent» (p. 137).

Les critiques les plus sévères de l'Ancien Régime finissant ne sont pas plus durs à son égard que ne l'est ce journaliste conservateur: sottise, lâcheté, maladresse, aveuglement, absence totale de sens politique, telles sont les tares et les déficiences désastreuses qu'il diagnostique.

On remarquera qu'il ne met pas en cause l'action des «philosophes». Le reproche qu'il leur adresse vise moins leurs œuvres et leurs personnes qu'un tour d'esprit qui a imprégné les législateurs récents qui s'en sont inspirés. Ceux-là sont des théoriciens qui naviguent dans l'abstraction, qui refusent de prendre la réalité en compte et n'ont qu'un modèle idéal dans la tête.

Les «philosophes» sont-ils responsables de cette déviation et de cet aveuglement? Nullement, affirme Rivarol:

— il faut louer les philosophes qui écrivaient avec élévation *pour corriger les gouvernements,* et non pour les renverser; *pour soulager les peuples,* et non pour les soulever; *mais les gouvernements ont méprisé la voix des grands écrivains* et ont donné le temps aux petits esprits de commenter les ouvrages du génie, et de les mettre à la portée de la populace.

D'où il découle logiquement que

les livres des philosophes n'ont point fait de mal par eux-mêmes.

Rivarol se refuse énergiquement à incriminer les lumières. Ce serait plutôt leur absence qui aurait entraîné la Révolution:

— la France offrait depuis longtemps *le spectacle du trône éclipsé au milieu des lumières.* Ce spectacle est dégoûtant et ne saurait être long. Il faut des rois administrateurs aux États industrieux, riches et puissants: un roi chasseur (= Louis XVI) ne convient qu'à des peuples nomades.

Quand M. de Calonne assembla les notables, il découvrit aux yeux du peuple ce qu'il ne faut jamais lui révéler, *le défaut de lumières* plus encore que le défaut d'argent. La nation ne put trouver, dans cette assemblée, un seul homme d'État [...]. Or, *quand les peuples cessent d'estimer, ils cessent d'obéir.*

Le penseur réaliste que veut être Rivarol prend plaisir à dégonfler les grandes idées lancées par la Révolution. Dangereuses baudruches, à son avis, mystifications idéalisantes, abus de langage; certaines de ses formules sont d'une férocité dévastatrice:

— l'égalité absolue parmi les hommes est l'eucharistie des philosophes (p. 149)
— un homme n'est philosophe que parce qu'il n'est pas peuple[3]; donc un *peuple philosophe* ne serait pas *peuple,* ce qui est absurde
— le patriotisme est l'hypocrisie de notre siècle
— [la poursuite de l'égalité absolue ne produit à son terme] que la vaste égalité des déserts et l'affreuse monotonie des tombeaux
— Quant à la prise de la Bastille, je vois bien que les Français y tiennent, comme autrefois au fameux passage du Rhin, qui ne coûta pourtant de peine qu'à Boileau [...]. M. de Launay avait perdu la tête avant qu'on la lui coupât (p. 183).
— toutes les fois qu'on est mieux chez soi que dans la rue, on doit être battu par ceux qui sont mieux dans la rue que chez eux. C'est le principe des révolutions, et même des conquêtes (p. 221).

3. C'est à peu de chose près la formule de Diderot: «être philosophe, c'est se dépopulariser».

Quelques années plus tard, après son exil, ses réflexions politiques se font de plus en plus désabusées, mais elles ne varient pas sur l'essentiel. On a plutôt le sentiment, à le lire, que la Révolution lui apparaît comme la négation de la philosophie des lumières et comme le preuve de son échec politique. A preuve, ces notations:

> — Les philosophes disent que ce n'est point une guerre d'homme à homme, une lutte des factions et des partisans, mais un grand mouvement dans l'esprit humain. Il faut les prendre au mot, et la Révolution n'est plus qu'une grande expérience de la philosophie qui perd son procès contre la politique.
> — Voltaire a dit: Plus les hommes seront éclairés et plus ils seront libres. Ses successeurs ont dit au peuple que plus il serait libre, plus il serait éclairé, ce qui a tout perdu.

Quant à l'issue de la Révolution, Rivarol est sans aucune illusion:

> — On me demandait, en 1790, comment finirait la Révolution. Je fis cette réponse bien simple: «Ou le roi aura une armée, ou l'armée aura un roi». J'ajoutai: «Nous aurons quelques soldats heureux, car les révolutions finissent toujours par le sabre: Sylla, César, Cromwell» (p. 235).

Il n'a plus d'illusions sur les prétendues «leçons de l'histoire»:

> — Je suis convaincu [...] qu'il n'y a de leçons ni pour les peuples, ni pour les rois, et que, si Louis XVI a des successeurs de sa race, ses fautes et ses malheurs ne seront même pas des avertissements pour eux (p. 231).

Bien qu'il lui arrive, à maintes reprises, de critiquer Voltaire, Rivarol est beaucoup plus proche de lui que de Maistre ou de Barruel. Analyste lucide, il se ferme aux idéologies et à leur vocabulaire. Sceptique, il ne croit pas aux lendemains qui chantent. Conservateur, il n'a que mépris pour la bêtise des privilégiés, pour leur lâcheté et leur aveuglement. Il se défie, comme Voltaire, des masses et de leurs comportements aveugles. Comme lui, il recommande la discrétion[4]: «dans les têtes vraiment philosophiques, l'incrédulité ne se sépare pas du silence» (p. 273).

Il est un point cependant, et capital, sur lequel l'expérience de la Révolution l'oppose résolument à Voltaire, c'est celui de la religion. Non

4. Voltaire blâmait Helvétius d'avoir signé *De l'Esprit* et recommandait la tactique de l'anonymat et de la dérobade dans ses lettres à d'Alembert.

que Rivarol soit plus pieux ou plus chrétien que l'auteur de *Dieu et les Hommes.* Simplement, il croit la religion établie indispensable à la cohésion de l'État. Une religion n'a pas à être jugée vraie, ou prouvée. Suffit qu'elle recueille une très large adhésion pour devenir le ciment de l'ordre social. Les vues de Rivarol sont d'un pragmatisme assez cynique qui rappelle un peu l'attitude de Frédéric II en la matière.

Il explique (p. 275) que les prêtres et les philosophes «se sont également trompés dans l'art sublime de gouverner les hommes; les prêtres pour avoir pensé que la classe instruite croirait toujours, et les philosophes pour avoir espéré que le peuple s'éclairerait [...] par je ne sais quelle démence inexplicable, *les philosophes ont exigé qu'on leur démontrât la religion et les prêtres ont donné dans le piège* [...] il ne s'agit pas de savoir si une religion est vraie ou fausse, mais si elle est nécessaire [...]».

Cette nécessité est évidemment d'ordre politique, et Rivarol ne s'en cache pas: «si telle religion n'est pas démontrée, et qu'il soit pourtant démontré qu'elle est nécessaire, alors *cette religion jouit d'une vérité politique».*

Aucune religion établie n'accepterait de se satisfaire d'un relativisme pragmatique aussi radical, mais le propos de Rivarol n'est ni apologétique, ni théologique, et son point de vue est celui d'un observateur froidement détaché de toute adhésion spirituelle.

Ce relativisme complet le conduira à assimiler la religion à la poésie, toutes deux relevant de l'imaginaire et de l'irrationnel:

> Je vais plus loin, et je dis qu'il n'y a pas de fausse religion sur la terre, en ce sens que *toute religion est une vraie religion, comme tout poème est un vrai poème.* Une religion démontrée ne différerait pas de la physique ou de la géométrie; ou plutôt ce ne serait pas une religion (p. 275).

L'essentiel est ce qui se cache derrière cette diversité: le rapport de l'homme à Dieu, c'est-à-dire le dogme d'une Providence. Tout le reste est affaire de latitude et d'habitude:

> ce qu'il y a d'admirable, c'est que tout peuple croit posséder et la plus belle langue et la vraie religion. *Vouloir les détromper, c'est attenter à leur bonheur, c'est le crime de la philosophie.*

S'adressant aux philosophes, Rivarol les adjure de dépasser leurs *a-priori* pour se hisser à une philosophie supérieure, où la pensée opérerait au second degré:

> Que les philosophes ouvrent donc leurs yeux, qu'ils comprennent, *il en*

> *est temps*[5], qu'on peut toujours avoir abstraitement raison, et être fou; semer partout des vérités, et n'être qu'un boute-feu; qu'ils demandent des secours, non des preuves au clergé [...]. Mais qu'ils ne traitent pas cette politique d'hypocrisie, car n'est pas hypocrite qui l'est pour le bonheur de tous [...] qu'ils entrent au plus tôt dans cette généreuse et divine conspiration qui consiste à porter dans l'ordre moral l'heureuse harmonie de l'ordre physique de l'univers.

Aurait-on cru Rivarol si proche déjà de Fourier?

Une vision pessimiste de l'histoire fait de cet agnostique *de facto* un adversaire de l'irréligion des «philosophes». Il y verrait même une forme inversée de cléricalisme. «Les philosophes» écrit-il (p. 276),

> ne sont au fond que des prêtres tardifs qui, en arrivant, ont trouvé la place prise par les premiers prêtres qui ont fondé les nations.

Par dépit ou par jalousie, ils «se servent des lumières des vieux peuples pour tout renverser, comme les prêtres se servirent de l'ignorance des peuples naissants pour tout établir».

Le reproche majeur adressé aux «nouveaux philosophes»[6] par Rivarol est leur méconnaissance de la fonction sociologique et politique de la religion. Cette faiblesse découle de leur erreur foncière, le goût des idées abstraites, ces «êtres de pure raison», qui les aveuglent sur les réalités humaines telles qu'elles s'inscrivent dans l'histoire vécue, pour les projeter dans un absolu théorique: «ils ont un modèle idéal dans la tête, qu'ils veulent toujours mettre à la place du monde qui existe» (p. 138). Ils font fi de l'expérience et du bon sens, et ils s'égarent en composant «leur déclaration des droits de l'homme, *cette préface criminelle d'un livre impossible»* (p. 283).

Le principe de la déclaration, l'égalité, est à ses yeux un concept dangereux, parce que chimérique. On peut décréter les hommes égaux, mais il faut alors aussi égaliser les conditions de vie, les talents et les fortunes. Les révolutionnaires ont reculé devant cette exigence impossible. Dès lors, «les hommes étant déclarés égaux et les conditions restant inégales, il devait en résulter un choc épouvantable» (p. 293).

Ce que la Révolution lui a fait découvrir, c'est que le fanatisme —que les voltairiens tenaient pour un corollaire des religions dogmatiques— pou-

5. Cette incise marque bien le caractère conjoncturel de la recommandation, fruit de l'histoire et d'une expérience encore fraîche.

6. L'expression est de lui, p. 283. Elle souligne la distance qui les sépare des grands penseurs du XVIIIe siècle.

vait s'exercer tout aussi bien dans le domaine philosophique et politique, où l'esprit dogmatique peut parfaitement se camoufler: «lorsque les hommes s'égorgent au nom de quelques principes philosophiques ou politiques [...] leur philosophie a son fanatisme, et c'est une vérité dont les sages du siècle ne se sont pas doutés [...] mais pour avoir cru que le fanatisme était exclusivement le fruit des idées religieuses, pour avoir méconnu la nature de l'homme et des corps politiques, pour avoir ignoré le poison des germes qu'ils semaient, une effrayante complicité pèse sur leur tombe» (p. 295, *Discours préliminaire du nouveau Dictionnaire de la Langue française,* Hambourg, 1797). L'accusation est grave, mais elle vise les effets, non les intentions. Les «philosophes» ne sont coupables «qu'à leur insu». Il écrira, dans ses carnets de notes: «La plupart de nos impies ne sont que des dévots révoltés» (p. 298), ou encore: «Les philosophes sont plus anatomistes que médecins: ils dissèquent, et ne guérissent pas» (p. 303). La lecture de la *Genèse* lui a appris «que les lumières ne rendent pas les peuples heureux» (p. 304).

Au fond, Rivarol est de tous les penseurs antirévolutionnaires celui qui est resté le plus intimement fidèle à la pensée des «lumières». Il n'a jamais tout à fait renié leurs maîtres et il a conservé l'essentiel de leur message. Confronté aux événements, il en a conclu que les «lumières», par leur caractère abstrait et universaliste, s'adaptaient mal à la complexité de la mouvance sociale et faisaient fi de certaines constantes humaines irrationnelles. En cela, les «philosophes» se sont égarés, mais ils l'ont fait en toute bonne foi, ce qui n'est pas le cas de leurs disciples. Certes, Rivarol n'a aucune sympathie pour la Révolution, mais il s'efforce de la comprendre en l'analysant dans ses principes[7]. Les explications providentialistes ou criminelles lui sont étrangères et, quand elles apparaissent, il les tient pour absurdes. Dans une lettre d'avril 1792 adressée au maire de Bollène, il classe Barruel au nombre «des paladins et des fous» (p. 317). Cet ironiste cruel est aussi un penseur sagace qui sait faire la part des choses et qui ne se laisse pas emporter par l'esprit de parti. Dans la vaste discussion qui s'engage, à deux siècles de distance, son témoignage et son interprétation méritent d'être reconnus et pris en considération.

7. Dans son livre publié en 1883 sous le titre *Rivarol et la Société française pendant la Révolution et l'Émigration (1753-1801),* M. DE LESCURE le définit spirituellement «le plus libéral des réactionnaires, le plus philosophe des politiques, le plus grave des hommes frivoles» (p. 273).

MME DE STAËL, *DELPHINE:* DU ROMAN POLYPHONIQUE AU ROMAN PLURIEL

par
LUCIA OMACINI

Dans quelle mesure *Delphine* peut-elle être envisagée comme un véritable roman épistolaire? De plein droit, si l'on considère que, conformément au statut du genre[1], elle se compose d'un récit où des lettres sont employées au développement de la narration ainsi qu'à son aménagement formel et par des réserves raisonnables, une fois qu'on veut bien établir une comparaison avec ses plus célèbres antécédents. Demeurant à la limite de la tradition, c'est une œuvre qui dépasse probablement son but initial et trahit la logique de sa structure, une œuvre qui fait le clivage entre deux traditions: celle du XVIIIe siècle, où le roman épistolaire met le plus souvent à profit la force illocutionnaire du langage à l'adresse d'un interlocuteur désigné, et le XIXe siècle, où ce même roman se colore le plus souvent d'une forte connotation autobiographique[2]. Un roman contradictoire somme toute et, sous certains aspects, même inquiétant, dont les raisons sont à rechercher en partie dans les quelques fautes de composition —ce qu'on a assez répété— mais surtout dans la nouveauté de l'entreprise, dans les quelques suggestions suscitées par le texte, auxquelles nous sommes, de nos jours plus sensibles, parce que mieux outillés à en saisir l'importance.

Une question préliminaire s'impose. Pourquoi Mme de Staël aurait-elle recouru à un genre dont l'intérêt s'estompait ou du moins évoluait depuis

1. Pour une définition du genre, voir ROBERT-ADAM DAY, *Told in letters. Epistolary fiction before Richardson,* Ann Arbor, Univ. of Michigan Press, 1966 et, en particulier, p. 5.

2. Au sujet de la morphologie du roman épistolaire, voir JEAN ROUSSET, *Forme et signification,* Paris, Corti, 1973.

Les Liaisons dangereuses et que, seul, le XXe siècle saura faire revivre partiellement par l'intérêt théorique qu'il y portera? Déjà Sainte-Beuve avait été sensible à cette singularité de *Delphine,* le dernier de la grande lignée des romans par lettres[3], comme s'il avait été, en quelque sorte, gêné par la soi-disant incompatibilité de ses contenus indiscutablement originaux, coulés dans une forme désuète ou, tout de même, en train de le devenir. Le problème est de savoir dans quelle mesure Mme de Staël était consciente de cet épuisement du genre et pour quelle raison elle l'adoptait malgré tout. D'ailleurs, comment aurait-elle pu raisonnablement confier son invention à une formule narrative peu favorable à la propagation de ses idées?

Un aspect stratégique de la démarche staëlienne a été mis en évidence par Madelyn Gutwirth qui interprète le choix de l'auteur comme la tentative de «revêtir son œuvre d'une gaine de convenance morale qui rehausserait le pathétique du portrait de la condition féminine»[4], en définitive, comme la volonté de puiser dans le patrimoine codifié une structure narrative usagée mais capable de garantir par son autorité reconnue un message anticonformiste. L'interprétation est originale et a surtout le mérite de mettre en valeur la vocation tactique de l'œuvre de Mme de Staël, sans en franchir pour autant le seuil des intentions ni dépasser celui de l'histoire pour s'interroger sur *Delphine* en tant qu'objet, en tant que produit d'une stratégie formelle tout aussi remarquable.

Dans ses textes théoriques, où les ouvrages d'imagination sont étudiés dans une perspective diachronique et où sont jetées les bases de leur évolution future, Mme de Staël réserve une place limitée au roman par lettres. Ni *L'Essai sur les fictions,* ni *De la littérature,* ni même la préface de *Delphine* ne s'attaquent au cœur du problème, donnant plutôt la préférence aux thèmes généraux qui informent, de tout temps, la pratique narrative, tels les rapports destinateur-destinataire, les contenus, les modes et le but des ouvrages de fiction. Ce n'est qu'après coup, dans *De l'Allemagne,* que Mme de Staël dira son avis, d'ailleurs assez sommaire, sur le statut du genre. Comme tous ses prédécesseurs, elle reconnaît dans l'analyse psychologique d'ordre individuel l'une des caractéristiques les plus marquantes du genre: «les romans par lettres supposent toujours plus de sentiments que de faits; [...] mais l'esprit humain est maintenant bien moins avide des événements même les mieux combinés, que des observations sur ce qui se passe dans le cœur»[5]. Elle y entrevoit cependant un inconvénient au niveau de la

3. SAINTE-BEUVE, *Œuvres,* II, *Portraits de femmes,* Paris, Gallimard, 1951 (Coll. La Pléiade), pp. 1102-1110.

4. *La* Delphine *de Mme de Staël: Femme, Révolution et mode épistolaire,* dans «Cahiers staëliens», n° 26-27, 1er et 2e semestre 1979, p. 161.

5. *De l'Allemagne,* p.p. LA COMTESSE JEAN DE PANGE avec le concours de SIMONE BALAYÉ, Paris, Hachette, 1958-60, (Les grands écrivains de la France), t. III, ch. XXVIII, p. 249.

composition, car ce genre de narration «n'est pas aussi poétique, sans doute, que celle qui consiste tout entière dans des récits»[6], où le terme «poétique» semble désigner une insuffisance de la forme —«combinaisons des faits»— plutôt que des contenus. A vrai dire, la définition est loin d'être claire mais, sans vouloir trop s'avancer dans l'interprétation, il n'est pas interdit de penser que Mme de Staël se soit interrogée, à un moment donné, sur l'efficacité des deux modèles narratifs opposés que la tradition lui offrait: le premier, dit panoramique, assumé par un narrateur omniscient où les récits sont prioritaires, le deuxième, à voix multiples, très fréquent dans le roman par lettres où les récits, quand il y en a, subissent la fragmentation des différents points de vue. La tradition lui offrait de même la fiction de forme autobiographique où le «je» devient l'instance unique de la narration. Mais ce qu'il faut surtout retenir de ce passage de *De l'Allemagne* —et qui pourrait répondre en partie à l'une des questions qu'on s'est posées plus haut—, c'est que Mme de Staël considérait probablement la formule narrative épistolaire comme encore efficace, surtout à une époque où, affirme-t-elle, l'homme «tend toujours à se replier sur lui-même, et cherche la religion, l'amour et la pensée dans le plus intime de son être»[7] et qu'elle lui attribuait, somme toute, un pouvoir d'analyse psychologique tout aussi valable qu'au siècle de son épanouissement. Or, les glissements vers l'écriture autobiographique qu'on peut constater surtout dans la Ve partie de *Delphine* —sorte de journal intime— confirmerait la vocation introspective du roman, amenée par l'unicité de l'instance personnelle, tandis que la diffraction des voix désignerait la démarche précautionneuse d'un discours connoté idéologiquement.

L'hypothèque qui a toujours pesé sur l'auteur et que le peu de relief réservé dans ses écrits théoriques à la forme narrative n'a pas aidé à démentir, c'est la faible conscience des ressorts du genre et l'ignorance des techniques de composition, griefs qui ont fini par le reléguer parmi les écrivains de deuxième rang, peu inventifs. Par contre, il est hors de doute, qu'en rédigeant *Delphine,* Mme de Staël s'était fixé un but fort ambitieux: elle visait à l'originalité fuyant les «routes battues»[8] qui sont l'apanage des esprits peu relevés et cherchait une vaste emprise sur le public, en définitive, ce «succès populaire auquel il [tout roman] doit prétendre»[9]. En soulignant également l'importance qu'il fallait attribuer aux modèles offerts par les

6. *Ibid.*

7. *Ibid.*

8. *Delphine,* t. I, Edition critique par LUCIA OMACINI et SIMONE BALAYÉ, Genève, Droz, 1987. Voir la préface de l'auteur.

9. *Ibid.*

autres pays, elle se proposait, par son exemple, de donner une empreinte nouvelle à la littérature du XIXe siècle. Mme de Staël était si convaincue de l'impulsion originale donnée aux idées par son roman qu'elle l'adresse à la «France silencieuse mais éclairée»[10] et à l'avenir plutôt qu'au présent, trop occupée à transporter «les calculs du moment sur le terrain des siècles»[11].

Le roman épistolaire combine donc aux yeux de Mme de Staël l'introspection et le repliement dans les profondeurs de l'âme humaine avec l'impact social, l'action philosophique, l'engagement politique, qui percent dans cette allusion à la «France silencieuse». Deux tendances apparemment contradictoires de la littérature: sa vocation consolatrice, qui fait diversion à la douleur[12] et son caractère polémique, subversif, en contraste avec les institutions dominantes. Elle choisit donc, à bon escient, une formule narrative qui résume en soi ces deux orientations: l'une, individualisante et libertaire, l'autre, sociale et conventionnelle, qu'elle utilisera cependant comme prétexte polémique. Cette double tendance allait dans le sens des exigences mêmes de l'auteur et se prêtait aisément à étayer sa stratégie discursive. Si elle lui permettait de mettre à l'abri d'un cadre normalisant des énoncés peu orthodoxes, elle lui fournissait aussi les moyens d'attaquer, par la force d'une narration à la première personne, disséminée dans le texte et toujours différente, ce cadre social compact et contraignant dans lequel s'inscrit le «je» énonciateur. Il en est résulté quelque chose d'inattendu: l'affrontement entre ces deux orientations tout aussi dominantes a déséquilibré la structure épistolaire, modifié les instances du récit par rapport à leur rôle institutionnel, déplacé le sens dans un ailleurs toujours renouvelé, exaspéré l'opacité du message. C'est pourquoi l'effort d'approfondissement des analyses n'a pas déblayé le terrain des nombreuses ambiguïtés du texte ni n'a épuisé son sens global. *Delphine* est loin d'être un roman facile et reste ouvert à une série d'interrogations. Est-ce l'ouvrage d'un moraliste classique? ou se réclame-t-il d'un ordre nouveau? Est-ce un roman féministe? ou antiféministe? un peinture ressemblante? ou un ouvrage d'imagination qui, malgré les raisons de sa préface sacrifie la vraisemblance à une logique extérieure au récit?

Le discours épistolaire, déjà dense en soi d'implications d'ordre différent suivant les conditions d'émission et de réception, les propriétés et l'aspect des énoncés, intensifie chez Mme de Staël toute son épaisseur énigmatique à l'aide de quelques procédés qui lui sont propres. Tout d'abord l'épigraphe: «Un homme doit braver l'opinion, une femme doit s'y soumettre» qui, en

10. *Ibid.*, p. 90.
11. *Ibid.*, p. 85.
12. *Essai sur les fictions,* p.p. MICHEL TOURNIER, Paris, Editions Ramsay, p. 79.

sa qualité d'exergue, donne une orientation de lecture préétablie et, en sa qualité de citation —*Mélanges* de Mme Necker— fonde une sorte de connivence entre le texte et les valeurs sociales féminines dont la figure maternelle est dépositaire aux yeux de sa fille. Le nom de la mère serait donc le garant de ce roman, démentant ainsi la priorité acquise du discours masculin dont se réclament les actions et l'œuvre de l'auteur. Mais quel livre pourrait-il jamais être la contrepartie conformiste et par là autopunitive des valeurs progressistes vécues personnellement par son auteur? En effet, une analyse plus rapprochée montre que l'indication est volontairement fourvoyante, —voir aussi plus loin— et cela malgré les aveux de Mme de Staël elle-même qui, peu après la publication de son roman, écrit —mais ne publie pas— dans les *Quelques réflexions sur le but moral de* Delphine: «Mon épigraphe prouve que je blâme et Léonce et Delphine»[13].

Une première indication utile est désignée donc à cet endroit par le hors-texte: à savoir, un parcours de lecture souterrain et méfiant des apparences, car ce qui est déclaré sous-entend autre chose, une sorte de message à rebours qui pourrait —on a le droit de le penser— informer aussi les autres plans de la narration. Il n'est pas croyable, en effet, que Mme de Staël ait voulu démontrer par son roman la vérité de la maxime qui lui sert d'épigraphe: son projet en rédigeant *Delphine* —qui se révélera être un simple prétexte— était d'écrire «l'histoire de la destinée des femmes, présentée sous divers rapports»[14]. Or, si le sujet lui tenait réellement à cœur, pourquoi choisir une formule ambiguë, alors que ses ouvrages foisonnent d'expressions emblématiques on ne peut plus aptes à paraître en exergue? Si elle ne l'a pas fait, c'est que son roman nourrissait un autre dessein. Constant l'avait si bien compris que, dans un article qui suit de près la parution de *Delphine,* il a voulu trancher cette ambiguïté, en écrivant: «Cette maxime, qui paraît être le but réel de l'ouvrage, pourrait bien n'en être que le but apparent, et nous nous trompons fort, ou l'intention de Mme de Staël a été bien moins d'établir cette maxime et de la fonder en principe, que de faire sentir toute l'injustice de cette tyrannie de l'opinion, qui transforme en actes criminels des actes de vertu, et flétrit les réputations sur la seule apparence des choses»[15]. Or, si l'orientation donnée par la maxime est normalisante ainsi que le dénouement de l'intrigue, qui constitue un acquiescement à la morale conventionnelle de l'époque, —malgré le scandale du suicide de l'héroïne— et que l'objectif de l'auteur, par contre,

13. *Delphine,* t. I, p. 994.

14. *Correspondance générale,* p.p. BÉATRICE W. JASINSKI, Paris, J.-J. Pauvert, puis Hachette, 1960 et ss. t. IV, 1re partie, p. 322 (Lettre à Mme Pastoret, du 10 septembre 1800).

15. *Recueil d'articles 1795-1817,* p.p. EPHRAÏM HARPAZ, Genève, Droz, p. 60.

n'ait pas été conforme aux propos explicités, —comme on a raison de le supposer— il faut en conclure que le roman, en tant que cadre manifeste d'un développement romanesque aux intentions refoulées, s'est réservé des endroits repères pour que celles-ci puissent se manifester.

L'une des questions que le roman soulève, touche à l'ordre moral inscrit dans le récit, lequel se pose en termes contradictoires. Les *Quelques réflexions sur le but moral de* Delphine confirment le bien-fondé de cette ambiguïté, par leur rôle de plaidoyer et surtout leur vain effort d'aménagement posthume d'un sens n'appartenant déjà plus à l'auteur, comme il se doit pour tout ouvrage se disant «achevé». Chez Laclos, par exemple, l'existence du livre revient à condamner son univers en ouvrant un abîme entre l'ordre du livre et de celui qui existe dans la réalité[16] et, par conséquent, entre le monde représenté et le projet de l'auteur; en revanche, chez Mme de Staël l'accord entre ces deux ordres se révèle dans l'ensemble assez cohérent, sans impliquer pour autant le véritable projet de l'auteur qui semble se désolidariser du plan de la représentation. Il n'en parviendra pas moins à des résultats semblables par des moyens plus détournés. Comme pour *Les Liaisons dangereuses,* on pourrait dire de *Delphine:* «Ce n'est donc pas une justice suprême, un ordre supérieur qui s'instaure à la fin du livre; c'est bel et bien la morale conventionnelle de la société contemporaine, morale pudibonde et hypocrite»[17]. Aussi, en vertu de cette solidarité de fond, en sacrifiant son univers romanesque, Mme de Staël parvient-elle à ébranler les codes où elle a puisé son projet de fiction. En affirmant que «la société qui condamne [Delphine] subira le même destin»[18], Simone Balayé touche en effet au cœur même du problème, qui consiste à déterminer quelle valeur l'auteur a bien voulu attribuer à ce destin commun. Celui-ci, loin de se réclamer d'une *nemesis* qui rachèterait sur le plan historique ce qui a subi l'insulte et l'incompréhension sur le plan fictionnel, se précise en termes d'investissement idéologique affectant les formations parallèles du texte. Delphine est donc «mise à mort» parce que Mme de Staël l'a rendue solidaire d'une société qu'elle condamne dans son for intérieur. Elle est même doublement «mise à mort»: pour s'être écartée de l'opinion et pour n'avoir pas su s'en écarter davantage.

Cela dit, il ne faudrait pourtant pas en inférer que le roman de Mme de Staël pèche par conformisme, bien que sa fiction baigne indéniablement dans un cadre qui n'en est pas exempt. Même si à l'intérieur de ce cadre il y

16. Tzvetan Todorov, *Littérature et signification,* Paris, Larousse, 1967, p. 75.

17. *Ibid.,* pp. 75-76.

18. Simone Balayé, *Destins de femmes dans* Delphine, dans «Cahiers staëliens», n° 35, 1984-1, p. 58.

a de nombreuses infractions à l'ordre, celles-ci relèvent de la logique même du récit qui nécessite des moments de crise pour pouvoir avancer plutôt que de la détermination polémique de son auteur. Celle-ci, qui est pourtant réelle, loin de s'appuyer sur les ressorts traditionnels de la fiction —ce qui aurait confondu la crise de la structure avec la défaite de l'idéologie de son auteur à travers son univers représenté— déserte donc les lieux forts du récit, adoptant de préférence une technique d'infiltration insinuante et capillaire dans la trame textuelle.

On veut dire par là que le parcours tragique du personnage protagoniste n'est pas investi d'une valeur emblématique et que ce ne sont pas les vicissitudes malheureuses engendrées par la mésentente qui opposent l'individu à la société —ou mieux, tel individu à telle société— ce n'est donc pas l'intrigue-prétexte qui serait le véhicule prioritaire du sens. Or, on ne pourra pas nier que le dénouement ne soit pas parfaitement conforme aux hypothèses initiales, explicitées en exergue. Les personnages sont anéantis ou voués à l'isolement dès qu'ils croient pouvoir sortir des cadres constitués et préfèrent, somme toute, rentrer dans les rangs, à une exception près, M. de Lebensei, dont l'esprit éclairé n'est pourtant pas en mesure de le mettre à l'abri, lui, ni surtout sa femme, des médisances de la société. Quant à Delphine qui est, sans aucun doute, le personnage principal du roman et en tant que tel —on pourrait le croire— l'instance privilégiée de transmission de l'idéologie de l'auteur—, ce n'est nullement un personnage fort, ni exemplaire, ni subversif: «la comète qui tourbillonne et dérange tout le système»[19], finit par être d'abord éjectée et finalement absorbée par le système même. En définitive, de son propre aveu, Mme de Staël écrira dans les *Quelques réflexions:* «Je n'ai jamais voulu présenter Delphine comme un modèle à suivre»[20]. En effet, si l'héroïne semble succomber surtout à la suite de la logique différente qui gouverne ses actions, il n'en est pas moins vrai qu'elle est écrasée par ses propres faiblesses: «Je n'ai pas dans mon roman pardonné à Delphine de s'être livrée à son sentiment pour un homme marié, quoique le sentiment soit resté pur. Je ne lui ai pas pardonné les imprudences que l'entraînement de son caractère lui a fait commettre, et j'ai présenté tous ses revers comme en étant la suite immédiate»[21]. Delphine trace dans le récit une courbe descendante qui s'amorce dès les premières pages. Toute la puissance du personnage réside dans sa virtualité, l'impact avec la réalité comporte une désagrégation progressive de son caractère, en

19. JEANNE CARRIAT, *Ginguené, critique de* Delphine, dans «Cahiers staëliens», n° 26-27, 1979, p. 141.

20. *Delphine,* t. 1, p. 994.

21. *Ibid.*

partie causée par les circonstances contingentes, en partie par les défauts mêmes du personnage. Celui-ci apparaît fatalement marqué par une faute originelle —le péché d'être née femme?—, par une sorte de prédestination à la fois morale et biologique qui en détermine irrévocablement le destin. «J'ai pensé souvent que mon malheur ne venait que de la fatalité des circonstances; mais je le crois à présent, la plupart de nos circonstances sont en nous-mêmes, et le tissu de notre histoire est toujours formé par notre caractère et nos relations»[22].

L'avant-texte est une mine de renseignements à ce sujet[23]. En particulier, les thèmes de la solitude, de la douleur et de la mort qui y prenaient d'abord une place importante ont été soumises par la suite à un travail systématique de censure comme si l'auteur, en effaçant son texte, voulait à tout prix effacer jusqu'aux moindres traces du réseau fantasmatique qui sous-tend tout acte d'écriture. Les brouillons qui nous restent —deux rédactions— revendiquent ouvertement le droit au suicide, ce qui n'est jamais dit dans l'édition, laquelle l'actualise, en revanche, dans la conclusion. Un fait curieux s'est donc produit pendant le travail génétique: au fur et à mesure que l'apologie du suicide s'estompe et finit par disparaître de la narration, l'acte surgit, la représentation remplace le signe. C'est à ce moment-là que la conclusion est trouvée: Delphine se donnera la mort. Il existe dans la première rédaction un passage exemplaire à ce sujet, dont la suppression ne saurait être imputée à un vice d'écriture mais plutôt à un parti pris idéologique ou peut-être d'opportunité sociale. Quoi qu'il en soit, le blanc que l'intervention de l'auteur a laissé sur le papier suggère irrésistiblement le lieu d'affleurement d'un affect, ne fût-ce que par l'itération de la démarche. Il n'est pas question, dans ce passage, de la mort tragique des amants avec son revers compensatoire —leur réunion dans un autre monde— ni de la mort-leurre qui croit pouvoir prolonger au-delà du terme l'existence même par les regrets qu'elle suscite chez ceux qui restent. Mme de Staël semble souhaiter dans la mort l'«oubli des hommes dans le sein de la nature» et l'anéantissement «jusqu'à la trace de cet être envahi par la douleur». Ainsi le tombeau, qualifié en termes de césure et d'effacement total, rend-il improbable tout vœu d'immortalité. La leçon biffée du brouillon est claire. «cette immortalité qu'est-elle pour moi, si le souvenir est détruit...?» La mort est invoquée on ne peut plus vivement par Delphine qui souhaite mettre fin de la sorte à cette «nuit ardente de la douleur» à laquelle elle se croit irrémédiablement condamnée. Tel le «soleil noir de la

22. *Ibid., Deuxième dénouement*, p. 981.

23. Voir, *Delphine,* t. II. Ce volume se trouvant actuellement sous presse, nous ne pouvons fournir ici la pagination exacte des citations.

mélancolie» l'oxymoron exhibe et neutralise en même temps la force aveuglante de la pulsion mortifère. L'inédit fournit en outre à l'acte transgressif une motivation supplémentaire: la privation de la maison paternelle dans laquelle Delphine aurait pu, malgré l'acharnement des événements, puiser encore quelque ressource. L'absence de ce «père qui de loin me regardâ[t] venir» subsume et rend irréparable toute autre séparation. Le recours à la solitude, au silence de la nature et des êtres, à tout ce qui accentue finalement «l'horreur de l'abandon» semble confirmer l'immanence de ce deuil impossible de l'objet paternel. L'être meurtri est voué à une existence dévitalisée, toujours prêt à franchir le pas qui le sépare de la mort.

L'avant-texte confirme donc, accentue même la leçon connue. Mme de Staël n'a revêtu son personnage protagoniste d'aucun charisme, elle n'en a pas fait, malgré les apparences, le pivot de sa stratégie narrative, ce qui confirmerait encore une fois ces opérations de détournement qui investissent, à différents niveaux, la structure textuelle. Certes, elle lui a confié l'essentiel de la narration —sur un total de 220 lettres, Delphine en écrit 113— mais elle ne paraît pas dominer pour autant les événements. Le rapport naïf qu'elle entretient avec les mots, la place en retrait par rapport à un monde où la dimension du paraître est de rigueur et la condamne fatalement à confondre les apparences avec des vérités et à voir ses propres vérités détournées en hypocrisie et fausseté.

Le lecteur est encore une fois éconduit par Mme de Staël, car il demeurera indéfiniment partagé dans ses sentiments: la dimension de l'être, celle qui devrait garantir l'authenticité des caractères et la transparence des actions, montre des failles surprenantes qui affectent la cohérence des personnages, quant à celle du paraître, destinée, —on pourrait s'y attendre— à la désapprobation générale, elle n'en réserve pas moins des surprises —des personnages négatifs comme Mme de Vernon, faibles comme Thérèse, fanatiques comme Matilde et tant d'autres, ne sont pas sans attirer sur eux l'attention par la vérité de certains propos et la délicatesse de certaines actions. Si l'héroïne ne possède pas la vérité, les vérités des autres personnages sont tout aussi mélangées. On dirait que Mme de Staël tend à détourner les parcours normatifs du sens au profit de vérités partielles qui contiennent en elles-mêmes des éléments solides mais jamais totalisants. L'univers éthique du roman apparaît donc compromis par la coprésence ou le renversement des deux pôles —négatif et positif— dans une même fonction et par l'intermittence qui affecte le parcours modal des différents personnages. Mais ce n'est là qu'un premier indice perturbateur de la signification, car le roman présente une plus profonde désarticulation au niveau de sa structure: l'aspect individualisant et libertaire qu'on a défini comme l'une des vocations de la littérature et de ce texte en particulier, se mue en l'aspect plus conventionnel, parce qu'il finit par refléter la tendance consolatrice du roman. Par contre, l'aspect qui est donné *a priori* comme conventionnel —le cadre contre lequel l'histoire se fait— est investi par la polémique véhiculée par les innombrables voix du texte et prise en charge par le scripteur. *Delphine* comporterait donc au moins deux discours, deux itinéraires emboîtés en vertu de cet échange de leurs attributions réciproques, mais deux discours néanmoins différents. Le cadre conventionnel est compromis par la solidarité qui le lie au destin de l'héroïne tout en étant mis en question du dedans, sur son propre terrain, par le discours subversif qu'il contient. En définitive, le conformisme adopte subrepticement les armes de son adversaire, tandis que l'anticonformisme, condamné dans la représentation que l'auteur en fait, se confine dans l'intimité de l'autocommisération, à l'usage des «âmes ardentes et sensibles»[24] qui, «sans cesse condamnées [...] se croiraient seules au monde, [...] détesteraient bientôt leur propre nature qui les isole, si quelques ouvrages passionnés et mélancoliques ne leur faisaient pas entendre une voix dans le désert de la vie, ne leur faisaient pas trouver, dans la solitude, quelques rayons de bonheur qui leur échappe au milieu du monde»[25].

Ces opérations concernant les différents plans du discours, ces détournements du sens opèrent une mise en évidence de l'aspect «fabrication» du roman, aux dépens de l'«authenticité» voulue par le genre et fondent le statut de l'œuvre littéraire au détriment de l'illusion du roman, en tant que recueil, entretenue par le rédacteur. Agissant sur un terrain qui se voudrait neutre, par des renvois discrets mais répétés à ses choix opératoires —voir entre autres son souci de la chronologie mais surtout son rôle d'organisateur des matériaux que le hasard lui fournissait—, Mme de Staël désigne, de cette façon, son statut de créateur au sens fort du terme et revendique par là toute responsabilité à l'égard des stratégies conçues en garantie de ses propres énoncés.

Les deux instances —celle du rédacteur et celle de l'auteur— parfois séparées dans les exemples que la tradition nous a légués, sont confondues dans *Delphine.* L'auteur-rédacteur de la préface conjoint la fonction subjective propre à tout rédacteur de roman épistolaire, qui juge à la manière d'un personnage concerné par l'histoire, et le rôle d'ordonnateur et compositeur, qui n'est nullement assujetti aux faits qui sont racontés: «le ménagement [du matériel] n'avait pas pour but, on le verra, de cacher des opinions dont je me crois permis d'être fière; mais j'aurais souhaité qu'on pût s'occuper uniquement des personnes qui ont écrit ces lettres». Cependant, Mme de Staël, qui semble, à première vue, vouloir réserver au seul

24. *Essai sur les fictions,* p. 50.
25. *Ibid.*

rédacteur la responsabilité de certains énoncés, par un dédoublement tactique de la fonction créatrice, compromet cette option, ce qui finit par suggérer une coïncidence possible entre les idées du rédacteur et les siennes propres, entre l'univers fictif et l'univers théorique de l'auteur: «Je ne l'aurais pas fait connaître [cette correspondance] si elle ne m'avait paru d'accord avec la manière de voir et de sentir que je viens de développer»[26].

Le souci de la composition romanesque chez Mme de Staël, ses affres d'écrivain en butte à une systématisation cohérente de matériaux multiples, sont visibles dans les autographes, qui offrent à tout amateur de genèse, un tableau fort riche en surprises et par moments même saisissant. Ce qui apparaît clairement, c'est que l'auteur ne conçoit pas d'emblée son plan, mais qu'il se l'approprie lentement en partant de certains noyaux conceptuels, auxquels il tient par-dessus tout. En effet, si la première rédaction de *Delphine* semble sortie en bloc et sans trop de peine de la plume de son auteur, la deuxième, loin d'être un travail de polissage de la précédente, offre un texte tout à fait différent, sauf pour certaines idées qui sont reconnaissables d'une version à l'autre. La dernière, à son tour, ne sera pas définitive, mais subira des remaniements encore considérables avant d'assumer la forme que nous lui connaissons, et ceci jusqu'au dernier moment, jusque dans les épreuves d'édition. D'après ce qui nous reste des brouillons, Mme de Staël aurait donc écrit deux romans proches mais, somme toute, assez dissemblables. Elle agit de l'un à l'autre sur les contenus et l'évolution de l'intrigue, mais principalement sur le cadre: elle supprime ou ajoute des lettres, les déplace à d'autres endroits du texte, les transforme profondément et en modifie les destinateurs ainsi que les destinataires.

Toutes ces opérations et surtout la dernière, celle qui consiste à attribuer à un personnage des énoncés d'abord confiés à quelqu'un d'autre, montrent que le dosage des idées, le calibrage de leur force virtuelle, la prévision de leur impact sur les interlocuteurs et ensuite sur le public, sont au cœur des préoccupations de l'auteur. Fidèle aux idées et donc au projet intellectuel qui est le moteur principal de ses entreprises littéraires, Mme de Staël torture les structures formelles de son roman afin de leur garantir un cadre englobant et un bon moyen de transmission. Sur la base de ces données, on peut donc envisager le discours narratif de Mme de Staël comme un acte finalisé, prenant appui sur l'argumentation dont la fin souhaitée devrait coïncider avec l'adhésion du destinataire. Les effets de détournement du sens que nous avons relevés plus haut n'en sont pas moins employés au service d'une ou plusieurs thèses enfouies dans le texte. Leur aspect discontinu et fragmentaire ne serait provoqué que par un effet de

26. *Delphine,* t. I, p. 89.

diffraction des énoncés, par l'enchevêtrement de discours différents, par la fragmentation illusoire de l'instance narrative, déterminée par le genre épistolaire lui-même.

En revanche, sur le plan de l'écriture, on assiste à un procédé tout à fait inverse: les fragments se recomposent en unité, la pluralité des voix conflue dans l'uniformité du discours monocorde. L'auteur apparaît et il se réapproprie, en affirmant ainsi sa compétence scripturale, tout ce qui avait l'air d'être abandonné au hasard d'une pluralité d'actes de langage pseudo-authentiques. La variété des modules expressifs employés à diversifier la manière d'écrire des différents personnages et à les caractériser par des touches autrement que psychologiques est ici abandonnée au profit d'une uniformité de style sans exception. S'il est vrai, qu'en général, les auteurs de romans épistolaires «se déchargent ainsi sur le personnage du soin de faire son portrait, ce portrait qu'il leur est difficile de dessiner eux-mêmes, puisqu'ils sont obligés [...] de renoncer à leur prérogative d'auteur»[27], Mme de Staël constitue, sous ce rapport, une véritable exception. Mais une exception qui n'est pas unique dans son genre, puisqu'elle peut se valoir d'un exemple illustre: *La Nouvelle Héloïse.*

Rousseau qui était conscient de l'uniformité de style de son roman, loin d'en donner une justification esthétique, que le genre aurait exigée, «invoque le principe moral de la communication des âmes»[28]. L'uniformité chez lui est déterminée sciemment par «la présence immanente de sa propre rêverie et de son propre désir dans chacun de ses personnages: il rattachera ainsi l'unité du livre au moi de l'auteur, et non au rayonnement de la figure centrale de l'ouvrage»[29]. Cette uniformité stylistique qui pourrait, à première vue, être imputée à la méconnaissance des règles inhérentes au genre, n'est en définitive qu'un moyen d'ancrage du scripteur dans le texte par le biais de l'écriture: «On est ramené, finalement, au seul problème de l'expression du moi»[30]. Un moi qui s'inscrit dans le livre qui le fonde et en assure l'identité.

Ce procédé est tout aussi sensible chez Mme de Staël dont le discours peut paraître zigzaguer ou même manquer son objectif, fourvoyé qu'il est par l'effort doublement dramatique et cependant prioritaire qu'il doit fournir pour fonder son propre statut et créer sa propre audience[31]. Ce qui est vrai

27. Jean Rousset, *op.cit.,* p. 86.

28. Jean Starobinski, *Jean-Jacques Rousseau: la transparence et l'obstacle,* Paris, Gallimard, 1971, p. 108.

29. *Ibid.*

30. *Ibid.*

31. Voir à ce sujet, Lucia Omacini, *Mme de Staël: les stratégies de la persuasion,* dans *Benjamin Constant, Mme de Staël et le Groupe de Coppet.* Actes du 2e congrès Benjamin

pour ses textes théoriques ou de circonstance s'adapte parfaitement à ses ouvrages de fiction. Un discours non reconnu est forcément en butte aux proliférations spontanées de sa propre émission: toujours épais, si ce n'est pas impénétrable, il évolue au milieu de termes souvent contradictoires, où ce qui est dit —voir finalités contingentes— se confond avec le non-dit d'un moi irréalisé —projections fantasmatiques. Or, tout discours staëlien et, plus évidemment encore, le discours narratif, est un lieu d'auto-affirmation d'un tel moi. S'il est difficile et, somme toute, inutile de chercher à savoir lequel des personnages de *Delphine* est le porte-parole de l'écrivain et quelles idées le représentent véritablement, il est, par ailleurs, permis d'y lire ce parcours insinuant d'appropriation. Nous l'avons vu, le texte s'auto-désigne incessamment et dirige l'attention du lecteur sur ses propres procédés. En ce sens, l'absence de la polychromie peut être interprétée aussi comme une transgression sur le plan esthétique de ce qui, au niveau idéologique, était destiné à être interprété comme un acquiescement aux règles imposées par la société du temps. De même que Rousseau, dont elle a su indéniablement comprendre le message profond, Mme de Staël essaie de reconstituer l'unité du livre en le reliant au moi de l'auteur. Un moi qui ne se voudra peut-être pas tout aussi exemplaire, mais qui, de même que pour Rousseau, se charge de tons d'autant plus émotionnels qu'il se découvrira moins reconnu, qui devient de plus en plus central à mesure qu'il prendra conscience de sa marginalité réelle. En définitive, un moi qui conjugue deux parcours parallèles d'appropriation de son propre statut: l'un rationnel, normatif et par cela même voué au conformisme, à l'acceptation des règles, l'autre plus souterrain, voire pulsionnel, porté par sa propre nature et sa propre logique à forcer les cadres contraignants de l'institution.

Ceci nous ramène évidemment aux deux orientations relevées dans ce roman et à leur désarticulation au niveau de la structure profonde. S'il est vrai, comme on a pu l'affirmer, que ce qui est donné au départ comme individualisant et libertaire se mue successivement en discours conventionnel, tandis que ce qui était ouvertement conventionnel finit par dévoiler des éléments perturbateurs, on en infère que l'instance personnelle de ce texte, celle qui crée le livre tout en se fondant comme «sujet», s'est coulée dans les mailles contraignantes d'un discours normatif. Nous voulons dire par là que, s'il y a un vrai discours de désir contenu dans ce texte, celui-ci n'est pas une prérogative de Delphine ni de Léonce, et qu'il n'y a pas obligatoirement de coïncidence réelle entre leurs expressions passionnelles et la passion que ce texte exprime. Autrement dit, le discours du désir mis en

Constant, 15-19 juillet 1980, Oxford: Voltaire Foundation; Lausanne: Institut Benjamin Constant, 1982.

œuvre dans le récit, parle, malgré ses dehors parfois délirants, le langage de la raison, tandis que ce dernier est miné par l'émergence d'un discours autre. Or, le désir fictionnel se soumet aux règles qui en réduisent les écarts tout en normalisant son parcours et n'est nullement porteur d'infraction; le désir du texte par contre, tout en parlant le langage de la raison, d'une raison homologue à cette opinion citée en épigraphe, contribue à en désaxer la structure compacte.

Aussi l'intérêt de cet ouvrage serait-il donc à rechercher là où il se montre le moins explicitement. *Delphine* garde malgré tout sa structure à thèses, sans que celles-ci coïncident forcément avec le plan manifeste de la représentation, mais plutôt avec ce centre mobile qui constitue, selon Blanchot, le vrai moteur de toute œuvre: «centre non pas fixe, mais qui se déplace par la pression du livre et les circonstances de sa composition. Centre fixe aussi, qui se déplace, s'il est véritable, en restant le même et en devenant toujours plus central, plus dérobé, plus incertain et plus impérieux»[32]. Le discours féminin et/ou féministe ou tout simplement le discours amoureux ne sont pas prioritaires; la passion de ce texte se dirige principalement vers le cadre social et politique, envisagé en termes de légitimité et de reconnaissance. En définitive, c'est l'opinion qui est mise en cause et la notion même de pouvoir.

En fait, on définit normalement l'opinion par un ensemble d'idées, concepts et principes si profondément enracinés dans la conscience du plus grand nombre, qu'elle ne semble pas susceptible d'erreur, et cela d'autant plus qu'on la retient acquise par la force des raisonnements, des spéculations philosophiques, esthétiques, religieuses et morales et surtout consolidée par l'habitude et l'assentiment général. *Communis opinio doctorum* selon l'histoire du droit, elle assume par là même un caractère autoritaire et contraignant, et définit toujours un groupe de pouvoir. Or, le décalage temporel de l'histoire par rapport à la temporalité vécue, ne saurait tromper longtemps le lecteur au sujet des véritables intentions de l'auteur. La société d'ancien régime mais encore plus le despotisme desséchant des salons parisiens traduit, sur une échelle réduite, les modalités d'un pouvoir centralisé qui rejette hors de soi tout ce qui contrevient à la condition de «sujet». *Delphine* s'adresse donc à ces êtres insoumis et muselés qui vivent dramatiquement, dans leur propre pays, l'ostracisme des idées, à cette «France silencieuse» —d'ailleurs ouvertement évoquée— qui enferme en elle-même l'opposition anti-napoléonienne, préfiguration d'une société à venir «où les louanges de parti, où les injures de calcul»[33] n'auront plus cours. La

32. MAURICE BLANCHOT, *L'espace littéraire*, Paris, Gallimard, 1955. Voir l'épigraphe de l'auteur.

33. *Delphine*, t. I, voir la préface de l'auteur p. 90.

pertinence de ce décalage est d'ailleurs confirmée par le fait que Mme de Staël ne pouvait pas viser l'opinion de la société qu'elle représente, car de son propre aveu, dit-elle, «jamais cette société n'a été aussi brillante et aussi sérieuse tout ensemble, que pendant les trois ou quatre premières années de la révolution, à compter de 1788 à la fin de 1791.[34]. Aurait-elle réduit le problème à une simple question de convenance sociale et mondaine dont nulle société ne peut se tenir quitte? Ceci reviendrait à trahir une vocation profonde qui fait des spéculations d'ordre général le domaine privilégié de la réflexion staëlienne. *Delphine* est finalement la projection romanesque, portée aux extrêmes conséquences, de l'éternel conflit qui oppose l'individu et l'idéologie dominante et comporte une double réflexion, l'une, axée sur le pouvoir et ses mécanismes de manipulation, l'autre, sur l'individu et ses marges d'action et de bonheur personnel à l'intérieur d'un cadre social donné.

Cette orientation de lecture est aussi contenue *in nuce* dans l'épigraphe et s'ajoute à l'interprétation morale proposée plus haut. Cette épigraphe en effet est formée de deux segments parallèles avec un prédicat identique «devoir» qui régit deux énoncés de «faire» contradictoires. A savoir, un «devoir faire» appliqué à Delphine, qui se traduit en une véritable prescription et un «devoir faire» appliqué à Léonce, impliquant une prescription tout à fait opposée (révolte). Or, l'investissement sémantique du verbe «devoir» n'est pas définissable en soi, mais se trouve strictement lié à l'axiomatique textuelle, de plus il présente des affinités indiscutables avec les modalités de «vouloir». Tout ceci entraîne des conséquences importantes sur le plan de l'interprétation globale, selon que le «devoir faire» est un «vouloir» transféré du Destinateur social ou un «devoir» autodestiné. Transporté sur le terrain de la manipulation, le premier cas implique une position d'obéissance de la part du sujet qui se trouvera dans la condition de «ne pas pouvoir ne pas faire» ce qu'on lui demande (soumission), tandis que le deuxième cas assume une position modale plus nuancée et beaucoup plus proche du «vouloir» autodestiné. Il semblerait en effet moins probable qu'un sujet se trouve dans la condition de «ne pas pouvoir ne pas» braver l'opinion: telle prescription ne pouvant pas relever normalement d'un Destinateur social, mais plutôt de la volonté ou de l'auto-détermination individuelle. Inversement, l'assujettissement imposé à la femme ne saurait pas relever d'un choix personnel volontaire et autopunitif. Or, la double acception du prédicat de «devoir» introduit une ambiguïté de plus dans le texte et contribue à accentuer l'opposition entre les deux sexes qui de-

34. *Considérations sur la Révolution,* p.p. JACQUES GODECHOT, Paris, Tallandier, 1983, 2e partie, ch. XVII, p. 228.

viennent ici l'objet de prescription de signe opposé, malgré l'identité de l'objet de valeur négatif qui leur est proposé (opinion). Une telle différence réduit et même exclut, selon moi, sur le plan de la logique la force des revendications féministes qu'on a voulu, depuis quelque temps, attribuer inconsidérément à l'auteur et déplace plutôt l'intérêt du texte sur ses contradictions intrinsèques. Ce n'est pas pour rien que, dans une rature de la deuxième rédaction de *Delphine,* M. de Serbellane dira: «les torts de Delphine et de Léonce appartenaient plus à la société qu'à eux-mêmes; c'est la société qui ne veut pas qu'un femme s'affranchisse d'aucun joug, et qui permet au contraire à l'homme de mépriser l'opinion [...], mais la nature, mais la conscience n'apprend rien sur ces devoirs presque arbitraires qui imposent à un sexe des lois que l'autre ne doit pas reconnaître». On pourra toujours objecter que toute norme arbitraire entraîne après soi des remous de révolte —ce qui ne saurait être nié—, cependant l'auteur a placé sa cible ailleurs, suivant un but précis, confirmé, cette fois-ci par l'histoire elle-même. Ainsi, à vouloir pousser encore plus loin l'analyse, constate-t-on que cette épigraphe —microcosme emblématique du roman— n'adhère pas fidèlement à l'évolution modale des deux personnages principaux. Censée se soumettre à l'opinion Delphine finit par s'y plier, contredisant ainsi sa véritable vocation d'autonomie et se vouant à l'anéantissement. Léonce, en revanche, censé se révolter contre l'opinion, finit à son tour par le faire, étouffant ses convictions intimes et se vouant de même à l'anéantissement. Or, si les parallélismes ont un sens dans un texte littéraire, il faut conclure que, dans ce cas, Mme de Staël, faisant correspondre à des prédicats opposés des issues identiques, a sans doute voulu —ou la logique textuelle a voulu pour elle— confondre et annuler les différences entre les sujets personnels. A la lumière de ces affirmations, les thèses féministes n'en paraissent que plus douteuses. Dans le premier cas analysé, ce qui ressort ce sont les différences entre les sujets engagés dans l'histoire, lesquels gardent tout de même leur spécificité et leur prérogative. Dans le deuxième cas, on assiste à l'effacement de l'instance personnelle au profit de cet agent unique et souverain qui régit indistinctement tous les destins. L'opinion ainsi ramenée au premier plan apparaît comme une force écrasante qui n'admet pas d'écarts. Aussi Constant n'avait-il pas tort d'affirmer que le but de l'ouvrage n'était que le but apparent: il déplaçait, à juste titre, l'intérêt du lecteur des sujets fictifs de l'histoire à l'agent principal de l'Histoire, à «cette tyrannie de l'opinion»[35] qui dénature les apparences des choses. La citation se confirme donc comme doublement fourvoyante et semble suggérer même, par l'ambiguïté des verbes déonthiques, des hypothèses bien plus hardies: à

35. Voir note 15.

savoir, la faille implicite qui menace toute idéologie dominante. Poussons le parallélisme modal à l'extrême et nous verrons que si Delphine est contrainte à la soumission par le Destinateur social, Léonce, en vertu d'un juste rapport de symétrie, pourrait en être également affecté, mais dans le sens de la révolte et nonobstant l'apparente étrangeté du propos. Léonce serait, en ce cas, censé «ne pas pouvoir ne pas» braver l'opinion, poussé dans cette direction moins par ses convictions personnelles —d'ailleurs opposées— que par les contradictions intimes inhérentes à tout système social qui conjugue presque toujours les ressorts de son épanouissement et les causes de son anéantissement. Telle dimension n'est pas actualisée dans le texte qui suit, en définitive, une courbe descendante et, somme toute, défaitiste; elle représente une virtualité sous-jacente, une sorte de dérive dans l'organisation textuelle, qui mine la cohérence de la représentation, détourne le sens de son parcours téléologique et introduit dans les possibles de la fiction (vraisemblance) l'hypothèse heuristique d'une impossible réalité (utopie).

Cette dimension prospective du roman et l'impression de non-clôture qu'il donne, malgré la fin inéluctable de l'histoire, est confirmée par les réflexions successives de Mme de Staël, contenues dans le deuxième dénouement et dans les *Quelques réflexions.* Si celles-ci n'ont pas le pouvoir d'aménager un sens qui est inhérent à l'œuvre, elles n'en sont pas moins symptômatiques d'un discours pluriel, que la censure travaille aux deux bouts de la chaîne communicative et qui finit par assumer les contradictions inévitables d'une énonciation pléthorique. Aussi le propos de Rahel Levin au sujet de Mme de Staël: «Elle ne peut maîtriser un livre: il s'emballe avec elle et ce qu'elle écrit n'a rien d'un chant»[36], est loin d'être faux. Une fois débarrassé du parti pris qui le fonde, il met le doigt, probablement sans le savoir, sur un des aspects essentiels de la production staëlienne, à savoir, sur la pluralité de son discours, ce qui paraît de nos jours plutôt une distinction de l'écriture qu'un défaut susceptible d'être stigmatisé.

Le deuxième dénouement que le fils de Mme de Staël a inséré à la place de l'original dans les *Œuvres complètes,* croyant ainsi satisfaire aux volontés de sa mère, contient des éléments intéressants pour l'exégète, mais contredit foncièrement la logique du roman et surtout son caractère d'interrogation ouverte. Le dénouement original montre Léonce qui, incapable de l'emporter sur l'opinion dominante, finit par quitter Delphine; mais la séparation est amenée, dirait-on, par l'action d'agents inhérents à la psychologie du protagoniste, tels l'éducation reçue, ses convictions personnelles,

36. MARIE-CLAIRE HOOCK-DEMARLE, *Mme de Staël et les femmes allemandes, un malentendu positif,* dans «Cahiers staëliens», n° 35, 1984, p. 37 (Lettre à Scholz, Baden, 22 juin 1818).

etc. Le deuxième, malgré l'issue dramatique, ne recourt pas à la déchirure de la séparation et déplace ainsi sensiblement l'agent de la tragédie du plan subjectif (difficultés intérieures du protagoniste) au plan objectif (virulence des attaques d'autrui): «Mais, moi, comment ferai-je pour supporter la honte, ces soldats, ces femmes, ces tombeaux!»[37] Dans cette fin postiche, il n'y a pas de refuge possible pour Léonce: la mort même ne saurait en être un. Sa révolte contre l'opinion, qui est menée jusqu'au bout, contrairement à ce qui se produit dans le dénouement original, l'amènera fatalement à être éjecté du corps social. Celui-ci, comme toutes les autorités, «juge les actions des hommes seulement dans leurs rapports avec son intérêt»[38], qui est «l'intérêt de la majorité, c'est-à-dire des plus médiocres»[39], car «la société réunie prend un esprit de corps, un désir de se maintenir telle qu'elle est, une personnalité collective enfin»[40]. Si l'intention manifeste du roman était de mettre en garde les femmes contre tout écart par rapport à la morale courante et d'inciter les hommes à braver les préjugés, le deuxième dénouement semble suggérer, encore une fois, une lecture à rebours de ce texte décidément énigmatique. Je dirai plus, ce deuxième dénouement, tout à fait incohérent par rapport à l'évolution de l'histoire principale et franchement mauvais, possède, en revanche, le mérite plutôt rare de révéler ce que l'auteur voulait que son roman signifie, sans en avoir trop l'air, le plus discrètement possible. Affectée par les attaques adressées à son ouvrage, Mme de Staël a retouché sa conclusion, la faisant dériver ostensiblement vers le conformisme des actes et la radicalisation des types psychologiques. Ainsi a-t-elle aggravé les défauts de Delphine pour pouvoir sévir à juste titre sur elle et racheté, encore plus ostensiblement, le personnage de Léonce, représenté en première instance, et surtout dans les autographes, comme un héros fort timide devant l'opinion, non sans quelques côtés risibles. L'exigence de défendre le but moral de son roman et de le faire accepter par son public a amené l'auteur à retrancher les ambiguïtés du personnage féminin. En le rendant ouvertement coupable, et de son propre aveu, elle a pu, en échange, glisser dans son texte une interrogation d'ordre politique, certes moins ostensible mais qui lui tenait à cœur par-dessus tout: la question de savoir dans quelle mesure l'homme peut agir en conformité avec ses propres choix, sans que des obstacles matériels ou normatifs entravent sa liberté d'action. Autrement dit, le conformisme moral imposé aux femmes —«il est convenu qu'elles doivent respecter toutes les barrières, porter tous les genres

37. *Delphine,* t. I, *Deuxième dénouement,* p. 978.

38. *Delphine,* t. I, *Quelques réflexions sur le but moral de* Delphine, p. 992.

39. *Ibid.,* p. 993.

40. *Ibid.,* p. 992.

de joug»—[42] permet à l'auteur d'opérer une nouvelle et plus captivante pression au niveau idéologique.

Hors-texte, texte et avant-texte confirment pareillement la vocation idéologique de ce roman. Les manuscrits montrent que la circulation souterraine de thèmes et de motifs ainsi que l'amplification généralisée constituent les deux principales constantes du travail génétique de l'auteur. La conclusion qui s'impose est évidente. Si les situations de l'histoire changent et que les thèmes demeurent, on peut supposer que l'intrigue est tributaire de la configuration fantasmatique et idéologique du texte, que celui-ci est conçu en fonction du déploiement de ces dernières et non inversement. Le souci théorétique est donc prioritaire par rapport à l'histoire racontée. Faiblement polyphonique malgré les nombreuses voix qu'une instance unique centralise et dissémine à la fois, *Delphine* me paraît mieux répondre à la définition d'œuvre plurielle qui rend compte plus pertinemment de la multiplicité de discours divers voire contrastés qui y sont contenus. Si la polyphonie épistolaire peut à la rigueur être ramenée à un centre propulseur unique, la pluralité discursive présuppose des foyers et des causes de production différents dont l'auteur est loin d'être l'unique responsable, tout au moins dans une optique non idéaliste de la création littéraire. Messages explicites et latents, formations conscientes et subliminales, techniques romanesques et stratégies persuasives, même occultes s'il le faut, en se répercutant les uns sur les autres, produisent soit des distorsions sur le plan narratif, qui engendrent à leur tour d'autres virtualités significatives, soit des harmoniques pratiquement illimitées qui semblent presque suggérer de manière évocatrice la structure sérielle d'une composition symphonique.

41. *Ibid.*, p. 993.

VARIATIONS ON THE MYTH OF THE ANDROGYNE: SCIENTISM IN ZOLA[1]

by

PATRICK POLLARD

In considering the relationship in Zola's writings between the scientific observation of clinical details and the use of rhetorical commonplaces which appeal to a body of received ideas, a particularly fruitful area of investigation centres on his apparent references to states of intersexuality and cases where there is a hybridisation of male and female elements within a given personality. A recent writer, Michel Berta[2], prefers to relate such combinations to a concept of the androgyne. From an essentially Jungian viewpoint he argues that these manifestations may be divided into six categories: 'hermaphrodisme', 'homoérotisme', 'homosexualité', 'homogénitalisme', 'bisexualité', and 'androgynie'. The androgyne, he states, is an archetype representing a balance of the male and female principles, and in his analyses of five novels *(Germinal, La Fortune des Rougon, La Curée, Le Ventre de Paris* and *La Conquête de Plassans)* he seeks to demonstrate the various forms which this image takes according to the sexual differentiation of the characters. The majority of the cases are, as we shall see, physiologically of the male gender; a much smaller group is constituted by Nana and the lesbians she frequents. Neither set includes androgynes in the strict biological sense of the term[3].

1. References are to volume and page of *Les Rougon-Macquart... notes et variantes par H. Mitterand,* Paris, Pléiade edition, 1960-7.

2. *De l'androgynie dans les Rougon-Macquart,* New York, Peter Lang, 1985.

3. 'Androgyne' and 'hermaphrodite' both signify creatures whose bodies manifest male and female characteristics combined. 'Psychosexual', when added as a qualifying adjective, asserts that the bisexuality is manifest not in the physical body but in the personality.

But a historical point must be made at the outset. During the period when Zola was writing (before Jung), many medical writers took it for granted that homosexuality was a state of 'confusion' in which Nature had mingled together in one individual elements of both the sexes. Homosexuality was therefore seen by most of them as synonymous with adrogyny. Nowadays, few properly informed persons will believe that to be so. The question which we have to address is whether Zola was describing physiological androgyny, or whether he adapted for his own purposes the moral ideologies implicit in the clinical writings which he knew. It seems to me that in the majority of the examples which I shall discuss Berta's classifications are not apposite, since what is important is not the phenomenon of androgyny itself, be it real or metaphorical, but the meaning which each case assumes within the narrative structures of individual episodes in the novels. It is therefore most useful first to establish Zola's attitude towards a state of criminal (or insane) pathology, next to examine a few examples of androgyny and homosexuality in contemporary French novels, and finally to attempt an assessment of Zola's deployment of similar material.

Zola was friendly with the psychiatrist Dr. G. Saint-Paul, a follower of the theories of Lacassagne of Lyon. Zola consulted him on several occasions, first discussed the topic of irregular sexual behaviour with him in 1893, and sent him a confessional document, *Le Roman d'un inverti-né,* which he had reluctantly decided not to use as a basis for one of his novels. In the preface which Zola wrote for the first edition of Saint-Paul's *Tares et poisons. Perversions et perversité sexuelle* (Paris: G. Carré, 1896. Published under the pseudonym 'Dr Laupts') he made the following points. His critics, he said, would have accused him of inventing the confession 'par corruption personnelle': 'Le Roman d'un inverti-né' was therefore to be published by Saint-Paul in chapter two of his book, and it recounts in documentary form the experiences of an invert, or born homosexual ('pervert', in the jargon of the time, was applied to a person who deliberately chose to seek out homosexual gratification). Zola is full of pity for the invert: 'aucun sujet n'est plus sérieux ni plus triste'. But he also thinks that the condition can, and should, be cured: 'le mieux, pour guérir les plaies, est encore de les étudier, de les montrer et de les soigner'. He does not trouble himself with questions of aetiology, but simply sees the phenomenon as an error of nature: 'N'y assiste-t-on pas à un véritable cas physiologique, à une hésitation, à une demi-erreur de la nature?' A man who is thus 'afflicted' he characterises as: 'efféminé, délicat, lâche'. The woman is: 'masculine, violente, sans tendresse'. These are, we may observe, psycho-sexual aspects of personality. There is a further state in which biological manifestation of the phenomenon is to be observed: 'l'hermaphrodisme des organes, les sentiments et les passions contre nature'. The end of this sentence is striking, for it seems to imply that Zola thought that it is only in such hermaphroditic creatures that 'unnatural' passions are found. His final paragraph expresses the ideology of which he makes implicit use in his novels: 'Tout ce qui touche au sexe touche à la vie sociale elle-même. Un inverti est un désorganisateur de la famille, de la nation, de l'humanité. L'homme et la femme ne sont certainement ici bas que pour faire des enfants, et ils tuent la vie le jour où ils ne font plus ce qu'il faut pour en faire'. As Berta correctly observes, Zola is a bourgeois whose moral conservatism is hardly to be distinguished from orthodox belief in the correctness of heterosexuality. In short, his bigotry is typical of that of many of his contemporaries. As for the 'inverti' of the confession, he is delicate in appearance, of great sensitivity, and has markedly effeminate characteristics (these, upon inspection, reduce themselves essentially to fine hands, a soft almost beardless face — at the age of 18 —, and well-developed hips). He desires older, more virile men. Saint-Paul also included an account of the Wilde affair and a review of current opinions on homosexuality. (His book was revised and reissued with additional material under the title *L'Homosexualité et les types homosexuels.* Paris: Vigot frères, 1910).

When we turn to examples from contemporary French literature, we note immediately that we have to distinguish the figure of the androgyne which belongs to an esoteric tradition (Peladan) from examples of deliberate perversity arising from a tainted heredity (Huysmans), and from stories of aberrant male friendships (Rachilde).

The first of these writers, Sâr Joséphin Peladan, a Rosicrucian and mystic of some renown, wrote a novel cycle, *La Décadence latine,* which was published in 1884-91. Here, the figure of the hermaphrodite belongs to a mystical pseudo-Platonic tradition which had also been exploited earlier in the century by other writers including Balzac in *Séraphita* and *Louis Lambert:* 'L'amour qui ne doit être qu'un rêve, ou un androgynat sentimental pour l'intellectuel, demeure, en dépit de la routine enseignante, le seul mode d'adoucissement pour ce féroce et stupide animal qu'est l'homme instinctif'[4]. Nebo, a spirit-succubus-magus, in love with Paule, a princess, embodies the decadent symbolic role played by a being who has no definite sex, and whose questionable status therefore transcends human limitations into the realm of an a-sexual Ideal. Paule also dresses as an androgyne, 'adorablement pervers'. But Nebo, the spirit, has fallen for the wiles of the flesh. The novel cycle contains philosophical reflections on the nature of love, an ecstatic hymn to androgyny, and, among a great deal of Rosicrucian mystification on the subject of hermaphroditism, the following

4. *La Décadence latine. Ethopée IV: A Cœur perdu,* Paris, G. Edinger, 1888, p. 65.

theory expressed by Tammuz, the hero of *La Gynandre:* 'Je me féminise pour me rapprocher [de la femme, et pour la dominer] et rétablir la correspondance sexuelle. On a calomnié l'androgyne; idéalement, c'est le puceau; pratiquement, c'est l'homme d'idée, d'art ou de sentiment [...] qui s'efforce vers l'autocomplémentarisme'[5].

The second example is provided by Huysmans's *A Rebours* (1884). Des Esseintes's effeminacy is linked to his superior sensibility: 'La décadence de cette ancienne maison avait, sans nul doute, suivi régulièrement son cours; l'efféminement des mâles était allée en s'accentuant...'[6]. Although he has tasted the joys offered by many varieties of women, he has become bored, and he therefore tries 'les amours exceptionnelles, les joies déviées'[7]. (Boredom, as we shall see, lies at the root of the sexual excesses of some of Zola's characters too.) Already, when he was only in his early twenties, the final stage in Des Esseintes's degeneracy was close — 'L'impuissance'. There are two episodes which stand out in particular. The first is the occasion on which Des Esseintes meets a 16-year-old orphan, Auguste Langlois, in the street, takes a liking to him, introduces him to a sumptuous brothel, and tries to make an assassin out of him[8]. Here, in a comment on neurosis and thin blood, Huysmans is adopting the same view of pathology as Zola, though his excited joy in having his hero promote the cause of Evil clearly distances him from the author of *La Curée:* 'Les excès de sa vie de garçon, les tensions exagérées de son cerveau, avaient singulièrement aggravé sa névrose originelle, amoindri le sang déjà usé de sa race'[9]. The second episode in *A Rebours* is the hero's observation of the American circus acrobat, Miss Urania, one of his mistresses: 'Il voyait un artificiel changement de sexe se produire en elle [...] ses mièvreries de femelle s'effaçaient de plus en plus, tandis que se développaient, à leur place, les charmes agiles et puissants d'un mâle'[10]. As a result, he becomes effeminate in order to complement her masculinity, but in bed she turns out to be an ordinary woman with none of the 'brutalités d'athlète' which he simultaneously desired and feared. Both these examples represent the symbolic quest of Des Esseintes for complete gratification in a sensual world dominated by the Devil who has to be recognised, and even courted. The literary tradition to which the book belongs runs clearly from the Satanism of earlier 19th

5. *ditto, Ethopée IX: La Gynandre,* Paris, E. Dentu, 1891, pp. 253-5.
6. *A Rebours,* Paris, Charpentier, 1895, p. 2.
7. *Ibid.,* p. 10.
8. *Ibid.,* p. 93.
9. *Ibid.,* p. 113.
10. *Ibid.,* p. 138.

century writers, through Baudelaire, Petrus Borel and Nerval. Lautréamont is another witness to the theme. Huysmans is in fact far less concerned, in this context, with sexual pathology than he is with 'sensibilité'.

Rachilde's *Les Hors nature* (1897) provides our third example. This novel combines a shockingly extravagant plot with an analysis of homosexual passion and a set of psychological explanations which show a debt to current medical ideas on sexual deviancy. The story centres on two brothers: Paul Eric de Fertzen, an exquisite, young 20-year-old (described in part II as manifesting a terrible hermaphroditism); and Reutler, aged 30, who is masculine and severe. Their close, brotherly friendship grows unhealthy and oppressively jealous. Reutler recognises the 'tiger of his passions', and after a long bout of self-control admits his love to Paul in an ecstatic confession. After many changes of mood (the homosexual temperament is clearly unstable), Reutler gives Paul a thrashing — which Paul enjoys. This signals the extent to which Paul has become extremely effeminate: he even develops an admiration for the groom. He becomes simultaneously pathological and violent — and this is surely another definite sign of his moral and physiological state of corruption. Eventually, Paul has sexual relations with a peasant girl whom the brothers befriended some time before. She is (conveniently, perhaps) a pyromaniac, and in the tower of their burning castle which she has set on fire Reutler takes poison and then strangles Paul in a final, loving embrace. Although Rachilde's novel takes much from clinical case histories, it is undeniable that her use of melodrama and the commonplaces of romantic fiction remove it some distance from the consulting room.

In Zola we meet with several of the motifs which we have noticed in the foregoing novels, but since he never composed a work based on the confessions of the *Inverti-né* they occur as complementary details in the depiction of many individual characters. Here, we must begin by making several distinctions.

Such is the nature of Zola's writing that some examples may fairly be characterised as metaphors and similes which all too readily occur to his pen but have no deeper significance. Thus a freshness of complexion is frequently associated with 'un air de jeune fille' (as in the case of Souvarine), Florent's younger brother, Quenu, is twice referred to as having been brought up 'en jeune fille paresseuse', and, in *La Conquête de Plassans,* the town itself is describd as having 'une innocence de fille au berceau', and being 'assez grande fille pour faire elle-même le choix de son représentant'. These images mostly appeal to a certain concept of what it is to be female: young —innocent, perhaps—, and definitely at the behest of a stronger, more virile nature. In the last example we come closest to an image of maturity, but even here Zola is clearly wishing to create in our minds the picture of a consenting bride: one who will be ruled by her future master.

Other metaphors use the image of woman the more clearly to portray a picture of youth and adolescence, of innocence and purity. Silvère is in this category, and so is Goujet. The latter's 'peau rose de fille' is further complemented by the innocence of his bedroom: 'C'était gentil et blanc comme dans la chambre d'une fille'[11]. In the case of both Silvère and Goujet, the effect of the narrative depends on showing the destruction of purity. Even the youthfulness of Georges, the lover of Nana, is described in similar terms: he has 'un cou de fille', and he blushes easily. Here, though, in such an environment, his girlishness will lead to an easy but short-lived immorality for which the penalty will still be the death of the victim.

Florent is described as effeminate in order to symbolise the inoffensive 'virginity' of his political notions: 'Il entra dans la république comme les filles [...] entrent au couvent'[12]. His unworldliness is further emphasised by the use of similar imagery, almost suggesting that his affection for younger boys (Quenu and Muche) conceals something more clinically perverse. But a glance at the text reassures us that the police would only seek him out for political misdemeanours. His love for his fellow creatures is an ideal humanitarianism, contrasted in the narrative with the selfish appetites of the other members of his society, 'les Gras'.

The 'castration' of Serge Mouret is a strong metaphor for his removal from the world of sexual temptation. He thereby attains a state of purity, and the denial of his manhood is, in Zola's terms, identical with his 'femininity'. This is, of course, medical nonsense, and should make us doubly aware that we are dealing with an imaginative writer: 'Il se sentait féminisé, rapproché de l'ange, lavé de son sexe, de son odeur d'homme'[13]. The cliché which is being worked up here is, in addition, clearly that of the priest, an a-sexual creature in skirts, who has abandoned the virile role intended for him by Nature. Furthermore, the neurosis which makes this future priest unable to withstand the normal small accidents which healthy, normal boys shrug off is meant as a sign of characteristic feminine weakness.

The youthful femininity of Souvarine, which we noted above, has another meaning which leads us to a further set of notions glibly connected with femininity. His steel-grey eyes, his sharp white teeth, his thin lips and pointed nose tell us not only that he is a Russian, but that he has the destructive capacity of a minx[14]. We can see that Zola is appealing to

11. II, p. 473.
12. I, p. 644.
13. I, p. 1306.
14. III, p. 1252.

physiognomical detail in order to complete the moral picture. In a similarly uncomplimentary way he refers to the vicious political combat of the two opposing priests in *La Conquête de Plassans:* 'C'était un combat de chaque heure, un assaut de servantes-maîtresses se disputant les tendresses d'un vieillard'[15].

An example of physical degeneracy manifest in the girl-like aspect of the features is to be found in *Le Docteur Pascal.* Here, Charles is described as follows: 'Ce grand garçon de quinze ans ne paraissait pas en avoir dix, si beau, si petite fille, avec son teint de fleur née à l'ombre'[16]. The accent is placed on his etiolated appearance and nature. However, he is definitely not homosexual: sitting on Clotilde's lap, 'il essayait de glisser la main par l'échancrure de son corsage, dans une poussée précoce et instinctive de petit animal *vicieux*' (my italics)[17]. The delicacy of his features is remarked upon several times, as, for example: 'les petites veines bleues de sa peau délicate. Il était d'une beauté d'ange, avec l'indéfinissable *corruption* de toute une race' (my italics)[18]. As he bleeds to death 'dans l'usure lâche de la dégénérescence' he still retains his angelic look. In this case, then, although Charles is presumably too childlike to have any direct knowledge of sex, his femininity is a sign not of innocence and virtue but of the abstract vice which he carries in his blood.

Women can be thought of as manifesting the undesirable features of lack of self-control and hysterical (in a clinical sense) desire to satisfy all their appetites. In a word, this is a neurosis common to females, and when it is introduced into the description of a male character the effect is to rob him of his virility and make him the typical creature of a society which is led by lust and the craze for self-indulgence. Witness to this neurosis is Octave Mouret who, in *Au Bonheur des Dames,* behaves like women as he seeks to seduce them by appealing to their unbridled appetites: 'Il était femme, elles se sentaient pénétrées et possédées par ce sens délicat qu'il avait de leur secret'[19].

Three novels require our special attention, for each demonstrates in a radically different way the extended use of the image of double sexuality. Two, *La Curée* (1871) and *Nana* (1880), are keyed to vice; the third, *La Débâcle* (1892), charts the progress of a deep male friendship.

In *La Curée,* Maxime, the young lover of his stepmother Renée, sym-

15. I, p. 1050.
16. V, p. 1094.
17. V, p. 1094.
18. V, p. 1102.
19. III, p. 468.

bolises the corruption inherent in the Second Empire. This society, with its 'insatiable besoin de savoir et de sentir' is fully realised in him, just as it is in Renée herself. This is why Zola considers it important to emphasise the 'feminine' side of his nature, explaining it as he does so in terms of tainted heredity and precocious sexual depravity. Thus we have both a clinical presentation of morbid sexuality and an interpretation of its moral implications: 'Cette famille vivait trop vite; elle se mourait déjà dans cette créature frêle, chez laquelle le sexe avait dû hésiter, et qui n'était plus une volonté âpre au gain et à la jouissance, comme Saccard, mais une lâcheté mangeant les fortunes faites; hermaphrodite étrange venu à son heure dans une société qui pourrissait'[20]. His effeminacy is manifest in his wasp waist, his full hips, his delicate hands, and his 'air maladif et polisson'. Together with a love of finery and jewels, these are in fact very much the characteristics of the invert reported, for example, by François Carlier in *La Prostitution Antiphysique* (1887). According to Zola, 'le vice chez lui n'était pas un abîme, comme chez certains vieillards, mais une floraison naturelle et extérieure', and this corresponds to the picture of an invert generally admitted at the time. The old men are perverts, who deliberately choose to gratify their vice. There are strong hints that at school Maxime indulged in relationships in which he played the role of tart, and Zola adds without further explanation that as a young man 'Il avait certainement rêvé les ordures les moins usitées'[21]. Moreover, Zola wishes us to see that these early experiences stayed with him, not to affect his sexuality but to have a deleterious result upon his morals: 'Mais la marque de ses abandons d'enfant, cette efféminalion de tout son être, cette heure où il s'était cru fille, devait rester en lui, le frapper à jamais dans sa virilité'[22]. Making due allowances for hyperbole, Zola's reasoning is that since Maxime is effeminate he is closer to women, can understand them more profoundly, and seduce them with more ease. He is portrayed as a libidinous Cherubino, not as a homosexual — nor even as a bisexual. When Renée and he play games to amuse themselves on rainy afternoons, they often use their photograph album to answer the question: 'With whom would you like to sleep?'[23]. They laugh most loudly when the book turns up two women or a pair of men. Their shamelessness, for that is what it is, is further illustrated by their swapping crude stories of the sexual activities which occurred at their respective schools. As we shall see in *Nana,* such behaviour titillates the partners and provokes them to further (heterosexual) excesses.

20. I, p. 425.
21. I, p. 425.
22. I, p. 408.
23. I, p. 428.

Maxime plays the woman's submissive role to Renée's dominant one, and this reversal is symptomatic of his corruption. When he momentarily deludes himself into thinking that Renée is like a young man[24], the confusion is suggestive but chiefly serves to underline his lack of natural sexual inhibitions. Incest, for this couple, is not enough. The reader can only feel the full force of Zola's moral opprobrium when in the hothouse the shameless, lustful and irrational denial of manly virtue is described. The narrative thus symbolically links Maxime with Renée, for she, like him, is a creature in search of 'la jouissance rare'. In a further use of literary stereotype, Maxime's effeminacy describes not only his youth, but reveals him as 'l'ange du mal'. And this paradox neatly shows how far in Zola's novels the context must dictate our interpretation of the image.

The depiction of Saccard's butler, Baptiste, provides an interesting example of how a portrait of a homosexual can be made subordinate to the needs of the narrative. Nothing is said about any effeminacy in his personality, and although the *Inverti-né* did in fact identify himself with this character the resemblance between the two is minimal. There is no doubt about Baptiste's proclivities, but his sexuality is not made explicit for the reader until towards the end of the novel. Why should this be so? He appears on three occasions. The first is at a formal dinner at a point when Renée is inebriated and feels the pressure of jealous desire: 'Et derrière elle, au bord de l'ombre, *dominant* de sa *haute taille* la table en désordre et les convives pâmés, Baptiste se tenait debout, la chair blanche, la mine *grave* [...] Lui seul, dans l'air chargé d'ivresse, sous les clartés crues du lustre qui jaunissait, restait *correct,* avec sa chaîne d'argent au cou, ses yeux *froids* où la vue des épaules des femmes ne mettait pas une flamme, son air d'eunuque servant des Parisiens de la décadence et gardant sa *dignité'* (my italics)[25]. The italicised words contrast with the description of the guests' self-abandon; white is a purer colour than yellow; a sexual note is introduced by the word 'eunuque', but, in context, this implies that Baptiste experiences no desire at all.

On the second occasion, Baptiste again appears as a paragon of virtue. He is cold and puritanical: 'homme grave'. 'Avec sa carrure de ministre, [il] avait, cette nuit-là, un visage plus correct et plus sévère encore que de coutume'[26]. The significance of this description lies in the fact that we see Baptiste through Renée's eyes at one of the moments when she has an assignation with Maxime: '[Renée] resta frissonnante. Baptiste l'inquiétait

24. I, p. 455.
25. I, pp. 347-8.
26. I, pp. 483-4.

d'ordinaire. Il lui arrivait de dire qu'il était le seul honnête homme de l'hôtel, avec sa froideur, ses regards clairs qui ne s'arrêtaient jamais aux épaules des femmes'. Since he is also described at this point as 'le valet de chambre *du mari'* (my italics), we can take it that Renée stands in awe of him as being the righteous witness to her abomination. However, despite there being no hint in his physiognomy of his habits, the clues are there. It is monstrous to commit incest, and it is unnatural not to react at all to the sight of women's shoulders. When Renée sees him on this second occasion he is off to the stables where the horses and the grooms sleep.

All this is explained later when he is mentioned by Céleste, Renée's maid, as she bids her mistress an indifferent farewell at the climax of Renée's desolation[27]. Renée has lost Maxime, and Céleste is the only living creature who reminds her of her past incestuous joys. Renée's world is made the more hollow by Céleste's revelation that Baptiste, the other witness of her passion, was not what he seemed: he loathed women and adored the stable boys. He was depraved, after all, and Saccard dismissed him for it. The irony of which the reader now becomes aware is levelled at society, for Renée hardly reacts to the news: despite the appearances, corruption exists at all levels. The one seemingly upright man is revealed to be a fraud and an invert. Renée has confirmation of the success of such a monster when she sees him in the Bois riding beside the coachman, in the service of Baron Gouraud. This aged baron, whose suspect tastes have already been hinted at[28], brings up the rear of the procession of carriages: 'comme majesté dernière'. Vice has indeed been crowned.

One series of episodes in *Nana* is directly concerned with the depiction of homosexuality. Zola writes about lesbianism, and, as Mitterand notes, does so on the basis of observed reality[29]. Here, then, fact predominates — not imagination and rhetoric, though the details are skilfully worked into the story. Three women are mainly involved: Nana, Satin and Madame Robert. The action takes place in a lesbian restaurant, in a cheap hotel, and in Nana's house. Madame Robert, who steals Satin away from Nana at the restaurant, is a cheap (heterosexual) prostitute. This fact emphasises the sordidness of her actions and their immorality. Satin is a slut, who, under-

27. I, p. 591.

28. I, p. 395 'ses soixante-dix-huit ans fleurissaient en pleine débauche monstrueuse'. There are other examples in the novel of a narrative strategy whereby hints of sexual irregularity are made in order to suggest overall corruption. Such is the fanciful but somewhat ridiculous simile of the society women waiting for Worms, the couturier, like 'un vol blanc de lesbiennes' — which is one thing they are not.

29. II, p. 1719 (Salon de Louise Taillandier, 17 rue des Martyrs), and II, p. 1301.

standably enough, will go with any woman who can offer her shelter and money. The picture Zola draws of her is brutal, but not exaggerated.

It is Nana's experience of homosexuality which is of primary interest to the reader. We note first that she has no homosexual antecedents (quite the contrary), and no inherited predisposition towards such affairs. All she has, indeed, is her womanly inclination towards self-indulgence — and that is surely enough to start her on a downward path. At first she does not even understand what is going on: 'Nana fit une moue dégoûtée. Elle ne comprenait pas encore ça. Pourtant, elle disait, de sa voix raisonnable, que des goûts et des couleurs il ne fallait pas disputer, car on ne savait jamais ce qu'on pourrait aimer un jour'[30]. This is Nana in an uninvolved and philosophical mood. When she is locked out by Fontan, she goes to see her new friend Satin, only to find that she, too, has been put on the pavement. As a result, the two women take a room in a hotel, and their physical relationship begins. It is clear that Zola, by introducing into his narrative a pillow conversation between Nana and Satin about the nastiness of men, wishes to establish an important point. It is a version of the eternal war of the sexes: women are ranged against men in a Darwinian fight for survival. The motif is taken up again at the end of the novel when the women (not now defined as lesbians) cluster around Nana's sick bed in an act of solidarity, while the men are grouped some distance away in the street below. It must also be said that the hotel episode affords a voyeuristic presentation of sapphic sexuality of the type met with in countless pornographic photographs of the period, which were produced for the gratification of men. Paintings like Courbet's *Le Sommeil* also spring to mind. Zola was well aware of this aspect of his theme, for as an added detail in the restaurant scene he features a 'few' men who have come 'pour voir ça' and to make the girls drunk 'pour en entendre de raides'. Zola's narrative is therefore faithful both to the ethos of such relationships and to the wider connotations which they have in heterosexual society. We may finally note that the police raid on the hotel is not made in order to arrest lesbians, but to control heterosexual prostitution.

The next stage in the relationship between Nana and Satin quite obviously and deliberately takes us lower still along the path of corruption. After an interlude, Nana spots Satin in the street. Satin has reached the filthiest stage of poverty and degradation. Nana picks her up: 'Dès lors, Nana eut une *passion,* qui l'occupa. Satin fut son *vice'* (my italics)[31]. Zola's message could not be clearer. The relationship, which was begun in a mood

30. II, p 1301.
31. II, p. 1360.

of 'plaisanterie', has continued, and has become 'sérieux'. The sordid aspect of their affair is emphasised by Satin's violent behaviour and the episode in which she is won over again by Nana while the rival Madame Robert is in the lavatory. The narrative thus gives us a neat counterpart of Madame Robert's previous filching of Satin in the same restaurant when Nana was much more innocent in these matters.

All this is a prelude to further moral debasement. Muffat is described as being willing to encourage Nana's lesbianism in order to prevent her taking up with more men. But: 'de ce côté encore, tout *se gâtait'* (my italics)[32]. Well on the downward path, Nana deceives Satin with women just as much as she deceives the Count with men. There is no honesty now left, even in her lesbian affairs: *'s'enrageant* dans des *toquades monstrueuses,* ramassant des filles au coin des bornes' (my italics)[33]. A degree more outrageous, and lower still, she dresses as a man and attends orgies: 'dans des maisons *infâmes,* des spectacles de *débauche* dont elle amusait son ennui' (my italics)[34]. (We are reminded that 'ennui' was a major reason for Renée's excessive behaviour in *La Curée.*) The emphasis on immorality here tells us plainly that these are stages in Nana's sexual Odyssey the pattern of which is a clear crescendo of infamy before reaching the final moment of decay. Her lesbian activities are convincingly described, but they carry with them an important structural meaning within the narrative. The more omnivorous Nana's sexual appetite becomes, the lower she is sinking. Her lesbianism marks a base pruriency and is a prelude to the perverse scenes of sado-masochism in the novel. Its explanation is primarily moral, and there is little point in appealing to clinical theory. It is another manifestation of Nana's obdurate desire. If Zola is making any observations about physiology here, they can only be general ones concerning whether any notions of moral rectitude, or its opposite, can be inherited.

Two other examples of perversion in the novel serve not to make a point about homosexuality or androgyny, but show the boundlessness of sexual strategies whose aim is titillation. One is when Nana dresses up Georges as a girl. The disguise is suggested by his youthfulness, and, need it be emphasised, has many antecedents in 18th century comedy and boudoir literature. The other is when Nana gets her lover, the clown Fontan, to answer Georges's love letters to her: the innuendoes, for the reader and for the characters, are not homosexual, though they are decidedly *risqué.* We know that Nana's behaviour represents more than a simple denial of privacy

32. II, p. 1453.
33. II, p. 1453.
34. II, p. 1453.

and respectability. Artifice is mingled with perversity in this example of a man writing endearments to another man. This is confirmed by the sexual arousal achieved by Nana and Fontan on reading the responses aloud[35].

In my last example, *La Débâcle,* the structure of the story requires a portrayal of the manly comradeship of two men who are caught up in the epic horrors of war. The relationship is the more striking and significant for being established between two persons of different backgrounds and dissimilar personal qualities. What simpler construction could there be than one provided by the contrast of a virile peasant (Jean) and an educated bourgeois of softer character. (Maurice)? Jean possesses 'ce bel équilibre raisonnable, qui faisait de lui un excellent soldat'; Maurice has joined the army as a result of 'toute une dissipation de tempérament faible et exalté'[36]. It would be fair to describe these two men as dominant and submissive respectively, but we must not be led astray by facile analogy and see them as partners in a potentially homosexual relationship. Physical closeness, friendship and comradeliness are facts of army life. What Zola mentions in no way resembles the military anecdotes in the confession of the *Inverti-né.* One aspect of life in camp is picked out in an early episode in *La Débâcle,* and, with a variation in the detail, is used as a marker by which to judge the integration of Maurice, the outsider, into the world of fighting men. Six soldiers are huddled in one tent: 'Un instant, Jean resta sans bouger, serré contre Maurice [...] Puis [Maurice] eut une impatience, un mouvement de recul, et l'autre comprit qu'il le gênait. Entre le paysan et le lettré, l'inimitié d'instinct, la répugnance de classe et d'éducation étaient comme un malaise physique [...] on étouffait tellement sous la tente, parmi l'entassement des corps, que Maurice, exaspéré de fièvre, sortit d'un saut brusque'[37]. Later, under Jean's kind authority, the platoon becomes more of a family ('on faisait bon ménage'). Jean tends Maurice's damaged foot with the proper concern of a corporal for the welfare of his men (they still use the formal 'vous' at this stage). Then, we are told, Maurice 'acceptait maintenant ce compagnonnage brutal, redescendu à une égalité bon enfant, devant les besoins physiques de la vie en commun. La nuit, également, il dormit du profond sommeil de ses cinq camarades de tente, tous en tas, contents d'avoir chaud'[38]. Imminent war, suffering and death are continually present in these men's minds and are factors which influence their behaviour. In addition to noticing this environmental element, we must also be aware that

35. II, p. 1304.
36. V, pp. 403, 405.
37. V, pp. 416-7.
38. V, pp. 466-7.

Jean's actions do not express any homosexual desire but are a manifestation of his sentimental need to look after his younger and more vulnerable companion in a way that must surely be thought of as fraternal. 'Un besoin immense d'affection' and similar expressions are used by Zola to characterise his attitude, and Maurice responds to his care, which surpasses in its virile comfort anything a woman could offer[39]. It is, indeed, heroic and Biblical in its connotations. Jean in any case reveals an uncompromisingly heterosexual attitude later in the novel when he falls in love with Maurice's twin sister. I do not think, moreover, that this particular romantic cliché tells us much about any possible hidden or sublimated sexual desires which Jean may have, for it is primarily a sentimental twist in the plot. As for Maurice's softness, part of the explanation is given to us at Sedan: he is characterised as 'perverti par l'impatience de jouir et par la prospérité menteuse du règne'[40]. He is yet another bourgeois witness to the corruption of the Empire, and his 'feminine' side is therefore a symbol of his moral weakness.

There are, it must be admitted, moments when Jean's affection seems to go beyond the expression of mere friendliness, but these are times of emotional pressure when a strong embrace and a kiss are witnesses to the desire of men to overcome their fate, united by the bonds of human solidarity. Such a love is ideal, and is meant in context to have no sexual overtones. It is significant that after their separation following Sedan, Jean and Maurice meet again, and then, with a final kiss, they separate. Maurice goes to Paris.

The story of their friendship in the army therefore also serves as a prelude to the scenes on the barricades during the Commune where, with fateful irony, the two men find themselves on opposing sides. In the madness which has overwhelmed the capital, Maurice has learned to despise the army; Jean remains faithful to his duty. Here is a conflict out of which tragedy will arise, enhanced in its effect by the previous history of their comradeship. Jean, not recognising Maurice, rushes upon him at the barricade and bayonets him. Jean is the first to sob when he realises what he has done: 'Oh! mon petit, mon pauvre petit!'[41]. This is a powerful moment, but the undoubted sentimentalism inherent in the depiction of the scene should not make us unaware of its significance within the novel as a whole. We are witnessing the destruction of the beloved and an ordeal through fire. This symbolic purification leads on to Jean's hope that a better day will dawn. New life will rise from the ashes of the conflagration. In other

39. V, p. 521.
40. V, p. 715.
41. V, p. 884.

words, even the ideal of friendship is here subordinate to the greater symbolic programme set out by Zola in his novel. After apocalyptic suffering, the future of mankind lies in 'le rajeunissement certain de l'éternelle nature, de l'éternelle humanité'[42]. Paradoxically, the death of friendship is therefore an especially momentous image which is used by Zola to emphasise the fraternity and continuity of the race of man.

Zola was well aware of what his contemporaries had to say about the phenomenon of homosexuality. The last two decades of the nineteenth century saw a great increase of interest in the clinical as well as in the medico-legal aspects of the matter in France and Germany. It is, however, equally obvious that his desire to moralise led him to adopt a rhetoric in which vice was equated with degeneracy and effeminate lack of self-control. An element of femininity is seen to derogate from the masculinity of a given individual, thereby indicating an adulteration of the male principle. This is a character defect — a flaw which is unnatural, and thereby immoral, unhealthy and depraved. There is an evident link between such a view and the ideology in which women are regarded as beings whose instincts and appetites outrun their power to control them. It is another refurbishing of the story of Eve's inability to resist the serpent. Lesbianism does not in Zola's eyes seem to require a corresponding shift from the purely female to the partly virile personality except sometimes in matters of dress.

None of this supports the idea that Zola was dealing with the larger abstract principles of sexuality which hypothetical Jungian archetypes imply. Minute division of the characters into different categories of homosexuals seems therefore equally beside the point. One of Zola's methods is simply to deploy a number of commonplace ideas about effeminacy as symbol, metaphor and imagery. By admitting the female element into the composition of his male characters' personalities he only rarely wishes to enhance our understanding of deviant sexuality. The questions which arise are not clinical, but moral ones. Most often, it is Zola's prejudice and sexual chauvinism which are revealed, as 'scientifically determined fact' turns out to be yet another myth. At the time when he was writing we should not, of course, expect it to be otherwise, for even the scientists whom he admired could not bring themselves to see homosexuality as anything but morbid. The truth is that the meaning of sexual aberrations in Zola's novels is determined by the dynamics of the narrative structure: the moral bankruptcy of the Second Empire was manifest in literature, if not always in real life, in strange manic forms of lust.

42. V, p. 912.

LE DIABLE AMOUREUX ÉTAIT-IL ITALIEN? JACQUES CAZOTTE ET BIONDETTA

par

JEAN RICHER

Nous avons pris l'habitude de considérer *le Diable amoureux* de Cazotte comme une agréable fantaisie, qui est en même temps l'ancêtre direct d'un certain nombre de contes fantastiques français et allemands, dont les plus notoires sont *le Vase d'or* d'Hoffmann et *Trilby* de Nodier. En même temps, ce récit nous apporte un reflet des connaissances que son auteur possédait dans les domaines de la maçonnerie et de l'ésotérisme. Or le petit dossier que nous produisons ici conduit à penser que *le Diable amoureux* est aussi le souvenir d'une expérience amoureuse de l'écrivain. Pour le moment, il ne se compose que de deux documents, qui posent de nombreux problèmes de détail dont nous n'avons pu résoudre qu'une partie.

I

Le premier est une lettre de Jacques Cazotte, manuscrite, rédigée dans un italien quelque peu hispanisé. Elle a figuré à deux reprises dans des catalogues Charavay-Castaing de *Lettres autographes et documents historiques,* d'abord dans le numéro 701 en mai 1959 (no. 27 133), ensuite dans le numéro 710 de novembre 1962 (no. 28 900). Elle appartient à l'heure actuelle à M. Jacques de Cazotte qui a bien voulu nous la communiquer, ce dont nous le remercions vivement.

Elle ne comporte ni date ni adresse et n'est signée que d'un rond barré horizontalement, néanmoins assimilable au C qui constitue le paraphe ordinaire de Cazotte:

En voici d'abord le texte:

Martedi mattina

Mi risveglio, carina. Ho passato la notte fra dubbi, fra timori: non ho chiuso gli occhi. Parlo al mio dispetto.

Vorrei, intorno alle Sue preghiere olvidare ella carta che mi diede la morte; eppure non lo posso. Cerco e ricerco quali possano essere le cause di tanta procella nata fra la piú bella calma: il sospetto, la gelosia s'appresentarono al povero còre mio; li discacciai. Oh, che carta avvelenata! Che «Se mi...» interrotti! «Se non *mi* mostra amorevolezza, La forzerò alla stima di me», *Ella scrive questo correndo, come se dicesse: «Come avete passato la notte?»; nell'altra parte, dice: «Se* non amar*mi* piú è necessità per voi...»; *e come posso io conoscere altra necessità che d'amarvi e chi v'ha messo tanti pugniali a la mano, cara? Come vi siete scordata di chi io sono e che cosa altra che la morte può distaccarmi da voi?*

Ella crede di tradurre ancora le opere di Bentivoglio: poco avvezza al lavoro, qual chi sia, va al tavolino, piglia la penna e Si spedisce in quattro righe e non rilegge!

Veggo á giusti miei rammarichi l'amarezza inondargli il cuor; ma bisogna ch'Ella sia avvezzata per l'avvenire, che tema la Sua nativa vivacità, Si sfidi della facilita e piglia el savio costuma di misurare le parole, massimamente nelle cose di sostanza. Non tema di spiegarSi, perché l'oscurità è il peggio di tutto.

Rivolgiamo ai motivi ch'Ella può avere avuto di lagnarSi. Imaginai che le cose non vengono della donna, ma dal padrone: colui è poco istruito, fuori dell'arte sua, e pure crede di saverne molto piú. Per cose indifferenti sarà nata la zuffa; Ella avrà sostenuto el Suo senso francamente; lui L'avrà strapazzata; la donna ancora avrà composte le cose e forse acchetati gli animi. Mi lusingo di questo. Lui è sincero: dà dei calci, ma non ha rancore, di modo che s'Ella vuole [le] cose andera[nno] al solito giro.

Se mille nodi non m'incatenassero, già sarei in Parigi; ma nol posso.

Intanto ch'io possa partire, ella sia cauta, fugga ogni tenzone, e se vuole ch'io vivi s'attacchi a radunare gli animi. Infine rapisca l'amorevolezza che altrimente lui sarebbe rifiutata.

Due mesi si passarono, cara; quel fia poco per uno chi morirebbe cento volte per voi, parlate alla donna dite [a] lui: «Io sono selvaggia; non so vivere. Imparete mi, fate che la gente mi perdoni. Infine non avrei Gusto che di piacere e principalmente a colui a chi dispiacquí. Strapazzaremi: sono a vostri ginocchi; vi perdonero tutto bacierò anche le mani». Vincete, carina, vincete cosi. Renderete il riposo all'Infelice amato vostro. Adio.

Credete che risento piu di voi el'affanno che sono per cagionarvi con queste mie disperate carte; ma che v'amo piu della mia vita.

Baciate la padrona di casa per me.

La carta, in mille pezzi, La prego.

Notre collègue et ami M. Jean Nicolas a bien voulu établir de cette missive la traduction ci-après:

Mardi matin

Je me réveille, ma jolie. J'ai passé ma nuit dans les inquiétudes, dans les craintes; mais je n'ai pas fermé l'œil. Je parle malgré moi.

Je voudrais, à propos de vos prières, oublier cette lettre, qui me frappa à mort. Et pourtant, je ne peux pas. Je cherche et cherche encore quelles peuvent avoir été les causes d'une si grande tempête née dans la bonace la plus belle. Le soupçon, la jalousie, se présentèrent à mon pauvre cœur. Je les chassai. Oh, quelle lettre empoisonnée, quels «Si vous me» laissés en suspens! «Si vous ne *me* manifestez pas d'affection, je vous imposerai de m'estimer»; *vous écrivez cela rapidement, comme si vous disiez: «Comment avez-vous passé la nuit?»; d'autre part, vous dites: «Si* ne plus *m*'aimer est une nécessité pour vous...»; *eh, comment pourrais-je connaître une autre nécessité que de vous aimer, et qui a armé, chérie, votre main de tant de poignards? Comment avez-vous oublié qui je suis? Et quelle autre chose que la mort pourrait me détacher de vous?*

Vous vous croyez encore en train de traduire les œuvres de Bentivoglio: peu exercée au travail, quel qu'il soit, vous allez à votre secrétaire, prenez votre plume, vous expédiez la chose en quatre lignes et vous ne vous relisez pas!

Je vois qu'à mes reproches justifiés l'amertume inonde votre cœur. Mais il faut qu'à l'avenir vous en preniez l'habitude: craignez votre vivacité naturelle, méfiez-vous de la facilité et prenez l'habitude sage de peser vos mots, notamment dans les affaires importantes. N'ayez pas peur de vous expliquer, car il n'est rien de pire que l'obscurité.

Revenons-en aux motifs que vous pouvez avoir de vous plaindre. J'imaginai que l'affaire vient non de Madame mais de Monsieur. Lui, il est peu instruit, en dehors de sa spécialité et il croit cependant en savoir beaucoup plus. C'est pour une affaire sans importance qu'a dû naître la dispute; vous avez dû défendre votre point de vue à découvert. Il a dû vous rabrouer. C'est encore Madame qui a dû arranger l'affaire et, peut-être, apaiser les esprits. C'est là ce que j'espère. Lui, il est franc, il rue, mais il n'est pas rancuneux, en sorte que, si vous le voulez, les choses suivront leur cours habituel.

Si mille entraves ne m'enchaînaient, je serais déjà à Paris, mais je ne peux pas.

En attendant que je puisse partir, soyez prudente, évitez toute dispute et si vous voulez que je vive attachez-vous à réconcilier les esprits. En bref emportez de force l'affection qu'autrement, lui vous refuserait.

Deux mois ont passé, chérie, ce serait peu pour quelqu'un qui ne serait prêt à mourir cent fois pour vous, parlez à la dame, dites-lui: «Je suis une sauvage, je ne sais pas me comporter dans la vie, connaissez-moi, faites en sorte que les gens me pardonnent. Enfin, je ne m'efforcerai qu'à plaire, et, principalement, à celui à qui j'ai déplu. Rabrouez-moi, je suis à vos genoux — Je vous pardonnerai tout — Je vous baiserai aussi les mains». Gagnez la bataille, ma jolie, gagnez. Ainsi vous rendrez le repos à votre infortuné bien-aimé. Adieu.

Croyez que je ressens plus que vous le tourment que je vais vous causer avec cette lettre désespérée que je vous écris, que je vous aime plus que ma propre vie.

Embrassez la dame de ma part.
Cette lettre, faites-en mille morceaux, je vous prie.

Il est difficile de deviner les circonstances exactes auxquelles se réfère cette lettre. On a l'impression que la correspondante de Cazotte, assez jeune, sans doute, se trouve dans une situation de dépendance par rapport à un couple marié plus âgé, qui l'héberge. L'allusion à la traduction de Bentivoglio incite à se demander si la jeune Italienne en question ne jouait pas le rôle de secrétaire et de traductrice auprès d'un homme de lettres qui serait l'homme avec lequel elle aurait eu une discussion assez vive. On peut seulement signaler à ce propos qu'il a paru, en 1769 à Paris, chez Desaint, une traduction de l'*Histoire des guerres de Flandre* de Bentivoglio, par M. Loiseau l'Aîné.

De toute manière, les conseils de soumission, de demande de pardon, que donne Cazotte paraissent extraordinaires, excessifs même, et incitent à s'interroger sur ce que pouvait être sa position à l'égard du monsieur et de la dame dont il est question; il «embrasse» d'ailleurs «la padrona di casa» à la fin de la lettre...

On notera enfin que son injonction d'avoir à détruire la lettre ne fut pas respectée, si bien que ces mots mystérieux ont passé de main en main (sans être publiés) depuis deux siècles.

En dernière analyse, tout ce qu'on peut déduire de cette lettre se ramène au fait qu'à une date indéterminée (peut-être autour de 1769?) Cazotte aurait eu à Paris une maîtresse italienne.

II

C'est l'existence d'un second document qui nous a incité à publier le premier. Il se trouve aux Archives nationales, dans le registre de la Correspondance de Cazotte, les références en sont: C192, C II 16020, no. 141. Cette lettre semble bien avoir pour auteur la personne à qui était adressée la

missive en italien qu'on a pu lire ci-dessus. Elle n'est ni signée, ni datée, mais nous verrons qu'on peut lui assigner une date assez précise. L'Italienne écrit peut-être de Châlons-sur-Marne ou d'un château du voisinage, puisqu'elle parle d'aller à Épernay, qu'elle se plaint d'être séparée de Cazotte et que celui-ci est à Paris.
En voici le texte, en transcription diplomatique:

Ce 23 janvier

Je me suis fait purgée hier soir mon cher bien. Cela m'a empêchée de técrire. J'ai eu cette après diné Mde Mlle d'Aubigné[1]. Elles ont fait une partie de piquet avec M. de Maissonoble[2] et moi. Nous leur avons gagnés 10 fiches à 5 sols. Tu vois mon cœur que j'ai diminuer mon jeu de moitié. Je crois cependant que je gagne encore un petit écu depuis ton départ ainsi je ne tai pas ruiné. Je comte allés demain après diné à Epernai Mde daubigné m'a engagé à diner chez elle mais comme j'avais prié quelqu'un a diner je n'ai pu l'accepter elle ne m'en a tenüe quitte qu'a condition que j'y superez plains moi bien car je n'aime point les soupers en ville surtout n'ayant pas mon bien avec moi et n'ayant pas même l'esperance de l'avoir sitôt. Fortier[3] a diné avec nous et m'a dit que vous n'aviés pas encore reçu votre panier d'effais. J'en suis très fachés dautant qu'il y a 2 bouteilles de liqueurs. Je te serès obligé de me marquer si tu as pu découvrir ce qu'il est devenü. J'ai reçu hier ta caisse que tu ma envoyée. J'aurois voulu de la pomade verte et aussi un petit pot de 2 onces et demi pour les temples [tempes?]. Je te prie de me les apporter. il me faut aussi trois cartes et demi de très petite dentelle d'argent pour garnir le sac à ouvrage que tu mas envoyés, il me faut aussi (ainsi que pour toi) quelques peignes. Modeste[4] te diras de quelles façons. Toujours des demandes mon cher ami je t'en accable mais ainsi j'espère que je ne feray plus de dépences cette année a moins que ce soit en poud[r]e et en pommade. Si tu avois de la place tu en metterois encore dans ta mal tu ne m'a pas dit un mot du memoire, auras-t-il été bien reçu? taura-ton accordés tes demandes? Je brule d'impatien[ce] de le savoir. Tu sais mon amant combien je minteresse à ce qui te touche, succès ou non. Je veux savoir tout ce qui te concerne. Made de Falk[5]

L'identification de certains des personnages cités n'est pas facile:

1. Nous avons renoncé pour le moment à identifier Madame et Mademoiselle d'Aubigné — qui portent un grand nom...

2. Il faut sans doute lire Maisonoble, ou Maisonnoble.

3. Me Fortier était le notaire de Cazotte à la Martinique, c'est peut-être de lui qu'il s'agit.

4. Modeste, domestique noire, mourut à Pierry en 1776. La lettre est donc antérieure à cette date.

5. L'apparition de ce nom surprend: s'agirait-il de la femme du grand rabbin Falck-Schenk de Londres, qui avait la réputation d'être un magicien?

m'envoye dire qu'elle viendra diner demain avec nous point de souper en ville.
adio idolo mio non posso dirle quantá la mia tenerezza é grande e gli bacia lei[6].
des complimens à Mr Givri[7] *et cœtera Bret*[8]*, Belouche et Moreau*[9].

Monsieur Cazotte
Chez Mr Givri rue des Tournelles
pres la place royal a Paris[10]

6. M. Jean Nicolas nous propose le choix entre deux restitutions du texte:
adio idolo mio non posso dirle quantá la mia tenerezza é grande e gli bacia lei.
addio, idolo mio, non posso dirLe quanto la mia tenerezza è grande e i baci a Lei.
«Adieu, mon idole, je ne peux [saurais] vous dire combien est grande ma tendresse et [combien sont grands] les [mes] baisers pour vous».
«Adieu, mon bien-aimé, je ne saurais exprimer toute la tendresse et tous les baisers que je vous adresse».

7. L'adresse de la lettre montre que c'est chez ce Givri (Givry?) que logeait Cazotte, c'était peut-être un écrivain.

8. Antoine Bret (1717-1792), ami de collège de Cazotte et, plus tard, censeur royal.

9. C'est Jean-Michel Moreau, dit le Jeune (1740-1806) qui grava les bizarres dessins de Clément-Pierre Marillier qui illustrèrent *le Diable amoureux (1772).*

10. Adresse citée par G. DÉCOTE dans son *Itinéraire de Jacques Cazotte,* p. 556, n. 9 sans autre précision. La mention du nom de Modeste renvoie à une date antérieure à 1776. Or, on sait que Cazotte remit un mémoire lors de l'arrivée au Ministère, comme secrétaire de la Marine, après le départ de Choiseul, en 1771, de Pierre-Étienne Bourgeois de Boynes. Il fit apostiller son mémoire par Mme Du Barry, qui resta puissante jusqu'à la mort de Louis XV, survenue le 10 mai 1774. Enfin la mention du nom de Moreau donne à penser qu'il s'agit d'une époque où Cazotte était en relation avec le graveur. Tout conduit donc à proposer pour cette lettre la date de 1771, au moment même du *Diable amoureux* (1772).
La correspondante de Cazotte semble être une désœuvrée, coquette et superficielle, joueuse de surcroît. Nous n'avons relevé dans *le Diable amoureux* aucune mention de pommades pour améliorer le teint ou la peau, mais on trouve un écho à la mention «il me faut aussi (ainsi que pour toi) quelques peignes» dans le passage du chapitre V où on lit: «Jamais peigne d'un plus bel ivoire ne se promena dans une plus épaisse forêt de cheveux blonds cendrés» (d'où le nom de *Biondetta).* Dans les chapitres VI et VII le jeu revêt une importance particulière et Biondetta professe à son propos une théorie qui s'énonce «Il n'y a pas de hasard dans le monde». Mais c'est sans doute parce que Cazotte avait bien connu une vraie joueuse et avait sans doute joué lui-même qu'il pouvait bien décrire une expérience, alors assez banale. (Qu'on pense à *Manon Lescaut).* Ce que les documents assez humbles en eux-mêmes que nous venons de produire nous apprennent, c'est que la réussite unique du *Diable amoureux* tient d'abord à ce que l'écrivain avait vécu une passion intense et vraie pour une coquette. Un jour, peut-être, on découvrira le nom de cette Italienne inconnue qui, selon toute probabilité, devait être originaire de Venise. La question se pose d'ailleurs de savoir si Cazotte n'avait pas lui-même visité cette cité dans laquelle Alvare se promène avec tant d'aisance. Mais le fait que dans le roman, Biondetta soit présentée comme l'incarnation même de Beelzébuth et du «midi redoutable» (voir *La Passion de Jacques Cazotte,* Paris, Guy Trédaniel, 1988) incite à croire que l'écrivain avait éprouvé cette passion, en elle-même enrichissante, comme une expérience du péché. Est-ce dans un songe, vraiment, qu'Alvare a succombé?

L'UTOPIE ÉCLATÉE: LECTURE SPATIALE DE FOURIER

par

MICHAEL SPENCER

Architecture et Société

Comment réagir en face de ce que l'on considère comme une «cité malade» manifestée par un «espace négatif?»[1] La démarche classique de l'écrivain utopiste est d'en inventer un(e) autre. Mais quels sont les rapports entre la démarche architecturale et urbanisante et celle, non moins importante, qui consiste à inventer une nouvelle société? Il y en a vraisemblablement deux: la première consisterait à privilégier l'invention architecturale sur le social, en obligeant les gens «à vivre d'une manière totalement différente». La seconde «tient compte du code de base et en étudie les exécutions inusitées qui soient toutefois *consenties par le système d'articulation.* En partant de diverses donneés il [l'architecte] élabore un système différent de relations [...]. Une fois établie le nouveau code possible [...] il élabore un code de signifiants architecturaux afin de dénoter le nouveau système de fonctions». La première démarche, telle qu'elle est décrite ici par Umberto Eco, serait celle de l'utopie, et la seconde, celle de tout architecte conscient des contraintes imposées par la nature humaine;[2] du moins c'était ainsi qu'un collègue d'Eco, Bruno Zevi, l'avait compris dans une critique de

1. A.-J. GREIMAS, «Pour une Sémiotique topologique», in *Sémiotique et sciences sociales,* Paris, 1976, p. 132.

2. UMBERTO ECO, *La Structure absente,* Paris, 1972, p. 299. Eco décrit une troisième démarche, «l'intégration absolue au système social en vigueur», qui est celle de l'architecte conservateur.

la première version du texte que nous venons de citer. Cependant, comme le fait remarquer Eco dans une note de la version définitive du texte (p. 300), c'était mal comprendre le rapport entre le nouveau et tout système d'attentes et de codes préexistants pour lequel la nouveauté, tout en étant perçue comme «surprenante», reste non seulement «crédible» (p. 125) mais aussi puissante, ayant la possibilité de l'absorber et de le transformer (p. 300). Pour Eco, c'est justement cette seconde démarche qu'il faudrait appeler le «code de l'utopie» *(ibid.).*

En d'autres termes, l'utopie n'est pas forcément une rupture totale avec le réel; elle peut être un système différent, même surprenant, de relations —architecturales et autres— capables d'etre reconnues et finalement acceptées du fait qu'elles sont prises, dans leur état non actualisé, dans le système en vigueur. Unè telle distinction —entre Utopie architecturale comme «pure invention de formes que l'on contemple» *(ibid.)* et Utopie «réalisable»— reste bien sûr extrêmement problématique, d'abord par sa rigidité. Néanmoins elle permet de bien poser les rapports entre le spatial (le domaine de l'urbanisme et de l'architecture) et le social à la fois dans l'Utopie et dans la réalité. Nous nous proposons alors d'aborder l'œuvre de Charles Fourier en considérant ses caractères spatiaux en rapport avec le système social proposé; ensuite nous interrogerons ces rapports à la lumière d'une psychologie (et en partie une phénoménologie) de l'espace telle qu'elles sont développées dans l'œuvre d'Abraham Moles[3] et de Gustave-Nicolas Fischer;[4] et finalement nous (re)poserons la question inévitable pour toute étude de l'utopie: même si l'architecture et l'urbanisme fouriéristes sont un *service* en ce qu'ils étudient «le système de nos attentes possibles, et [voient] dans quelle mesure sont réalisables, compréhensibles et acceptables, les possibilités de relations avec d'autres systèmes au sein de la société» (Eco, pp. 299-300), il faut se demander (même chez l'auteur de *Lector in Fabula...*): qui est ce «no(u)s»? Car même si la ville nouvelle chez Fourier (La Phalange avec son Phalanstère) semble un mélange parfait de bâtiments et de gens, d'espaces et d'activités, il faut savoir si des contraintes «supérieures» mêmes à celles de l'architecture ou de l'urbanisme entrent en jeu. Peut-on être sûr que le Phalanstère de Fourier et la disposition de l'espace autour sont au service de *tous*, c'est-à-dire dans quelle mesure le système social auquel ils sont censés répondre correspond-il au consentement librement affirmé de ses habitants?

3. MOLES notamment dans *Labyrinthes du vécu* (avec ELISABETH ROHMER, Paris, 1982) et *La Psychologie de l'espace,* Tournai, 1978, 2e édition.

4. GUSTAVE-NICOLAS FISCHER, *La Psychosociologie de l'espace,* Paris, 1981.

Ville et Campagne

Commençons par quelque chose de non ambigu: l'attitude de Fourier envers les villes de son temps, car ce sont toujours condamnées comme «malades». Contrairement à ce que l'on a prétendu[5], la critique des villes «civilisées» par Fourier souligne leur monotonie plutôt que le désordre, terme qui s'applique plutôt au système social de son époque:[6] «Les villes civilisées ont un ordre monotone, imparfait, une distribution en échiquier, comme l'île de Pétersbourg, comme Philadelphie, Amsterdam, Londres neuf [...] et l'on préfère bien vite une ville de style barbare, si elle est un peu ornée et variée comme Paris», écrit-il dans un essai sur *Des Modifications à introduire dans l'architecture des villes* (XII, 683-717); «les villes de Strasbourg et Francfort, qui n'ont rien de régulier, plaisent mieux que Nancy et Manheim *[sic]*, avec leurs tristes échiquiers entremêlés de murs mitoyens, bien nus, bien hideux, selon la méthode civilisée» (XII, 696). Ailleurs ce sont le manque d'espace et la saleté qui sont critiqués, non sans lourde ironie:

> [...] il n'est rien d'abominable comme les villes de la belle France, hormis celles de Flandre bâties par les Belges, ou Nancy bâti par Stanislas. Mais la bâtisse purement française, petites rues d'Orléans, petites rues de Lyon, est ce qu'il y a de plus sale et de plus affreux en civilisation. Tout pétris de politesse, les Français ont la manie de resserrer leurs maisons, comme si l'espace leur manquait (V, 207).

Les mêmes remarques sur l'insalubrité, liée à l'étroitesse, se retrouvent dans un passage sur l'éducation des enfants, sujet cher à Fourier:

> Dans les grandes villes comme Paris, et même dans les moindres, telles que Lyon et Rouen, les enfants sont tellement victimes de l'insalubrité, qu'il en meurt huit fois plus que dans les campagnes salubres. Il est prouvé que, dans divers quartiers de Paris où la circulation de l'air est interceptée par des cours étroites, il règne un méphitisme qui attaque les enfants dans leur première année (VI, 20).

Finalement à l'insalubrité générale des villes s'ajoute la pollution spécifique par les produits du travail, les odeurs et surtout le bruit, «inconvénient de

5. FRANÇOISE CHOAY, *L'Urbanisme: Utopies et réalités*, Paris, Seuil, Coll. «Points», 1979, pp. 14-15.

6. Voir surtout *La Fausse Industrie*, reproduit dans *Œuvres de Charles Fourier*, Paris, 1966-68 tome VII, *passim*. Toute référence ultérieure à l'œuvre de Fourier sera ainsi: 1, 99, sauf indication contraire.

nos villes civilisés où l'on trouve à chaque rue quelque fléau des oreilles, ouvrier au marteau, marchand de fer, apprenti de clarinette, brisant le tympan à cinquante familles du voisinage, tandis que le marchand de plâtre ou de charbon les enveloppe d'une poussière blanche ou noire» (VI, 124-25). Quant à l'odeur: «Au lieu des jouissances de l'odorat, on ne rencontre dans nos villes que l'opposé; des cloaques ou ramas d'immondices, une humidité, une infection perpétuelles [...]. Le génie civilisé est intelligent à blesser tous les sens» (IV, 305).

Monotonie, manque d'espace, insalubrité et pollution généralisée: ainsi Fourier critique-t-il les villes contemporaines en général, et probablement Lyon en particulier, ville qu'il connaissait fort bien pour y avoir habité pendant de trop longues années[7]. Devant cet état de choses Fourier — qui corrigeait *tout,* depuis la forme humaine jusqu'aux orbites planétaires — réagit en proposant un "aménagement" de la société et de l'espace basé sur l'agriculture plutôt que l'industrie dans l'acception normale du mot[8], dont les moteurs sont la Phalange (pour l'organisation sociale) et le Phalanstère et ses environs (pour l'aménagement de l'espace vécu). Non seulement les *sens* mais aussi et surtout les *passions* doivent trouver leur plein essor dans une nouvelle société sans contraintes dans laquelle aucune distinction ne sera faite entre travail et loisir, grâce à l'organisation sérielle des activités[9].

L'influence des Physiocrates sur Fourier reste à déterminer;[10] elle est probablement assez importante. Quoi qu'il en soit, Fourier rejette non seulement la ville mais aussi le travail industriel dont il est le lieu. «Dieu [...] nous a [...] créés pour l'agriculture» (VIII, 350), affirme-t-il; si ailleurs le mot «manufacture» s'y ajoute (III, 249), Fourier estime qu'il ne devrait pas occuper plus de vingt-cinq pourcent de notre temps, parce que «la *dose d'attraction* [c'est nous qui soulignons] pour ce genre de travail n'est pas plus élevée» (VI, 152). La raison de cette priorité accordée au travail

7. Fourier fut envoyé à Lyon par ses parents en 1791 et y vécut —avec quelques absences, parfois de longue durée— jusqu'en 1825, date de son départ définitif pour Paris. Il devait connaître les années néfastes de cette ville après la Révolution, notamment la révolte de 1793.

8. Chez Fourier «industrie» veut dire en général «travail».

9. Pour les séries et les passions voir MICHAEL SPENCER, *Charles Fourier,* New York, 1981, pp. 39-44, 60-66, 102-103 (en anglais). Pour un commentaire en français, voir SIMONE DEBOUT, *L'Utopie de Charles Fourier,* Paris, 1979, *passim,* ou JACQUES DEBÛ-BRIDEL, *L'Actualité de Fourier,* Paris, 1979, pp. 65-80. Pour la critique de la civilisation chez Fourier, voir RENÉ SCHÉRER, *Charles Fourier, l'Ordrc subversif: trois textes sur la civilisation,* Paris, 1972, *passim.*

10. Une thèse en cours sous ma direction devraient éclaircir ce point. Fourier parle rarement des Physiocrates. Voir XIa, 84: Quesnay «mit en avant des dogmes qui tendaient à subordonner le Commerce aux intérêts de l'Agriculture» et *ibid.*, 158: «Quesnai *[sic]* considérait trop peu les Manufactures[...]. Il n'était pas moins dans la route du bien, puisqu'il tendait à subordonner le commerce à l'agriculture».

agricole n'est jamais précisée (sauf en ce qu'elle nous vient de Dieu). Cependant elle n'est pas uniquement la contrepartie de sa révulsion contre les villes; pour porter l'attraction à son maximum, il faut que le système sériel facilite autant de rencontres que possible. Et pour cela, il faut des espaces intérieurs et extérieurs qui y conviennent. Le principe majeur qui gouverne la disposition de l'espace chez Fourier est probablement l'érotisme, quoique la *cabaliste* et la *papillonne* (deux passions «distributives» y jouent un rôle important aussi[11].

Il faut donc *circuler* et *se rencontrer,* afin que «l'attraction passionnée», cette «impulsion donnée par la nature antérieurement à la réflection, et persistante malgré l'opposition de la raison» (VI, 46) puisse s'exercer librement. Tout le système social chez Fourier découle de la nécessité de ne jamais freiner les passions: «il faut [...] que l'individu marche au bien en se livrant aveuglément à ses passions» (Xa, 59). Il ne s'agit donc pas de changer la nature humaine mais de transformer la société afin de lui permettre de s'épanouir (XIb, 127). La vision utopienne dans ce cas serait celle qui correspond à la second démarche décrite par Umberto Eco: changer le système social, passer de la «civilisation» au «garantisme» pour accéder finalement à l'«harmonie»[12] — tout ceci ne revient pas à imposer un nouveau système de relations mais à le susciter par la (ré)organisation librement consentie des rapports humains en fonction de toutes les passions, tous les désirs, même les plus «pervertis»[13]. Cette organisation se manifeste dans les fameux groupes ou séries contrastés de travail[14], pour lesquels l'espace «topographique» est aménagé pour correspondre aux besoins fondamentaux de l'humanité *tels que Fourier les conçoit.*

11. Il y a douze ou treize passions chez Fourier (l'Unitéisme, la somme des douze autres, est parfois compté, parfois non), dont cinq «sensitives» (goût, ouïe, odorat, toucher, vue), quatre «cardinales», divisés en deux majeures: l'ambition et l'amitié, et deux mineures: l'amour et le «familisme»; et trois «distributives»: la «composée», la «cabaliste» (c'est-à-dire l'intrigue) et la «papillonne» (le besoin de changement). Pour l'érotisme et le travail voir l'introduction de SIMONE DEBOUT au tome sept des *Œuvres complètes.*

12. Le «mouvement social» de Fourier comprend quatre phases et trente-deux periodes, dont la civilisation est la cinquième et vraisemblablement la pire, tandis que le garantisme est le début d'une longue transition menant à l'harmonie (1,32 et tableau en face).

13. La perversion et les «manies», même le sadisme, sont les bienvenues en Harmonie; *Le Nouveau Monde amoureux* en témoigne partout.

14. «Une série passionnée est une ligne de divers groupes échelonnés en ordre ascendant et descendant, réunis passionnément par identité de goût pour quelque fonction» (VI, 52). En d'autres termes, c'est une redistribution rationnelle des passions. Pour qu'elle fonctionne cependant, il faut qu'elle «s'engrène» avec au moins quarante-cinq ou cinquante autres séries (VI, 52); de plus, *intérieurement* il faut qu'elle comprenne des tensions productrices. Voir mon *Charles Fourier,* pp. 60-66.

Circuler, se rencontrer: Le Phalanstère

Fourier a décrit plus d'une fois Le Phalanstère, et il en existe même un plan[15]. C'est essentiellement un grand bâtiment à trois étages du moins avec deux ailes en face duquel il y a d'autres bâtiments (hangars, ateliers, étables, greniers, etc.); à côté du bâtiment principal se trouvent le théâtre et l'église. Le nombre idéal de ses habitants s'élève à 1620, répartis en «16 tribus et 32 chœurs» (VI, 110), quoique ce chiffre —et les dimensions du Phalanstère— soient assez souvent réduits par Fourier en fonction de ses tentatives de plus en plus désespérées de trouver un Mécène; dans un manuscrit daté de 1820 il propose trois types d'«Association» dont le plus petit se réduit à «une trentaine ou une cinquantaine de pauvres familles» (Xa, 5). Aucun édifice existant ne pourra être utilisé, à moins d'être complètement reconstruit à l'intérieur, car aucun édifice actuel ne permettrait le genre de vie sociale envisagé (VI, 123). Pour l'extérieur, il faut surtout éviter la forme carrée des bâtiments, erreur de Robert Owen à New Lanark[16], car cette forme est la plus monotone possible *(ibid.)*.

Pour faciliter cet épanouissement, Fourier prévoit deux types de salle indispensables. La première est le «séristère» ou «masses de salles et pièces disposées pour les relations des Séries passionnées» *(ibid.)*, lieux de rencontres gastronomiques, amoureuses et autres. La seconde, «salle de lien universel» (IV, 469) s'appelle la «rue-galerie»:

> La rue-galerie est la place la plus importante; ceux qui ont vu la galerie du Louvre au Musée de Paris peuvent la considérer comme modèle d'une rue-galerie d'harmonie, qui sera de même parquetée et placée au premier étage [...]. Les dites galeries, tempérées en toutes saisons par des tuyaux de chaleur ou de ventilation, servent de salle à manger dans le cas de passage d'une armée industrielle[17] [...]. Ces communications abritées sont d'autant plus nécessaires dans l'état sociétaire, que les déplacements y sont très fréquents, les séances des groupes ne devant durer qu'une heure et demie ou deux heures au plus (VI, 125-26).

15. Voir surtout VI, 123-29; Xa, 84-88. Le Plan se trouve entre les pages 122 et 123 du tome VI des *Œuvres Complètes,* qui contient aussi (pp. 110-111) un tableau de la «Phalange en grande échelle» montrant la répartition de ses habitants par âge et sexe.

16. Fourier —qui était paranoïaque et anglophobe— s'en prend toujours à Owen, dont le système ressemblait trop au sien à certains égards. Voir son *Pièges et charlatanisme des deux sectes Saint-Simon et Owen,* Paris, 1831.

17. On se rend visite constamment en Harmonie, pas à titre individuel mais en masse, des «caravanes passionnées» se déplaçant de Phalanstère en Phalanstère afin de lutter sur le plan «industriel», artistique et surtout amoureux. Voir entre autres la description de la bataille —ou plutôt le championnat mondial— des petits pâtés (V, 353-59).

Chez Fourier, l'aménagement de l'espace est en effet fonction de l'aménagement du temps, chaque harmonien ayant un emploi du temps extrêmement chargé, quoique fort agréable. Lucas, un habitant «pauvre» de l'Harmonie, se lève à trois heures et demie du matin et passe la plus grande partie de sa journée dehors, sauf pour trois repas copieux mais relativement rapides (une demi-heure au «dejeuné», une heure au «dîné» et une demi-heure au souper) et des séances à la «bourse de travail» (une parodie de notre bourse financière) et en «fréquentation amusante». Il se couche à dix heures du soir et ne passe donc que cinq heures et demie dans son lit, qu'il partage sans doute ... (VI, 67). Quant à l'habitant riche Mondor, si son emploi du temps est essentiellement le même, il est encore plus découpé — car il a droit à cinq repas— et plus long, car il ne se couche qu'à dix heures et demie du soir et se réveille à trois heures du matin (VI, 68). La solitude est inconnue en Harmonie ....

Le peu de temps que l'on passe chez soi ne doit cependant pas être gâté par des voisinages potentiellement desagréables; les appartements —modestes, car on est rarement chez soi (V, 500)— sont distribués en «séries engrenées, c'est-à-dire qu'ils sont de vingt prix différents, depuis 50, 100, 150, jusqu'à 1000; il faut éviter la progression consécutive continue, celle qui placerait au centre tous les appartements de haut prix, et irait en déclinant jusqu'à l'extrémité des ailes» (VI, 127). Ainsi évitera-t-on «un quartier de petites gens, un local en butte aux railleries, comme il en est dans chaque ville» *(ibid.)*. Aucune ségrégation donc, si ce n'est des étrangers, logés dans un aileron «afin qu'ils n'encombrent pas le centre du phalanstère» (VI, 125), des enfants et des pauvres, «logés à l'entresol, pour jouir du service des gardes de nuit» *(ibid.)* et finalement de certains ouvriers dans leur travail en atelier, afin d'éviter la pollution par le bruit (VI, 124). Mais il faudrait aussi éviter de construire des Phalanstères de trop grandes dimensions, sinon «on ralentirait les relations» (VI, 125); en effet, cette combinaison d'architecture à la fois «serrée» et publique et d'activité intense crée l'impression d'une fourmilière humaine dans laquelle ni le temps ni l'espace ne sont gaspillés. Car le retard est inconnu en Harmonie, et l'on est souvent en avance (Xa, 151).

Circuler, se rencontrer: l'espace environnant

Si l'on n'a pas une minute à perdre à l'interieur du Phalanstère, une fois dehors les rencontres prolifèrent. Fourier détestait les jardins pittoresques, car ce sont «des corps sans âme, parce qu'on n'y voit pas les travailleurs en activité» (IV, 494). En revanche, la nature brute, non «corrigée» était aussi insatisfaisante — sur le plan esthétique et pratique — que les villes civilisées. Ainsi les forêts sont-elles «un chaos de masses informes et peu productives, en ce que leur confusion intercepte le jeu des rayons solaires» (IV, 502). Chez Fourier nature et culture ont exactement le même statut: ce sont des «matières premières» à raffiner, procédé qui consiste en une esthétisation et un aménagement en vue d'une meilleure productivité. En d'autres termes, le beau et l'utile (ou le bon) se complètent.

Fourier distingue trois types de culture (et par conséquent trois façons d'aménager l'espace rural): le «massif»; l'«ambigu»; et l'«engrené». Cependant il ne s'agit pas de privilégier l'un aux dépens des autres. L'aménagement de l'espace rural est effectué afin d'exploiter leur différence: «L'union du beau et du bon en agriculture dépend de l'amalgame des trois ordres», écrit-il: «Ils ne sont pas même connus des agronomes civilisés» (IV, 501). Considérés séparément, le massif est la disposition la plus monotone, typique des forêts; l'ambigu décrit les cultures entremêlées, «qui ne servent qu'à favoriser le vol, exciter les procès sans exciter l'émulation, et proroger tous les inconvénients des propriétés morcelées» (IV, 502); tandis que l'engrené est «la confusion ou dissémination, comme celle d'une bourgade où l'on ne cultive, en 30 jardins, que trois sortes d'un légume [...]. *Toute concentrée ou toute morcelée,* voilà la culture civilisée» *(ibid.).* En plus, afin de réduire le nombre de vols en civilisation, on est obligé d'entourer les propriétés de clôtures et de barricades (VI, 119). En Harmonie, au contraire, le vol est inconcevable, le système social assurant à tout le monde un minimum plus que convenable. Par conséquent, un mariage des trois ordres, sans clôtures, réjouira l'œil tout en encourageant une meilleure activité agricole (et autre...):

> [...] chaque branche de culture cherche à pousser des divisions parmi les autres; le parterre et le potager qui chez nous sont confinés autour de l'habitation, jettent des rameaux dans tout le canton [...]. Cet engrenage agréable sous le rapport du coup d'œil, tient encore plus à l'utile, à l'amalgame des passions et des intrigues. On doit s'attacher surtout à ménager des *mariages de groupes,* des rencontres de ceux d'hommes avec ceux de femmes, par suite de l'engrenage des cultures [...] ce sont des rencontres industrieuses, fort décentes, et aussi utiles que nos réunions de salon et de café sont stériles (VI, 120)[18].

Contrairement à l'utopie classique, lieu unique et difficile d'accès, La Phalange fouriériste, y compris ses bâtiments[19], est conçue non seulement

18. C'est le *verger* qui est le lieu par excellence des rencontres, grâce au «charme puissant de la culture des forêts» et le fait que le travail n'y aura pas besoin de tentes roulantes, car les arbres fournissent l'ombre (V, 521-22). Pour l'agriculture «engrenée» et ses avantages, voir aussi IV, 478-504.

19. Fourier prévoit non seulement l'ensemble des bâtiments principaux (la Phalanstère et

pour faciliter la communication et les rencontres sur ses propres terrains mais aussi avec les Phalanges voisines ou même distantes. On peut s'entr'aider (IV, 484), ou construire des bâtiments en commun tels un réservoir d'eau (Xa, 89); on peut s'accorder sur les couleurs des feux des fanaux qui, la nuit venue, servent de points de repère *(ibid.).* Mais la diversité des occupations et des cultures en Harmonie est telle qu'une seule Phalange n'aura pas la capacité de cultiver toutes les espèces de poires, par exemple. Pour résoudre ce problème, Fourier a recours aux séries «puissancielles» dont la complexité est conçue pour «unir des masses de Phalanges ou de provinces, dans l'exercice d'une industrie ou d'une passion» (V, 318). Ainsi une série de poiristes en Languedoc ne sera complète qu'en s'adjoignant «des groupes stationnés en Espagne, en Piémont, en Ligurie, en Auvergne, etc.» (V, 319). Ce genre de lien est donc prévisible ou programmé. Il existe aussi des liens moins prévisibles grâce aux «caravanes passionnées ou académies ambiantes» (Xa 169-74), espèces de troupes d'artistes ou de scientifiques qui parcourent le globe pour participer à des concours organisés par des Phalanstères ou groupes de Phalanstères (Cantons). Ces caravanes se croisant assez souvent en route, elles seront amenées à échanger quelques-uns de leurs membres (Xa 172-73). Quant aux moyens de transport prévus pour ces déplacements gigantesques, Fourier — qui avait écrit la plus grande partie de son œuvre avant les chemins de fer — se contente de dire qu'ils seront gratuits et confortables (IV, 38, VI, 272)[20].

Fourier nous laisse donc le spectacle non pas d'une seule Phalange mais du globe entier en activité «industrielle», artistique et amoureuse, grâce à l'organisation sérielle du travail et des espaces aménagés en fonction des rencontres individuelles ou en série. L'espace traditionnellement fermé de l'utopie devient ainsi un espace *éclaté.* Tout prolifère: groupes, séries, et Phalanges. Fourier calcule, avec cette précision maniaque qui le caractérise, que lors de l'Harmonie, il y en aura ... 2 985 984[21]. Ceci présuppose à son tour un agrandissement considérable des terres cultivables afin de nourrir cette population immense: plus de quatre milliards de personnes, c'est-à-dire la population de notre planète aujourd'hui. Rien de plus simple chez Fourier, grâce à la «restauration des climats», thème fréquent dans son œuvre[22]. Il suffira de cultiver, selon la méthode sérielle que nous venons d'exposer, et la température du globe s'élèvera de plusieurs degrés. Ce «raffinage atmosphérique par voie de culture intégrale du globe» (III, 87) produira jusqu'à

ses dépendances) mais aussi des châteaux ou belvédères situés à portée des diverses cultures et qui serviront d'abris ou de lieux de réunion et de rencontre (IV, 477).

20. «On se crotte rarement en Harmonie» (V, 163).

21. III, 376. Ailleurs il prévoit 800 000 seulement ... (XII, 363).

22. I, 41 46; III, 84-107; IV, 21; Xa, 135; XII, 50-51.

trois récoltes par an (III, 96). On plantera et boisera le Sahara (I, 176-7) et Paris aura «des forêts d'orangers, des champs d'ananas» (VIII, 158). Que Balzac aurait été content!

Murs, clôtures

On peut se demander si Fourier était claustrophobe. Sa critique des villes civilisées porte non seulement sur leur monotonie mais aussi sur leur disposition serrée (V, 207); au travail d'atelier —activité fondamentale de la Révolution industrielle— la Phalange substitue l'activité agricole; tandis que ses habitants sont rarement chez eux (cette phrase a-t-elle un sens chez Fourier?), leur journée «intérieure» ou «extérieure» se passant dans des salles ou espaces ouverts de séance publique. Si le détail du Phalanstere reste assez vague, Fourier ayant laissé des plans généraux avec indications sur les dimensions, le nombre d'étages et surtout la répartition de ses habitants, en revanche il semble préoccupé par le genre de murs ou clôtures à la fois dans les champs et en milieu urbain.

Dans un manuscrit repris d'abord dans *La Phalange* et ensuite dans le dernier volume des *Œuvres complètes,* Fourier nous décrit une «ville» utopique des plus classiques[23]. Elle est d'une régularité qui risque d'être monotone, malgré des critiques à cet égard des villes civilisées, étant construite en quatre enceintes aux dimensions précises: mille toises (1 = 1,949m) du centre ville à ses barrières, encore mille jusqu'à l'enceinte des faubourgs, et ainsi de suite (XII, 696-97). La disposition et les dimensions des maisons sont minutieusement calculées afin de laisser passer l'air et les rayons du soleil (698-99) et pour laisser à chaque terrain «une surface égale à celle qu'occupent les constructions» (698). Mais ce n'est pas seulement l'air qui doit pouvoir circuler mais aussi *la vue.* Le «visuisme», plaisir de la vue (691), demande une disposition non obstruée de l'espace ainsi que l'embellissement des bâtiments, et le «Garantisme visuel en édifices spéciaux» (695-702) qui s'occupe surtout de la disposition des bâtiments et leur ornementation doit être complété par le «Garantisme visuel en distributions générales» (704-708). Ceci concerne la disposition de l'espace urbain en général afin de procurer le maximum de belles vues:

> Dans chacune des 3 enceintes succursales, tout l'ensemble devra [...] procurer aux habitants de la ville de belles perspectives dans la campagne, et ménager à ceux de la Campagne de belles perspectives sur la ville [...]. Chaque avenue, chaque rue doit aboutir à un point de vue

23. XII, 683-717 («Des Modifications à introduire dans l'architecture des villes»). Il s'agit d'une ville de la 6ᵉ période, ou Garantisme.

> quelconque, soit de campagne, soit de monument public. Il faut éviter la coutume des Civilisés, dont les rues aboutissent à un mur, comme dans les forteresses, ou à un amas de terre, comme dans la ville neuve de Marseille (704-5).

Si donc l'auteur accepte la nécessité d'une palissade pour protéger la «Phalange d'essai» des foules de curieux (ils sont admis contre paiement), c'est à contrecœur. Fourier préfère la «barrière naturelle, rivière au muraille grillée. Je dis grillée, parce que l'ordre sociétaire n'admet pas les murs monastiques masquant la vue et transformant en prison la voie publique. Il faut tout le mauvais goût des civilisés pour s'habituer à ces hideuses perspectives» (VI, 118).

Or c'est essentiellement l'espace de la ville ou du moins celui autour de l'habitat dont parle Fourier ici. Comme la Phalange est surtout agricole, le problème des clôtures est toujours pratique et esthétique, mais il se pose d'une façon différente. A première vue, Fourier semble ignorer le problème, combien pratique!, de l'empiétement du bétail sur les cultures avoisinantes, car il n'y aura apparemment pas de clôtures agricoles en Harmonie. Il n'y a dans le jardin «chétif et barricadé» du paysan en Civilisation, «aucun charme pour l'esprit ni les sens. Le travailleur n'y est mu que par le triste véhicule d'échapper à la famine» (IV, 500). En Harmonie au contraire, la méthode engrenée, par laquelle toutes les séries s'entremêlent par rivalité, rendra les clôtures superflues (IV, 481). A la rigueur, des petites haies suffiront. Quant au comportement du bétail —que même Fourier ne pense pas à modifier— il suffira de le contrôler en l'encadrant par des chiens (IV, 23). Là où de véritables palissades seront nécessaires — contre les loups, par exemple, ou afin d'apprivoiser des espèces précieuses comme le castor (bien sûr ...) — elles seront *mobiles* (IV, 590).

Cette vision d'un nouveau monde amoureux dans lequel les contraintes sociétaires et architecturales seraient remplacées par l'essor des passions et l'éclatement de l'espace, est assez originale. Les sources de Fourier: les Physiocrates, Condillac, Bernard de Saint-Pierre, Restif de la Bretonne, Rousseau, Saint-Martin[24], commencent à être connues: personne ne peut échapper à son époque ni à celle qui l'a précédée. Mais aucun écrivain utopiste avant lui (si ce n'est Rabelais dans son Abbaye de Thélème) n'avait imaginé l'utilisation de tous les instincts et toutes les pulsions de l'être humain, même les plus «bas»[25] (ceux de Néron, par exemple, qui selon

24. Voir mon *Charles Fourier*, pp. 143-59.

25. L'exemple le plus célèbre —et assez controversé— est celui de la lesbienne sadique, Mme Strogonoff (VII, 391). Voir la discussion de ce «cas» par SIMONE DEBOUT, «L'Illusion réelle», *Topique*, 4-5 (octobre 1970), 11-78 et par CATHERINE FRANCBLIN, «Le féminisme

Fourier était un agronome manqué...) pour le bien d'une société apparemment sans contraintes morales dans un cadre spatial le plus ouvert possible. L'utopie classique est à la fois fermée et austère. Elle est non seulement une ville, elle est assez souvent une île (l'Utopie de More, la *New Atlantis* de Bacon ou l'Australie dans *La Terre Australe* de Mercier) ou du moins elle est difficile d'accès (L'Eldorado de *Candide* ou Le Château de Silling dans *Les 120 Journées de Sodome).* Quant à ses habitants, on ne peut pas dire qu'ils s'amusent beaucoup: dans l'Utopie de More l'adultère est interdit, ainsi que les rapports sexuels avant le mariage; dans La Bétique (Fénelon) la chasteté ou la monogamie règnent; chez Bacon, la chasteté est l'une des plus grandes vertus. En général la saleté, la maladie et même la mort sont absentes de l'utopie (c'est ici que Fourier rejoint l'utopie classique, sauf pour la saleté, grâce aux «Petites hordes»)[26]. Tout est réglé pour le bien de tous, grâce à un appareil gouvernemental ou légal assez lourd (Louis-Sébastien Mercier, *L'An 2440;* Etienne Cabet, *Voyage en Icarie).* Au contraire —du moins en apparence— l'organisation minutieuse de l'Harmonie est à la fois spontanée et autoréglante, une sorte d'autogestion dynamique mue par les passions et les pulsions humaines. Comment alors peut-on imaginer des *limites* —à moins d'être mobiles— à une telle société?

L'Espace vécu

Si nous interrogeons cette société et son cadre architectural et topographique à la lumière de la psychosociologie de l'espace, le contraste avec l'Utopie classique semble ressortir encore plus nettement. La psychosociologie de l'espace concerne essentiellement l'espace vécu, c'est-à-dire l'intersection ou plutôt la tension (productive ou non) entre l'homme et l'environnement et les modifications de comportement humain d'un côté et de l'environnement en fonction de ce comportement de l'autre. Issue d'une approche phénoménologique, elle s'est complétée d'études empiriques d'origine très souvent anglo-saxonnes;[27] la tension fondamentale serait ce rapport

utopique de Charles Fourier», *Tel Quel* (été 1975), 44-69. Selon Fourier, les «contremarches malfaisantes» chez cette dame, le Marquis de Sade et Néron, étaient dues à «l'engorgement de certaines passions» *(ibid.).* Dans le cas de Mme Strogonoff, elle était lesbienne sans le savoir et par conséquent devint sadique. Quant à Néron, il aurait suffi de le mettre très jeune chez un boucher au lieu de lui faire étouffer les instincts par Sénèque, et il serait devenu agronome (Xb, 133).

26. Ce sont des bandes de garçons entre neuf et quinze ans. Etant donné leur goût de la saleté, il suffira de les organiser en bandes pseudo-militaires et il feront tout le travail de nettoyage et d'entretien de la Phalange (V, 140-56).

27. MOLES ET ROHMER, *Psychologie*, p. 7. FISCHER, p. 53: «la psychosociologie de l'espace est un système de représentation des rapports entre l'homme et l'espace ainsi que des rapports spatiaux entre les hommes».

entre les contraintes spatiales et sociales et le besoin d'espace personnel, qui se manifeste plus particulièrement par le besoin du privé. Si d'un côté, comme le dit Fischer, «l'interaction sociale est largement médiatisée par l'environnement dans lequel elle s'exerce: l'environnement est considéré comme déterminant des interactions, des rapports de domination, de soumission, d'agressivité, de protection, etc.»[28], en revanche cette prétendue détermination n'est pas sans appel, car le fait de *vivre* l'espace implique fatalement que nous le *pensons*. Voici pourquoi Fischer se «corrige» en quelque sorte en expliquant plus tard qu'«il n'existe pas d'effet en soi de l'espace sur l'individu; l'effet est dans la représentation, car c'est elle qui produit le sens de l'effet» (p. 83). Si nous ajoutons à ces dernières remarques de Fischer celle —banale mais nécessaire— que l'environnement doit être compris comme soit «naturel»[29] soit culturel «aménagé» ou construit) et que par conséquent sa «détermination» du comportement provient du fait que très souvent il est produit par l'homme, alors cette circularité garantit l'aspect interactif sur lequel nous insistons quelque peu.

Selon Fischer les types d'interaction sociale peuvent se réduire à un seul rapport: «En gros, on peut [...] dire que la répartition de l'espace est faite pour permettre au pouvoir de s'exercer» (p. 57); si l'acte fondamental de l'homme dans l'espace est l'appropriation et le repérage —une certaine domestication par le découpage, le morcellement ou l'utilisation de parois[30]— alors deux autres phénomènes sociaux se produisent. D'abord le conflit, né de ce double besoin d'appropriation d'espace et de repli[31] sur un minimum, de préférence privé; deuxièmement la tentative de hiérarchisation en vue de l'exercice du pouvoir: des lieux «interdits», tabous, ou «sacrés», sont créés[32]. Ils sont par définition sinon clos, du moins difficiles d'accès, protégés. L'inverse, également clos, interdit et «tabou» mais dont l'exclusivité renferme une promiscuité sociale, c'est la prison (en fait, entre le Palais et la Prison il peut y avoir très peu de différence; les rois et les reines sont assez souvent, du moins dans l'imagination populaire, des prisonniers de leur propre luxe)[33].

28. FISCHER, p. 28.

29. «Naturel» entre guillemets car en tant que pensé, l'environnement entre dans le rapport phénoménologique avec l'être humain déjà décrit.

30. Voir la discussion de MOLES et ROHMER, *Labyrinthes,* chapitre deux: «Frontières et parois, espace privé, espace public, le Point ici», pp. 39-51. «La notion de paroi, écrivent-ils, est inhérente à l'idée de l'appropriation de l'espace. L'homme ne conquiert l'espace qu'en le divisant, en l'organisant [...] en matérialisant ses subdivisions» (p. 50).

31. MOLES ET ROHMER, *Labyrinthes,* p. 86.

32. FISCHER, p. 54. Voir la discussion dans *Labyrinthes,* pp. 27-45 de «l'espace du sacré».

33. Le texte fondamental sur la prison est celui de MICHEL FOUCAULT, *Surveiller et punir,* Paris, 1975. Sa discussion du «Panopticon» de JEREMY BENTHAM (pp. 201-219), très pertinente pour certaines utopies, ne semble pas s'appliquer à celle de Fourier.

C'est surtout la ville qui retient l'attention des psychosociologues de l'espace. Pour Abraham Moles, le labyrinthe est un archétype de l'espace s'appliquant particulièrement à la ville à cause des «contraintes dans la mobilité du point mobile» rencontrées dans un environnement urbain[34]. Au sein de la ville, le morcellement traditionnel de l'espace la divise en quartiers plus ou moins distincts selon les activités qui s'y exercent (industrie lourde, commerce, habitation) plus un centre-ville[35]. Selon Moles, c'est le quartier et, dans le quartier, la rue, qui représente l'espace le plus familier et le plus «social». Dans le quartier, l'homme «reste dans l'univers du connu», ses actions sont toujours spontanées et beaucoup de gens qu'il rencontrera lui seront connus: «Le quartier est donc *le lien fondamental de la spontanéité* dans les rapports sociaux, le lien privilégié de la rencontre. Il est *l'endroit charismatique* par excellence, héritier du village dans l'espace urbain»[36]. La rue — à laquelle Moles consacre tout un chapitre dans *Labyrinthes du vécu* — est un lieu privilégié de rencontres et de découvertes, l'endroit animé par excellence où «il se passe toujours quelque chose» (p. 135). Il existe une densité maximale de passants susceptible de créer une ambiance agréable plutôt que menaçante (p. 145), tandis que les problèmes posés par les intempéries peuvent être résolus par un système d'arcades (p. 153). Cependant la ville moderne aux rues bordées de cubes (p. 144), sa tendance à devenir une mégapolis, et son espace de plus en plus spécialisé[37], risque de détruire le quartier traditionnel aux rues animées sans être encombrées avec leur potentiel de rencontres rassurantes. La réaction des urbanistes à ces tendances est bien connue: on essaie de refaire l'espace humain du quartier traditionnel; on crée des zones piétonnes; on remplace les tours par des immeubles plus petits et surtout moins hauts. Quant aux habitants, les plus riches peuvent se réfugier dans des ghettos protégés par des murailles, tandis que la majorité des moins fortunés s'adaptent tant bien que mal aux exigences de la vie urbaine; d'autres fuient la ville et s'installent à la campagne.

34. *Labyrinthes*, p. 75: «Tout labyrinthe est, essentiellement, un ensemble de corridors connectés de façon complexe. Le concept de couloir, corridor, allée, etc., a une portée très générale puisqu'il exprime dans son essence la contrainte dans la mobilité du point mobile»; «le concept de labyrinthe est [...] une sorte d'*archétype de l'espace»* (p. 77); «Puisque le labyrinthe est en soi une *forme canonique*, il s'applique particulièrement à la ville avec ses murs, ses passages, ses places et ses vitrines» (p. 87).

35. Voir FISCHER, Quatrième partie, chapitre trois («Espaces des villes»).

36. *Psychologie*, p. 84.

37. «L'espace [de l'habitat] est devenu fonctionnel et même très technique [...]. Dans le même ordre d'idées, il convient d'évoquer la spécialisation qui s'est faite jour dans les aménagements urbains» (G. FRIEDMANN, *Où va le travail humain?* cité dans FISCHER, p. 17).

Moles identifie six attitudes fondamentales envers la Nature ou «idéologies du concept de Nature» (*Labyrinthes,* pp. 22-35). Pour les sociétés primitives elle était une ennemie; chez les Romantiques elle était le lieu de la bonté; les Saint-Simoniens la considéraient comme source de richesses; aujourd'hui elle est soit un «résidu» à exploiter et urbaniser, soit un refuge; finalement elle est ce que Moles appelle une «nouvelle valeur», ni ennemie ni source d'exploitation, ni même «divinité vague» ou refuge, mais quelque chose qui «trouve sa meilleure expression [...] dans les formes qui évoquent le mieux l'immensité et la dispersion, le désert et la forêt, dont les terrains cultivés ne sont que des approximations imparfaites» (p. 25). N'oublions pas qu'il y a aussi des médiations possibles entre ville et nature, notamment la «(petite) ville dans la nature» moderne ou tout simplement le village traditionnel et «la nature dans la ville» de n'importe quel parc ou jardin botanique.

Le Phalanstère, espace de rencontres

Le Phalanstère semble remplir la plupart des conditions nécessaires à une existence et à un espace humains «inaliénables» — sauf le besoin du privé, pour lequel l'espace et le temps ne sont guère prévus par Fourier. En revanche, le nombre de rencontres agréables —aléatoires ou programmées (en fait cette distinction n'est guère pertinente chez Fourier[38]) — est si élevé que le besoin de recueillement serait en principe très réduit. Le Phalanstère et son espace environnant, celui-ci caractérisé, rappelons-le, par l'absence de murs ou de clôtures, sont conçus uniquement pour faciliter la communication humaine dans tous les domaines, du «travail» jusqu'aux rapports sexuels (là encore, la distinction n'est guère pertinente). Il correspond bien au quartier traditionnel décrit par Moles, lieu de rencontres et du connu, mais sans les contraintes visuelles imposées par des rangées de bâtiments même les moins hauts. La seule sacralisation de la surface se trouve à l'intérieur du bâtiment principal, mais elle est minime, les logements étant disposés pour éviter toute hiérarchisation massive de l'espace. A l'extérieur, elle est pour chacun temporaire, l'emploi du temps des habitants ne permettant pas l'occupation permanente d'un terrain quelconque. On passe constamment d'une série de travail à une autre, et la culture «interdite» de la matinée peut devenir celle que l'on travaille l'après-midi. L'opposition ville-campagne est médiatisée par la situation du Phalanstère, espèce de

38. Le système sériel essaie de programmer l'imprévu en ce sens que l'emploi du temps et de l'espace très chargé des Harmoniens et leur répartition dans des séries de «travail» forme le *cadre réglé* dans lequel l'imprévu devrait pouvoir arriver.

«palais populaire» à population réduite (toujours moins de deux mille habitants), au milieu de la nature. La communication entre Phalanstères est caractérisée par une ouverture au sein de la rivalité —on voyage de l'un à l'autre facilement et sans arrêt (espèce de tourisme sans vacances) pour y être logés gratuitement— qui empêche toute sacralisation de la macro-espace. L'«idéologie de la nature» chez Fourier ne correspond exactement à aucune des attitudes relevées par Moles. Fourier s'en prend violemment au poète Delille et à la nature romantique: «On est étourdi, après avoir lu ce pathos oratoire, ce déluge de pensées libérales, véritable enfilade de mots dénués de sens. La nature n'est rien moins que bienfaisante; elle ne donne rien à celui qui n'a rien» (V, 563). En revanche elle n'est ni une ennemie, ni exactement une source de richesses, et certainement pas un refuge. Elle est surtout cette «matière première» qu'il faudrait moins exploiter que *corriger.*

Ce monde du Phalanstère, fait de l'enchevêtrement du dedans et du dehors au service de l'épanouissement de l'activité et de la créativité humaines, manifesterait alors la seconde démarche selon Eco décrite au début de cet essai. A la fin de son étude de la phychosociologie de l'espace, Fischer note que:

> dans les problèmes d'aménagement on a pris en compte progressivement des questions relatives à la qualité de l'organisation de la vie sociale: de quel environnement les individus ont-ils besoin? Si l'on considère le problème de l'aménagement du point de vue historique, on s'aperçoit de l'évolution de cette idée qui faisait partie des grandes utopies sociales du XIXe siècle (Fourier). Ce qui caractérisait ces modèles d'aménagement, c'est qu'ils n'étaient pas conçus comme des projets de changement des individus. Au contraire, c'est au nom d'une conception de l'homme indépendant de toutes les contingences des lieux qu'ils conçoivent des aménagements types susceptibles de s'appliquer à n'importe quelle situation. C'est donc en fonction de besoins types qu'ils vont déterminer une organisation de l'espace (p. 122).

Ces besoins types chez Fourier sont la satisfaction des douze (ou treize) passions de l'homme grâce au travail sériel[39]. L'activité frénétique de la Phalange, qui ne connaît ni paresse, ni chômage, ni même de vacances, le travail étant en même temps la récréation, semble l'exemplification même de la loi de Festiver, rappelée par Fischer (p. 65): «la productivité créatrice globale d'un groupe structuré croît [...] quand le sociogramme fonctionnel présente un degré de ressemblance élevé —mais pas total— avec le socio-

39. Voir notes 11 et 14, *supra.*

gramme émotionnel»[40]. Chez Fourier la coincidence est totale en théorie, peut-être moins dans la pratique du détail[41].

Expression ou répression?

Pourtant ce système dont le seul but semble l'épanouissement des passions a provoqué des réticences. Ainsi Françoise Choay qui soutient que «c'est un système de valeurs communautaires, ascétiques et répressives, qui se cache derrière les formules aimables» de Fourier[42], ou Jean-Jacques Wunenberger qui, après avoir souligné «l'abstraction, la symétrie, l'uniformité [...] la suppression de tous les élans de la spontanéité» de l'Utopie en général, conclut en disant que: «Des quartiers spécialisés de Th. More au phalanstère [...], s'étale toute une littérature utopique qui appuie le rêve de perfection et de bonheur collectifs sur une topographie géométrisante et contraignante»[43]. Or si Wunenberger a tout simplement mal (ou peu) lu Fourier, en revanche la critique de Choay est plus subtile par son évocation d'un côté «caché» sous la surface joyeuse du Phalanstère. Et pour reprendre la question posée au début de cette étude, peut-on être sûr que le système social —pour lequel l'espace du Phalanstère est conçu—, malgré les exceptions, les transitions et les «manies», ne court pas le risque de basculer dans le totalitarisme? Comme le fait remarquer très justement Anthony Stephens:

> Any Sun State, taken as literature rather than edifying theory, is today faced with the problem of a shadow that it does not want and a shadow it needs ['a credible fiction']. The shadow it does not want is [...] the pressure of a dystopia ready-made within any Utopian model, once the readers become sensitive to the incompatibility between what any positive Utopia exacts in the way of conformity and consistency and the concept of individual self-realisation from which our own society shows no signs of moving away[44].

La réponse est à la fois évidente et complexe. Nous réaffirmons la

40. Le «Sociogramme» (terme inventé par Moles) est une espèce de «géographie psychologique de la communication» (FISCHER, p. 64). Le sociogramme fonctionnel est une mesure des interactions sociales nécessaires tandis que l'émotionnel concerne les rapports affectifs entre êtres humains.

41. Nous croyons avoir démontré un certain «flou» ou «jeu» dans le système de Fourier. Voir notre *Charles Fourier,* pp. 123-25, 141-42.

42. CHOAY, p. 20.

43. JEAN-JACQUES WUNENBURGER, *l'Utopie, ou la crise de l'imaginaire,* Paris, 1979, p. 62.

44. ANTHONY STEPHENS, «The Sun State and its Shadow», in EUGENE KAMENKA (éd.), *Utopias,* Melbourne, 1987, p. 16.

priorité du «passionnel» sur l'architectural et les conséquences de cette démarche. Il n'y a ni écoles, ni prisons ni véritables palais[45] en Harmonie; si la société de Fourier est hiérarchique, il ne faut pas s'y méprendre, car il s'agit de hiérarchies *multiples,* tout habitant ayant la possibilité de devenir le roi ou le champion de quelque chose. S'il existe en nous jusqu'à cinquante vocations, comme l'a soutenu Fourier, alors il y a toute possibilité qu'au moins une d'entre elles nous permette de briller. L'Harmonie n'a ni appareil juridique ni même gouvernemental: il n'y a pas de bâtiments législatifs ou administratifs. Si tout est minutieusement chiffré ou mesuré, il ne faut pas oublier la catégorie, cruciale chez Fourier, du transitionnel et de l'exceptionnel, ce qu'il a baptisé l'«ambigu». C'est l'exception qui non seulement justifie le système (II, 88, première pagination); elle est indispensable en nature, car sans elle «rien ne serait lié» (II, 204 première pagination)[46]. L'ambigu comprend les «goûts bâtards» (VI, 249), les espèces bizarres (l'orang-outang, le brugnon, le coing, la chauve-souris et le casoar, IV, 334), et les manies, dont celui de Fourier, le saphiénisme ou «amour des saphiennes et empressement pour ce qui peut les favoriser» (VII, 389). Comme l'a très justement fait remarquer Roland Barthes, l'ambigu est «l'espèce de lubrifiant dont l'appareil combinatoire doit faire usage pour ne pas grincer»[47].

La métaphore de Barthes est salutaire. Car si Fourier refuse la société technologique, c'est pour y substituer une technologie des passions. A-t-il tout prévu, même les exceptions? Non, mais *il aurait voulu le faire,* temoin les quelque cent vingt pages de calculs sur les «sympathies et antipathies» (XIb, 19-144) ou les observations sur le «ralliement passionnel des extrêmes» (XIb, 145-234). Pour revenir à Néron, si Fourier nous explique comment on doit encourager dans un but socialement utile les passions qui sont normalement réprimées chez l'enfant (Xb, 133), il lui faut trouver une méthode soit pour les reconnaître soit pour les prédire. C'est la prévision qui est choisie, sous forme des «horoscopes méthodiques ou du calcul des échos des manies» (VII, 394-400). On n'a pas besoin d'entrer dans le détail délirant selon lequel l'étude minutieuse des manies permet «la prévision des caractères» (VII, 395) et par conséquent l'éloignement de Néron «du trône qui ne lui appartenait pas» (VII, 398). Le rêve même d'une telle banque de données globale permettant la prévision et la canalisation de passions potentiellement nuisibles est non seulement dangereux mais totalitaire.

45. «Le Phalanstère n'a aucune ressemblance avec nos constructions [...] on ne pourrait faire usage d'aucun de nos batiments, pas même d'un grand palais comme Versailles» (IV, 455).

46. C'est l'ambigu qui facilite l'engrenage des séries passionnelles (IV, 455).

On peut conclure... ou plutôt ne pas conclure, de deux façons radicalement différentes. A côté du monde contraignant, austère et aseptisé de bien des écrivains utopistes, le système de Fourier se présente comme un immense festin, sinon une orgie[48], pour lequel l'espace et le temps sont disposés pour le meilleur épanouissement des passions. Tout est fait pour faciliter l'échange, la communication et la circulation. En principe, ce ne sont pas les lois qui déterminent le comportement social, mais les passions qui exigent la création d'un système qui garantisse leur épanouissement, mais d'une façon socialement utile. Ce système, celui de l'attraction passionnée, semble né d'une conception extrêmement optimiste de la nature humaine. En même temps cependant, l'humanité a besoin d'être éclairée sur son sort. C'est bien entendu Charles Fourier qui le fera, ce grand méconnu qui s'est comparé non seulement à Christophe Colomb et à Galilée, mais aussi au plus grand méconnu de tous les temps, Jésus Christ[49]. La paranoia assez évidente de Fourier[50], dont la dictature (bénévole?) s'exerce par le truchement de l'écriture, a créé un monde où la générosité poétique risque à tout moment de basculer dans le totalitarisme dc la prévision et de la «correction» généralisées. Jamais peut-être le bonheur et le malheur universels n'ont été si près l'un de l'autre, chez un auteur et dans un système dont l'unité est garantie par «le contact des extrêmes»[51].

47. ROLAND BARTHES, *Sade, Fourier, Loyola,* Paris, 1971, p. 112.

48. Nous n'avons guère mentionné le *Nouveau Monde Amoureux* de Fourier, ni la gourmandise ou plutôt la «gastrosophie», cette «base de toutes les vertus sociales» (Xa, 145).

49. Voir *Recueil d'articles extraits de la «Phalange, Revue de la Science Sociale»,* Paris, 1849, pp. 127-28.

50. Voir l'introduction à notre *Charles Fourier,* p. 19 et notre conclusion, pp. 160-62.

51. «Tout est lié en système de la nature; les analogies se lient entre elles, et la connaissance de l'une conduit à d'autres [...]. [On peut] arriver par excès de malheur à l'unité d'action, où l'on arrivera en harmonie par excès de bonheur. On trouve, dans ce contraste, un *contact d'extrêmes»* (VI, 452). Voir aussi VII, 465-67; VIII, 163-64; XIb, 300-315.

LES AVENTURES DE LA MYTHOLOGIE À LA FIN DU XVIIIe SIÈCLE

par

PATRICE THOMPSON

L'un des sujets de méditation étonnants que nous présentent les bouleversements idéologiques de la fin du dix-huitième siècle est la résurgence[1] de la mythologie gréco-romaine non pas comme thème plastique, mais comme ferment de la nouvelle modernité.

Mais pendant longtemps elle a été le seul moyen «profane» d'interroger les origines â côté de la Bible et ceci non pas par défaut d'érudition fondée sur des fouilles d'archéologie étendues, mais parce que, selon le mot de Heidegger: «la connaissance de l'histoire à ses origines ne consiste pas à déterrer le primitif et à rassembler les ossements. Elle n'est pas une science de la nature, totalement ni même à moitié; si elle est quelque chose, c'est une mythologie»[2].

La mythologie a donc en elle le pouvoir d'être la connaissance de l'origine et le débat porte dès lors sur le caractère «naturel» ou non de l'histoire; la mythologie peut alors se démarquer à la fois de l'origine sacrée de l'homme et de son origine physique, se contenter d'être le lieu d'une méditation figurée, mettant en jeu les caractères discutés du symbole et de l'allégorie[3].

1. Cette résurgence n'est qu'apparente dans ce qu'on appelle le néo-classicisme. En fait, nous le verrons, la mythologie en tant que langage des poètes, même si elle paraît triompher chez un André Chénier, jette un dernier éclat avant de mourir.

2. HEIDEGGER, *Introduction à la Métaphysique*, traduction de Gilbert Kahn, PUF, Paris, 1958.

3. C'est un sujet de discussion rebattu à cette époque, des frères Schlegel à Constant.

Si l'Egypte à cette époque oriente la représentation des origines du côté symbolique, la Grèce le fait du côté de l'allégorie. Or l'allégorie est l'expression, selon Paul de Man, «d'une expérience fondamentale du temps sur un mode séquentiel illusoire: cette expérience est celle d'un vide temporel, puisque l'allégorie implique toujours une antériorité inaccessible»[4].

Ces réflexions préliminaires parcourent rapidement un champ qui depuis Helvétius ne cesse d'être exploré: je voudrais y entrer pour ma part par un biais qui semble étranger à cette mise en question, puisque le champ en est beaucoup plus étendu dans le temps: celui de la pédagogie.

Qu'en est-il de la place de la mythologie dans la pédagogie au moment même où, en France et en Allemagne, les mythes grecs sont questionnés en relation avec l'histoire et le destin de l'Occident?

Sans même prétendre à placer historiquement l'enseignement de la mythologie depuis l'avènement des pédagogues jésuites, je prendrai seulement deux exemples, deux atouts qui me paraissent importants dans l'approche du problème posé:

— l'un est un manuel d'enseignement de la mythologie;[5]
— l'autre est une copie passée entre les mains de Constant pour son ouvrage de «pédagogie politique» sur le polythéisme, de «leçons sur la mythologie», copie suivie de commentaires, peut-être de Constant, sur cet ouvrage de Dupuis[6].

Je choisis volontairement ces deux exemples, trés éloignés l'un de l'autre en portée et dans leur qualité, pour montrer que la pédagogie à travers même le tissu de cet événement, garde la question de l'histoire et du temps à propos de l'allégorie mythologique.

Le manuel de l'abbé Lyonnois est fait de questions et de réponses

4. PAUL DE MAN, «The Rhetoric of Temporality» in *Blindness and Insight*, p. 222.

5. *Traité de la mythologie, orné de cent quatre-vingt gravures en taille à l'usage des jeunes gens de l'un et l'autre sexe.* Par M. L'ABBÉ LYONNOIS, principal honoraire du Collège de Nancy, 3e édition, revue et corrigée par l'auteur, à Mannheim, chez Mat. Fontaine, libraire privilégié de S.A.S. Electorale Palatine, duc de Bavière, 1970. Cet abbé Jean-Jacques Bouvier, connu sous le nom de Lyonnois (1730-1806) a sans cesse revu son ouvrage. L'edition de 1804 en 3 volumes s'intitule: *Explication de la Fable par l'Histoire et par les Hiéroglyphes des Égyptiens.* Cette troisième édition subit l'influence savante d'une explication de la fable. L'édition de 1798, dont nous nous occupons ici, marque donc un seuil important dans l'étude de la fable non encore dévoyée par le système des explications. Néanmoins le recours aux hiéroglyphes est, nous le verrons, dans la logique de la perspective de l'abbé sur la mythologie.

6. Cette copie figure dans le Fonds Constant de Lausanne (Co 3253). Quoi qu'il en soit de la participation de Constant à cette copie de 1809-1810, elle est intéressante en ce qu'elle marque l'écart entre une explication naturelle et une explication historique de la mythologie.

comme dans un catéchisme, la réponse étant dictée à l'élève. Les questions s'enchaînent à partir d'une problématique simple: «qu'est-ce que la mythologie? quelle est l'origine de la fable? de quelle utilité peut être à des enfants chrétiens l'étude de tant de rêveries dont le paganisme a rempli les livres de l'antiquité?»[7] Si l'on remarque que la réponse à la première question est: «c'est la science ou l'explication de la fable», il s'ensuit que toute la problématique est axée sur le mot fable.

La fable est considérée comme une sorte d'événement pur, qui par là même sert d'antidote à l'Ecriture Sainte, modèle historique de la genèse de l'homme moderne: à lire Lyonnois, tout se passe étrangement comme si continuait la lutte des premiers Pères de l'Eglise contre les ténèbres païennes: cette survivance est-elle purement verbale, la célébration d'une victoire perpétuée dans le rite, ou bien correspond-elle à une alternative qui polarise l'image du temps sur laquelle vit l'homme occidental? Cette question, que nous, modernes, sommes seuls à pouvoir poser dans toute son ampleur, est seulement détaillée ici dans quelques-uns de ses aspects. Je suivrai les définitions pas à pas pour mesurer la différence.

Dès la première page de l'Introduction à la Mythologie, tout de suite après la définition de la mythologie, vient un autre nom, équivalent, dans la question:

> «Ne l'appelle-t-on pas aussi histoire poétique?
> «Oui, parce qu'elle doit ses principaux ornements aux fictions des poètes.
> «Qu'entendez-vous par l'histoire poétique?
> «Celle qui mêle le vrai au faux, et que les Anciens regardaient comme une source inépuisable, où ils croyaient trouver des choses merveilleuses, les plus grands événements, les mystères de leur théologie.
> «Que pensez-vous de cette histoire?
> «C'est un tissu d'imaginations bizarres, et un amas de faits sans vraisemblance, que les poètes vantèrent pour mettre dans leurs ouvrages une espèce de merveilleux et qui est utile pour entendre les meilleurs écrivains de l'Antiquité et même les poètes modernes»[8].

Le réseau tissé par ces quelques lignes mérite l'analyse.

1. Le mythe est un mot tout de suite évacué dans la double équivalence fable (la mytho-logie est science de la fable) — histoire (histoire poétique). Les quatre concepts mis en œuvre: science (explication) et poésie, histoire et fable, sont, dans leur diversité et leur rupture, aux sources de notre savoir[9].

7. LYONNOIS, *op.cit.*, p. 1.
8. *Ibid*
9. Au sens que Heidegger donne à *Technê,* à partir de *l'Introduction à la Métaphysique.*

2. Le doublet le plus important qui fait l'objet d'un développement dans ce «catéchisme» mythologique de l'abbé est histoire-poésie. Et c'est bien par là que Schelling aborde le même problème vingt-cinq ans plus tard:

> Devant un récit détaillé et intelligible d'événements réels, il ne viendrait à l'esprit de personne de demander ce que cela signifie [...]. En posant la question: comment dois-je l'entendre? autrement dit: qu'est-ce que la mythologie? que signifie-t-elle?, on s'avoue incapable de voir des événements réels dans les récits mythologiques et —comme l'élément historique est inséparable du contenu— dans les représentations mythologiques. Mais s'il ne s'agit pas d'événements réels, de vérité, de quoi s'agit-il donc? Du contraire de ce qui est vrai, autrement dit de poésie. Je supposerai donc que la mythologie n'est que poésie, je l'entendrai et l'accepterai pour ce qu'elle est: un produit de l'imagination poétique[10].

L'abbé Lyonnois opère une distinction moins tranchée, puisque chez lui, l'histoire poétique «mêle le vrai au faux»; le rapport du vrai au faux non pas dogmatique mais comme problème de «mélange» est donc au centre de la pédagogie utilisant la mythologie.

3. Schelling ne pose la signification poétique de la mythologie que pour la réfuter ensuite: «une œuvre poétique ne naît pas par génération spontanée, elle n'est pas suspendue en l'air [...] il existe bien une vérité dans la mythologie mais une vérité qui n'a pas été mise intentionnellement, donc une vérité qu'il est impossible de fixer et d'énoncer comme telle»[11].

Et Schelling compare le «système» de la mythologie à la matière pure des néo-platoniciens: «on le trouve lorsqu'on ne le cherche pas, mais lorsqu'on veut le saisir ou en prendre connaissance, il s'échappe».

Schelling ne fait qu'analyser ce que l'abbé appelle le «merveilleux»; c'est pour lui une source inépuisable «où ils [les anciens] croyaient trouver des choses merveilleuses. Et les mêmes anciens se servaient de l'histoire poétique pour mettre dans leurs ouvrages une espèce de merveilleux»[12].

Le merveilleux est ici double: il est ornement de l'écriture mais son origine est l'histoire poétique comme source inépuisable d'un savoir à la fois sur les plus grands événements et les mystères de la théologie.

Cela revient à faire du merveilleux un langage codé intermédiaire entre les dieux et l'œuvre écrite, entre les forces dont les anciens reconnaissaient la présence dans la nature et la force du langage par laquelle l'homme se reconnaît en elle.

10. SCHELLING, *Introduction à la Philosophie de la Mythologie,* traduction de S. Jankelevitch, Aubier, Paris, 1945, pp. 11-12.

11. *Ibid.,* p. 14.

12. LYONNOIS, *op.cit.,* p. 1.

Que ce savoir ne forme pas un système, l'abbé le constate en parlant de tissu d'imaginations bizarres et amas de faits sans vraisemblance.

Ces trois thèmes de réflexion ont ceci en commun qu'ils renvoient tous à l'origine du langage comme instrument de savoir et donc à sa bipartition entre deux possibles, le vrai et le faux; plus profondément l'étant et l'être, dans la mesure où il échappe à la prise.

Le privilège de la mythologie paraît donc de remonter à un état du langage où cette bipartition n'est pas encore réalisée, où les imaginations bizarres et les faits sans vraisemblance sont la source inépuisable d'un savoir qui se dérobe à la prise et s'enrobe dans une perception poétique du monde.

Comparées au langage des Saintes Ecritures, les fables de l'antiquité classique sont les ténèbres opposées à la lumière. Pour l'abbé Lyonnois c'est même là l'utilité majeure de l'étude de la mythologie, désigner les ténèbres dont la vérité chrétienne est sortie.

«Si au contraire, [la] curiosité [de la jeunesse] est piquée, si elle apprend à réfléchir et surtout à bénir le Père des miséricordes de nous avoir tirés des ténèbres de l'erreur, pour nous faire jouir de son ineffable lumière, ne m'est-il pas inutile de parler? Mon livre n'a-t-il pas pour lui la plus haute recommandation?»[13] Le rapport au christianisme pose le problème de la révélation dans la succession, paradoxe de l'histoire des hommes auquel se heurtera un Constant à la même époque; mais surtout il oppose un langage approximatif de l'ineffable à celui de la fable, de ce qui peut être proféré, lorsque l'homme est laissé à lui-même, livré à la puissance d'un «logos» qui n'est pas Dieu. Le langage de la philosophie lui-même peut être récupéré par la lumière de l'ineffable, de Platon à Plotin. Seule la fable présente à l'état brut les errements de l'esprit humain, lorsqu'il referme son langage sur une absence d'origine, sur l'exclusion du Verbe divin.

Pourtant ce langage garde son attrait: il pique la curiosité, il donne à réfléchir. Il a une organisation interne qui, en dépit et peut-être à cause du refus platonicien, justifie son emploi dans la pédagogie; il est le lieu de toute culture profane. En effet, il est le langage naturel des poètes[14] et celui d'une humanité sans Christ: il révèle ce qu'étaient avant Lui «les hommes même les plus sages et les plus réglés; des adorateurs aveugles du démon qui reconnaissaient pour dieux des animaux, des reptiles, des plantes mêmes; qui ne rougissaient pas d'adorer un dieu adultère, une Vénus prostituée, une

13. LYONNOIS, *Op. cit.*, Avis de l'éditeur.

14. *Ibid.*, p. 11: «On ne parle pas seulement des poètes, dont on sait qu'elle [la fable] est comme le langage naturel».

Junon incestueuse, un Jupiter souillé de tous les crimes, et digne par cette raison de tenir le premier rang parmi les dieux»[15].

La mythologie est de ce fait un moyen de gommer la rupture opérée par le christianisme entre la pensée, l'ornement esthétique et le bien. Tout se passe comme si la tentative baudelairienne de dé-moraliser l'art ne devenait nécessaire qu'à partir du déclin de la mythologie.

Et la torsion réalisée par la mythologie prend la forme d'un curieux chiasme: la mythologie projette du côté du mystère chrétien son contraire de raison illuminante, l'Evangile rejette sur les dieux de la Grèce la beauté dont il ne dote que Satan. La beauté et le Verbe échangent leurs valeurs des deux côtés d'une faille qui sépare résolument le sacré du profane en dépit de toutes les tentatives classiques au dix-septième siècle et romantiques au dix-neuvième siècle pour le combler.

La crise à laquelle nous assistons à la fin du dix-huitième est inverse: depuis Helvétius jusqu'aux révolutionnaires, il y a tentative politique de promouvoir à nouveau un sacré mythologique sous forme de mythe. Tentative sans lendemain mais qui dresse face à un nouvel obscurantisme une élite sociale qui cultive le bonheur de vivre. La comparaison que les éducateurs tels que l'abbé Lyonnois font de l'un à l'autre penche nécessairement en faveur de la lumière du christianisme, instaurant ainsi une hypocrisie sociale de l'élite, qui vit sur deux langages selon qu'elle fréquente l'église ou le salon, cite Horace ou l'Evangile. La stragégie a pour but d'empêcher un retour utopique du polythéisme[16], plus gravement, un retour du mythe comme langage sacré[17]. Laissant à la mythologie le soin de coder les conversations et les amours de salon, les pédagogues formés par l'église chrétienne ont comme effet second de démythifier le langage de l'Evangile. Désormais l'homme dit cultivé se voit, outre le langage naturel, confronté à l'utilisation de deux langages codés, également «menteurs», quoique de façon différente: le langage naturel aux poètes anciens considéré comme modèle insurpassable et celui que les prêtres ont tiré de l'Evangile comme moyen de salut.

Le langage naturel devient celui du vulgaire, il lui faut des substituts chez les gens cultivés. Que celui des prêtres en puisse être un, Molière en avait fait la démonstration dans Tartuffe[18]. Le langage de la fable, à la

15. Lyonnois, *op. cit.*, p. 9.

16. Constant dit avoir eu l'idée d'un retour à une religion polythéiste en lisant Helvétius: cette démocratisation de la religion est l'un des pièges méthodologiques (analogie formelle de la politique et de la religion) dont on peut dire que Rousseau est l'inventeur.

17. C'est la tendance des mythologues allemands du début du dix-neuvième siècle: Görres et Creutzer.

18. Il s'agit ici évidemment de la célèbre déclaration de Tartuffe à Elmire.

limite, a la même fonction. Le bon abbé Lyonnois déclare à son lecteur que celui qui ignore la mythologie se voit condamné à ne rien comprendre de ce qui se dit et se montre en société[19]. Il s'agit dans les deux cas d'un code assez particulier qui porte la signification d'un signe sur le non-dit qui en est le prolongement. Or ce non-dit est précisément l'objet de l'étude de la fable, sur lequel porte le sens.

Contrairement à celui de Tartuffe qui fait dire à son discours ce qu'il n'est pas destiné par son organisation à dire, le «langage naturel des poètes» est l'utilisation d'un nom ou d'une forme allégorique, complètement isolée de notre dictionnaire des mots et des formes usuelles, pour signifier tout ou partie de leur histoire fictive qui, elle, a un sens, parce qu'elle reflète un archétype de comportement social: ainsi le jugement de Pâris. En effet il ne suffit pas de connaître le sens que reflète telle divinité ou demi-dieu du polythéisme: Diane la chasteté, Hercule la force, etc., il faut encore que chacune des valeurs humaines soit détaillée en comportements, souvent en conflit avec leur pureté initiale, révélant ainsi un catalogue de cas où les poètes puisent leurs compositions. Il ne s'agit donc pas seulement de la coquetterie qui permettrait de déguiser sa pensée au vulgaire par un langage transcodé par rapport au langage naturel: il s'agit d'un ensemble de modèles, longtemps considéré complet —et qui, nous le verrons, ne pouvait pas ne pas l'être dans l'esprit de ceux qui l'utilisaient— des situations dramatiques (tragiques ou comiques) où l'expansion d'une qualité dominante conduisait ceux qui s'y livraient dans leurs rapports avec les hommes.

Mais ce langage n'est pas seulement celui d'un catalogue de cas comme le langage médical; il produit ses propres signes rattachant des significations fort éloignées à une perception et non plus à un nom propre: ainsi la queue ocellée du paon renvoie-t-elle à la jalousie féminine par le biais de l'histoire d'Argus. Troisième translation: le paon métamorphosé par les yeux d'Argus devient l'animal consacré à Junon.

Imaginons un jeune homme de la fin du dix-huitième siècle confronté à une image que reproduit à sa façon la 28e figure de l'abbé Lyonnois, où on voit Mercure tuant Argus et, dans le ciel de la vignette, Junon assise sur un nuage à côté d'un paon. Cette figure n'illustre pas seulement une légende,

19. «Tous les jours on a devant les yeux des tableaux, des estampes, des tapisseries, des statues. Ce sont autant d'énigmes pour ceux qui ignorent la fable qui souvent en est l'explication et le dénouement». Lyonnois, op. cit., p. 11. On aperçoit ici une autre fonction culturelle de la fable: elle assure la relation entre le visible et le dicible dans le mobilier social, ménageant ainsi un bonheur de vivre codé pour exprimer ce que les bienséances empêchent de dire. La mythologie est langage indirect de ce qui est censuré par la bonne tenue du langage naturel, qui ne veut pas qu'on appelle un chat un chat. C'est ce que le bon abbé appelle le dénouement des tableaux figurés. Mais ce n'est qu'une des fonctions du langage de la fable.

elle sert d'élément de composition à tout écrivain qui veut parler de la beauté impérieuse d'une femme dominatrice et de la faiblesse secrète qui la fonde: au lieu de faire son objet de ce drame en raccourci, il peut s'en servir comme connu dans une composition plus vaste et plus complexe où il servira en quelque sorte de contrepoint à d'autres motifs.

On voit que ce code a pour caractère de n'être pas seulement allégorique: il n'y a pas toujours correspondance terme pour terme entre des traits et une signification, mais il laisse imprécise toute une marge signifiante sur laquelle peut se fonder une analyse personnelle du cœur humain.

Le secret du langage mythologique est donc d'être composé à la fois de signes complexes mais dont la singularité est garante de la précision ponctuelle de chaque élément et pourtant d'être la possibilité de combinaisons inépuisables —l'abbé Lyonnois, nous l'avons vu, le reconnaît— un peu comme dans le domaine graphique les caractères chinois, ou bien la décomposition étymologique des mots dans le lexical. La mythologie trace des unités narratives pour former des phrases complexes qui font la diction de chaque poète non plus à l'aide de mots mais à l'aide d'événements (par ex. Mercure tue Argus).

Or la caractéristique de tout langage est d'être un univers fini de signes aux combinaisons infinies. Si des événements composent les signes d'un univers langagier, ils sont en nombre fini[20]. On voit l'intérêt de la mythologie: elle évite le hasard dans la représentation des hommes, elle circonscrit leur histoire dans la contrainte d'un jeu qui se rapproche de celui de l'astrologie avec laquelle certains «antiquaires» du dix-huitième siècle ont établi, ou confirmé un rapport de signification (ne serait-ce que dans les constellations). En vérité il ne s'agit pas d'explication mais d'analogie de structure entre deux langages ayant la même fonction.

Mais ce qui distingue la fable de toute science des astres ou de la nature c'est qu'elle ne repose sur aucun système. Ce que tendent à oublier ceux qui font des systèmes astronomiques ou physiques de la nature l'explication des fables de la mythologie. La mythologie s'est formée peu à peu en langage, elle s'est élevée par degrés à l'abstraction du signe, parallèlement mais en retard sur le langage naturel.

Que Constant soit ou non l'auteur des remarques sur «Les lettres sur la mythologie» de Dupuis[21] c'est bien là le sens de ces remarques:

20. La prolifération des aventures des dieux au fil du syncrétisme, qui rassemble des éléments d'origine fort diverse, se produit comme les variations autour d'un thème: les variations peuvent modifier le sens d'une fable, elles en gardent la structure pour son utilisation. Le raffinement n'est que dans l'expression. La mythologie de ce point de vue est l'invention de langages sans cesse plus raffinés sur des motifs obligés.

21. Ce Dupuis, l'une des bêtes noires de Constant dans son *Polythéisme,* appartenait au

> Quant au chapitre des Etres moraux[22], il est totalement tronqué, en ce que l'auteur n'y rend point compte de la marche graduelle qui conduisit à ces abstractions, quoique d'excellents auteurs et surtout Porphyre et Jamblique en fournissent d'excellents moyens et qu'on puisse suivre chronologiquement ce progrès dans l'Occident depuis Pythagore.

Ainsi le privilège de la fable est d'avoir constitué peu à peu un langage historique abstrait (ce que l'abbé Lyonnois appelle une histoire poétique) dans un réseau d'événements fixé une fois pour toutes, codifié de façon de plus en plus précise, d'Homère aux poètes hellénistiques, sans avoir de référence autre que le progrès de ce langage dans ceux mêmes qui s'en servaient.

Nous ne sommes pas si loin qu'il n'y paraît du désir de notre abbé Lyonnois que ses élèves ne paraissent pas stupides en société[23]. Pour que dans une société aussi étrangère à la Grèce, origine de la fable, que pouvait l'être un salon du dix-huitième siècle, ce langage pût être un usage nécessaire de la création poétique et de sa réception, il fallait qu'il tînt de lui-même sa cohérence.

Pourtant l'abbé parle de «tissu d'imaginations bizarres» et «d'amas de faits sans vraisemblance». Le langage mythologique a donc un statut particulier, même dans son aboutissement en tant que langage, statut que Schelling tente de définir de la façon suivante:

groupe des Idéologues. Il est l'auteur de *L'origine de tous les cultes* (1795) qu'on a pu caractériser comme «une sorte de manuel d'histoire des religions écrit par un athée». Pour éviter toute référence à un sacré quelconque, il explique la fable par l'astronomie et la physique, comme un langage scientifique avant la lettre. Cette explication naturaliste ôte à la mythologie toute valeur autonome de système original de signes, comme d'ailleurs l'explication inverse de l'abbé de Nancy qui s'évertue à démontrer que l'origine de la fable ne peut être que la vraie religion détournée de son sens par les dérivations du parler: «Comment cette histoire [poétique] qui contient d'aussi grandes absurdités peut-elle tirer son origine de l'histoire sacrée, qui est la vérité même?» Réponse: «La vérité qui jusque-là n'avait été confiée qu'au seul canal de la voix, sujet à mille variations, et qui n'était point encore fixée par l'écriture, gardienne sûre des faits, s'obscurcit par un nombre infini de fables dont les dernières augmentèrent beaucoup les ténèbres que les plus anciennes y avaient déjà répandues». Ce curieux texte pourrait être commenté de façon intéressante, fondé qu'il est sur le contraire de la tradition platonicienne, reprise par Rousseau, qui fait de l'écriture une source de déviation du sens par sa fixation même.

22. Il s'agit de la deuxième partie des *Leçons sur la Mythologie,* manuscrit de l'abbé Dupuis, passé sous forme de copie entre les mains de Constant: «La première partie pourrait se considérer comme un système complet. L'auteur, y écrit le commentateur, y passant en revue les divinités du ciel astronomique de l'air, de la terre, des eaux, des éléments physiques et des affections morales, on peut dire que le corps de la doctrine est établi sur tous les sujets».

23. «Il n'est pas rare que dans les entretiens on parle de ces matières; si on n'en a pas été instruit, on sera forcé de demeurer muet et de paraître stupide, ce qui sûrement n'est pas agréable». LYONNOIS, *op. cit.,* p. 11.

> Chaque signification ne possède dans la mythologie qu'une valeur potentielle comme dans un chaos, sans se laisser délimiter et particulariser; dès qu'on essaie de lui imposer des limites, de la particulariser, tout se trouve déformé et même détruit. En laissant au contraire chaque signification telle qu'elle est, en respectant l'infinité de ses relations possibles, on est sur la bonne voie, sur celle-là même qui conduit à l'intelligence de la mythologie[24].

Ce passage capital pour l'intelligence de notre problème montre que la signification a deux modes: la particularisation, repli sur soi, et l'expansion sur un tissu de relations possibles. En d'autres termes, dans le second cas, il s'agit d'étudier non pas *de natura verborum* mais bien *de varietate verborum.*

La mythologie appartient au second mode de signification; ce que Schelling dit: en employant le premier on fausserait l'opération. L'ensemble signifiant proposé par la mythologie n'est pas structuré, il est descriptible, c'est-à-dire qu'il est le lieu d'une écriture possible qui en rendrait la cohérence proposée.

Dans ce type d'ensemble signifiant, les interprétations se confondent donc avec la signification, bien que la matière soit verbale et utilise des mots dont la combinaison vise à une signification. C'est donc que les mots deviennent «propres», aussi bien les substantifs que les verbes. En d'autres termes, ils se définissent selon la syntaxe de la fable qui constitue à elle seule un système arbitraire, extérieur au langage, analogue à ce qu'est formellement le mètre musical, et que cette matière se déploie en un code de la poésie, de la «poiesis», dont elle serait en quelque sorte l'analyse herméneutique.

Au moment où la mythologie, dans un dernier éclat, est en train de mourir comme code de la poésie, ce moment qui nous occupe avec l'abbé Lyonnois, Constant et Schelling, on ne peut plus concevoir que la mythologie coïncide avec le faire poétique: ou bien elle n'est qu'un pur ornement, qui se transmet traditionnellement, ou bien on en tente la philosophie, avant qu'on procède à l'analyse comparée des mythes qui en marque le déclin définitif en tant que langue.

Mais il est d'autant plus intéressant d'étudier la forme que prend ce langage au moment de sa disparition. Son aliénation en pure ornementation fait de la fable en effet un amas de tous les procédés littéraires de la signification, constituant l'alphabet devenu utilitaire de toutes les figures de la poésie. C'est le résumé de notre analyse.

Prenons l'exemple de ce qui a trait à Mercure dans le manuel de l'abbé Lyonnois.

24. SCHELLING, *op. cit.*, p. 16.

«Que sait-on de certain au sujet de Mercure?
«Ce Mercure dont il est ici question fut véritablement fils de Jupiter et de Maya, fille d'Atlas, de la race des Titans. Comme il était fort savant dans la science de la magie et que les Titans le consultaient, on a dit qu'il était l'interprète des dieux. Ses talents pour l'éloquence ont fait imaginer cette chaîne d'or qui sortait de sa bouche et s'attachait aux oreilles de ceux qu'il voulait conduire. Les diverses négociations où il fut employé par Jupiter dans les différentes guerres qu'il eut avec les princes de sa famille l'ont fait passer le messager des dieux. Comme il les raccommode fort souvent ensemble, on l'a pris pour le dieu de la paix et des alliances. Confident de Jupiter, ce dieu l'employa à faire réussir quelques-unes de ses intrigues, et il eut le secret de ses galanteries.
«Pourquoi la fable fait-elle de Mercure le dieu des marchands et des filous?
«Tout ce qu'en dit la fable n'est fondé que sur ce qu'il était habile navigateur, adroit à tirer de l'arc, brave dans les combats et qu'il joignait à toutes ces qualités toutes les grâces et les agréments du discours. De là on a mis sur son compte toutes sortes de filouterie; et nous apprenons de Lucien qu'étant encore enfant il avait volé le trident de Neptune, les flèches d'Apollon, l'épée de Mars, et la ceinture de Vénus.
«Comment représentait-on Mercure?
«Comme il était le dieu des marchands et des voleurs, on le peignait ordinairement la bourse à la main; en qualité de grand négociateur des dieux et des hommes, il portait le caducée symbole de la paix. S'il a des ailes sur son bonnet, à ses pieds et à son caducée, c'est pour marquer sa légéreté à exécuter les ordres des dieux. La vigilance que tant de devoirs demandent fait qu'on lui donne un coq pour symbole. On le peignait en jeune homme, beau de visage, d'une taille dégagée, tantôt nu, tantôt avec un manteau sur les épaules, mais qui ne le couvre qu'à demi»[25].

Cet article est fondé sur un série d'oppositions.
1) celle entre la personne et sa généalogie (l'individu et la race);
2) celle entre une personne douée de qualités humaines et ce qu'on dit ou imagine d'elle (comme il était fort savant, on a dit ...);
3) celle entre les qualités propres et les qualités dérivées;
4) celle entre la fonction et son symbole;
5) celle entre l'image et la fable (le caducée qui n'était pas lisible par les moyens du symbole ou de l'icône est lui-même matière à une fable adventice qui se rattache à la personne).

Tous ces types d'images formalisent l'être de chaque dieu dans son apparaître, c'est-à-dire dans sa nature *(phusis),* se trouvant ici non seule-

25. Lyonnois, *op. cit.*, pp. 59-61.

ment catalogués, mais effectués, mis en œuvre, pour constituer un nom: Mercure, dont la sonorité, grecque ou latine, Hermès ou Mercurius, ouvre et ferme le cycle d'une chaîne dont le thème est la reconnaissance: on reconnaît les traits des ancêtres dans l'individu, les qualités de la personne dans ce qu'on dit d'elle, les qualités propres dans les qualités dérivées, etc. Cette chaîne n'a pas de référent (si ce n'est le nom d'un dieu), chacune des significations n'existant que dans son rapport à une autre, depuis les plus anciennes jusqu'aux plus élaborées, depuis la tradition homérique jusqu'aux raffinements hellénistiques. L'histoire de la mythologie se résorbe dans un système de signes-images-récits, en même temps qu'elle s'y accomplit.

Il est vrai que ce cercle herméneutique est considéré comme gage de certitudes pour le bon abbé: «que sait-on de certain au sujet de Mercure?» Il y a autour de la fable une frange d'incertitude au-delà de ce cercle herméneutique qui renvoie d'une signification à une autre sans constituer un système référentiel. A partir du moment où ce cercle désigne une force naturelle, une puissance contre laquelle l'homme doit se mesurer, la certitude se dégrade et devient religieuse. L'interprétation de l'histoire de la mythologie à cette époque, si orientée qu'elle soit par des considérations idéologiques, renvoie à un état innocent comme «poétique». L'abbé, à l'inverse de Schelling, voit ce triomphe du poétique sur le religieux comme celui de la religion chrétienne qui occupe à elle seule tout le religieux. Le philosophe allemand, comme son compatriote Hölderlin, tente de justifier, mais avec moins de succès que celui-ci, l'origine poétique de la mythologie, qui aurait ensuite «dégénéré en représentation purement et exclusivement religieuse»; et de citer «la suggestion d'Hérodote qui, dans un passage célèbre et très discuté, dit, en parlant, non des poètes en général, mais d'Hésiode et d'Homère, que ce sont eux qui ont donné aux Hellènes leurs théogonies».

Cette histoire de la mythologie, Constant, dans son fameux *Polythéisme,* y est sensible à sa manière, mais pour faire de ses mutations dans les poètes, le reflet d'un état social et politique, et particulièrement des rapports d'un peuple libre avec la morale.

Ainsi tous ceux qui «pensent», en cette époque de révolution de l'imaginaire, cherchent-ils à détacher la mythologie de tout ce qui serait directement ou non une explication religieuse de la fable; en d'autres termes, la tendance est de faire de la mythologie une production libre de l'esprit et du faire humain dans sa représentation.

Seuls d'honnêtes pédagogues, comme l'abbé Lyonnois, célèbrent la fable comme un langage original, rapprochant le langage naturel de l'usage poétique de la langue, et opérant un syncrétisme gréco-romain qui, détachant de tout renvoi à l'histoire grecque ou romaine, fait de la mythologie une invention, enrichissant la série cognitive signes-images d'une dimension narrative, qui triplerait la rencontre representamen-objet-interprétant du signe avec la primarité, la secondarité, la tiercéité de l'image[26], de la triade narrative repérée dans le portrait de Mercure: généalogie, qualité narrativisée, construction narrative d'un objet (le caducée).

La mythologie accouche au moment de mourir[27] d'un système de poésie plus complexe que le système image-signe, seulement cognitif. Il se perpétue dans nos modernes dictionnaires de la mythologie[28], faisant durer à côté des progrès de la mythologie comparée et de l'ethnologie un langage à trois dimensions qui se rapproche de ce que le cinéma cherche à réinventer de nos jours.

Mais ceci est une autre histoire. Rappelons simplement la définition de Paul de Man d'où nous étions partis: «l'allégorie est l'expression d'une expérience fondamentale du temps sur un mode séquentiel illusoire»[29].

26. On reconnaît ici la sémiotique de PEIRCE. Voir *Ecrits sur le signe,* commentaires de Gérard Deledalle, Paris, Seuil.

27. Quand je parle de ce moment de mourir, il faut remonter à l'usage courtisan de la mythologie institué par les princes français à la suite de Louis XIV, à la différence des cours italiennes, où il était encore lié à une cosmologie syncrétisant paganisme et christianisme.

28. Le dix-neuvième siècle en a été le premier «conservateur», et par exemple dans un ouvrage compulsé par tous les écrivains postromantiques: *Dictionnaire classique de l'Antiquité sacrée et profane, contenant l'explication de tous les noms mythologiques, historiques, géographiques, ainsi que des noms d'usage, dignité, etc. que l'on rencontre dans la lecture des écrivains grecs, romains et hébreux,* par M.N. BOUILLET, ex-professeur de philosophie au Collège Sainte-Barbe, proviseur du Collège Bourbon, Paris, librairie de Belin-Mandar, 1841. Dans la préface de cet ouvrage, Bouillet reproche aux dictionnaires du dix-huitième siècle et en particulier aux *Siècles Payens* de SABBATHIER DE CHÂLONS, (Paris 1784 et sv., 8 vol.) de ne vouloir qu'opposer les œuvres du paganisme à la religion chrétienne et par conséquent de ne traiter presque exclusivement que de la mythologie. C'est bien ce que fait aussi l'abbé Lyonnois.

29. Ce qu'exprime aussi de façon moins nuancée SCHELLING, *op. cit.*, pp. 148-149: «À bien juger, c'est le successif qui constitue l'élément réel de la mythologie, son côté vraiment historique; c'est dans le successif que résident sa réalité et sa vérité; grâce au successif, nous nous trouvons sur un terrain historique, celui de l'évolution réelle».